A-Z GLASGOW Deluxe

C000072327

CONTENTS

Key to Map Pages	2-3	Index to Pl	
Large Scale City Centre	4-5	Index to Pl	
Map Pages	6-165	Index to Sports and Leisure	205-206
Index to Streets	166-200	Index to Hospitals & Hlth. Centres	207-208

REFERENCE

Motorway	**M8**
A Road	**A77**
Under Construction	
Proposed	
B Road	**B812**
Dual Carriageway	
One Way Street	➡
Traffic flow on A Roads is also indicated by a heavy line on the driver's left.	➡
Pedestrianized Road	
Restricted Access	
Track	---------
Footpath	---------
Residential Walkway	·············
Railway	Level Crossing ⋈ Station ▬
Underground Station	●
Local Authority Boundary	— · — · —
Built Up Area	MILL ST.
Posttown Boundary	
By arrangement with the Post Office	
Postcode Boundary	— — —
Within Posttowns	

Map Continuation **86** Large Scale City Centre **4**	
Ambulance Station	✚
Car Park	P
Church or Chapel	†
Cycle Route	🚲 ··········
Fire Station	■
House Numbers A and B Roads only	13 8
Information Centre	🄸
National Grid Reference	⁶60
Police Station (Open 24 Hours)	▲
Post Office	★
Toilet	▽
Toilet with Disabled Facilities	♿
Educational Establishments	◣
Hospitals & Health Centres	🄷 ◣
Leisure and Recreational Facilities	◣
Places of Interest	◣
Public Buildings	◣
Shopping Centres and Markets	◣
Other Selected Buildings	◣

SCALE

Map Pages 6-165	Map Pages 4-5
1:13368 (approx 4¾ inches to 1 mile)	1:6684 (approx 9½ inches to 1 mile)

Miles 0   ¼   ½
Metres 0   250   500   750

Miles 0   ⅛   ¼
Metres 0   100   200   300

Geographers' A-Z Map Company Ltd.

Head Office:
Fairfield Road, Borough Green, Sevenoaks, Kent, TN15 8PP
Tel: 01732 781000 Fax: 01732 780677

Showrooms:
44 Gray's Inn Road, London, WC1X 8HX
Tel: 0171 242 9246 Fax: 0171 430 2081

2

Arden
Caldarvan Loch
Dumgoyne

Alexandria
A82
A811
B821
Netherton
Clachan of Campsie

Bonhill
Blanefield
Strathblane
A891

Renton
B857
A813
Craigallian Loch
Mugdock
6

A814
Black Linn Resr.
Fyn Loch
Greenside Resr.
Mugdock Resr.

Castlehill **DUMBARTON**
Silverton
Loch Humphrey
MILNGAVIE
Craigmaddie Resr.

RIVER CLYDE
16 **17**
Kirktonhill
Milton
24 **25** **26** **27** **28**
Bardowie
Balm

Broadfield
18 **19** **20** **21** **22** **23**
Bardowie

A8
Langbank
31
Bowling
Old Kilpatrick
Duntocher
Faifley
BEARSDEN
Buchley
Cadde

Erskine Bri
Mountblow
Parkhall
Summerston
Bishopbrig

38 **39** **40** 1 **41** **42** **43** **44** **45** **46** **47** **48**
Bishopton
30
Erskine
CLYDEBANK
Drumchapel

Kilmacolm
Rossland
Inchinnan
Yoker
Temple
Milton
Balo

B789
56 **57** **58** **59** **60** **61** **62** **63** **64**
Scotstoun
Maryhill
Barr

B788
Quarries Village
A761
B790
RENFREW
Partick
Port Dundas

Bridge of Weir
Houston
Craigends
Whiteinch
18 17 16 15 14

72 **73** **74** **75** **76** **77** 28 **78** **79** **80** **81** **82** 19 **83** **84**
Brookfield
Linwood
27
29
26
Govan
Ibrox

Ranfurly
PAISLEY
Hillington
25 24
23 22 21 20

Kilbarchan
Tandlehill
Elderslie
Blackhall
Mosspark
Pollokshields

94 **95** **96** **97** **98** **99** **100** **101** **102** **103** **104**
JOHNSTONE
Glenburn
Hurlet
Pollok
Pollokshaws
RUTH

Howwood
Glenburn Resr.
Nitshill
Priesthill
2
Mansewood
Cathcart

Lochwinnoch
Caplaw Dam
West Arthurlie
114 **115** **116** 3 **117** **118** **119** **120**
Thornliebank
Giffnock
Croftfoot
Castlemi

Newton of Beltrees
Whittliemuir Midtog Loch
BARRHEAD
Stamperland

Barcraigs Resr.
Neilston
Clarkston
Carm

Beith
A736
130 **131** **132** **133** **134** **135** **130**
4
Shillford
Uplawmoor
Netherplace
Newton Mearns
Busby
Thorntonhall

Gateside
Commore Dam
Waterfoot
Westwo

Highgate
Hall
Lugton
Harelaw Dam
A77
Jackton
148

Barrmill
Long Loch
Brother Loch
Lochcraig Resr.
Eaglesham

KEY TO MAP PAGES

SCALE

Bennan Loch
Dunwan Dam

0   1   2   3   4   5 Miles

0 1 2 3 4 5 6 7 Kilometres

Lochgoin Resr.

Craigendunton Resr.

Waterside

6

6 ²60

A
Crosshouse
Kier Hill
Rosedene
Wellbank
East Lodge

1 STRATHBLANE A891

79

B
Baillie Hill
Kilwinnet
Hall

ROAD

C
KIRKTON
CASTLEVIEW
Cricket Grd. Weir
Haughhead
Balcorrach

GLEN

D

E A S T   D U N

Hole

Capiesto House

P o w   B u r n
West Lodge
Glazert Wood
A891

Tennis Ct.
H

2
Bank Wood
Lovers' Leap
Nurses Home
Ten. Cts.
LENNOX CASTLE HOSPITAL
Football Grd.
Pavilion

678

3
Craigend Wood
Clochcore Wood
Filter House
Swimming Pool
The White House
Campsie House
Reservoir

NETHERTON HILL
OVAL
NETHERTON
OVAL
Baldow
Baldow Plantation

Glen

4
Mounthuillie
Drum Plantation
B a l d o w   G l a

77
G 65

5
Cattle Grid

6
Peathill Wood
Newlands

Glenwha

G 64

76

²60 **A** Wa

B Waterfall

28
61

C

D

16 37

A B C D

38

77

1

KIPPEROCH

Whiteleys Burn

Perrays Wood

Dalmoak House

Sewage Pump Station

Works

Underpass

Mains Lodge

Weir

Dalmoak Farm

Weir

Weir

RENTON RD.

D U N B A R

Whiteleys

RENTON ROAD

A812

VALE OF

W

W A R

2

Lea Farm

Dalreoch Prim. Sch.

Castlehill

Knowetop Comm Farm

KNOWETOP CR.

CUMBRAE CRES. NTH.

KING'S WAY

ARRAN AV.

KNOWE AV.

RATHLIN TERRACE

QUARRY

QUARRY

Dalreoch

HAZEL AV.

MAPLE AV.

PERRAY AV.

HOLLY

CASTLEHILL R.

CASTLEBRAE

CASTLEHILL

CASTLEBRAE

PLACE

PERRAYS DRIVE

ROWAN DR.

HAWTHORNHILL

HAWTHORN AV.

CUMBRAE CRESCENT SOUTH

CASTLEHILL ROAD

Dennystown

3

Leabrae

Leabank

C A R D R O S S

Cats Castle

210

206

200

WESTCLIFF

ASHTON VIEW

ASHTON VIEW

WAVERLEY

TALISMAN AV.

WESTCLIFF

KYLE T.

CARRICK T.

CARRICK CR.

TURNBERRY

A814

131

126

Our Lady & St.Patricks High Sch.

SUNDERLAND AV.

DUMBARTON JOINT HOSP.

Mem. Park

95

96

ROAD

HORN DR.

Clydebank College (Dumbarton Campus)

CASTLEHILL QUADT.

BLACKBURN

LEVEN VALLEY ENTERPRISE CEN.

DALREOCH CT.

65

48

31

34

ROAD

Sewage Works

Playing Field

Football Pitches

P

P

P

HAVOC ROAD

Havoc Hole

Football Pitches

Playing Field

Westfield

Convent

Library

St. Michael's Prim. Sch.

Brucehill Play. Fld.

Ardoch

BRUCEHILL ROAD

BONTINE AVENUE

HILL ST.

GRAHAM RD.

NAPIER CRESCENT

CHARLOTTE

OXHILL

OXHILL ROAD

CEN.

HELENSLEE CT.

GLENCAIRN

CALEDONIA TER.

FIRTHVIEW

KEIL

OXHILL

HELENSLEE

G82

4

675

Keil Sch.

Kirktonh

Monastery

Playing Field

DIXON

KEIL TERRACE

HELENSLEE ROAD

5

R I V E R

Mean High Water Springs

ME

6

C L Y D E

Port Glasgow
PA14

Timber Ponds (Disused)

74

37

A B C D

38

E Overtoun
Waterfall
bardie Linn

F

43

G

44

H
Grouse Butts
Greenland
Reservoir No.2
Overflow

76

Lang Craigs

Raven's Crag

Ford

1
Gro

Greenland
Reservoir No.3

ll Hill
Dumbar

Barnhill

W E S T

TOM'S SEAT

F.B
Overflow

Sluice

Craignair

Warren Cottage

Ford
Mast

Rigangower

2

R T O N S H I R E

Waterfall

675

Middleton Wood

Boat House
Loch
Bowie

Middleton

Milton Burn

Waterfall

Boat House
mbowie
Northwood

Waterfall

Old Chapel of Colquhoun
(remains of)

Mattockhill

Greenland
Riggengower

Waterfalls

3

Old Mill
House

Milton House

Craigunnock

Quarry
(Stone)

a r t o n

20

Dumbuck **G82**

MILTON
CT.

Milton

MILTON BRAE
MILTON HI

★

Auchentorlie Glen

COLQUHOUN

LENNOX RD.

Prim
Sch

HILL VIEW

WHYTE CORNER

Auchentorlie Wood

Fort
SHEEP HILL

T Wood

4

Dumbuck Farm

CRANNOG RD.

D U M B A R T O N

Depot

A82

R O A D

Glasgow

Auchentorlie
House

A74

G60

Auch
Waterfall

Mean High Water Springs

Weir

GREAT WESTERN RD.

DUMBARTON

5 RD.

Milton Island

Tanks

Depot

Works

Piers

Piers
Pier

Dunglass Castle

C L Y D E

H I R E

Remains of
Old Causeway

6
Je

LONGHAUGH POINT

73

E

F

39
43

G

H

44

44

A   **B**   245   **C**   **D**

LOCH HUMPHRE
(Reservoir)

Greenland
voir N.62   Overflow
Boat She

1   For
Grouse Butts
Dam

F.B.   Sluice
Overflow

Greenland
Reservoir No.3
C R A I G A R E S T I E

K I L P A

D u m b a r t o n

2   Rigangower
G82

675
D U N B A

Bow Linn
Waterfalls
Waterfall
Quarry (Disused)

3   Waterfall   Reservoir
McKellar's
Wood

Auchentorlie Glen
Auchentorlie Burn

19
Lonendale
Wood

Glenarbuck
Haw Craig

4   T Wood
Hill of Dun

K I L P A

Auchentorlie
Cottage

Auchentorlie   Dam
74   House
High
Auchentorlie
Waterfall   East Wood   Gavinburn G
Lodge   **Bowling**   Torwood Villa   Lodge

Weir
Waterfalls

G R E A T — A82   W E S T E R N   Glenarbuck House
MANSE
SCOTT AVENUE   Dunarbuck   G l a

5   D U M B A R T O N   Cottage
CLYDE WAY   A814   Weir
Depot   Works   **Bowling**   P   Lodge   Gavinbu
Jetty   Frisky   R O A D   D U M B
Dunglass Castle   Wharf   Pier   Bowling Harbour   Lock   Basin   Jetty   Lock   Gavinbu
Jetty   Lock   ROMAN CRESCENT   Library

R I V E R   ROMAN   247

6   Jetty   **RENFREWSHIRE**
CRESCENT
C L Y D E   PORTPATRICK   **Chapel Hill**   Dep
Bishopton PA7   Donald's Quay   Ro
Light

73
44   **A**   **B**   **40**   **C**   245   **D**   on Beacon

E   F   47   G   48

Dirty Leven   H

76

COCHNO HILL

T R I C K   H I L L S

Loch Humphrey Burn

GREENSIDE RESERVOIR

W E S T

GAIROCH

THE SLACKS

R T O N S H I R E

6 75

Loch Humphrey Burn

22

Ford
Waterfall

74

Mound

R I C K   B R A E S

tle Grid

g   o   W

Craigleith

Reservoir (Covered)

Blackmailing

Blackmailing Reservoir (Covered)   *Filter Beds*

G60

Waterfall

Drums

Lodge

Hole Cottage

Mount Pleasant

Carleith

A82

Netherclose

R O A D

RUSSELL PL.

RUSSELL

7 3

CRESCENT

Cemy.

GAVINBURN PL.
GAVINBURN
ROAD

NSEFIELD KIRKTON
CT

THISTLENEUK

MOUNT

PEACOCK PL.
CHURCH
CT
ERSKINE VW.

181

Halls

PLEASANT RD.

STA.

41

North Dalnottar Cemetery

Carleith Prim. Sch.

ld
patrick

E

linic

ASHTREE
CT.

LISSETT

F
RD.
Kilpatrick

47

G

Crematorium

48

H

Lodge

Carneddans Wood 76

1

Cauldstream

HANGING STONE

Maidens Paps

Hanging Stone Wood

2

West Muirhouses

East Muirhouses

Grey Mare's Tail
(Waterfall)

G62

6 75

Todhill
Craig

Todhill Wood

I R E

Todhill
Wood

3

EAST
DUNBARTONSHIRE

Ragged Butts
Plantation

Shield Hill
Plantation

Upper Sourfold Glen

Muirlees
Plantation

Cochno Burn

Edinbarnet
Stables

Berry
Craigs

24

Lady's
Linn

b a n k

Lower Sourfold Glen

4

Edinbarnet

Kennels
Cottage

Tank

Weir

Cup & Ring
Marked Rock

East Lodge

Lodge

Craighen
Knowe

74

WINDYHILL
GOLF COURSE

Cup & Ring
Marked Rocks

Cup & Ring
Marked Rocks

COCHNO

Whitehill

Annie's
Linn

5

p Marked Rocks

Auchnacraig

ROAD

Law

Windyhill

CRAIGTON ST.

BURNBRAE ST.

CRAIGHAW ST.

Loansdean

Langfaulds
Cemetery

Edinbarnet
Prim. &
Nursy. Sch.

CRAIGBANZO ST.

CRAIGPARK ST.

FIELD RD.

DOUGLASMUIR RD.

ROAD

COCHNO ROAD

G61

AUCHNACRAIG

WISHART

SWALLOW

ORBISTON PL.

ORBISTON DR.

Southill

Electricity
Transformer
Station

P

ROAD

RAPLOCH CRES.

FAIF

6

AIFLEY

WATCHMEA

JOHN BURNSIDE DR.

MEALKIRK ST.

FERCLAY ST.

MIDDLEWARD

DRIVE

ROAD

St.
Joseph's
Prim. Sch.

LAWMUIR CRESCENT

WHITEHILL CRESCENT

COCHNO

B8050 BALJAFFRAY ROAD

WALKING MILL RD.

FLANDERS ST.

CRESCENT

Faifley Prim. Sch.

LANGFAULDS

LIMEKILNS ST.

QUARRYKNOWE ST.

ARDOCH ST.

BRYSON ST.

SCHAW DR.

CRES.

DUNTOCHER A810 ROAD

Langfaulds

Library

LENNOX

BEYLANDS

CAMERON ST.

THOMPSON

COLLINS ST.

RAIGS AV.

Hardgate

Playing
Field

Football Ground

Lawmuir

Depot

ROAD

Fort
(Remains of)
11

Girnal Hill

Hope Park
Quarry
(dis.)

1

Roman
Fort

Creecyhill
Wood

Cailhead
Plantation

Drumglass
Cottages

Sewa
Work

Bar

BARHILL
War
Mem.

Bar Hill

Eyrelan Glen

S T

Barhill
Wood

Burn

2

Manse
Pavs.

Board

Westerboard
Cottages

Woodside
Cottages

Easter Board

675

West
Board

O N S H I R E

Boardloch
Wood

3

Drumgrew
Plantation

Burn

34

Works

Board

Burn

Drumgrew

Blackwood

Blackwood

KINGSHILL

LITTLEHILL AV

SEAFIELD
CRES

BARONY PL.

DYSART
CL.

CADDONH
DRIVE

B8048

4

74

AIRTH IN.

DEVON VA.

LLEYFIELD

NORTH

Black
Wood

LANARKSHIRE

g   **o**   **W**

Little Drum
Plantation

PARK

5

LITTLE DRUM ROAD

MAINS

Gartshore Moss

G68

DRUM

ORCHARDTON WOODS
INDUSTRIAL PARK

Orchardton
Plantation

6

ROAD

Grayshill
Wood

73

GRAYSHILL

GRAYSHILL RD.

ROAD

Abattoir

Newla
Far

53

ORCHARDTON

ROAD

FIELD
RIAL
AREA

72

GRAYSHI

E

F

G

15

79 Bridge

H

²80

76

1

Crowbank

Prim. Sch.

HORNBEAM RD.

PINE

BOWLING Greens

MAPLE CT.

Sub.

ALMOND RD.

St. Lucy's Prim. Sch.

Glenhead Wood

PINE GR.

PINE PL.

PINE CT.

PINE RD.

CR.

Lib.

OAK

ELM DR.

ALMOND RD.

HAW HORN

ROAD

GEAN CT.

Glenhead

Comm. Cen.

Hlth. Cen.

Abron High Sch.

OAK ROAD

Sub.

²bronhill

2

6 75

Football Grd.

BIRCH

Comm. Cen.

BIRCH RD.

ROAD

ennis Cts.

LIME

CRESCENT

LIME CRES

ROAD

MOSS

FIR

WEST

Sub.

Sub.

O A U D

D I A

BLACKTHORN ROUNDABOUT

Sub.

Mid Forest

3

R T H

FANNYSIDE

Forest Plantation

Forest Plantation

MUIR

Forest Plantation

R K S H I R E

4

74

G W O

Glencryan

Burn

5

FANNYSIDE

PALACERIGG GOLF COURSE

PALACERIGG COUNTRY PARK

LOCHS

Visitor Cen.

Palacerigg Cottage

Cattle Grid

Cumbernauld Museum

P

Club House

PALACERIGG (CUMBERNAULD) GOLF COURSE

Picnic Area

6

73

E

F

Picnic Area

79

Picnic Area

G

H

Herd's Hill

²80

South
Bardowie

Road
House

Aqueduct

G62

River Kelvin
Sand Pit

EAST

Buchley
Cottages

Works

Pumping
Station

Bonded
Warehouses

Buchley
Lodge

Buchley

Roman Fortlet
(site of)

ROAD

DUNBARTONSHIRE

Road

BALMUILDY

WILDERNESS   PLANTATION

72

muildy
dge

Roman Fort
(Site of)   Easter
Balmuildy

Brick
Factory

BALMUILDY

Balmuildy
Cottages

Kennels

G64

MAVIS

48

WEST

O

W

Refuse Disposal
Plant

WESTFIELD

Bishopbriggs

4

71

OF

ROAD A879

Works

BISHOPBRIGGS

GOW

GOLF   COURSE

ROAD

Forth & Clyde Canal

Turnbull
High Sch.

5

ST. AN

BISH

Parkholm
Farm

1283

LOCHFAULD

Lochfauld

Football
Pitch

BR

Playing
Field

NO

D

ROAD

G22

St. Mary's
School

BALMORE

ROAD

Kenmure Farm

6

KE

CASTLEBAY DR.

POSSIL LOCH
(Bird Sanctuary)

ST.

SHELDAIG

63

CAST

LEBAY   STREET

CATHAY

SCARAWA
DR.

670

E   AUTH   HILLSWICK   59   SKERRAY   STREET   RAASAY   STREET   SCARAWA   ST.   RAWAY   STREET   260

Playing Field

Playing Field

Auchenkilns Holdings

BLAIRLINN IND. EST.

North Myvot

Madgiscroft

Garngribboch

Wester Blairlinn

Limekilns

Madgiscroft Quarry

Cragside

Millcroft Corn Mill

Milncroft

ROAD

Mill Lade

Milncroft Wood

Lochside Cottage

North Bellstane Plantation

Hallbrae

South Myvot

Loanhead

N A R K S H I R E

Bellstane Lodge

Summerhill

Shank Burn

Clay Pit

Broomlee Strip

A i r d r i e

Summerhill Strips

Shank Bridge

Bellstane

Summerfield Strip

CULLOCHRIG RD.

BLACKBOG

Mossywood

South Bellstane Plantation

ML6

GAIN AND SHANKBURN

B802

Douglas Glen

SHANKBURN   The Gains   Gain School

Mossywood Clumps

Blackcraig Wood

Cullochrig Plantation

Cleddans

Black Craig

New West Lodge   East Lodge

Heatherfield Wood

Douglas Plantation

West Lodge

Mosshouse

70

West Craigend

E F 41 G H 48

Refuse Site

MILLFIELD GDNS. DR.
MILLFIELD DR.
CRES.

BARHILL ROAD

SOUTHBAR ROAD A726

Southbar East Gate

Heatherhouse Plantation

South Gate

Viaverdi

Wheel Burn

ther Southbar Cotts.

OLD GREENOCK ROAD

PARK HILL
PARK RIDGE PARK BRAE
PARK GROVE
PARK GREEN
PARK MOOR
PARK GATE
PARK GATE GLADE
PARK GATE
PARK GATE DRIVE

Barsail Prim. Sch.

Freeland

TURNHILL DR.
TURNHILL AV.
TURNHILL MDWS.
CRAIGIEHALL AV.
CRAIGIEHALL CR.
CRAIGIEHALL WY.
TURNHILL CR.
TURNHILL DRIVE
TURNHILL GDS.

FREELAND DRIVE

BROOMHILL CR.
FERN AV.
MOSS DR.
BROOM ROAD

Park Holdings

HIGH PARKSAIL DR.
LOW PARKSAIL
PARKSAIL DRIVE
PARKSAIL

WINDING ROAD

PARKSAIL ROAD

Park Mains

St. Anne's Prim. Sch.

PA8

PARKVALE PL.
PARKVALE AV.
PARKVALE GDS.
PARKVALE CR.

PARKINCH

BOURNE CR.
PARK CRES.
BOURNE CT.

NEWSHOT DRIVE

GARNIELAND PL.
GARNIE PL.
GARNIE LA.
WOOD
GARNIE AVENUE
GARNIE ROAD
HAW
HAW HORN
HAWTHORN RD.
MILVEN FLD.
BROOMLANDS CR.
BROOMLANDS AV.
BROOMLANDS GAT.
WRIGHTLANDS CR.
SANDIELANDS AVT.
BROOMLANDS GDS.

Southbar

69 uche

Cemetery

LUCKINGSFORD RD.
LUCK INGSFORD GREENHEAD
FREELAND DR.
LUCKINGSFORD DR.

BROOMLEA CRES.

Greenhead

INCHINNAN

BANCHORY AV.
BROOM PARK DR.
BALTAR DR.
BIRKHALL AV.
RANCHORY AV.
BALMORAL
BRAEMAR
GREENOCK ROAD

Inchinnan Prim. Sch.

Playing Field
Greenhead

LADYACRES WAY
LADYACRES CRES.

WSHIRE

1
2
3
57
58
4
5
6

BROOM HILL

Rod Smithy House

New Mains

GREENOCK A8 ROAD

B790
ROAD

BARNSFORD ROAD A726

Works

TA Centre

Camp (Disused)

Brownsfield

NEWMAINS AV.
Factories
BROWNSFIELD CR.
Wks.

BARNSFORD AV.
CARTSIDE
Works

SOUTH ST.

Works

Works

Barnsford Bridge

INDIA DRIVE

FOUNTAIN CRESCENT
ALLANDS AV.

FOUNTAIN AVENUE
FOUNTAIN DR.

INCHINNAN INDUSTRIAL ESTATE

PA4

Recreation Ground

Pumping Station

68

Town of Inchir

BLACK CART WATER

Wester Yonderton

Easter Walkinshaw

WALKINSHAW

Easter Yonderton

YONDERTON ROAD

PA3

67

E F 77 G GLASGOW H AIRPORT 48

47

A B ▲ 42 C D

Clydebank
Clydebank District Museum

Erskine
PA8

Causeway
GARNIELAND PL.
GARNIE OVAL
48
670
DRIVE
GARNIE AVENUE
BROOM GDS.
Garnieland Road
HAWTHORN ROAD
HAW-THORN CR.
HAWTHORN WAY
HAWTHORN AV.
Broomlands
BROOMLANDS
FLURES PL.
FLURES AV.
FLURES GATE
FLURES AVENUE
FLURES DRIVE
DRIVE
FLURES CRES.

Works
Hall ST.
BRUCE ST.
WALLACE ST.
CENTENARY CT.
BONE ST.
ATLAS ST.
CART ST.
CUNARD CT.
CENTENARY CT.
BELMONT
HUME

Dock

Works

SANDIELANDS AV.
WRIGHTLANDS CRES.

Sandieland Wood

BANCHORY DR.
BROOMPARK DR.
Inchinnan Prim. Sch.
BANCHORY AVENUE
WATER DR.
BIRKHALL DR.
BRAEMAR
BALMORAL
Northbar House

Teucheen Wood

Florish Cottage

Works

Pump House

669
OLD LADYACRES WAY
OLD LADYACRES
GREENOCK ROAD
BRAEMAR ROAD

R E N F R E W S H I R E

Old Mains

INCHINNAN
Depot
Beardmore Cottages
Florish

Colin's Isle

RENFREW GO

◄ 57

Town of Inchinnan

A8 ROAD
Portnauld

4

68

BLACK CART WATER
Inchinnan Bridge
Swing Bridge
White Cart Bridge
ROAD
INCHINNAN
24
Depot
Club Ho. GRYFFE AV.
Hotel
WEST LODGE RD.
Warehouses
AVENUE
MORIARY
Pumping Station

5

Easter Yonderton
ROAD

**Paisley
PA3**

ABBOTSINCH ROAD

Netherton

KIRKLAND NEUK CR.
KIRKLANDNEUK
LENNOX TER.
LAGGAN RD.
MORAR PL.
CRERAN DR.
JARGON
VENNACHER ROAD
LEVEN
NESS RD.
KIRKLANDNEUK ROAD
ARD
Kirklandneuk
Pavs.
Kirklandneuk Park
NETHER

6

GLASGOW AIRPORT

67

WHITE CART WATER

PORTERFIELD ROAD
Works
Porterfield
Works
Factory
CLARK ST.
VICTORIA ST.

48

Rec. Grd.

A B ▲ 78 C D

49

Arronhill
Plantation

Drumsack
Plantation

Garnkirk
Burn

RICHMOND
GDS.

PEATHILL
BARCALDINE AV.

GREENLEA ROAD

70

M80

Glen.
Cott.
Glen.
Plantation

CROW WOOD
GOLF COURSE

THE EVERGLADES

LANRIG PL.

DRUMSACK

CAMPSIE KNOWE

CAMPSIE VIEW

FLEMING AV.

1 Playground

Hornshill

Garnkirk Ho.
(Club Ho.)

JOHN
BROWN
PL.

BERRYKNOWE AV.

L A N A R K S H I R E

Sub.

Crow Wood

Crow Wood
House

A80 ROAD

WOODHEAD TER.

CROW WO. TER.

CROW WOOD RD.

POTASS

LIL

2

Burn

DRIVE

Lodge

CUMBERNAULD ROAD

LAURELBANK RD.

Playground

69

Hornshill
FARM RD.

Gateside

HARRIET AV.

Pav.

Warehouse

Recreation
Grd.

HARRIET PARKVIEW DR.

Bus
Depot

Highpit
Plantation

Woodhead
Farm

Depot

Mossin

3

BUCHANAN CT.

BUCHANAN
BUSINESS PARK

g

o

W

Garnkirk

Works

WOODHEAD IND. EST.

Wor

68

Mem.
Lib.
Sch.

CARDOWAN RD.

DR. CARDOWAN COURT

Cardowan
Cottage

Woodhead
Cottage

WOODHEAD

Stepps

Club

GARNKIRK LA.

Gartloch
Cottages

4

St. Joseph's
Prim. Sch.

ARDTOE PL.

DR. IMMIN RD.

RESIPOL RD.

GASKIN

ROAD

ARDTOE CR.

DORLIN RD.

68

ANKFIELD

MOSS VIEW RD.

Craigendmuir

CRAIG ENDMUIR RD.

COMEDIE RD.

AYHOUSE

CRAIG
ENDMUIR
WAY

ST CR.

G69

Drain

5

G L A S G O W

ROAD

Lodge

B806

West
Cottages

6 Recreati
Ground

GARTLOCH

Lodge

67 urts

68

Blackfaulds
Farm

LYCAIRN

ST.

Cloverhill

Avenuehead Farm

Refuse Site

670

1

Drumcavel Lodge

ROAD

BIRKENSHAW ROAD

DRUMCAVEL RD.

M73

M73-MOTORWAY

GLENBOIG ROAD

Inchneuk Farm

L A N A R K S H I R E

Shankramuir

Inchnock Tower (remains of)

2

Drumcavel Quarry (Whinstone)

HILLSIDE COTTS.

69

INCHNEUK

MOUNT ELLEN GOLF COURSE

Bothlin Burn

SOUTH MEDROX ST.

MARNOCH DRIVE

Our Lady & St. Joseph's Prim. Sch.

O W

Club House

MARNOCK

OVAL

EAST GA.

OVAL

MONKLAND TER.

ROAD

GLENBOIG ROAD

THE CENTRE

JAMES'S PATH

THE GAINSIDE

GAINSIDE RD.

DRIVE

GLENBOIG

MONKLAND DR.

GLENBOIG ROAD

3

RUTHVEN LA.

CHAPMAN AV.

McGREGOR WYND

JURA WAY

BALLATER PATH

MARNOCH

Garnqueen Loch

War Mem.

94

GLENBOIG

NSTON

JOHNSTON

Bothlin Burn

CHESTNUT GRO

GLENBURN GDS.

GARRY

EAGLESHAM PATH

DIKYRA PL.

STRONE PTH.

PATH

GLENELG

PATH

CARSAIG LOAN

B804 ROAD MAIN

Comm. Cen.

150

ST.

CARRO

50

70

CARRICK

Football Grds.

Playing Field

Johnston

Hayhill Cottage

Garnqueen Farm

101 VIEW

Garnqueen

Garng Ju.

Recreation Ground

4

Works

68

Coatbridge

5

ML5

Bothlin Burn

Kingshill Cottages

Gartcosh Junction

Refuse Tip

Heatherbell

6

GARTGILL

Grid Sub Station

Woodend

Gartcloss Farm

Townhead Prim

67

A752

COATBRIDGE RD.

COATBRIDGE RD.

OCHGAR

DUDLEY DRIVE

DOVER ST.

DOCHART

GART

MERN

THORNTON ST.

SELBY

STREET

DRIVE

North
Mains

ROAD

Loanhead
Cottages

Wester
Fulwood
Cottages

Wester
Fulwood

Fulwood Mains
Cottages

B790

South
Mains Cotts.

River Gryfe

Knowes

Fulwood
Bridge

1

ROAD

Lodge

Ardgryfe

South Mains

W **S H I R E**

Nether
Craigends

Auchans
Cottages

Auchans

R **E**

LINWOODMOSS
WOOD

2

Ford

66

GRYFE CL.
BANK CL.
GRYFEWD
AV.
GRYFEWD

GRYFEBANK
CR.

GRYFEWOOD

CRESCENT

LOCHER
LOCHER WY.
LOCHER
GS.
LOCHER
GS.
LOCHER

FULTON GS.

DRIVE

FOOT

FULTON

THEBURN
GS.
NETHERBURN AV.
WOODBR P.

FULTON NDS

3

CLIPPENS

AUCHANS

stone

P a i s l e y

LINWOOD MOSS

76

ROAD

4

West
Fulton

East Fulton
Holdings

ROWAN

RICHMOND

ROAD

BERWICK
CRES.

CRAIG

IRVINE DR.

PA3

Linwood Moss
Sports Complex

Tennis
Courts

P

65

HOLM PL.

SEMPLE

SPIERS PL.

Clippens
Sch.

East
Fulton

Clippens

LINWOOD

KINNAIRD

CAIRN DR.

ROAD

MOSS RD.

D

DARLUITH

GILMARTIN

ROAD

East Fulton
Holdings

**East
Fulton**

Windyhill

Sub.

GILMARTIN
PL.

ALFORD
PL.

BRAIDWOOD
PL.

RUSSELL
PL.

MOORBURN
PL.

East Fulton
Prim. Sch.

ROAD

CLIPPENS

DRIVE

EDMISTON DR.

Comm.
Cen.

LOAN HEAD
AV.

LOAN HEAD
RD.

MONTROSE
DR.

AFFRAN PL.

CARRADALE
AV.

WOODFORD

CLAIR

MILL PL.

ERSK

KILBRENNAN

Sch.

EDILAND

MORAY PL.

ARROL PL.

AVON
DR.

MONT.

OXFORD DR.

NEPFAULD

GREEN
FARM
RD.

FULWOOD

AV.

North

BRYDSON
PL.

SOUTH

DUNLOP

BRIDGE

GREENHILL
CRES.

GREENHILL

AV.

5

RD.

Linwood
High Sch.

STIRLING

STIRLING

ROAD

AV.

MERCHISTON
DR.

LISMORE DR.

KILTEARN AV.

SCARFEL
AV.

CALDWELL
AV.

FINLAY
DR.

WEEPLE DR.

VERNON DR.

KINLOCH
AV.

PENTLAND
AV.

WILSON AV.

BLACKWOOD

AV.

BLACKWD
DR.

Club

MUIRHEAD
DR.

COWAL
DR.

MORVEN
DR.

MORAR
DR.

ABERNETHY
DR.

ROAD

BRIDGE

LAUDER DR.

WATSON
AV.

MOSS
AV.

BLACKSTOUN AV.

WEIR
AV.

REID
COTTON

SHAW PL.

PENSON

OF

LOCHHEAD
PL.

HART

Comm.
Cen.

MILLFORD
DR.

MELROSE
AV.

MELROSE
AV.

ARMOUR

P

ARDLAMONT SQ.
Hlth. Cen.

LAGHOLM DR.

6

RCHISTON
HOSPITAL

B789 ROAD

EIR

A761

Sub.

JOHNSTONE
HOSPITAL

LORNE
KINTYRE AV.

KINTYRE

CLIPPENS RD.

AVENUE RD.

Rec. Grd.

A761

BY-PASS 64

ouse

Nowfield

43

LINWOOD
INDUSTRIAL

114

A B C D

Paisley PA2

GLENFIELD AV.
GLENFIELD CR.
GLENFIELD
61
Cattle Market
Weir
Lower Glen
The Glen Park
PROCESSION RD.
Thornley Dam
Reservoir (Covered)
Brownside
CAPLETHILL ROAD
B774
Caplethill
Harelaw
Harelaw Mount

1

RENFREWSHIRE

2 **BROWNSIDE BRAES**

GLENBURN RESERVOIR
6 60

Harelaw Burn
BROWNSIDE DR.
BROWNSIDE CR.
BROWNSIDE GDNS.
ROWANPARK
ACACIA DR.
HEATHER DR.
MOSS DR.
BROWN DR.
AVENUE
GLENIFFER
755
Cross Stobs
BOYLESTONE
WHIN AV.
GORSE DR.
FERN DR.
DRIVE
PAISLEY
142
107
78
STOBS
LINNHE CT.
LEVEN CT.
SHIEL
SEAFORTH
ALINE CT.
ORMOND
CROMOND CT.
VICTORIA
GRAHAM
ROAD

3

Harelaw Reservoir
Reservoir
FERENEZE
Boylestone Quarries (Disused)
Prim. Sch.
QUARRY ROAD
TREES PK. AV.
FELFIELD AV.
VICTORIA AV.
52
BELLFIELD
DEALSTON RD.
ROAD
Barrhe
Offs.

4

GOLF COURSE
Club House
FERENEZE CRES.
LAUREL WY.
GRAHAM STREET
FERENEZE
CHAPPEL L ST.
JOHN ST.
SAUNDERS
CONNOR ST.
HENRY ST.
GEORGE ST.
ARTHURLIE
CROSS
P

FERENEZE HILLS
59

Capri Heath
HILLSIDE
HILLSIDE GRO.
Hillside
Woodneuk
HILLSIDE DR.
ROAD
MAXTON AV.
GATESIDE
ROBERTSON ST.
THE CENTRE
STREET
BANE ST.
STREET

5 **EAST RENFREWSHIRE**

Killoch Hill
Weir
Wks.
Res.
Chappell House
Weir
BARNES
COGAN
GLADSTONE
9
DALMENY DR.
KERR ST.
WOOD AV.
LEVERNSIDE AV.
WRIGHT AV.
GERTRUDE AV.
West Arthurlie
BLACK
Super- store
LEVERN
CARNOCK CRES.
ARTHUR
CARNOCK
KELBURN STREET
13
CRAIGHEAD
SPIR
LEVERN CRES.

6

Gateside
Foundry
Weir
GATESIDE
ROAD
FERENEZE ROAD
VIEW
WRAES
ROAD
DONNIES BRAE
ROAD
44
LOCHLIBO
LOCHLIBO CR.
CRES.
GATESIDE
69
Neilston Cemetery Lodge
A736
NEILSTON
Lochlibo
LEVERNSIDE
90
ROAD
EVERNSIDE
KIRKTON AV.
Factory
Arthurlee House
COLLINBAR CIRCLE
PARK AV.
Arthurlie
Mill Dam
Kirkton Burn
Springhill Prim. Sch.
58
Killoch
Dam
Killoch Bri.
Sewage Works
Weir
48
Fairways
LOCHLIBO
A B C D
131
49
Dunbar Glen
Springhill

E   DEACONSBANK GOLF COURSE

F   **117**   255   Course

G

H

1

Rouken Glen Park

Dam

Boat Ho.

Boating Lake

DRIVE

Sewage Works

Whitecraigs P

Depot

Aqueduct

DAVIELAND RD.

DAVIELAND

MILVERTON

LANGTREE AV.

AVENUE

TREEMAIN RD.

TORR

ROAD

DRIVE

THE GROVE

WOODVALE

REDBURN AV.

AILSA AV.

A77 R O A D

DALSERF CR.

MAINS

GLENBURN

KILPATRICK

DORIAN DR.

CADZOW AV.

ATHOLL

BALMEG

DORN

58 AV.

GDNS.

FERENEZE

KATHEREN

CAMPS

LOMONDSIDE

Barcapel Flats

Eastwood High Sch.

Capelrig

Playing Fields

Capelrig Burn

BUCHANAN

DRIVE

G46

Barcapel Holm Farm

Auldhouse

WHITECRAIGS GOLF COURSE

Burn Club House

DERAMORE AV.

GREENBANK AV.

LETHINGTON

CRAIGNETHAN

GREENBANK LOANING

Whitecraigs

ELPHINSTONE

METHVEN RD.

ROAD

ROAD

ROAD

ROAD

ERSKINE

BURNSIDE

KENMURE RD.

CATHCART CASTLE GOLF COURSE

G76

ROAD

FLENDERS ROAD

BEECHLAND

57

BEECH

Greenbank Lodge

Greenbank

2

3

NETHERTON RD.

NETHERTON CT.

THE BEECHES

78

Pav.

RODDINGHEAD

HERNDON CT.

NEIDPATH

NEIDPATH ROAD WEST

ROAD

BROOMFLD. RD.

BROOMCROFT

EAST ROAD

ARNS

MELLA AV.

134

ekbank Gardens

P

FRUIN

WESTBRAE AV.

ELMWOOD AV.

LOCHBROOM

98

73

CAPEL AV.

ROAD

DRIVE

SANDRINGHAM

ROAD

AVENUE

Sch.

DUNVEGAN

FALKLAND

BROOM ROAD

Broom

HILLCREST DR.

KIRKLE AV.

MATHERTON AV.

KIRKVALE CR.

KIRKVALE DRIVE

KIRK DEN

TEVIOTDALE

Sch.

NETHERDALE

Langdale

AVENUE

KIRKDENE

BANK

4

ARISDALE DR.

MOIDART DR.

KILMORY DR.

FRUIN AVENUE

HERITAGE CT.

FRUIN CRES.

ESTFIELD

RYSLAND AV.

RYS LAND CRES.

A Y R

160

97

KNOWES

87

KINFAUNS DR.

SUNNINGDALE DR.

CAVENDISH AVENUE

GLAMIS AVENUE

WINDSOR DR.

DUNOLLY DR.

DUNBEATH AV.

DOUNE CR.

GEORGE DRIVE

BROOMPARK DRIVE

Pav.

SANDRINGHAM CT.

Playing Field

KINNAIRD AV.

DART AVENUE

GALSTON DRIVE

CROY AV.

DARVEL DR.

TURNBERRY DR.

ALLOWAY

CULZEAN CR.

KIRKVALE

KIRKHILL

KIRKDENE CR.

KIRKDENE GR.

LANGLEES AV.

LAWFIELD

NETHERCAIRN PL.

NAPROCH PL.

56

BROADMOSS AV.

KATRINE DR.

TORRIDON DR.

BYRESTONE AV.

5

P

Pav.

190

P

123

P

BIRCHFIELD

OAKWOOD

HAZELWOOD

CEDARWOOD

NEWTONLEA

FIRWOOD CT.

DRIVE

AVENUE

AVENUE

DRIVE

AVENUE

AVENUE

Broom

BROOMBURN DRIVE

Burn

MAYBOLE GR.

MAYBOLE

DUNURE PL.

DUNURE DR.

PRESTWICK

MONKTON

DUNDONALD CR.

TROON AV.

GLENEAGLES DR.

BROOM ROAD EAST DRIVE

Kirkhill House

KIRKHILL GA.

Kirkhill

ARKAIG PL.

56

Barrance

RAMSAY CT.

Hall

Manse

SHAWWOOD CRESCENT

CRAIGIE DR.

KIRKVIEW CRESCENT

SHAWHILL CR.

ROLAND CRES.

WATERFOOT AVENUE

BLACKHSE RD.

BLACKHOUSE GDNS.

BLACKHOUSE AV.

MANOR GA.

BLACKWOOD AV.

CASTLEHILL CRES.

BROOMHILL GDS.

BROOMHILL AV.

KING'S GDS.

KING'S DR.

CASTLEMOUNT AV.

G77

Playground

BROOMBURN DR.

BALLANTRAE DR.

BALLANTRAE CRES.

Mearns Castle High Sch.

WATERFOOT ROAD

Castle Farm

6

CASTLETON CRES.

BROOMFIELD

CASTLETON CR.

CASTLETON CT.

CASTLEMOUNT

BROOM CLIFF

CASTLETON AV.

CASTLE GA.

CRUACHAN DR.

CASTLETON GR.

BROOM ROAD

Mearns Castle

MEARNSCROFT RD.

MEARNSCROFT GDS.

HUMBIE LAWNS

HUMBIE CT.

WHITEHILL GRO.

HUMBIE

Mearns

White Hill

Mearns Cemetery

255

Burnhouse

655

E   F   G   H

255   56

COTTAGES

Caldergrove   Bardyk

Calder House

Queen Mary's Well
(site of)

Rotten Calder

Dechmont
Farm Cott.

Spy Wood

Malcolmwood

Barnhill

BARDYKES RD.

HUNTHILL B758

T H S H I R E g o w

Mid Lettrick

Mid Lettrick
Farm Cott.

Weir

Prim. Sch.

Playing
Field

IONA PATH

GLENFRUIN RD.

WATSON ST.

STONEFIELD PL.

Playing
Fields

HUNTHILL LA.

HUNTHILL GDS.

ROAD

Crossbow
Ho.

Greenhall
Estate

Rotten Calder

B7012

ROAD

Crossbasket

Spring

East
Lodge

Greenhall
View

ARMOUR CT.

ELLISLAND DR.

AFTON

CRAIGMUIR GDS.

Mem.

MAIN ST.

West
Lodge

H A M I L T O N

Greenhall

CRAIGMUIR RD.

Kirkto
Park

140

Allers   Allers
Cotts.

Dam   Lodge

General's
L Bridge

R O A D

A725

HILLHOUSE RD.

HILL-HOUSE ROAD

BRAE

HAMILTON DR.

HILLHC

ewage
Works

G72

Craigmuir

Newhouse

SYDES

56

RTH Pav.

buslang College
(Allers Cen.)

Rotten Calder

Basket

Glen

Calder

LAMMERMOOR

CRAIG-NEITH CT.

CALDERWOOD GDS.

Craigneith
Castle
(Ruins)

Saw Mill

AUCHENTIBBER

R O A D

Red Burn

Park
Farm

Park
House

Blantyre
Park Farm

Auchentibber
Farm

Auchentibber

CALDERSIDE

Clyde
Cottage

Waterfalls

Pit
(disuse

Calderside

ROAD

Springbank
War Mem.

PARK

655

E **F** **G** **H**

1

2

3

4

5

6

Muiredge Wood 83

BIG WOOD 84 58

Pine Strip

Mill

Glenhead Wood

Cuckoo Strip

Bolt Strip

Easterhouse Cottages

Murdostoun Home Farm

South Rookery

Fountainhead Wood

Jay Wood

Tennis Court

Stable Glen

Crow Hill

Water Splash

Mill

Weir

Lion Cleugh

Murdostoun Castle

Garden Glen

Lodge

Brownhill Wood

CALDER WATER

South Plantation

Kennel Knowe Wood

Murdostoun Bridge

Rec. Ground

Brownhill Wood 57

West Croft

T M

McCARRISON RD.
McMAHON RD.

East Crindledyke

Falls

Bonkle

Pav.

Woodside

Brownhill Wood

EASTWOOD

CALDER AV.
KILMICHAEL AV.

East Crindledyke

BOLEYN CT.
BONDS

WOODSIDE
CRESCENT

BROOKING DR.

CRESCENT

Sharnothshield Small Holdings

S H I R E

NORTHWOOD DR.
EASTWOOD DRIVE

ABERNETHYN

BAILLIS
MUIR PL.

FIRTREE RD.
CALCATH

FIRTREE PL.

WOODSIDE CR.

Whitestripe

W

61 56

MUIRHOUSE

CRINDLEDYKE CRESCENT

AVENUE

GODDARD PL.

LYNNWOOD RD.

HAWTHORN AV.

AUCHTER AV.

MAVIS-
BANK ST.

CRES.

NEWMAINS

ROAD

BRAEDALE PL.

BRAES
DALE

BRAEDALE

Crindledyke

22

Convent

ROAD

BONKLE

Cathburn

Auchter Water

A71

4

Lintmill Kennels

Cathburn Holdings 56

Hlth. Cen.

War Mem.

HOPE ST.
BROWN

MORNINGSIDE ROAD

Lib.

NEWTON

PARK DR.

PARK DRIVE

Works

ML2

Lintmill

Works

Cathburn Cottage

Morningside Farm

ROAD

VICTORIA ST.

A73

Morningside Prim. Sch.

SCHOOL RD.

Torbush

Works

MAIN

STREET

Play Ground

Morningside

Works

MORNINGSIDE ROAD

CATHBURN ROAD

Woodside Farm

MILL ROAD

Auchter

DODHALL ROAD

A73

MAIN STREET

ROAD

Oakbank 655

Depot

E **F** **159** **G** **H**

83 Water 84

E F 145 G H

Wishaw

King George's Field

West Academy Street

Playgnd

Offs.

Off. 79

MAIN ST STEWARTON

Lib.

Park

Pav.

655

Tennis Courts

Football Grd.

Wishaw Sports Cen.

Spts. Grd.

Wishaw Greyhound Stadium

Factory

Depot

Factory

Works

Gas Sta.

NETHERDALE RD.

THE NETHERTON IND. EST.

Netherton Prim. Sch.

Comm. Cen.

CLAREN.

DON RD.

Bowling Green

Works

Works

GRANGE

KYLE QUAD.

OAKBANK A.

ROSEHALL

CARBARNS

MONTGOMERY

SCARBA WAY

ISLAY QUAD.

GIGHA QUAD.

SOWA WAY

CURRAN AV.

AVENUE

MAR. TER.

OLD MANSE ROAD

MANSE ROAD

B754

B754 ROAD

CALEDONIAN ROAD

Cattle Grids

Electricity Sub Station

Presby Playing Field

Football Ground

St. Thomas' Prim. Sch.

BRAMBLING CT.

BELTANE ST.

Community Centre

Prim. Sch.

Play. Field

Prim. Sch.

ROAD

B7032

LOMOND STREET

SUNART

MORAR ST.

TARBERT

SLOY ST.

LOCHY ST.

CARRON ST.

AVENUE

RIVEN CRES.

Pav.

EARN CR.

EARN CR.

ARKAIG

LINNHE CRES.

GAIR CR.

ETIVE STREET

LINNHE CRESCENT

NESS CRES.

Hospital

RANNOCH DRIVE

DIMSDALE RD.

DIMSDALE CRES.

DIMSDALE

54 imsd

DRUMMOND DR.

Pather Farm

ROAD

158

3

2

1

CASTLEHILL ROAD

CASTLEHILL

ALLERSHAW ROAD-BIRK.

ALLER'S WAY

ALLERSHAW BRAE

CAPLAW TWR.

CAP. W.

BIRKSHAW TWR.

INGROVE PL.

BIRKSHAW BRAE

STANHOPE PL.

SMITH STREET

HEATHFIELD

Playing Field

Castlehill Prim. Sch.

Gowkthrapple

Castlehill

Lodge

Gowkthrapple Burn

GARRION BUSINESS PARK

AVENUE

Gowkthrapple Burn

Clyde Valley High Sch.

PRIORY GA

GLIDDEN CT.

DRIVE

SMITH

McNEIL

GILFILLAN PL.

LASHLEY GR.

LEE-BAILIE

PYFWY

JENNIE LEE GS.

McINNES PL.

KENNEDY GS.

BROOKLYN PL.

JETONRGS.

BENTON

LOUTH

HARL PL.

153

Playing Field

ROAD

ML2

Durhambank Mausoleum

Highmainshead Wood

Lucindabank

West Belmont

East Belmont

Lodge

Pathhead Orchard

Wemysshill

Wemysshill Orchard

BROWS RD.

ORCHARD ST.

BELMONT ST.

GREENKNOWE ST.

Depot

COVENANTERS WY.

OVERTOWN

DALE PL.

ROSE PL.

BANK RD.

MAIN

5

4

Laurelbank

Trotterbank

Stewartbank

Nursery

Wemyssba

HORSLEY BRAE

A71

Horsleyhead

Blairs Orchard

52

Upper Callender

Lower Calle

Nursery

A72

River Clyde

Nursy

Ford

Nursery

A72 ROAD

E F 162 G H

79

280

655

1

HALL ROAD

MAIN ST.

Auchter

War Mem.

Oakbank

Water

MORNINGSIDE ROAD

Depot

Chapel

ROAD

Holmhill

ROAD

2

Herdshill

A73

CHAPEL

54

Bogside
Farm

Bogside

3

A721   ROAD   517

Twelve Acre
Plantation

89

Wildmanbridge

B7011   ROAD

Subway

4

Works

Gillhead

Wildman
Bridge

LAW HOSPITAL

STATION PL.

Nursery

WILDMAN

OLD

Waterlands Nursery

53

Burn

ROAD

103

126 STATION ROW

DOBBIES CT.

BUCHANAN DR.

Depot

WISHAW

Waterlands

A73

5

PATTERSON DR.

BRACKENHILL RD.

STRATHCARRON

NAIRN

LAW

Brackenhill

Garrion

Old Toll House

THALLADALE

Works

Castlehill
Bridge

6

Football
Ground

ROAD

ML8

AIRDRIE RD.

Works

Law Primary
Sch.

BLACKHILL VW.

MANSE CT.

CASTLEHILL CRES.

WATLDS

BRIDSHAW

Castlehill

52

83

83

84

52

A   **B**   ▲ 275
155   **C**   **D**

1

Divoty
Wood

HAMILTON ROAD

Lodge
Fairholm
Bridge

Merryton Braes

AVON WATER

Sewage
Works

Playgroun.

War Mem.

Rec.
Ground
Pav.

BEATON ST.
MERRYTON STREET
SUNNY ST.
FAIRHOLM

2

South Quarter

51

SUNNYSIDE

ROAD

SUNNYSIDE

Fairholm

Fairholm
Orchard

Sunnyside

Little
Sunnyside

Raploch

Glengowan

S

WATSON
AVON ST.
TAR-
SOLTON ST.
ANNBANK
RAPLOCH
BURNBRAE
MOS.
BROWN
STREET
TRIBBOCH
CROFT

MACNEILL

CLOVE
MILL
WYND
POWFORTH
PL.
HEAD AV.
AVONBANK
MILLHEUGH
BRAE
BRAE
BROOMHILL
VW.
RAPLOCH RD.
MORGAN
ST.
NAIRN ST.
CROFT
PL.
MAC-
MILLAN ST.
GRIER PL.
Sch.
+

3

Thinacre Mill

Thinacre Glen

Powforth Glen

Powforth Burn

ROAD

Falls

Weir

Abattoir

Millheugh
Bridge

Millheugh

LARKHAL

BROOMHI

4

Thinacres

Plotcock Glen

PLOTCOCK

Broomelton

Morgan
Glen

Larkhall
Viaduct

Larkhall Academy

Tennis
Courts

Cherry Hill

Robert S
Mem. Prim

La

GLEN

5

East
Thinacremuir

ROAD

BROOMELTON

ROAD

Hamilton

Mafflat

Mafflat
Orchard

Corslet

ML3

Patrickholm

Waterfall

AVON

Brae House
Nursing Home

Waterfa
W.

6

650

Plotcock Castle
(Remains of)

Plotcock Bridge

CRAIGTHORNHILL

Newhouse Farm
Cotts.

Newhouse

PLOTCOCK

ROAD

MILLHEUGH ROAD

Kittymuirhill

49

A
74
Longfaugh

B
ROAD

Low
Kittymuir
275

C

D

A B C D

52

1

A72

LANARK

Nursy.

Nursery

157

Trotterbank

Stewartbank

RIVER

CLYDE

NORTH
LANARKSHIRE

Nursery

Erskine-
bank

Skellyton

Garrionhaugh
Farm

Wishaw

ML2

A71

HORSLEY

BRAE

Cardies
Bridge

2

Mill
Cottage

Millburn Glen

Mill Burn

ROAD

Cornsilloch
Lodge

Castlehill

CORNSILLOCH
BRAE

Nursy.

Weir

Depot

Garrion
Farm
(Tower)

51

A71

Cornsilloch

The Beeches

Garrion
Bridge

Garrionhurst

A72

Clyde Vall
Farm Par

3

BURNHEAD
RD.

L a r k h a l l

Nursery

Stewart Gill
Bridge

Stewart Gill

Garrion

Weir

Old Mill

ROAD

Nursery

Shawsburn

161

AY
R

ASHGILLHEAD

ROAD

ML9

Works

S O U

Milburn
House

ROAD

Dalserf

4

Nursery

Nursery

Shawsburn
House

GARRION
PL.

GRAHAM
STEWART
GILL PL.

MILLBURN

CRAIG:
BURN CT.

Auldton

L A N A R

Ashgillhead

Rec.
Grd.

Pav.

ROAD

AULDTON

MORRISON
PL.

Ashgill

MANSE

BRAE

5

Hills Farm
Cottage

VIEW

Dalserf
Prim. Sch.

DOUGLAS
CR.

PROSPECT

CENTRAL
DR.

WHINKNOWE

Whinknowe

AILSA
RD.

NURSERY DR.

NETHERBURN

Meadowbank

Hills

BOGSIDE

ROSSLYN
MAUDSLIE
PL.

ASHIRK DR.

DUNLOP
PL.

Over Dalserf

Woodside
House

MANSE

6

50

LINTON

Burn

Regill

Bogside

Over Dalserf
Cottages

Overwood
Dunaird

Woodside
Cottage

ROAD

49

Hailstonemyre
78

A B

CANDERMILL & MARLAGE

79

C D

E F 158 G ROAD H 163

Orchard

Shawgill 81

101 82

ANSTRUTHER ANSTR MICHAEL MICHAEL 82
MICHAEL ST. Nursery
ANSTRUTHER R. BRAEFOOT BIRNS JR. PL.
MANSE 52
SWAN WY. WESTFIELD CT. BIRNS CT. CT.
STREET CRES. SHAWGILL STILEHILL VIEW
FITHS CT. KINGSDSHAW
WATLDS WY. SHAW
MURRAY RD. HILL TW.

Birks

1 La
P

STRAVENHOUSE ROAD

Comm.-Cen.

Law of Mauldslie

QUARRY RD.

RO

Jollyfield

B7011

WEST BROWNLEE

West Brownlee

Stravenhouse Farm

2

RIVER CLYDE

Brownlee House

Binniesbrig

BIRKS ROAD

51

Bowmanhirst
Castlehill

Nursery

Carluke

Gill

ROAD

3

164

Rams

Mauldslie Mains

Mauldslie Cottage

Dalserf House

Mauldslie Stables

ML8

East Lodge

ROAD

4

LANARK

Works

Mauldslie Bridge

Mauldslie House

Haugh Hill

THE

JOCK'S GILL WOOD

Jo
Jo

6 50

KSHIRE

Mauldslie View

Nursery

Nurseries

Jock's Burn

Gillbank

5

Rosebank

A72

Nursery

Annsfield

Dalpatrick

Nursery

Milton-Lockhart Farm

6

Hazelwood Cottage

ROAD

Gill

Overton Wood

Carcain

Milton Lockhart Bri.

81

Waterfall

RIVER CLYDE

Sandilandgate

49

Townhead

82

E F G H

82

Law Pr... Sc...

A

B

▲ **159**

83

C

D

Castleh...

McM...
McN...
...HER

BRA...
52
WESTFIELD CT.
FOOT
SHAWGILL
CT.

MIC...
MIC...

BIRKS

SHANGILL

MANSE CT.

STILEHILL CRES.

BLACKHILL VW.

1

SWAN WY.
MURRAY
GRI...
FITHS
WY.

BAIR PLA
W.
WATLDS
PL...

KINGSHAW

HYNDSHAW VIEW

HILL VW.

Law Hill

Park Regis

✠ East Law

**Law of
Mauldslie**

Comm.
Cen.

QUARRY RD.

ROAD

WHITESH... AW ROAD

S

O

U

Works

...venhou...
Farm

2

QUARRY

ROAD

GASWORKS ROAD

51

L

A

N

A

R

ROAD

Foundry

Myrtle
Cott.

Lug...

3

Hamburg
Cottages

MOSS SIDE AV.

HOUSE CT.
MIDDLE...
MUIR A...
GOWAN...
HEADS-
SIDE
WEST...
AV.

HALLCRAIG
PLE...

GILLBANK

MAULDSLIE

Club House

Hallcraig

WHITESHAW

GILLHILL

WHITESHAW
DR.

NORTH
EAST
WEST
AQUILA

IVANHOE
CT.

◄ **163**

Mauldslie
Cottage

Burn

Whorley

**CARLUKE
GOLF COURSE**

4

Jock's Gill

Jock's

Burn

Gill

Jock's Burn

JOCK'S GILL WOOD

Jock's

Reas Gill

Jock's

Under
Shieldhill

Oakbank

6 50

Gillbank

5

RAES

ROAD

C

a

r

MILTON

ROAD

Miltonhead
Farm

ML8

Wh...

M

6

Meadowhead

49

Sandilandgate

82

Townhead

Gill

A

Townhead Burn

Townhead

B

◄Townhead

83

C

D

INDEX TO STREETS

HOW TO USE THIS INDEX

1. Each street name is followed by its Postal District (or, if outside the Glasgow Postal District, by its Posttown or Postal Locality), and then by its map reference;
   e.g. Abbeycraig Rd. —2B **88** is in the Glasgow 34 Postal District and is to be found in square 2B on page **88**. The page number being shown in bold type.
   A strict alphabetical order is followed in which Av., Rd., St., etc. (though abbreviated) are read in full and as part of the street name; e.g. Abbey Dri. appears after Abbeydale Way but before Abbeyfield Ho.

2. Streets and a selection of Subsidiary names not shown on the Maps, appear in the index in *Italics* with the thoroughfare to which it is connected shown in brackets;
   e.g. *Abbey Wlk. Bail* —6D **88** (off Abercrombie Cres.)

3. Railway stations appear in the index in CAPITALS and are referenced to the actual building and not to the station name; e.g. AIRBLES STATION. *Moth* —4G **143**.

4. The page references shown in brackets indicate those streets that appear on the large scale map pages 4 & 5; e.g. Albion Ga. *G1* —4H **83** (6G **5**) is in square 4H on page **83** and also appears in the enlarged section 6G on page **5**.

5. With the now general usage of Postcodes for addressing mail, it is not recommended that this index is used for such a purpose.

GENERAL ABBREVIATIONS

All : Alley	Chu : Church	Est : Estate	Mnr : Manor	Rd : Road
App : Approach	Chyd : Churchyard	Gdns : Gardens	Mans : Mansions	S : South
Arc : Arcade	Circ : Circle	Ga : Gate	Mkt : Market	Sq : Square
Av : Avenue	Cir : Circus	Gt : Great	M : Mews	Sta : Station
Bk : Back	Clo : Close	Grn : Green	Mt : Mount	St : Street
Boulevd : Boulevard	Comn : Common	Gro : Grove	N : North	Ter : Terrace
Bri : Bridge	Cotts : Cottages	Ho : House	Pal : Palace	Trad : Trading
B'way : Broadway	Ct : Court	Ind : Industrial	Pde : Parade	Up : Upper
Bldgs : Buildings	Cres : Crescent	Junct : Junction	Pk : Park	Vs : Villas
Bus : Business	Dri : Drive	La : Lane	Pas : Passage	Wlk : Walk
Cvn : Caravan	E : East	Lit : Little	Pl : Place	W : West
Cen : Centre	Embkmt : Embankment	Lwr : Lower	Quad : Quadrant	Yd : Yard

POSTTOWN AND POSTAL LOCALITY ABBREVIATIONS

Abb : Abbotsinch	*C'bnk* : Calderbank	*Dumb* : Dumbarton	*Len* : Lennoxtown	*Plain* : Plains
Air : Airdrie	*C'crx* : Caldercruix	*Dun* : Duntocher	*Lenz* : Lenzie	*Quar H* : Quarrier's Homes
Alla : Allandale	*C'cry* : Castlecary	*Eag* : Eaglesham	*Lin* : Linwood	*Queen* : Queenzieburn
Anna : Annathill	*C'lee* : Crosslee	*E Kil* : East Kilbride	*Lin I* : Linwood Ind. Est.	*Renf* : Renfrew
Ashg : Ashgill	*Cam G* : Campsie Glen	*Eld* : Elderslie	*Longc* : Longcroft	*Rig* I : Righead Ind. Est.
B'rig : Bishopbriggs	*Camb* : Cambuslang	*Ersk* : Erskine	*Mill P* : Milliken Park	*Rigg* : Riggend
B'ton : Bishopton	*Carf* : Carfin	*G'csh* : Gartcosh	*Mille* : Millerston	*Ruth* : Rutherglen
Bail : Baillieston	*Carl* : Carluke	*Giff* : Giffnock	*Miln* : Milngavie	*St R* : St Rollox Bus. & Retail Pk.
Balm : Balmore	*Carm* : Carmyle	*Glas A* : Glasgow Airport	*Milt* : Milton	*Shaw* : Shawsburn
Bank : Banknock	*Cast* : Castlehead	*Glenb* : Glenboig	*Milt C* : Milton of Campsie	*Spri* : Springboig
Bant : Banton	*Chap* : Chapelhall	*Glenm* : Glenmavis	*Mood* : Moodiesburn	*Step* : Stepps
Bard : Bardowie	*Chry* : Chryston	*H'hse I* : Hillhouse Ind. Est.	*Morn* : Morningside	*Stra B* : Strathclyde Bus. Pk.
Barg : Bargeddie	*Clar* : Clarkston	*H'ton I* : Hillington Ind. Est.	*Moth* : Motherwell	*Stru I* : Strutherhill Ind. Est.
Barr : Barrhead	*Cle* : Cleland	*Hag* : Haggs	*Mt V* : Mount Vernon	*T'bnk* : Thornliebank
Bear : Bearsden	*Clyd* : Clydebank	*Ham* : Hamilton	*Muir* : Muirend	*T'hall* : Thorntonhall
Bell : Bellshill	*Clyd B* : Clydebank Bus. Pk.	*Hard* : Hardgate	*Muirh* : Muirhead	*Torr* : Torrance
Bell I : Bellshill Ind. Est.	*Coat* : Coatbridge	*Holy* : Holytown	*N'hill* : Newarthill	*Twe* : Twechar
Blan : Blantyre	*Crmck* : Carmunnock	*Hous* : Houston	*N'hse* : Newhouse	*Udd* : Uddingston
Bog : Bogside	*Croy* : Croy	*Inch* : Inchinnan	*Neil* : Neilston	*Ward E* : Wardpark East
Both : Bothwell	*Cumb* : Cumbernauld	*John* : Johnstone	*New S* : New Stevenston	*Ward N* : Wardpark North
Bowl : Bowling	*Dalm* : Dalmuir	*Kilb* : Kilbarchan	*Newm* : Newmains	*Ward S* : Wardpark South
Brdwd : Braidwood	*Dals* : Dalserf	*Kils* : Kilsyth	*Newt M* : Newton Mearns	*Waterl* : Waterloo
Bri W : Bridge of Weir	*Dix B* : Dixon Blazes Ind. Est.	*Kirk* : Kirkintilloch	*Old K* : Old Kilpatrick	*Waters* : Waterside
Brkfld : Brookfield	*Drum* : Drumchapel	*Lark* : Larkhall	*Over* : Overtown	*White* : Whiteinch
Broad I : Broadmeadow Ind. Est.	*Dull* : Dullatur	*Law* : Law	*Pais* : Paisley	*Wis* : Wishaw

INDEX TO STREETS

Abbey Clo. *Pais* —1A **98**
Abbeycraig Rd. *G34* —2B **88**
Abbeydale Way. *Ruth* —4E **121**
Abbey Dri. *G14* —5E **61**
Abbeyfield Ho. *Giff* —4H **117**
Abbeygreen St. *G34* —2B **88**
Abbeyhill St. *G32* —4G **85**
Abbeylands Rd. *Clyd* —6E **23**
Abbey Pl. *Air* —1C **112**
Abbey Rd. *Eld* —3H **95**
Abbey Wlk. Bail —6D **88**
(off Abercrombie Cres.)
Abbey Wlk. Lark —1F **161**
(off Duncan Graham St.)
Abbotsburn Way. *Pais* —3H **77**
Abbotsford. *B'rig* —5E **49**
Abbotsford Av. *Ham* —3H **141**
Abbotsford Av. *Lark* —4E **161**
Abbotsford Av. *Ruth* —6B **104**
Abbotsford Brae. *E Kil* —6G **137**
Abbotsford Ct. *Cumb* —6H **35**
Abbotsford Cres. *Ham* —3F **141**
Abbotsford Cres. *Pais* —6B **96**
Abbotsford Cres. *Wis* —5A **146**
Abbotsford Dri. *Kirk* —5E **31**
Abbotsford La. *Bell* —1B **138**
Abbotsford Pl. *G5* —1F **103**
(in two parts)
Abbotsford Pl. *Cumb* —6H **35**
Abbotsford Pl. *Moth* —2A **128**
(off Ivy Ter.)
Abbotsford Rd. *Bear* —1C **44**
Abbotsford Rd. *Chap* —4E **113**
Abbotsford Rd. *Clyd* —6D **42**
Abbotsford Rd. *Cumb* —6H **35**
Abbotsford Rd. *Ham* —3E **141**
Abbotsford Rd. *Wis* —5A **146**
Abbotshall Av. *G15* —4G **43**
Abbotsinch Rd. *Pais & Renf* —2A **78**
Abbotsinch Rd. *Renf* —6A **58**
Abbots Ter. *Air* —1C **112**
Abbot St. *G41* —4C **102**
Abbot St. *Pais* —5B **78**
Abbott Cres. *Clyd* —1F **59**
Aberconway St. *Clyd* —1E **59**
Abercorn Av. *G52* —3G **79**
Abercorn Cres. *Ham* —1B **154**
Abercorn Dri. *Ham* —6B **142**
Abercorn Ind. Est. *Pais* —5B **78**

Abercorn Pl. *G23* —6C **46**
Abercorn Rd. *Newt M* —3C **132**
Abercorn St. *Clyd* —6C **23**
Abercorn St. *Pais* —6A **78**
Abercrombie Cres. *Bail* —6D **88**
Abercrombie Dri. *Bear* —5B **24**
Abercrombie Pl. *Kils* —2F **11**
Abercromby Cres. *E Kil* —6B **138**
Abercromby Dri. *G40* —5B **84**
Abercromby Pl. *E Kil* —6B **138**
Abercromby Sq. *G40* —5B **84**
(off Millroad Dri.)
Abercromby St. *G40* —6A **84**
Aberdalgie Path. *G34* —3H **87**
(off Aberdalgie Rd.)
Aberdalgie Rd. *G34* —3H **87**
Aberdeen Rd. *Chap* —1D **112**
Aberdour St. *G31* —4E **85**
Aberfeldy Av. *Plain* —1F **93**
Aberfeldy St. *G31* —4E **85**
Aberfoyle St. *G31* —4E **85**
Aberlady Rd. *G51* —4E **81**
Aberlady St. *Cle* —6H **129**
Abernethy Dri. *Lin* —6G **75**
Abernethyn Rd. *Newm* —3E **147**
Abernethy Pk. *E Kil* —1F **149**
Abernethy St. *G31* —5E **85**
Aberuthven Dri. *G32* —2B **106**
Abiegail Pl. *Blan* —6B **124**
Aboukir St. *G51* —3E **81**
Aboyne Dri. *Pais* —4B **98**
Aboyne St. *G51* —5F **81**
Acacia Dri. *Barr* —2C **114**
Acacia Dri. *Pais* —4F **97**
Acacia Pl. *John* —5G **95**
Academy Ct. *Coat* —4C **90**
Academy Pk. *G51* —1A **102**
Academy Pk. *Air* —4A **92**
Academy Rd. *Giff* —5A **118**
Academy St. *G32* —1B **106**
(in three parts)
Academy St. *Air* —4A **92**
Academy St. *Coat* —4C **90**
Academy St. *Lark* —2E **161**
Academy Ter. *Bell* —2D **126**
Acer Cres. *Pais* —4F **97**
Achamore Rd. *G15* —3G **43**
Achnasheen Rd. *Air* —5G **93**
Achray Dri. *Pais* —4E **97**
Achray Pl. *Coat* —2H **89**

Achray Pl. *Miln* —2D **24**
Achray Rd. *Cumb* —6D **34**
Acorn Ct. *G40* —1B **104**
Acorn St. *G40* —1B **104**
Acredyke Cres. *G21* —2E **65**
Acredyke Pl. *G21* —3E **65**
Acredyke Rd. *G21* —2D **64**
Acredyke Rd. *Ruth* —5B **104**
Acre Rd. *G20* —6H **45**
Acres, The. *Lark* —3F **161**
Acre Valley Rd. *Torr* —3D **28**
Adam Av. *Air* —4B **92**
Adams Ct. La. *G1* —5F **83** (6D **4**)
Adams Dri. *G32* —3B **106**
Adamslie Cres. *Kirk* —5A **30**
Adamslie Dri. *Kirk* —5A **30**
Adamson St. *Bell* —2F **127**
Adams Pl. *Kils* —3H **11**
Adamswell St. *G21* —6A **64**
Adamswell Ter. *Chry* —5E **53**
Addie St. *Moth* —1H **143**
Addiewell Pl. *Coat* —1C **110**
Addison Gro. *T'bnk* —3F **117**
Addison Pl. *T'bnk* —3F **117**
Addison Rd. *G12* —5B **62**
Addison Rd. *T'bnk* —3E **117**
Adelaide Ct. *Clyd* —2H **41**
Adelaide Rd. *E Kil* —4D **148**
Adele St. *Moth* —5H **143**
Adelphi St. *G5* —6G **83**
(in two parts)
Admiral St. *G41* —6C **82**
Admiralty Gdns. *Old K* —2F **41**
Admiralty Gro. *Old K* —2F **41**
Admiralty Pl. *Old K* —2F **41**
Advie Pl. *G42* —5F **103**
Affric Av. *Plain* —1G **93**
Affric Dri. *Pais* —4D **98**
Afton Cres. *Bear* —4H **45**
Afton Dri. *Renf* —6G **59**
Afton Gdns. *Blan* —3H **139**
Afton Gdns. *Coat* —6F **91**
Afton Rd. *Cumb* —2B **36**
Afton St. *G41* —5C **102**
Afton St. *Lark* —3G **161**
Afton View. *Kirk* —4H **31**
Afton Way. *Pais* —4D **96**
Agamemnon St. *Clyd* —5B **42**
Agate Ter. *Bell* —3C **126**
(off Diamond St.)

Agnew Av. *Coat & Air* —4E **91**
Agnew Gro. *Bell* —2H **125**
Agnew La. *G42* —4E **103**
Aikenhead Rd. *G42* —2F **103**
Aikenhead Rd. *G44* —1G **119**
Aikman Pl. *E Kil* —5B **138**
Aikman Rd. *Moth* —4D **142**
Ailart Lodn. Newm —3D **146**
(off Tiree Cres.)
Ailean Dri. *G32* —1E **107**
Ailean Gdns. *G32* —1E **107**
Ailort Pl. *E Kil* —6G **137**
Ailsa Av. *Ashg* —5B **162**
Ailsa Av. *Moth* —2D **142**
Ailsa Ct. *Coat* —1A **110**
Ailsa Ct. *Ham* —2B **152**
Ailsa Cres. *Moth* —2D **142**
Ailsa Dri. *G42* —6D **102**
Ailsa Dri. *Clyd* —1E **43**
Ailsa Dri. *Giff* —1H **133**
Ailsa Dri. *Kirk* —3F **31**
Ailsa Dri. *Pais* —6H **97**
Ailsa Dri. *Ruth* —2B **120**
Ailsa Dri. *Udd* —3E **125**
Ailsa Pl. *Coat* —1B **110**
Ailsa Rd. *B'rig* —5D **48**
Ailsa Rd. *Coat* —1A **110**
Ailsa Rd. *Renf* —1E **79**
Ailsa Tower. *Camb* —4G **121**
Ainslie Rd. *Cumb* —2C **36**
Ainslie Rd. *H'ton I* —4A **80**
(in two parts)
Airbles Cres. *Moth* —4F **143**
Airbles Dri. *Moth* —4F **143**
Airbles Farm Rd. *Moth* —4E **143**
Airbles Rd. *Moth* —4E **143**
Airbles St. *Moth* —4G **143**
Airbles Tower. *Moth* —4G **143**
AIRBLES STATION. *Moth* —4G **143**
Airdale Av. *Giff* —5A **118**
Airdriehill Rd. *Air* —1C **92**
Airdriehill St. *Air* —1C **92**
Airdrie Rd. *Carl* —6H **159**
Airdrie Rd. *Cumb* —3H **53**
(Mollinsburn)
Airdrie Rd. *Cumb* —6C **34**
(in two parts)
Airdrie Rd. *Kils* —2H **11**

AIRDRIE STATION. *Air* —4A **92**
Aird's La. *G1* —5G **83**
(off Bridgegate)
Airgold Dri. *G15* —3H **43**
Airgold Pl. *G15* —4H **43**
Airlie Av. *Bear* —6E **25**
Airlie Dri. *Bell* —1C **126**
Airlie Gdns. *Ruth* —3F **121**
Airlie La. *G12* —6H **61**
Airlie Rd. *Bail* —2G **107**
Airlie St. *G12* —6G **61**
Airlink Ind. Est. *Pais* —3A **78**
Airlour Rd. *G43* —2C **118**
Airth Ct. *Moth* —6F **127**
Airth Dri. *G52* —2F **101**
Airth La. *G52* —2F **101**
Airth Pl. *G52* —2F **101**
(off Airth La.)
Airthrey Av. *G14* —5E **61**
(off Mitre Rd.)
Airthrey La. *G14* —5E **61**
(off Airthrey Av.)
Airth Way. *Cumb* —5A **34**
Aitchison Ct. *Air* —3H **91**
Aitchison St. *Air* —4G **91**
Aitkenbar Circ. *Dumb* —2H **17**
Aitkenbar Dri. *Dumb* —1H **17**
Aitkenhead Av. *Coat* —1F **109**
Aitkenhead Rd. *Chap* —3D **112**
Aitkenhead Rd. *Udd* —5E **109**
Aitken Rd. *Ham* —4A **154**
Aitken St. *G31* —4D **84**
Aitken St. *Air* —2A **92**
Alasdair Ct. *Barr* —5E **115**
Albans Cres. *Moth* —1D **142**
Albany. *E Kil* —5C **138**
Albany Av. *G32* —5C **86**
Albany Dri. *Ruth* —1D **120**
Albany Pl. *Both* —5F **125**
Albany Quad. *G32* —5C **86**
Albany Rd. *Ham* —4G **153**
Albany St. *G40* —1C **104**
Albany St. *Coat* —4A **90**
Albany Ter. *Camb* —4G **121**
Albany Way. *Pais* —3A **78**
Albany Wynd. *Lark* —1F **161**
(off Carrick Pl.)
Alba Way. *Ham* —5G **153**
Alba Way. *Lark* —4G **161**
(off Donaldson Rd.)

Alberta Av. *Coat* —3B **90**
Alberta Av. *E Kil* —3D **148**
Alberta Cres. *E Kil* —3E **149**
Alberta Pk. *E Kil* —3F **149**
Alberta Pl. *E Kil* —3F **149**
Albert Av. *G42* —4D **102**
Albert Bri. *G5* —6G **83**
Albert Cres. *Air* —4B **92**
Albert Cross. *G41* —2D **102**
Albert Dri. *G41* —3A **102**
Albert Dri. *Bear* —4H **45**
Albert Dri. *Lark* —3F **161**
Albert Dri. *Ruth* —2D **120**
Albert Pl. *Air* —3B **92**
Albert Quad. *Moth* —2A **128**
Albert Rd. *G12* —6H **61**
Albert Rd. *G42* —4E **103**
Albert Rd. *Brkfld* —6C **74**
Albert Rd. *Clyd* —4B **42**
Albert Rd. *Lenz* —4C **50**
Albert Rd. *Renf* —6E **59**
Albert St. *Coat* —4C **90**
(in two parts)
Albert St. *Ham* —3F **141**
Albert St. *Moth* —2H **143**
Albert Ter. *Ham* —3E **141**
Albion Ct. *Coat* —5E **91**
(off Clifton Pl.)
Albion Ga. *G1* —4H **83** (6G **5**)
Albion Ga. *Pais* —5H **77**
Albion St. *G1* —5H **83** (6G **5**)
Albion St. *Bail* —2F **107**
Albion St. *Coat* —4D **90**
Albion St. *Moth* —2H **143**
Albion St. *Pais* —5A **78**
Albion Tower. *Moth* —4G **143**
Albion Way. *E Kil* —6H **149**
Albion Works Ind. Est. *G13* —2G **59**
Alcaig Rd. *G52* —2E **101**
Alcath Rd. *Newm* —3F **147**
Alclutha Av. *Dumb* —4H **17**
Alder Av. *Ham* —2A **154**
Alder Av. *Kirk* —4B **30**
Alder Bank. *Udd* —4G **109**
Alder Ct. *Barr* —6E **115**
Alder Ct. *E Kil* —6E **149**
Alder Cres. *E Kil* —6E **149**
Alder Gro. *Coat* —5D **90**
Alder La. *Holy* —2C **128**
Alder La. *New S* —4A **128**
Alderman Pl. *G13* —3C **60**
Alderman Rd. *G13* —2H **59**
Alder Pl. *G43* —2A **118**
Alder Pl. *E Kil* —6E **149**
Alder Pl. *John* —4G **95**
Alder Rd. *G43* —2H **117**
Alder Rd. *Broad I* —3E **167**
Alder Rd. *Clyd* —2B **42**
Alder Rd. *Cumb* —3D **36**
Alder Rd. *Milt C* —6B **8**
Alderside Gdns. *Udd* —6C **108**
Alderstocks. *E Kil* —6G **149**
Alderston Pl. *Bell* —3A **126**
Alderston Way. *Rig I* —1A **126**
Aldersyde Av. *Wis* —5D **144**
Aldersyde Pl. *Blan* —6A **124**
Alexander Av. *Kils* —2C **32**
Alexander Av. *Udd* —1G **125**
Alexander Balfour Gdns. *Ham*
—2H **153**
Alexander Gdns. *Ham* —1C **154**
Alexander Pl. *Kirk* —6H **31**
Alexander St. *Air* —4G **91**
Alexander St. *Clyd* —6D **42**
Alexander St. *Coat* —3D **90**
Alexander St. *Dumb* —3G **17**
Alexander St. *Wis* —6F **145**
Alexander Ter. *Neil* —3C **130**
Alexandra Av. *Lenz* —3C **50**
Alexandra Av. *Step* —3D **66**
Alexandra Ct. *G31* —3D **84**
Alexandra Dri. *Pais* —2F **97**
Alexandra Dri. *Renf* —6F **59**
Alexandra Gdns. *Kirk* —3C **50**
Alexandra Pde. *G31* —3A **84**
ALEXANDRA PDE. STATION. *G31*
—3D **84**
Alexandra Pk. *Kirk* —3C **50**
Alexandra Pk. St. *G31* —3D **84**
Alexandra Rd. *Lenz* —3C **50**
Alexandra St. *Kirk* —3C **50**
Alford Av. *Kirk* —5B **30**
Alford Pl. *Lin* —5E **75**
Alford Quad. *Wis* —4H **145**
Alford St. *G21* —6H **63**
Alfred La. *G12* —6C **62**
(off Cecil St.)
Alfred Ter. *G12* —6C **62**
Algie St. *G41* —5D **102**
Algoma Pl. *E Kil* —3D **148**
Alice Av. *Bell* —3C **126**
Alice St. *Pais* —3A **98**
Aline Ct. *Barr* —3D **114**
Alison Lea. *E Kil* —6B **138**
Allan Av. *Carl* —2E **165**
Allan Av. *Renf* —2G **79**
Allan Ct. *E Kil* —4A **148**
Allan Cres. *Dumb* —1H **17**
Allandale Av. *Moth* —2F **129**
Allandale Cotts. *Alla* —1H **15**
Allander Av. *Bard* —6E **27**

Allander Dri. *Torr* —5C **28**
Allander Gdns. *B'rig* —3B **48**
Allander Ho. Cumb —3H **35**
(off Cumbernauld Cen., The)
Allander Rd. *Miln* —3G **25**
Allander St. *G22* —5G **63**
Allander Wlk. Cumb —3H **35**
(off Cumbernauld Cen., The)
Allands Av. *Inch* —4G **57**
Allanfauld Rd. *Cumb* —5H **35**
Allanfauld Rd. *Kils* —1H **11**
Allan Glen Gdns. *B'rig* —3D **48**
Allan Pl. *G40* —3D **104**
Allan Pl. *Dumb* —3G **17**
Allan Pl. *E Kil* —4A **148**
Allanshaw Gdns. *Ham* —6F **141**
Allanshaw Gro. *Ham* —1F **153**
Allanshaw Ind. Est. *Ham* —6G **141**
Allanshaw St. *Ham* —6G **141**
Allan St. *G40* —3D **104**
Allan St. *Coat* —6H **89**
Allan St. *Moth* —2H **143**
Allanton Av. *Pais* —1q **99**
Allanton Dri. *G52* —6B **80**
Allanton Gro. *Wis* —4H **145**
Allanton Lea. *Ham* —3G **153**
Allanton Pl. *Ham* —2A **154**
Allanton Rd. *Newm* —1H **147**
Allanton Ter. *Ham* —3E **155**
Allan Tower. *Moth* —2H **143**
Allbany Cres. *Moth* —2H **127**
Allendale. *E Kil* —6E **137**
Allender Rd. *Bear* —4D **44**
Allerdyce Dri. *G15* —6G **43**
Allershaw Pl. *Wis* —3F **157**
Allershaw Rd. *Wis* —3F **157**
Allershaw Tower. *Wis* —3F **157**
Allerton Gdns. *Bail* —1F **107**
Alleysbank Rd. *Ruth* —4D **104**
Allison Av. *Ersk* —5D **40**
Allison Dri. *Camb* —1A **122**
Allison Pl. *G42* —3E **103**
Allison Pl. *G'csh* —5C **68**
Allison Pl. *Newt M* —5C **132**
Allison St. *G42* —3E **103**
Allnach Pl. *G34* —3C **88**
Alloway Av. *Pais* —5D **98**
Alloway Ct. *Kirk* —3G **31**
Alloway Cres. *Pais* —5D **98**
Alloway Cres. *Ruth* —2B **120**
Alloway Dri. *Clyd* —4E **43**
Alloway Dri. *Kirk* —3F **31**
Alloway Dri. *Newt M* —5G **133**
Alloway Dri. *Pais* —5D **98**
Alloway Dri. *Ruth* —2B **120**
Alloway Gdns. *Ham* —1B **152**
Alloway Gdns. *Kirk* —3G **31**
Alloway Gro. *Kirk* —3F **31**
Alloway Quad. *Kirk* —4G **31**
Alloway Rd. *G43* —1B **118**
Alloway Rd. *Air* —3F **93**
Alloway St. *Lark* —5D **138**
Alloway St. *Lark* —3G **161**
Alloway Ter. *Kirk* —3F **31**
Alloway Wynd. *Moth* —3E **129**
Almada Gro. *Ham* —5H **141**
Almada La. *Ham* —5H **141**
Almada St. *Ham* —5H **141**
Alma St. *G40* —6D **84**
Almond Av. *Renf* —1G **79**
Almond Bank. *Bear* —5C **44**
Almond Cres. *Pais* —3D **96**
Almond Dri. *B'ton* —5H **39**
Almond Dri. *E Kil* —2B **150**
Almond Dri. *Pais* —2B **50**
Almond Pl. *Coat* —2H **89**
Almond Pl. *Moth* —3B **128**
Almond Rd. *G33* —4C **66**
Almond Rd. *Bear* —5D **44**
Almond Rd. *Cumb* —6F **15**
Almond St. *G33* —2F **85**
Almond Vale. *Udd* —6E **109**
Almond Way. *Moth* —6G **143**
Alness Cres. *G52* —2E **101**
Alness St. *Ham* —2H **153**
Alness Ter. *Ham* —1H **153**
Alpine Gro. *Udd* —6D **108**
Alsatian Av. *Clyd* —5F **43**
Alsh Ter. *Ham* —2E **153**
Alston Av. *Coat* —3D **90**
Alston Gdns. *Bear* —5B **24**
Altnacreag Gdns. *Chry* —4E **53**
Alton Ct. *Kirk* —5E **31**
(off Highfield Rd.)
Alton Rd. *Pais* —1E **99**
Altpatrick Gdns. *Eld* —2H **95**
Altyre St. *G32* —2H **105**
Alva Gdns. *G52* —3E **101**
Alva Gdns. *Bear* —6D **24**
Alva Ga. *G52* —2E **101**
Alva Pl. *Lenz* —3E **51**
Alwyn Av. *Hous* —3D **74**
Alwyn Ct. *E Kil* —6G **137**
Alyssum Cres. *Moth* —1F **143**
Alyth Cres. *Clar* —1E **135**
Alyth Gdns. *G52* —2E **101**
Alyth Gdns. *Clar* —1E **135**
Ambassador Way. *Renf* —2F **79**
Amber Ter. *Bell* —3C **126**
Ambleside. *E Kil* —5B **148**

Amethyst Av. *Bell* —3C **126**
Amisfield St. *G20* —4C **62**
Amochrie Dri. *Pais* —5E **97**
Amochrie Rd. *Pais* —4D **96**
Amochrie Way. *Pais* —4D **96**
(off Amochrie Rd.)
Amulree Pl. *G32* —1A **106**
Amulree St. *G32* —2A **106**
Ancaster Dri. *G13* —3F **61**
Ancaster La. *G13* —3F **61**
Anchor Av. *Pais* —1C **98**
Anchor Cres. *Pais* —2C **98**
Anchor Dri. *Pais* —1C **98**
Anchor La. *G2* —4G **83** (5E **5**)
Anchor Wynd. *Pais* —1C **98**
Ancroft St. *G20* —6E **63**
Andersen Ct. *E Kil* —5G **149**
Anderside. *E Kil* —6G **149**
Anderson Av. *Kils* —2F **11**
Anderson Ct. *Bell* —2D **126**
Anderson Cres. *Kils* —3C **10**
Anderson Dri. *Newt M* —5C **132**
Anderson Dri. *Renf* —5F **59**
Anderson Gdns. *Blan* —6C **124**
Anderson La. *Air* —3A **92**
Anderson Rd. *B'ton* —3G **39**
Anderson St. *G11* —1H **81**
Anderson St. *Ham* —4D **140**
Anderson St. *Moth* —4G **143**
Anderson Tower. *Moth* —3G **143**
Anderston Cen. *G2* —4E **83** (5A **4**)
Anderston Quay. *G3* —5D **82**
ANDERSTON STATION. *G2*
—4E **83** (5A **4**)
Andrew Av. *Lenz* —4D **50**
Andrew Av. *Renf* —6G **59**
Andrew Dri. *Clyd* —1E **59**
Andrew Pl. *Carl* —2E **165**
Andrew Sillars Av. *Camb* —2B **122**
Andrews St. *Pais* —5A **78**
Andrew St. *E Kil* —2H **149**
Anford St. *Blan* —2C **140**
Angela Way. *Udd* —1D **124**
Angle Ga. *G14* —5D **60**
Angus Av. *G52* —2C **100**
Angus Av. *Air* —6A **92**
Angus Av. *B'rig* —1E **65**
Angus Av. *E Kil* —3A **150**
Angus Av. *Ham* —6C **142**
Angus Av. *Moth* —1E **143**
Angus Gdns. *Udd* —5D **108**
Angus Oval. *G52* —1B **100**
Angus Pl. *G52* —1B **100**
Angus Pl. *E Kil* —1B **150**
Angus Rd. *Carl* —4G **165**
Angus St. *G21* —5A **64**
Angus St. *Clyd* —1G **59**
Angus Wlk. *Udd* —6F **109**
Annan Ct. *Coat* —5B **90**
(off Kirk St.)
Annan Cres. *Chap* —4D **112**
Annandale St. *G42* —2F **103**
Annan Dri. *Bear* —4C **44**
Annan Dri. *Pais* —3D **96**
Annan Dri. *Ruth* —6F **105**
Annan Glade. *Moth* —6A **144**
Annan Gro. *Moth* —6A **144**
Annan Ho. Cumb —3H **35**
(off Cumbernauld Cen., The)
Annan Pl. *John* —5C **94**
Annan St. *G42* —5E **103**
Annan St. *Moth* —6A **144**
Annathill Gdns. *Anna* —5B **54**
Annbank Pl. *G31* —5B **84**
Annbank St. *Lark* —2D **160**
Ann Ct. *Ham* —4E **141**
Anne Av. *Renf* —5F **59**
Anne Cres. *Lenz* —4D **50**
Annerley Ct. *Coat* —6A **90**
Annerley Pl. *Coat* —6A **90**
Annes Ct. *G40* —1A **104**
Anne's M. *Ham* —6B **142**
Annette St. *G42* —3E **103**
Annfield Gdns. *Blan* —6A **124**
Annfield Pl. *G31* —4B **84**
Annick Dri. *Bear* —4C **44**
Annick St. *G32* —6B **86**
Annick St. *Camb* —2D **122**
Anniesdale Av. *Step* —3D **66**
Anniesland Cres. *G14* —4A **60**
Anniesland Ind. Est. *G13* —1E **61**
Anniesland Rd. *G14 & G13* —4A **60**
ANNIESLAND STATION. *G13* —3F **61**
Annieston. *Twe* —1D **32**
Anniversary Av. *E Kil* —4E **149**
Annsfield Rd. *Ham* —4G **153**
Ann St. *Ham* —4E **141**
Ann St. *John* —2G **95**
Ansdell Av. *Blan* —2A **140**
Anson Way. *Renf* —2E **79**
Anstruther Ct. *Law* —6D **158**
Anstruther St. *G32* —6H **85**
Anstruther St. *Law* —6D **158**
Antermony Rd. *Milt C* —5C **8**
Antigua Way. *E Kil* —2C **148**
Anton Cres. *Kils* —3A **12**
Antonine. *Kirk* —3H **31**

Antonine Av. *Moth* —1E **143**
Antonine Gdns. *Clyd* —1C **42**
Antonine Rd. *Bear* —1B **44**
Antrim La. *Lark* —1F **161**
Anwoth St. *G32* —2A **106**
Apollo Path. *Moth* —2B **128**
Appin Ct. *Kirk* —4H **31**
Appin Rd. *G31* —4D **84**
Appin Ter. *Ham* —5C **140**
Appin Ter. *Ruth* —3F **121**
Appin Way. *Both* —4E **125**
Appin Way. *Glenm* —5H **71**
Appleby Clo. *E Kil* —5B **148**
Appleby St. *G22* —6F **63**
Applecross Gdns. *Chry* —4D **52**
Applecross Quad. *Wis* —4H **145**
Applecross Rd. *Kirk* —4H **31**
Applecross St. *G4* —6F **63**
Appledore Cres. *Both* —4E **125**
Apsley La. *G11* —1G **81**
Apsley St. *G11* —1G **81**
Aqua Av. *Ham* —1C **152**
Aqua Ct. *Ham* —1C **152**
Aquila Way. *Carl* —3D **164**
Araburn Dri. *E Kil* —6G **149**
Aranthrue Cres. *Renf* —5E **59**
Aranthrue Dri. *Renf* —5E **59**
Aray St. *G20* —3B **62**
Arbroath Av. *G52* —1B **100**
Arbroath Gro. *Ham* —1F **153**
Arbuckle Pl. *Plain* —1G **93**
Arbuckle Rd. *Plain* —1H **93**
Arcadia St. *G40* —6A **84**
Arcadia St. *Bell* —6C **110**
Arcan Cres. *G15* —5B **44**
Archerfield Av. *G32* —3A **106**
Archerfield Cres. *G32* —3A **106**
Archerfield Dri. *G32* —3A **106**
Archerfield Gro. *G32* —3A **106**
Archerhill Av. *G13* —1A **60**
Archerhill Cotts. *G13* —1A **60**
Archerhill Cres. *G13* —1B **60**
Archerhill Gdns. *G13* —1A **60**
Archerhill Rd. *G13* —1H **59**
Archerhill Sq. *G13* —1H **59**
Archerhill Ter. *G13* —1A **60**
Archibald Ter. *Milt C* —5B **8**
Archiebald Pl. *Bell* —3F **127**
Arch Way. *Kils* —3H **11**
Ardargie Dri. *G32* —5C **106**
Ardargie Gro. *G32* —5C **106**
Ardargie Pl. *G32* —5C **106**
Ardbeg Av. *B'rig* —6E **49**
Ardbeg Av. *Ruth* —4G **121**
Ardbeg La. *G42* —3E **103**
(off Calder St.)
Ardbeg St. *G42* —3E **103**
Ardconnel St. *T'bnk* —3F **117**
Arden Av. *T'bnk* —5E **117**
Ardenclutha Av. *Ham* —5F **141**
Arden Ct. *Air* —3F **91**
(off Monkscourt Av.)
Arden Ct. *Ham* —2H **153**
Ardencraig Cres. *G45* —6G **119**
Ardencraig Dri. *G45* —6G **119**
Ardencraig La. *G45* —6G **119**
Ardencraig Quad. *G45* —5B **120**
Ardencraig Rd. *G45* —6G **119**
Ardencraig St. *G45* —4C **120**
Ardencraig Ter. *G45* —5B **120**
Arden Dri. *Giff* —5H **117**
Arden Gro. *Kils* —1G **11**
Ardenlea. *Udd* —6D **108**
Ardenlea St. *G40* —2D **104**
Arden Pl. *T'bnk* —5E **117**
Arden Rd. *Ham* —1G **153**
Arden St. *Plain* —1G **93**
Arden Ter. *Ham* —1G **153**
Ardery St. *G11* —1G **81**
Ardessie Pl. *G23* —6B **46**
Ardfern Rd. *Air* —5F **93**
Ardfern St. *G32* —2A **106**
Ardgay Pl. *G32* —1A **106**
Ardgay St. *G32* —1A **106**
Ardgoil Dri. *Cumb* —4B **34**
Ardgour Ct. *Blan* —3B **140**
Ardgour Dri. *Lin* —6G **75**
Ardgour Pde. *Moth* —6C **128**
Ardgowan Av. *Pais* —2B **98**
Ardgowan Dri. *Udd* —6D **108**
Ardgowan St. *Pais* —3B **98**
Ardgowan Ter. La. *G3* —2B **82**
(off Radnor St.)
Ardgryfe Cres. *Hous* —1D **74**
Ardholm St. *G32* —6A **86**
Ardhu Pl. *G15* —3A **44**
Ardlamont Sq. *Lin* —6A **76**
Ardlaw St. *G51* —5F **81**
Ardle Rd. *G43* —2C **118**
Ard Loan. *Moth* —2A **128**
(off Howden Pl.)
Ardlui Gdns. *Miln* —2D **24**
Ardlui St. *G32* —1H **105**
Ardmaleish Cres. *G45* —5A **120**
Ardmaleish Rd. *G45* —5H **119**
Ardmaleish St. *G45* —5H **119**
Ardmaleish Ter. *G45* —5A **120**
Ardmay Cres. *G44* —6G **103**
Ardmillan St. *G33* —3H **85**
Ardmory Av. *G42* —6H **103**
Ardmory La. *G42* —6A **104**

Ardmory Pl. *G42* —6A **104**
Ardnahoe Av. *G42* —5H **103**
Ardnahoe Pl. *G42* —5H **103**
Ardneil Rd. *G51* —5F **81**
Ardnish St. *G51* —4E **81**
Ardoch Cres. *Dumb* —3D **16**
Ardoch Gdns. *Camb* —1H **121**
Ardoch Gro. *Camb* —1H **121**
Ardoch Path. *Newm* —3D **146**
(off Tiree Cres.)
Ardochrig. *E Kil* —6G **149**
Ardoch Rd. *Bear* —2H **45**
Ardoch St. *G22* —5F **63**
Ardoch Way. *Chry* —5D **52**
Ardo Gdns. *G51* —6G **81**
Ardressie Pl. *G20* —4B **62**
Ard Rd. *Renf* —5D **58**
Ardshiel Rd. *G51* —4E **81**
Ardsloy La. *G14* —5A **60**
Ardsloy Pl. *G14* —5A **60**
Ard St. *G32* —1A **106**
Ardtoe Cres. *G33* —4E **67**
Ardtoe Pl. *G33* —4E **67**
Arduthie Rd. *G51* —4E **81**
Ardwell Rd. *G52* —2E **101**
Argosy Way. *Renf* —2E **79**
Argus Av. *Chap* —3C **112**
Argyle Arc. *G1* —6D **4**
Argyle Av. *Glas A* —2A **78**
Argyle Cres. *Air* —6H **91**
Argyle Dri. *Ham* —5E **141**
Argyle Gdns. *Lark* —2F **161**
Argyle Gdns. *Len* —4G **7**
Argyle Pl. *Kils* —3A **12**
Argyle Pl. *Bear* —6E **25**
Argyle St. *G1* —4G **83**
Argyle St. *G2* —4E **83** (6A **4**)
Argyle St. *G3* —2B **82**
Argyle St. *Pais* —1H **97**
ARGYLE ST. STATION. *G1* —5G **83**
Argyll Av. *Dumb* —1C **16**
Argyll Av. *Renf* —5D **58**
Argyll Pl. *Bell* —5B **126**
Argyll Pl. *Dumb* —1C **18**
Argyll Pl. *E Kil* —6C **138**
Argyll Rd. *Clyd* —1D **58**
Arisaig Dri. *G52* —2D **100**
Arisaig Dri. *Bear* —4H **45**
Arisaig Pl. *G52* —2E **101**
Arisdale Cres. *Newt M* —3E **133**
Arkaig Av. *Plain* —1F **93**
Arkaig Pl. *Newt M* —5H **133**
Arkaig St. *Wis* —2H **157**
Ark La. *G31* —4B **84**
Arkleston Ct. *Pais* —3D **78**
Arkleston Cres. *Pais* —4D **78**
Arkleston Path. *Pais* —5D **78**
Arkleston Rd. *Pais* —5D **78**
Arkleston Rd. *Renf* —3D **78**
Arkle Ter. *Camb* —4G **121**
Arklet Rd. *G51* —5E **81**
Arlington St. *G3* —2D **82**
Armadale Ct. *G31* —3C **84**
Armadale Path. *G31* —3C **84**
Armadale Pl. *G31* —3C **84**
Armadale St. *G31* —4C **84**
Armine Path. *Moth* —3C **128**
Armour Av. *Air* —4G **91**
Armour Ct. *Blan* —3H **139**
Armour Ct. *Kirk* —4G **31**
Armour Dri. *Kirk* —4G **31**
Armour Gdns. *Kirk* —4G **31**
Armour Gro. *Moth* —5A **144**
Armour Pl. *John* —2G **95**
Armour Pl. *Kirk* —4G **31**
Armour Pl. *Lin* —6A **76**
Armour Pl. *Moth* —1C **128**
Armour St. *G4* —5A **84**
Armour St. *John* —2G **95**
Armstrong Cres. *Udd* —5E **109**
Armstrong Gro. *E Kil* —4F **149**
Arnbrae Rd. *Kils* —2F **11**
Arndale Shopping Cen. *G15* —4H **43**
Arngask Rd. *G51* —4E **81**
Arnhall Pl. *G52* —2E **101**
Arnhem St. *Camb* —2D **122**
Arnholm Pl. *G52* —2E **101**
Arnisdale Pl. *G34* —3G **87**
Arnisdale Rd. *G34* —3G **87**
Arnisdale Way. *Ruth* —3D **120**
Arniston St. *G32* —4H **85**
Arnold Av. *B'rig* —6C **48**
Arnold St. *G20* —3E **63**
Arnol Pl. *G33* —4F **87**
Arnott Dri. *Coat* —1C **110**
Arnott Quad. *Moth* —6E **127**
Arnott Way. *Camb* —1A **122**
Arnprior Gdns. *Bail* —5D **52**
Arnprior Quad. *G45* —3H **119**
Arnprior Rd. *G45* —3H **119**
Arnprior St. *G45* —3H **119**
Arnside Av. *Giff* —4A **118**
Arnum Gdns. *Carl* —4F **165**
Arnum Pl. *Carl* —4F **165**
Arnwood Dri. *G12* —4G **61**
Aron Ter. *Camb* —4A **122**
Aros Dri. *G52* —2D **100**
Aros La. *G52* —2D **100**
Arran. *E Kil* —2C **150**
Arran Dri. *Coat* —1F **111**
Arran Av. *Dumb* —2D **16**

Arran Av. *Glas A* —2A **78**
Arran Dri. *G52* —2F **101**
Arran Dri. *Air* —2H **91**
Arran Dri. *Cumb* —5F **35**
Arran Dri. *Giff* —5A **118**
Arran Dri. *Glenm* —4H **71**
Arran Dri. *John* —4D **94**
Arran Dri. *Kirk* —3E **31**
Arran Dri. *Pais* —6A **98**
Arran Gdns. *Carl* —5F **165**
Arran Gdns. *Ham* —2A **154**
Arran La. *Chry* —5E **53**
Arran Path. Lark —4G **161**
(off Donaldson Rd.)
Arran Pl. *Clyd* —5E **43**
Arran Pl. *Coat* —1F **111**
Arran Pl. *Lin* —5G **75**
Arran Rd. *Moth* —2E **143**
Arran Rd. *Renf* —1F **79**
Arran Tower. *Camb* —4G **121**
Arran View. *Kils* —3H **11**
Arranview St. *Chap* —4E **113**
Arran Way. *Both* —5D **124**
Arran Way. *Ruth* —2B **120**
Arrochar Ct. *G23* —1B **62**
Arrochar Dri. *G23* —6B **46**
Arrochar Path. G23 —6B **46**
(off Arrochar Rd.)
Arrochar St. *G23* —6B **46**
Arrol Pl. *G40* —1D **104**
Arrol St. *G42* —4G **79**
(in two parts)
Arrotshole Rd. *E Kil* —1D **148**
Arrotside Ct. *E Kil* —6D **136**
Arrowsmith Av. *G13* —1D **60**
Arthur Av. *Air* —5H **91**
Arthur Av. *Barr* —6D **114**
Arthurlie Av. *Barr* —5E **115**
Arthurlie Dri. *Giff* —5A **118**
Arthurlie Dri. *Newt M* —6D **132**
Arthurlie St. *G51* —4F **81**
Arthurlie St. *Barr* —5E **115**
Arthur Pl. *Clar* —3C **134**
Arthur Rd. *Pais* —5A **98**
Arthur St. *G3* —2B **82**
Arthur St. *Clar* —3C **134**
Arthur St. *Ham* —4H **141**
Arthur St. *Pais* —6G **77**
Arundel Dri. *G42* —6E **103**
Arundel Dri. *B'rig* —3D **48**
Ascaig Cres. *G52* —3E **101**
Ascog Rd. *Bear* —5F **45**
Ascog St. *G42* —3E **103**
Ascot Av. *G12* —3F **61**
Ascot Ct. *G12* —3F **61**
Ash Av. *E Kil* —5E **149**
Ashburn Gdns. *Miln* —4E **25**
Ashburn Loan. *Lark* —1F **161**
Ashburn Rd. *Miln* —3E **25**
Ashburton La. G12 —3H **61**
(off Ashburton Rd.)
Ashburton Pk. *E Kil* —4C **148**
Ashburton Rd. *G12* —3H **61**
Ashby Cres. *G13* —6E **45**
Ash Ct. *E Kil* —5E **149**
Ashcroft. *E Kil* —4D **138**
Ashcroft Av. *Len* —4G **7**
Ashcroft Dri. *G44* —1A **120**
Ashcroft Wlk. *Len* —4G **7**
Ashdale Dri. *G52* —2E **101**
Ashdene St. *G22* —2F **63**
Asher Rd. *Chap* —3E **113**
Ashfield. *B'rig* —4E **48**
Ashfield Rd. *Clar* —3C **134**
Ashfield Rd. *Law* —5D **158**
Ashfield Rd. *Miln* —4G **25**
ASHFIELD STATION. *G22* —4G **63**
Ashfield St. *G22* —5G **63**
(in two parts)
Ashgillhead Rd. *Ashg* —4A **162**
Ashgill Pl. *G22* —3G **63**
Ashgill Rd. *G22* —2F **63**
Ashgrove. *Air* —4D **92**
Ash Gro. *B'rig* —1D **64**
Ashgrove. *Coat* —1C **110**
Ash Gro. *Kirk* —2B **50**
Ash Gro. *Law* —5D **158**
Ashgrove. *Mood* —6D **52**
Ash Gro. *Udd* —5F **109**
Ashgrove Rd. *Bell* —6D **110**
Ashgrove St. *G40* —3C **104**
Ashiestiel Ct. *Cumb* —6G **35**
Ashiestiel Pl. *Cumb* —6G **35**
Ashiestiel Rd. *Cumb* —6G **35**
Ashkirk Dri. *G52* —2E **101**
Ashkirk Dri. *Ashg* —5B **162**
Ashland Av. *Ham* —5H **153**
Ashlea Dri. *Giff* —3B **118**
Ashley Dri. *Both* —2F **125**
Ashley Pk. *Udd* —1G **125**
Ashley Pl. *Blan* —1A **140**
Ashley St. *G3* —2D **82**
Ashmore Rd. *G43 & G44* —2D **118**
Ash Pl. *Bank* —1E **15**
Ash Pl. *E Kil* —5E **149**
Ash Pl. *John* —4G **95**
Ash Rd. *Bail* —2G **107**
Ash Rd. *Broad I* —3F **17**
Ash Rd. *Clyd* —2B **42**
Ash Rd. *Cumb* —6D **14**
(in two parts)

Ashton Grn. *E Kil* —1G **149**
Ashton La. *G12* —6B **62**
Ashton La. N. *G12* —1B **82**
Ashton Rd. *G12* —1B **82**
Ashton Rd. *Ruth* —4C **104**
Ashton St. *Moth* —5F **127**
Ashton View. *Dumb* —3B **16**
Ashton Way. *Pais* —5C **96**
Ashtree Ct. *Old K* —1F **41**
Ashtree Gro. *Newt M* —6C **132**
Ashtree Rd. *G43* —5A **102**
Ashvale Cres. *G21* —5A **64**
Ash Wlk. *Moth* —2B **128**
Ash Wlk. *Ruth* —4E **121**
Ashworth Ter. *Ham* —5E **141**
Aspen Dri. *G21* —6C **64**
Aspen Pl. *John* —4G **95**
Aspen Way. *Ham* —1A **154**
Asquith Pl. *Bell* —2F **127**
Aster Dri. *G45* —4C **120**
Aster Gdns. *G53* —4C **116**
Aster Gdns. *Moth* —4G **143**
Athelstane Dri. *Cumb* —6F **35**
Athelstane Rd. *G13* —2C **60**
Athena Way. *Udd* —6E **109**
Athole Gdns. *G12* —6A **62**
Athole La. *G12* —6A **62**
Atholl Av. *G52* —3G **79**
(in two parts)
Atholl Av. *Torr* —4D **28**
Atholl Ct. *Blan* —3D **140**
Atholl Ct. *Kirk* —4H **31**
Atholl Cres. *Pais* —5G **79**
Atholl Dri. *Cumb* —5B **34**
Atholl Dri. *Giff* —1A **134**
Atholl Gdns. *Bear* —6E **25**
Atholl Gdns. *B'rig* —4B **48**
Atholl Gdns. *Ruth* —3G **121**
Atholl La. *Chry* —5E **53**
Atholl Pl. *Coat* —2D **110**
Atholl Pl. *Lin* —5G **75**
Atholl St. *Ham* —3F **141**
Atholl Ter. *Udd* —4D **108**
Atlas Ind. Est. *G21* —5B **64**
Atlas Pl. *G21* —5B **64**
Atlas Rd. *G21* —6A **64**
Atlas Sq. *G21* —5B **64**
Atlas St. *Clyd* —1D **58**
Attercliffe Av. *Wis* —1C **156**
Attlee Av. *Clyd* —6F **43**
Attlee Pl. *Clyd* —6G **43**
Attow Rd. *G43* —2H **117**
Auburn Dri. *Barr* —6F **115**
Auchans Rd. *Hous* —3F **75**
Auchencrow St. *G34* —3B **88**
Auchencruive. *Miln* —5A **26**
Auchendale Rd. *Kirk* —3G **31**
Auchengeich Rd. *Mood* —3B **52**
Auchengilloch. *E Kil* —6G **149**
Auchenglen Dri. *Chry* —5D **52**
Auchengreoch Av. *John* —5D **94**
Auchengreoch Rd. *John* —5D **94**
Auchenkilns Rd. *Cumb* —1F **55**
Auchenkilns Roundabout. *Cumb*
—4E **35**
Auchenlodment Rd. *John* —3H **95**
Auchenowie Rd. *Miln* —5H **25**
Auchenreoch Av. *Dumb* —1H **17**
Auchentibber Rd. *Blan* —6F **139**
Auchentorlie Quad. *Pais* —1D **98**
Auchentorlie St. *G11* —1H **81**
Auchinairn Rd. *B'rig* —2B **64**
Auchinbee Farm Rd. *Cumb* —1D **34**
Auchinbee Way. *Cumb* —2D **34**
Auchincampbell Rd. *Ham* —6H **141**
Auchincloch Dri. *Bank* —1F **15**
Auchingill Path. G34 —2B **88**
(off Auchingill Pl.)
Auchingill Pl. *G34* —2B **88**
Auchingill Rd. *G34* —2A **88**
Auchingramont Ct. *Ham* —6H **141**
Auchingramont Rd. *Ham* —5H **141**
Auchinlea Retail Pk. *G34* —3F **87**
Auchinlea Rd. *G34* —1F **87**
Auchinleck Av. *G33* —3G **65**
Auchinleck Cres. *G33* —3G **65**
Auchinleck Dri. *G33* —3G **65**
Auchinleck Gdns. *G33* —3G **65**
Auchinleck Rd. *G33* —2H **65**
Auchinleck Rd. *Clyd* —6D **22**
Auchinleck Ter. *Clyd* —6D **22**
Auchinloch Rd. *Lenz* —3D **50**
Auchinloch St. *G21* —6B **64**
Auchinraith Av. *Ham* —3F **141**
Auchinraith Rd. *Blan* —3B **140**
Auchinraith Ter. *Blan* —3C **140**
(in two parts)
Auchintibber Ct. *Blan* —4C **140**
Auchinvole Cres. *Kils* —3H **11**
Auchmannoch Av. *Pais* —6G **79**
Auchnacraig Rd. *Clyd* —5E **23**
Auchter Av. *Newm* —4G **147**
Auchter Rd. *Wis* —5C **146**
Auckland Pk. *E Kil* —3C **148**
Auckland Pl. *Clyd* —3H **41**
Auckland St. *G22* —4H **157**
Auldbar Rd. *G52* —2F **101**
Auldbar Ter. *Pais* —3C **98**

Auldburn Pl. *G43* —1H **117**
Auldburn Rd. *G43* —1H **117**
Auldearn Rd. *G21* —2E **65**
Auldgirth Rd. *G52* —2F **101**
Auldhame St. *Coat* —3A **90**
Auldhouse Av. *G43* —1H **117**
Auldhouse Ct. *G43* —1H **117**
Auldhouse Gdns. *G43* —1H **117**
Auldhouse Retail Pk. *G43* —6A **102**
Auldhouse Rd. *G43* —1H **117**
Auldhouse Rd. *E Kil* —6F **149**
Auldhouse Ter. *G43* —1B **118**
Auld Kirk Rd. *Camb* —4C **122**
Auldkirk, The. *Clar* —4E **135**
Auld Rd., The. *Cumb* —1A **36**
Auld's Brae. *Air* —3A **92**
Auld St. *Dalm* —4A **42**
Auldton Ter. *Ashg* —4B **162**
Aultbea St. *G22* —1F **63**
Aultmore Rd. *G33* —4F **87**
Aursbridge Cres. *Barr* —5F **115**
Aursbridge Dri. *Barr* —5F **115**
Aurs Cres. *Barr* —5F **115**
Aurs Dri. *Barr* —6F **115**
Aurs Glen. *Barr* —6E **115**
Aurs Pl. *Barr* —5G **115**
Aurs Rd. *Barr* —4F **115**
Aurs Rd. *Newt M* —3A **132**
Austen La. *G13* —4E **61**
Austen Rd. *G13* —4E **61**
Austine Dri. *Ham* —4A **154**
Avenel Rd. *G13* —6E **45**
Avenue End Rd. *G33* —5B **66**
Avenuehead Rd. *Chry* —6D **52**
Avenuepark St. *G20* —5C **62**
Avenue St. *G40* —6C **84**
Avenue St. *Ruth* —4D **104**
Avenue, The. *Newt M* —5D **132**
Aviemore Gdns. *Bear* —6E **25**
Aviemore Rd. *G52* —2E **101**
Avoch St. *G34* —2H **87**
Avon Av. *Bear* —4H **45**
Avon Av. *Carl* —3E **165**
Avonbank Cres. *Ham* —3A **154**
Avonbank Rd. *Lark* —2C **160**
Avonbank Rd. *Ruth* —6B **104**
Avonbrae Cres. *Ham* —3A **154**
Avon Bri. *Ham* —1C **154**
Avondale Av. *E Kil* —2H **149**
Avondale Dri. *Pais* —5D **78**
Avondale Pl. *E Kil* —3A **150**
Avondale St. *G33* —2A **86**
Avon Bri. *Bell* —3E **127**
Avon Dri. *Lin* —5H **75**
Avonhead. *E Kil* —6G **149**
Avonhead Av. *Cumb* —6E **35**
Avonhead Gdns. *Cumb* —6E **35**
Avonhead Pl. *Cumb* —6E **35**
Avonhead Rd. *Cumb* —6E **35**
Avon Ho. *Ham* —4A **142**
Avon Pl. *Coat* —2H **89**
Avon Pl. *Lark* —6F **161**
Avon Rd. *B'rig* —1C **64**
Avon Rd. *Giff* —5H **117**
Avon Rd. *Lark* —5E **161**
Avonside Gro. *Ham* —6B **142**
Avonspark St. *G21* —6C **64**
Avon St. *Ham* —6A **142**
Avon St. *Lark* —2D **160**
Avon Tower. *Moth* —4F **143**
Avon Tower. *Moth* —4G **143**
Avon Wlk. Cumb —3H **35**
(off Cumbernauld Cen., The)
Avon Wynd. *Newm* —3D **146**
Aylmer Rd. *G43* —1D **118**
Ayr Dri. *Air* —6A **92**
Ayr Rd. *Newt M* —6A **132**
Ayr Rd. *Shaw* —6H **161**
Ayr St. *G21* —5B **64**
Ayton Pk. N. *E Kil* —6B **138**
Ayton Pk. S. *E Kil* —6B **138**
Aytoun Dri. *Ersk* —4D **40**
Aytoun Rd. *G41* —1B **102**

Babylon Av. *Bell* —4C **126**
Babylon Dri. *Bell* —4C **126**
Babylon Pl. *Bell* —5C **126**
Babylon Rd. *Bell* —4C **126**
Backbrae St. *Kils* —3H **11**
(in two parts)
Bk. Causeway. *G31* —6F **85**
Backmuir Cres. *Ham* —3F **141**
Backmuir Rd. *G15* —3B **44**
Backmuir Rd. *Ham* —3F **141**
Bk. o'Barns. *Ham* —4A **142**
Bk. o'Dykes Rd. *Kirk* —6H **31**
Back o' Hill. *C'lee* —2B **74**
Bk. o'Hill Roundabout. *Cumb*
—4D **34**
Back Row. *Ham* —5A **142**
Bk. Sneddon St. *Pais* —6A **78**
Badenheath Pl. *Cumb* —2H **53**
Badenheath Ter. *Cumb* —3H **53**
Badenoch Rd. *Kirk* —4H **31**
Bagnell St. *G21* —4B **64**
Bahamas Way. *E Kil* —2C **148**
Bailie Dri. *Bear* —6D **24**
Bailie Fyfeway. *Over* —4H **157**
Baillie Dri. *Both* —4E **125**
Baillie Dri. *E Kil* —5B **138**

Baillie Gdns. *Wis* —5C **146**
Baillie Pl. *E Kil* —5C **138**
Baillies La. *Air* —4A **92**
Bailliesmuir Pl. *Wis* —3E **147**
Baillieston Rd. *G32* —1D **106**
BAILLIESTON STATION. *Bail*
—2H **107**
Baillie Wynd. *Udd* —5E **109**
Bainsford St. *G32* —5H **85**
Bain St. *G40* —5A **84**
Baird Av. *G52* —3G **79**
Baird Av. *Air* —1H **91**
Baird Av. *Stru I* —5F **161**
Baird Brae. *G4* —6F **63**
Baird Ct. *Clyd* —5C **42**
Baird Cres. *Cumb* —6D **34**
(in two parts)
Baird Dri. *Bear* —2D **44**
Baird Dri. *Ersk* —4D **40**
Baird Hill. *E Kil* —3F **149**
Baird Pl. *Bell* —6C **110**
Baird Pl. *Wis* —5C **146**
Bairds Cres. *Ham* —6G **141**
Bairdsland View. *Bell* —2D **126**
Baird St. *G4* —2H **83** (2G **5**)
Baird St. *Coat* —4C **90**
Baker Rd. *Udd* —5F **109**
Baker St. *G41* —4C **102**
Bakewell Rd. *Bail* —6G **87**
Balaclava St. *G3* —4E **83** (6A **4**)
Balado Rd. *G33* —4E **87**
Balbeg St. *G51* —5E **81**
Balbeggie Pl. *G32* —1C **106**
Balbeg St. *G51* —5E **81**
Balblair Rd. *G52* —3F **101**
Balcarres Av. *G12* —4A **62**
Balcastle Gdns. *Kils* —1F **11**
Balcastle Rd. *Kils* —2E **11**
Balcomie St. *G33* —2A **86**
Balcomie Ter. *Ham* —3F **153**
Balcurvie Rd. *G34* —1G **87**
Baldernock Rd. *Miln* —4H **25**
Baldinnie Rd. *G34* —3H **87**
Baldorran Cres. *Cumb* —2D **34**
Baldovan Cres. *G33* —3F **87**
Baldovan Path. *G33* —4F **87**
Baldovie Rd. *G52* —1C **100**
Baldragon Rd. *G34* —2H **87**
Baldric Rd. *G13* —3C **60**
Baldwin Av. *G13* —2D **60**
Balerno Dri. *G52* —2E **101**
Balfearn St. *Miln* —3H **25**
Balfleurs St. *Miln* —3H **25**
Balfluig St. *G34* —2F **87**
Balfour St. *G20* —3B **62**
Balfour Ter. *E Kil* —4H **149**
Balfron Cres. *Ham* —6D **140**
Balfron Rd. *G51* —4E **81**
Balfron Rd. *Pais* —6F **79**
Balgair Dri. *Pais* —6D **78**
Balgair St. *G22* —4F **63**
Balgair Ter. *G32* —6B **86**
Balglass St. *G22* —5F **63**
Balgonie Av. *Pais* —4E **97**
Balgonie Dri. *Pais* —4G **97**
Balgonie Rd. *G52* —1E **101**
Balgonie Woods. *Pais* —4G **97**
Balgownie Cres. *T'bnk* —5G **117**
Balgraybank St. *G21* —5B **64**
Balgrayhill Rd. *G21* —3B **64**
Balgray Rd. *Newt M* —4A **132**
Balintore St. *G32* —6A **86**
Baliol St. *G3* —2D **82**
Baljaffray Rd. *Bear* —6H **23**
Baljaffray Shopping Cen. *Bear*
—5C **24**
Ballagan Pl. *Miln* —3D **24**
Ballaig Av. *Bear* —2D **44**
Ballaig Cres. *Step* —4C **66**
Ballantay Quad. *G45* —4C **120**
Ballantay Rd. *G45* —4C **120**
Ballantay Ter. *G45* —4C **120**
Ballantine Av. *G52* —4A **80**
Ballantrae. *E Kil* —1F **149**
Ballantrae Cres. *Newt M* —5G **133**
Ballantrae Dri. *Newt M* —5G **133**
Ballantrae Rd. *Blan* —4C **140**
Ballantrae Wynd. Moth —2A **128**
(off Beauly Pl.)
Ballater Cres. *Wis* —4H **145**
Ballater Dri. *Bear* —5F **45**
Ballater Dri. *Inch* —2H **57**
Ballater Dri. *Pais* —4B **98**
Ballater Pl. *G5* —1H **103**
Ballater St. *G5* —6G **83**
Ballater Way. *Glenb* —3G **69**
Ballayne Dri. *Chry* —4E **53**
Ballerup Ter. *E Kil* —5G **149**
Ballieston Rd. *Udd* —2H **107**
Ballindalloch Dri. *G31* —3C **84**
Ballindalloch La. *G31* —3C **84**
Ballinkier Av. *Bank* —1E **15**
Balliol La. G3 —2D **82**
(off Woodlands Rd.)
Balloch Gdns. *G52* —2F **101**
Ballochmill Rd. *Ruth* —5F **105**
Ballochmyle. *E Kil* —5D **138**
Ballochney La. *Air* —1E **93**
Ballochney Rd. *Air* —1E **93**
Ballochney St. *Air* —2G **91**

Ballochnie Dri. *Plain* —1F **93**
Balloch Rd. *Air* —5G **93**
Balloch Rd. *Cumb* —3C **34**
Balloch Roundabout. *Cumb* —3C **34**
Balloch View. *Cumb* —3H **35**
Ballogie Rd. *G44* —6F **103**
Balmalloch Rd. *Kils* —2F **11**
Balmartin Rd. *G23* —6B **46**
Balmedie. *Ersk* —5E **41**
Balmeg Av. *Giff* —1A **134**
Balmerino Pl. *B'rig* —1F **65**
Balmoral Av. *Glenm* —4H **71**
Balmoral Cres. *Coat* —1H **109**
Balmoral Cres. *Inch* —2A **58**
Balmoral Dri. *Bear* —5G **45**
Balmoral Dri. *Camb* —1G **121**
Balmoral Gdns. *Blan* —3A **124**
Balmoral Gdns. *Udd* —4D **108**
Balmoral Path. Lark —4G **161**
(off Donaldson Rd.)
Balmoral Pl. *E Kil* —2E **149**
Balmoral Rd. *Eld* —5H **95**
Balmoral St. *G14* —6B **60**
Balmore Dri. *Ham* —3E **153**
Balmore Ind. Est. *G22* —1F **63**
Balmore Pl. *G22* —3F **63**
Balmore Rd. *G23 & G22* —1D **46**
Balmore Rd. *Balm* —5H **27**
Balmore Sq. *G22* —4F **63**
Balmuildy Rd. *G23* —3E **47**
Balmuildy Rd. *B'rig* —3G **47**
Balornock Rd. *G21 & B'rig* —4C **64**
Balruddery Pl. *B'rig* —1F **65**
Balshagray Av. *G11* —6F **61**
Balshagray Cres. *G14* —1E **81**
Balshagray Dri. *G11* —6F **61**
Balshagray La. *G11* —6F **61**
Balshagray Pl. *G11* —6F **61**
Baltic Ct. *G40* —2C **104**
Baltic La. *G40* —2C **104**
Baltic Pl. *G40* —1C **104**
Baltic St. *G40* —1C **104**
Balure St. *G31* —4E **85**
Balvaird Cres. *Ruth* —6C **104**
Balvaird Dri. *Ruth* —6C **104**
Balvenie St. *Coat* —2D **110**
Balveny St. *G33* —1D **86**
Balvicar Dri. *G42* —4D **102**
Balvicar St. *G42* —3D **102**
Balvie Av. *G15* —6A **44**
Balvie Av. *Giff* —5B **118**
Balvie Cres. *Miln* —3F **25**
Balvie Rd. *Miln* —3E **25**
Banavie Rd. *G11* —6G **61**
Banavie Rd. *Newm* —3D **146**
Banbury Path. *E Kil* —5F **137**
Banchory Av. *G43* —2H **117**
Banchory Av. *Glenm* —4H **71**
Banchory Av. *Inch* —2H **57**
Banchory Cres. *Bear* —5G **45**
Banchory Rd. *Wis* —4H **145**
Banff Av. *Air* —1A **112**
Banff Pl. *E Kil* —3E **149**
Banff St. *G33* —1B **86**
Bangorshill St. *T'bnk* —3F **117**
Bank Av. *Miln* —2G **25**
Bankbrae Av. *G53* —1A **116**
Bankend. *Bri W* —4G **73**
Bankend Rd. *Bri W* —5H **73**
Bankend Rd. *Dumb* —3F **17**
Bankend St. *G33* —2A **86**
Bankfield Dri. *Ham* —4H **153**
Bankfoot Dri. *G52* —6B **80**
Bankfoot Rd. *G52* —1B **100**
Bankfoot Rd. *Pais* —6F **77**
Bankglen Rd. *G15* —3B **44**
Bankhall St. *G42* —3F **103**
Bankhead Av. *G13* —3A **60**
Bankhead Av. *Air* —4D **92**
Bankhead Av. *Bell* —4D **126**
Bankhead Av. *Coat* —1G **109**
Bankhead Dri. *Ruth* —6C **104**
Bankhead Pl. *Air* —4D **92**
Bankhead Pl. *Coat* —1G **109**
Bankhead Rd. *Crmck* —2H **135**
Bankhead Rd. *Kirk* —6G **31**
Bankhead Rd. *Ruth* —1B **120**
Bankholm Pl. *Clar* —4D **134**
Bankier St. *Bank* —1E **15**
Banknock St. *G32* —5G **85**
Bank Pk. *E Kil* —3F **149**
Bank Rd. *G32* —5C **106**
Bankside Av. *John* —2F **95**
Banks Rd. *Kirk* —4D **30**
Bank St. *G12* —1C **82**
Bank St. *Air* —4A **92**
Bank St. *Barr* —5E **115**
Bank St. *Camb* —1A **122**
Bank St. *Coat* —5A **90**
Bank St. *Neil* —2D **130**
Bank St. *Pais* —1B **98**
(in two parts)
Banktop Pl. *John* —2F **95**
Bank View. *Chap* —3D **112**
Bankview Cres. *Kirk* —5A **30**
Bankview Dri. *Kirk* —5A **30**
Bank Way. Lark —1F **161**
(off Carrick Pl.)
Bannatyne Av. *G31* —4D **84**

Bannercross Av. *Bail* —6G **87**
Bannercross Dri. *Bail* —6G **87**
Bannercross Gdns. *Bail* —6G **87**
Banner Dri. *G13* —6C **44**
Bannerman Dri. *Bell* —2F **127**
Bannerman Pl. *Clyd* —5D **42**
Banner Rd. *G13* —6C **44**
Bannockburn Dri. *Lark* —4G **161**
Bantaskin St. *G20* —2A **62**
Banton Pl. *G33* —4G **87**
Banton Rd. *Kils* —2E **13**
Banyan Cres. *Udd* —4H **109**
Barassie. *E Kil* —6F **137**
Barassie Ct. *Both* —5D **124**
Barassie Cres. *Cumb* —5H **13**
Barassie Dri. *Bri W* —5E **73**
Baraston Rd. *B'rig* —2B **28**
Barbados Grn. *E Kil* —2C **148**
Barbana Rd. *E Kil* —1A **148**
Barbeth Gdns. *Cumb* —1D **54**
Barbeth Pl. *Cumb* —1C **54**
Barbeth Rd. *Cumb* —1C **54**
Barbeth Way. *Cumb* —1C **54**
Barbor St. *Chap* —3D **112**
Barcaldine Av. *Chry* —1H **67**
Barcapel Av. *Newt M* —2E **133**
Barchan's Rd. *Mill P* —3B **94**
Barclay Av. *Eld* —3H **95**
Barclay Ct. *Old K* —1F **41**
Barclay Rd. *Moth* —3D **142**
Barclay Sq. *Renf* —2D **78**
Barclay St. *G21* —4B **64**
Barclay St. *Old K* —2F **41**
Barcraigs Dri. *Pais* —5B **98**
Bard Av. *G13* —1B **60**
Bardowie St. *Miln* —6F **27**
Bardowie St. *G22* —5F **63**
(in three parts)
Bardrain Av. *Eld* —3A **96**
Bardrain Rd. *Pais* —6G **97**
Bardrill Dri. *B'rig* —6A **48**
Bardykes Rd. *Blan* —1H **139**
Barefield St. *Lark* —1E **161**
Barfillan Dri. *G52* —6E **81**
Bargaran Rd. *G53* —2B **100**
Bargarran Rd. *Ersk* —5D **40**
Bargarran Sq. *Ersk* —4E **41**
Bargarron Dri. *Pais* —4C **78**
BARGEDDIE STATION. *Barg*
—1E **109**
Bargeddie St. *G33* —1F **85**
Barhill La. *Twe* —1D **32**
Bar Hill Pl. *Kils* —3F **11**
Barhill Rd. *Ersk* —3E **41**
Barholm St. *G33* —1D **86**
Barke Rd. *Cumb* —2A **36**
Barkly Ter. *E Kil* —3E **149**
Barlanark Av. *G32* —4C **86**
Barlanark Cres. *G33* —4D **86**
Barlanark Pl. *Spri* —5B **86**
Barlanark Rd. *G33* —4D **86**
Barlandfauld St. *Kils* —3A **12**
Barleybank. *Kirk* —5C **30**
Barlia Dri. *G45* —4A **120**
Barlia St. *G45* —4A **120**
Barlia Ter. *G45* —4B **120**
Barloan Cres. *Dumb* —2G **17**
Barloan Pl. *Dumb* —2G **17**
Barloch Av. *Miln* —3G **25**
Barloch Dri. *Miln* —3H **25**
Barloch St. *G22* —5G **63**
Barlogan Av. *G52* —6E **81**
Barlogan Quad. *G52* —6E **81**
Barmore Av. *Carl* —5G **165**
Barmulloch Rd. *G21* —5C **64**
Barnard Gdns. *B'rig* —3C **48**
Barnbeth Rd. *G53* —3B **100**
Barncluith Ct. *Ham* —6B **142**
Barncluith Rd. *Ham* —6B **142**
Barnes Rd. *G20* —3E **63**
Barnes St. *Barr* —5D **114**
Barnflat St. *Ruth* —4D **104**
Barn Grn. *Kilb* —2A **94**
Barnhill Dri. *Ham* —1B **152**
Barnhill Rd. *Dumb* —2C **18**
BARNHILL STATION. *G21* —6B **64**
Barnkirk Av. *G15* —4A **44**
Barnscroft. *Kilb* —1B **94**
Barnsford Av. *Inch* —5F **57**
Barnsford Rd. *Inch* —4E **57**
Barnsford Rd. *Pais* —3E **77**
Barns St. *Clyd* —6E **43**
Barnton St. *G32* —4G **85**
Barnwell Ter. *G51* —4E **81**
Barochan Cres. *Pais* —1E **97**
Barochan Rd. *G53* —2B **100**
Barochan Rd. *Hous* —2C **74**
Baronald Dri. *G12* —3H **61**
Baronald Ga. *G12* —3H **61**
Baronald St. *Ruth* —4D **104**
Baron Ct. *Ham* —1C **154**
Barone Dri. *Clar* —1A **134**
Baronhall Dri. *Blan* —1A **140**
Baronhill. *Cumb* —6A **14**
Baron Pl. *Pais* —5C **78**

Baronscourt Dri. *Pais* —1D **96**
Baronscourt Gdns. *Pais* —1D **96**
Baronscourt Rd. *Pais* —1D **96**
Barons Ga. *Both* —3C **124**
Barons Rd. *Moth* —1B **156**
Barons Tower. *Moth* —6B **144**
Baron St. *Renf* —1E **79**
Barony Ct. *Bail* —5H **87**
Barony Gdns. *Bail* —6H **87**
Barony Pl. *Cumb* —4A **34**
Barony Wynd. *Bail* —5H **87**
Barra Av. *Renf* —2E **79**
Barra Av. *Wis* —4C **146**
Barrachnie Ct. *Bail* —5F **87**
Barrachnie Cres. *Bail* —6F **87**
Barrachnie Rd. *Bail* —1F **107**
Barrack St. *G4* —5A **84**
Barrack St. *Ham* —5H **141**
Barra Cres. *Old K* —2G **41**
Barra Dri. *Air* —5E **93**
Barra Gdns. *Old K* —2G **41**
Barra Rd. *Old K* —2G **41**
Barra St. *G20* —1A **62**
Barr Av. *Neil* —1E **131**
Barrcraig Rd. *Bri W* —4E **73**
Barr Cres. *Clyd* —2D **42**
Barr Gro. *Udd* —5E **109**
Barrhead Rd. *G53 & G43* —1H **115**
Barrhead Rd. *Newt M* —4A **132**
Barrhead Rd. *Pais* —2B **98**
BARRHEAD STATION. *Barr*
—4D **114**
Barrhill. *Twe* —1D **32**
Barrhill Ct. *Kirk* —5G **31**
Barrhill Cres. *Kilb* —3B **94**
Barrhill Rd. *Kirk* —5G **31**
Barriedale Av. *Ham* —6F **141**
Barrie Quad. *Clyd* —3C **42**
Barrie Rd. *G52* —4A **80**
Barrie Rd. *E Kil* —4D **138**
Barrie St. *Moth* —3G **143**
Barrington Dri. *G4* —1D **82**
Barrisdale Rd. *G20* —2B **62**
Barrisdale Rd. *Newm* —3D **146**
Barrisdale Way. *Ruth* —3D **120**
Barrland Dri. *Giff* —4A **118**
Barrland St. *G41* —2E **103**
Barrmill Rd. *G43* —2G **117**
Barrowfield St. *G40* —6C **84**
Barrowfield St. *Coat* —1B **110**
Barrpath. *Kils* —4B **12**
Barr Pl. *Newt M* —4C **132**
Barr Pl. *Pais* —1H **97**
Barrs La. *Carl* —2F **165**
Barr St. *G20* —6E **63**
Barr St. *Moth* —1G **143**
Barr Ter. *E Kil* —1G **149**
Barrwood Pl. *Udd* —5E **109**
Barrwood St. *G33* —1G **85**
Barry Gdns. *Blan* —3A **140**
Barscube Ter. *Pais* —3C **98**
Barshaw Dri. *Pais* —5C **78**
Barshaw Pl. *Pais* —6F **79**
Barshaw Rd. *G52* —5G **79**
Barskiven Rd. *Pais* —1D **96**
Barterholm Rd. *Pais* —3A **98**
Bartholomew St. *G40* —2C **104**
Bartiebeith Rd. *G33* —4D **86**
Bartlett Sq. *Barr* —5E **115**
Bartonhall Rd. *Wis* —2B **158**
Barty's Rd. *Bell* —2E **127**
Barwood Hill. *Dumb* —1H **17**
Bassett Av. *G13* —1B **60**
Bassett Cres. *G13* —1B **60**
Bathgate St. *G31* —5C **84**
Bathgo Av. *Pais* —1G **99**
Bath La. *G2* —3E **83** (3A **4**)
Bath St. *G2* —3E **83** (3A **4**)
Batson St. *G42* —3F **103**
Battlefield Av. *G42* —6E **103**
Battlefield Gdns. *G42* —5E **103**
Battlefield Rd. *G42* —5D **102**
Battle Pl. *G41* —5D **102**
(off Algie St.)
Bavelaw St. *G33* —1D **86**
Bayfield Av. *G15* —4A **44**
Bayfield Ter. *G15* —4A **44**
Beaconsfield Rd. *G12* —4H **61**
Beard Cres. *G'csh* —4G **69**
Beardmore Cotts. *Inch* —3A **58**
Beardmore Pl. *Clyd* —4A **42**
Beardmore St. *Clyd* —4H **41**
Beardmore Way. *Clyd* —5H **41**
Bearford Dri. *G52* —6B **80**
Bearsden Rd. *G13* —3F **61**
Bearsden Shopping Cen. *Bear*
—3G **45**
BEARSDEN STATION. *Bear* —3E **45**
Beaton Rd. *G41* —3C **102**
Beaton St. *Lark* —1D **160**
Beatrice Dri. *Moth* —2H **127**
Beatrice Gdns. *Hous* —3D **74**
Beatson Wynd. *Udd* —4E **109**
Beattock St. *G31* —6F **85**
Beattock Wynd. *Ham* —6E **141**
Beatty St. *Clyd* —4A **42**
Beaufort Av. *G43* —1A **118**
Beaufort Dri. *Kirk* —5B **30**
Beaufort Gdns. *B'rig* —6A **48**

Beauly Dri. *Pais* —4C **96**
Beauly Pl. *G20* —4B **62**
Beauly Pl. *B'rig* —5F **49**
Beauly Pl. *Chry* —6B **52**
Beauly Pl. *Coat* —2D **110**
Beauly Pl. *E Kil* —1F **149**
Beauly Pl. *Moth* —2A **128**
Beauly Rd. *Bail* —2G **107**
Beaumont Ga. *G12* —6A **62**
Bedale Rd. *Bail* —1F **107**
Bedcow View. *Kirk* —6F **31**
Bedford Av. *Clyd* —5F **43**
Bedford La. *G5* —6F **83**
Bedford St. *G5* —6F **83**
Bedlay Ct. *Chry* —4E **53**
Bedlay Pl. *Anna* —5B **54**
Bedlay View. *Udd* —4F **109**
Bedlay Wlk. *Chry* —4E **53**
Beech Av. *G41* —1H **101**
(in two parts)
Beech Av. *Bail* —6G **87**
Beech Av. *Bear* —6G **25**
Beech Av. *Bri W* —2F **73**
Beech Av. *Camb* —1H **121**
Beech Av. *Eld* —3A **96**
Beech Av. *Lark* —3H **161**
Beech Av. *Moth* —4B **128**
Beech Av. *Newt M* —5D **132**
Beech Av. *Pais* —4C **98**
Beech Av. *Ruth* —3E **121**
Beech Cres. *Camb* —4E **123**
Beech Cres. *Moth* —6D **112**
Beech Cres. *Newt M* —6E **133**
Beechcroft Pl. *Blan* —6C **124**
Beech Dri. *Clyd* —2C **42**
Beeches Av. *Clyd* —1B **42**
Beeches Rd. *Clyd* —1A **42**
Beeches Ter. *Clyd* —6B **22**
Beeches, The. *Brkfld* —5C **74**
Beeches, The. *Hous* —2D **74**
Beeches, The. *Newt M* —3F **133**
Beechfield Dri. *Carl* —5G **165**
Beech Gdns. *Bail* —6G **87**
Beechgrove. *Chry* —5D **52**
Beech Gro. *E Kil* —5D **148**
Beech Gro. *G'csh* —4E **69**
Beech Gro. *Law* —5D **158**
Beech Gro. *Wis* —2A **146**
Beechgrove Av. *Udd* —6G **109**
Beechgrove Quad. *Moth* —2A **128**
Beechgrove St. *G40* —3D **104**
Beechland Av. *G44* —5C **118**
Beechlands Dri. *Clar* —3A **134**
Beechmount Rd. *Lenz* —3C **50**
Beech Pl. *B'rig* —1D **64**
Beech Pl. *Blan* —2A **140**
Beech Rd. *B'rig* —1D **64**
Beech Rd. *John* —4G **95**
Beech Rd. *Lenz* —1C **50**
Beech Rd. *Moth* —6C **112**
Beech Ter. *Lark* —4F **161**
Beechtree Ter. *Milt C* —6C **8**
Beechwood. *Lark* —6A **156**
Beechwood Av. *Clar* —3A **134**
Beechwood Av. *Ham* —3F **153**
Beechwood Av. *Ruth* —1E **121**
Beechwood Ct. *Bear* —4F **45**
Beechwood Ct. *Cumb* —6H **35**
Beechwood Cres. *Wis* —1A **158**
Beechwood Dri. *G11* —5F **61**
Beechwood Dri. *Coat* —6E **91**
Beechwood Dri. *Renf* —2D **78**
Beechwood Gdns. *Bell* —3E **127**
Beechwood Gdns. *Mood* —6D **52**
Beechwood Gro. *Barr* —6E **115**
Beechwood Pl. *G11* —5F **61**
Beechwood Pl. *Bell* —3E **127**
Beechworth Dri. *Moth* —5D **128**
Beith Dri. *Air* —1A **112**
Beith Rd. *How & John* —6A **94**
Beith St. *G11* —2G **81**
Belgrave St. *Bell* —6B **110**
Belgrave Ter. *G12* —6C **62**
Belhaven Rd. *Ham* —6C **140**
Belhaven Rd. *Wis* —6G **145**
Belhaven Ter. *G12* —5A **62**
Belhaven Ter. *Wis* —6G **145**
Belhaven Ter. La. *G12* —5A **62**
Belhaven Ter. W. *G12* —5A **62**
Belhaven Ter. W. La. *G12* —5A **62**
Bellahouston Dri. *G52* —2E **101**
Bellairs Pl. *Blan* —6A **124**
Bellas Pl. *Plain* —1G **93**
Bellcraig Ct. *Clar* —4F **135**
Bell Dri. *G13* —2H **59**
Belleisle Av. *Udd* —6C **108**
Belleisle Cres. *Bri W* —5E **73**
Belleisle St. *G42* —4F **103**
Bellevue Av. *Kirk* —5B **30**
Bellevue Rd. *Kirk* —5B **30**
Bellfield Ct. *Barr* —3D **114**
Bellfield Cres. *Barr* —3D **114**
Bellfield Dri. *Wis* —1A **158**
Bellfield Rd. *Kirk* —5B **30**
Bellfield St. *G31* —5C **84**
Bellflower Av. *E Kil* —6E **137**
Bellflower Gdns. *G53* —4C **116**
Bellflower Gro. *E Kil* —5E **137**
Bell Grn. E. *E Kil* —3H **149**

Bell Grn. W. *E Kil* —3G **149**
BELLGROVE STATION. *G31* —5B **84**
Bellgrove St. *G40* —5B **84**
Bellisle Ter. *Ham* —4F **153**
Bellrock Ct. *G33* —3B **86**
Bellrock Cres. *G33* —3A **86**
Bellrock Path. *G33* —3B **86**
Bellrock St. *G33* —3A **86**
Bellscroft Av. *Ruth* —6B **104**
Bellsdyke Rd. *Air* —5H **91**
Bellsfield Dri. *Blan* —3B **140**
Bellshaugh Gdns. *G12* —4A **62**
Bellshaugh La. *G12* —4A **62**
Bellshaugh Pl. *G12* —4A **62**
Bellshaugh Rd. *G12* —4A **62**
Bellshill Ind. Est. *Bell* —1B **126**
Bellshill Rd. *Both* —6G **141**
Bellshill Rd. *Moth* —4E **127**
Bellshill Rd. *Udd* —2D **124**
BELLSHILL STATION. *Bell* —2C **126**
Bellside Rd. *Chap* —3E **113**
Bellsmyre Dri. *Dumb* —1G **17**
Bell St. *G1 & G4* —4H **83** (6G **5**)
Bell St. *Air* —3H **91**
Bell St. *Bell* —6D **110**
Bell St. *Clyd* —2F **59**
Bell St. *Renf* —5F **59**
Bell St. *Wis* —6F **145**
Belltrees Cres. *Pais* —1E **97**
Bell View Ct. *Renf* —5F **59**
Bellvue Cres. *Bell* —3A **126**
Bellwood St. *G41* —6C **102**
Belmont Av. *Udd* —6C **108**
Belmont Ct. *Kirk* —5D **30**
(off Willowbank Gdns.)
Belmont Cres. *G12* —6C **62**
Belmont Dri. *Barr* —6F **115**
Belmont Dri. *E Kil* —3D **148**
Belmont Dri. *Giff* —4H **117**
Belmont Dri. *Ruth* —6D **104**
Belmont La. *G12* —6C **62**
(off Gt. Western Rd.)
Belmont Rd. *G21* —3B **64**
Belmont Rd. *Camb* —4G **121**
Belmont Rd. *Pais* —5C **78**
Belmont St. *G12 & G20* —6C **62**
Belmont St. *Clyd* —1D **58**
Belmont St. *Coat* —2G **89**
Belmont St. *Kils* —2G **11**
Belmont St. *Wis* —5H **157**
Belses Dri. *G52* —6C **80**
Belstane Pk. *Carl* —2F **165**
Belstane Pl. *Udd* —4E **125**
Belstane Rd. *Carl* —3F **165**
Belstane Rd. *Cumb* —2H **55**
Belsyde Av. *G15* —5A **44**
Beltane St. *G3* —3D **82**
Beltane St. *Wis* —1G **157**
Beltrees Av. *G53* —4A **100**
Beltrees Cres. *G53* —4A **100**
Beltrees Rd. *G53* —4A **100**
Belvidere Cres. *Bell* —3C **126**
Belvidere Cres. *B'rig* —5D **48**
Belvidere Rd. *Bell* —3C **126**
Belvoir Pl. *Blan* —3B **140**
Bemersyde. *B'rig* —5E **49**
Bemersyde Av. *G43* —2H **117**
Bemersyde Pl. *Lark* —4E **161**
Bemersyde Rd. *Pais* —5B **96**
Ben Alder Dri. *Pais* —4F **99**
Benalder St. *G11* —2A **82**
Benarty Gdns. *B'rig* —5D **48**
Benbecula. *E Kil* —2C **150**
Benbow Rd. *Clyd* —5B **42**
Ben Buie Way. *Pais* —4F **99**
Bencloich Av. *Len* —3G **7**
Bencloich Cres. *Len* —2G **7**
Bencloich Rd. *Len* —3G **7**
Bencroft Dri. *G44* —2A **120**
Benford Av. *Moth* —3D **128**
Benford Knowe. *Moth* —3E **129**
Bengairn St. *G31* —4E **85**
Bengal Pl. *G43* —6A **102**
Bengal St. *G43* —6A **102**
Benhar Pl. *G33* —4H **85**
Benholm St. *G32* —2H **105**
Ben Hope Av. *Pais* —3F **99**
Ben Lawers Dri. *Cumb* —3D **34**
Ben Lawers Dri. *Pais* —4F **99**
Ben Ledi Av. *Pais* —3F **99**
Ben Ledi Cres. *Cumb* —3D **34**
Ben Loyal Av. *Pais* —3F **99**
Ben Lui Dri. *Pais* —4E **99**
Ben Lui Pl. *Cumb* —3D **34**
Ben More Dri. *Cumb* —3C **34**
Ben More Dri. *Pais* —3F **99**
Benmore Tower. *Camb* —4G **121**
Bennan Sq. *G42* —3G **103**
Ben Nevis Rd. *Pais* —4E **99**
Ben Nevis Way. *Cumb* —3C **34**
Benny Lynch Ct. *G5* —6G **83**
Benson St. *Coat* —1C **110**
Benston Pl. *John* —4E **95**
Benston Rd. *John* —4E **95**
Bent Cres. *Udd* —1G **125**
Bentfoot Rd. *Wis* —5A **158**
Benthall St. *G5* —1H **103**
Bentinck St. *G3* —2C **82**
Bent Rd. *Chap* —2D **112**
Bent Rd. *Ham* —1G **153**
Bents Rd. *Bail* —6H **87**

Benty's La. *Carl* —4F **165**
Ben Vane Av. *Pais* —4E **99**
Ben Venue Rd. *Cumb* —3C **34**
Ben Venue Way. *Pais* —4F **99**
Benvie Gdns. *B'rig* —5D **48**
Benview Rd. *Clar* —2C **134**
Benview St. *G20* —5D **62**
Benview Ter. *Pais* —3D **98**
Benvue Rd. *Len* —4G **7**
Ben Wyvis Dri. *Pais* —4E **99**
Berelands Cres. *Ruth* —6A **104**
Berelands Pl. *Ruth* —6A **104**
Beresford Av. *G14* —5E **61**
Berger Ct. *G45* —3D **118**
Berkeley St. *G3* —3D **82**
Berkley Dri. *Blan* —6A **124**
Berkley Ter. La. *G3* —3D **82**
(off Granville St.)
Berl Av. *Hous* —3C **74**
Bernadette Av. *Moth* —5D **128**
Bernadette St. *Moth* —4D **128**
Bernard Path. *G40* —1C **104**
(off Bernard Ter.)
Bernard St. *G40* —1C **104**
Bernard Ter. *G40* —1C **104**
Berneray St. *G22* —2G **63**
Berridale Av. *G44* —2E **119**
Berriedale. *E Kil* —3A **148**
Berriedale Av. *Bail* —1G **107**
Berriedale Quad. *Wis* —4H **145**
Berryburn Rd. *G21* —5E **65**
Berry Dyke. *Kirk* —6H **31**
Berryhill Dri. *Giff* —5H **117**
Berryhill Rd. *Cumb* —3G **35**
Berryhill Rd. *Giff* —6H **117**
Berryknowe. *Kirk* —6H **31**
Berryknowe Av. *Chry* —2A **68**
Berryknowes Av. *G52* —6C **80**
Berryknowes La. *G52* —6C **80**
Berryknowes Rd. *G52* —1C **100**
Bertram St. *G41* —4C **102**
Bertram St. *Ham* —3E **141**
Bertram St. *Lark* —4G **161**
Bervie St. *G51* —5F **81**
Berwick Cres. *Air* —6H **91**
Berwick Cres. *Lin* —4F **75**
Berwick Dri. *G52* —1B **100**
Berwick Dri. *Ruth* —6F **105**
Berwick Pl. *Coat* —2D **110**
Berwick Pl. *E Kil* —6C **138**
Berwick St. *Coat* —2D **110**
Berwick St. *Ham* —4F **141**
Bessemer Dri. *E Kil* —6A **150**
Betula Dri. *Clyd* —2C **42**
Bevan Gro. *John* —3E **95**
Beveridge Ter. *Bell* —3F **127**
Beverley Rd. *G43* —1B **118**
Bevin Av. *Clyd* —6F **43**
Bideford Cres. *G32* —2D **106**
Bield, The. *Wis* —1A **158**
Biggar Rd. *Chap* —4E **113**
Biggar Rd. *Moth* —6F **113**
Biggar St. *G31* —5D **84**
Bigton St. *G33* —1B **86**
Billings Rd. *Moth* —4D **142**
Bilsland Ct. *G20* —4F **63**
Bilsland Dri. *G20* —4D **62**
Binend Rd. *G53* —5C **100**
Binniehill Rd. *Cumb* —2F **35**
Binnie Pl. *G40* —6A **84**
Binns Rd. *G33* —1C **86**
Birch Av. *Clar* —3D **134**
Birch Brae. *Ham* —2A **154**
Birch Ct. *Coat* —1B **110**
Birch Cres. *Clar* —3D **134**
Birch Cres. *John* —4G **95**
Birch Dri. *Camb* —1G **122**
Birch Dri. *Lenz* —2D **50**
Birchfield Dri. *G14* —5B **60**
Birchfield Rd. *Ham* —6F **141**
Birchgrove. *Hous* —2D **74**
Birch Gro. *Lark* —6A **156**
Birch Gro. *Udd* —6F **109**
Birch Knowe. *B'rig* —6D **48**
Birchlea Dri. *Giff* —3B **118**
Birchmount Ct. *Air* —3D **92**
Birch Pl. *Blan* —1A **140**
Birch Quad. *Air* —4D **92**
Birch Rd. *Clyd* —3C **42**
Birch Rd. *Dumb* —3F **17**
Birch St. *G5* —1H **103**
Birch St. *Moth* —2B **128**
Birch View. *Bear* —2G **45**
Birchview Dri. *Clar* —5D **134**
Birchwood Av. *G32* —1E **107**
Birchwood Courtyards, The. *Bell*
—5A **110**
Birchwood Dri. *Pais* —4F **97**
Birchwood Pl. *G32* —1E **107**
Birdsfield Ct. *Ham* —3D **140**
Birdsfield Dri. *Blan* —3B **140**
Birdsfield St. *Ham* —3D **140**
Birdston Rd. *G21* —3E **65**
Birdston Rd. *Milt C* —5C **8**
Birgidale Av. *G45* —6H **119**
Birgidale Rd. *G45* —5H **119**
Birgidale Ter. *G45* —5H **119**
Birkdale. *E Kil* —6E **137**
Birkdale Ct. *Both* —5D **124**
Birkenburn Rd. *Cumb* —5F **15**

Birken Rd. *Lenz* —3E **51**
Birkenshaw Rd. *G'csh* —1G **69**
Birkenshaw St. *G31* —4D **84**
Birkenshaw Way. *Pais* —3A **78**
(off Mosslands Rd.)
Birkfield Pl. *Carl* —4H **165**
Birkhall Av. *G52* —1H **99**
Birkhall Av. *Inch* —2H **57**
Birkhall Dri. *Bear* —5F **45**
Birkhill Av. *B'rig* —5D **48**
Birkhill Gdns. *B'rig* —5D **48**
Birkhill Rd. *Ham* —4H **153**
Birkmyre Rd. *G51* —5F **81**
Birks Ct. *Law* —1H **163**
Birkshaw Brae. *Wis* —3G **157**
Birkshaw Pl. *Wis* —3G **157**
Birkshaw Tower. *Wis* —3F **157**
Birks Rd. *Lark* —6F **161**
Birks Rd. *Law* —1G **163**
Birkwood St. *G40* —3D **104**
Birmingham Rd. *Renf* —2D **78**
Birnam Cres. *Bear* —2H **45**
Birnam Pl. *Ham* —6C **140**
Birnam Rd. *G32* —2H **105**
Birness Dri. *G43* —5B **102**
Birnham Av. *B'rig* —5D **48**
Birnham Gdns. *B'rig* —5D **48**
Birnie Ct. *G21* —5E **65**
Birniehill Ct. *Clyd* —6C **22**
Birniehill Roundabout. *E Kil*
—3A **150**
Birnie Rd. *G21* —5E **65**
Birnock Av. *Renf* —2G **79**
Birrell Rd. *Miln* —2F **25**
Birrens Rd. *Moth* —1E **143**
Birsay Rd. *G22* —2F **63**
Bishopbriggs Ind. Est. *B'rig* —2C **64**
BISHOPBRIGGS STATION. *B'rig*
—6C **48**
Bishopdale. *E Kil* —6E **137**
Bishop Gdns. *B'rig* —5A **48**
Bishop Gdns. *Ham* —4A **154**
Bishop La. *G2* —4E **83** (5A **4**)
Bishopmill Pl. *G21* —5E **65**
Bishopmill Rd. *G21* —4E **65**
Bishops Ga. *E Kil* —6G **135**
(in two parts)
Bishopsgate Dri. *G21* —2A **64**
Bishopsgate Gdns. *G21* —2A **64**
Bishopsgate Pl. *G21* —2A **64**
Bishopsgate Rd. *G21* —2A **64**
Bishops Pk. *T'hall* —6F **135**
BISHOPTON STATION. *B'ton*
—6H **39**
Bisset Ct. *John* —4E **95**
(off Tannahill Cres.)
Bissett Cres. *Clyd* —1A **42**
Blackadder Pl. *E Kil* —4A **148**
Blackbog Rd. *Rigg* —5H **55**
Blackbraes Rd. *E Kil* —5B **138**
Blackburn Ct. *G51* —5D **82**
Blackburn Cres. *Dumb* —3D **16**
Blackburn Cres. *Kirk* —5G **31**
Blackburn Sq. *Barr* —6F **115**
Blackbyres Ct. *Barr* —3F **115**
Blackbyres Rd. *Barr* —1E **115**
Blackcraig Av. *G15* —4A **44**
Blackcroft Av. *Air* —6E **93**
Blackcroft Gdns. *G32* —1D **106**
Blackcroft Rd. *G32* —1D **106**
Blackdyke Rd. *Kirk* —5E **31**
Blackfarm Rd. *Newt M* —5F **133**
Blackfaulds Rd. *Ruth* —5A **104**
Blackford Rd. *Pais* —3C **98**
Blackfriars St. *G1* —4H **83** (6G **5**)
Blackhall Ct. *Pais* —2D **98**
Blackhall La. *Pais* —2D **98**
Blackhall St. *Pais* —2B **98**
Blackhill Pl. *G33* —1F **85**
Blackhill Rd. *G23* —5B **46**
Blackhill View. *Law* —6E **159**
Blackhouse Av. *Newt M* —5F **133**
Blackhouse Gdns. *Newt M* —5F **133**
Blackhouse Rd. *Newt M* —5F **133**
Blackie St. *G3* —2B **82**
Blacklands Pl. *Lenz* —3E **51**
Blacklands Rd. *E Kil* —2F **149**
Blacklaw Dri. *E Kil* —3B **150**
Blacklaw La. *Pais* —6A **78**
Blackmoor Pl. *Moth* —4A **128**
Blackmoss Dri. *Bell* —3B **126**
Blackmuir Pl. *Ham* —3F **141**
Blackness St. *Coat* —2D **110**
Blackstone Av. *G53* —5C **100**
Blackstone Cres. *G53* —4C **100**
Blackstoun Av. *Lin* —5H **75**
Blackstoun Oval. *Pais* —6F **77**
Blackstoun Rd. *Pais* —3E **77**
Black St. *G4* —2H **83** (2H **5**)
Black St. *Air* —2B **92**
Blackswell La. *Ham* —6B **142**
Blackthorn Av. *Kirk* —2A **50**
Blackthorn Gro. *Kirk* —2B **50**
Blackthorn Rd. *Cumb* —1D **36**
Blackthorn Rd. *Udd* —5G **109**
Blackthorn Roundabout. *Cumb*
—2E **37**
Blackthorn St. *G22* —4A **64**
Blackwood. *E Kil* —6F **149**
Blackwood Av. *Lin* —6G **75**
Blackwood Av. *Newt M* —6F **133**

Blackwood Gdns. *Moth* —6E **127**
Blackwood Rd. *Cumb* —4H **33**
Blackwood Rd. *Miln* —1F **25**
Blackwoods Cres. *Bell* —3E **127**
Blackwoods Cres. *Mood* —5D **52**
Blackwood St. *G13* —2E **61**
Blackwood St. *Barr* —5D **114**
Bladda La. *Pais* —1B **98**
Blades Ct. *G'csh* —3E **69**
Bladnoch Dri. *G15* —5C **44**
Blaeloch Av. *G45* —6G **119**
Blaeloch Dri. *G45* —6F **119**
Blaeloch Ter. *G45* —6F **119**
Blaeshill Rd. *E Kil* —3A **148**
Blairathol Av. *G11* —6G **61**
Blairathol Gdns. *G11* —6G **61**
Blair Atholl Dri. *Lark* —4G **161**
Blairbeth Dri. *G44* —6F **103**
Blairbeth Pl. *Ruth* —2C **120**
Blairbeth Rd. *Ruth* —2C **120**
Blairbeth Ter. *Ruth* —2E **121**
Blair Ct. *Clyd* —5D **42**
Blair Cres. *Bail* —2G **107**
Blairdardie Rd. *G15 & G13* —6B **44**
Blairdenan Av. *Chry* —4E **53**
Blairdenon Dri. *Cumb* —2E **35**
Blair Dri. *Milt C* —6B **8**
Blair Gdns. *Torr* —4D **28**
Blairgowrie Rd. *G52* —1C **100**
Blairgrove Ct. *Coat* —5A **90**
Blairhall Av. *G41* —5D **102**
Blairhill Av. *Kirk* —1G **51**
Blairhill Pl. *Coat* —4A **90**
BLAIRHILL STATION. *Coat* —3A **90**
Blairholm Av. *Coat* —4A **90**
Blairholm Dri. *Bell* —4D **126**
Blair Ho. *Cumb* —2A **36**
Blairlinn Ind. Est. *Cumb* —1H **55**
Blairlinn Rd. *Cumb* —1H **55**
Blairlogie St. *G33* —2B **86**
Blairpark Av. *Coat* —3A **90**
Blair Path. *Moth* —4H **143**
Blair Rd. *Coat* —4A **90**
Blair Rd. *Pais* —6G **79**
Blairston Av. *Both* —6E **125**
Blairston Gdns. *Both* —6F **125**
Blair St. *G32* —6H **85**
Blairtum Dri. *Ruth* —2D **120**
Blairtummock Rd. *G33* —3C **86**
(in three parts)
Blake Rd. *Cumb* —3A **36**
Blane Dri. *Miln* —2H **25**
Blane St. *Coat* —3C **90**
Blaneview. *Step* —5D **66**
Blantyre Cres. *Ersk* —4E **41**
Blantyre Cres. *Clyd* —6A **22**
Blantyre Dri. *B'ton* —3G **39**
Blantyre Farm Rd. *Blan* —6A **124**
Blantyre Gdns. *Cumb* —4A **34**
Blantyre Ind. Est. *Blan* —4C **140**
Blantyre Mill Rd. *Both* —5D **124**
Blantyre Pl. *Coat* —1A **110**
Blantyre Rd. *Both* —5E **125**
BLANTYRE STATION. *Blan* —1C **140**
Blantyre St. *G3* —2B **82**
Blantyre St. *Coat* —1A **110**
Blaven Ct. *Bail* —1A **108**
Blawart Hill St. *G14* —4H **59**
Bleachfield. *Miln* —2F **25**
Bleasdale Ct. *Clyd* —5D **42**
Blenheim Av. *E Kil* —4E **149**
Blenheim Av. *Step* —3D **66**
Blenheim Ct. *Carl* —4G **165**
Blenheim Ct. *Kils* —2H **11**
Blenheim Ct. *Pais* —6H **77**
Blochairn Rd. *G21* —2C **84**
Bluebell Gdns. *G45* —5C **120**
Bluebell Gdns. *Moth* —5E **127**
Bluebell Wlk. *Moth* —4A **128**
Bluebell Way. *Air* —1H **91**
Bluebell Way. *Carl* —5F **165**
Bluebell Way. *Len* —4H **7**
Blueknowes Rd. *Law* —6C **158**
(in two parts)
Bluevale St. *G31* —5C **84**
Blyth Pl. *G33* —5D **86**
Blyth Rd. *G33* —5E **87**
Blythswood Av. *Renf* —5F **59**
Blythswood Dri. *Pais* —5A **78**
Blythswood Rd. *Renf* —5F **59**
Blythswood Sq. *G2* —3E **83** (4B **4**)
Blythswood St. *G2* —4E **83** (5B **4**)
Boardwalk, The. *E Kil* —4A **150**
Boclair Av. *Bear* —3F **45**
Boclair Cres. *Bear* —3G **45**
Boclair Cres. *B'rig* —5C **48**
Boclair Rd. *G23* —1B **46**
Boclair Rd. *Bear* —3G **45**
Boclair Rd. *B'rig* —6C **48**
Boclair St. *G13* —1E **61**
Bodden Sq. *Moth* —6E **113**
Boden Ind. Est. *G40* —1C **104**
Boden Quad. *Moth* —5D **126**
Boden St. *G40* —1C **104**
Bodmin Gdns. *Chry* —4D **52**
Bogany Ter. *G45* —5A **120**
Bogbain Rd. *G34* —3G **87**
Boggknowe. *Udd* —5B **108**
Boghall Rd. *Brdwd* —6H **165**
Boghall Rd. *Udd* —3G **107**
Boghall St. *G33* —2B **86**

Boghead Av. *Dumb* —3H **17**
Boghead Rd. *G21* —4C **64**
Boghead Rd. *Dumb* —3G **17**
Boghead Rd. *Kirk* —3A **50**
Bogleshole Rd. *Camb* —6G **105**
Bogmoor Pl. *G51* —2C **80**
Bogmoor Rd. *G51* —3B **80**
Bog Rd. *Bank* —1E **15**
Bogside Rd. *G33* —3A **66**
Bogside Rd. *Ashg* —5B **162**
Bogside Rd. *Kils* —4H **11**
Bogside St. *G40* —1D **104**
Bogstonhill Rd. *Hous* —1B **74**
Bogs View. *Bell* —4B **126**
Bogton Av. *G44* —3D **118**
Bogton Av. La. *G44* —3D **118**
Boleyn Ct. *Wis* —3F **147**
Boleyn Rd. *G41* —3C **102**
Bolingbroke. *E Kil* —5C **138**
Bolivar Ter. *G42* —5G **103**
Bolton Dri. *G42* —5F **103**
Bolton Ter. *Len* —3G **7**
Bon Accord Rd. *Clar* —3D **134**
Bon Accord Sq. *Clyd* —1D **58**
Bonar Cres. *Bri W* —4G **73**
Bonar La. *Bri W* —4G **73**
Bonawe St. *G20* —5D **62**
Bond M. *Ruth* —4G **121**
Bonds Dri. *Newm* —3F **147**
Bo'ness Rd. *Moth* —1C **128**
Boness St. *G40* —1D **104**
Bonhill Rd. *Dumb* —3G **17**
Bonhill St. *G22* —6F **63**
Bonkle Gdns. *Newm* —4F **147**
Bonkle Rd. *Newm* —4F **147**
Bonnar St. *G40* —2C **104**
Bonnaughton Rd. *Bear* —1B **44**
Bonnyholm Av. *G53* —2A **100**
Bonnyrigg Dri. *G43* —2G **117**
Bonnyton La. *Ham* —4F **153**
Bontine Av. *Dumb* —3D **16**
Bonyton Av. *G13* —3H **59**
Boon Dri. *G15* —5B **44**
Boquhanran Pl. *Clyd* —4C **42**
Boquhanran Rd. *Clyd* —5B **42**
(in three parts)
Borden Rd. *G13* —4E **61**
Borden Rd. *G13* —4E **61**
Border Way. *Kirk* —5E **31**
Boreland Dri. *G13* —2A **60**
Boreland Dri. *Ham* —1C **152**
Boreland Pl. *G13* —3B **60**
Bore Rd. *Air* —2B **92**
Borgie Cres. *Camb* —2A **122**
Borland Dri. *Lark* —5F **161**
Borland Rd. *Bear* —4G **45**
Borron St. *G4* —6G **63**
Borrowdale. *E Kil* —6B **148**
Borthwick Dri. *E Kil* —4A **148**
Borthwick St. *G33* —2B **86**
Bosfield Corner. *E Kil* —6H **137**
Bosfield Pl. *E Kil* —6H **137**
Bosfield Rd. *E Kil* —6G **137**
Boswell Ct. *G42* —6D **102**
Boswell Dri. *Blan* —2B **140**
Boswell Pk. *E Kil* —5C **138**
Boswell Sq. *G52* —4H **79**
Bosworth Rd. *E Kil* —5B **138**
Botanic Cres. *G20* —5B **62**
Botanic Cres. La. *G20* —5B **62**
Bothlin Dri. *Step* —3D **66**
Bothlyn Av. *Kirk* —6E **31**
Bothlyn Cres. *G'csh* —2D **68**
Bothlyn Rd. *Chry* —1B **68**
Bothwell Bri. *Ham* —1G **141**
Bothwellhaugh Quad. *Bell* —4B **126**
Bothwellhaugh Rd. *Moth* —6B **126**
Bothwell Ho. *Ham* —4A **142**
Bothwell La. *G2* —4E **83** (5B **4**)
Bothwell La. *G12* —1C **82**
(off Glasgow St.)
Bothwell Pk. Ind. Est. *Udd* —2E **125**
Bothwellpark Rd. *Both* —5F **125**
Bothwell Pl. *Coat* —4B **90**
Bothwell Pl. *Pais* —5C **96**
Bothwell Rd. *Carl* —1E **165**
Bothwell Rd. *Ham* —1G **141**
Bothwell Rd. *Udd* —2D **124**
Bothwell St. *G2* —4E **83** (5B **4**)
Bothwell St. *Camb* —1G **121**
Bothwell St. *Ham* —4G **141**
Bothwick Way. *Pais* —5C **96**
Bourhill Ct. *Wis* —1D **156**
Bourne Ct. *Inch* —2H **57**
Bourne Cres. *Inch* —2H **57**
Bourne St. *Ham* —6B **142**
Bourock Sq. *Barr* —6F **115**
Bourtree Rd. *Ham* —1C **152**
Bouverie St. *G14* —3G **59**
Bouverie St. *Ruth* —6B **104**
Bowden Dri. *G52* —5B **80**
Bowden Pk. *E Kil* —3E **149**
Bower St. *G12* —6C **62**
Bowerwalls St. *Barr* —3F **115**
Bowes Cres. *Bail* —1F **107**
Bowfield Av. *G52* —5H **79**
Bowfield Cres. *G52* —5H **79**
Bowfield Dri. *G52* —5H **79**
Bowfield Path. *G52* —5H **79**
Bowfield Pl. *G52* —5H **79**
Bowhousebrae Rd. *Air* —1E **113**

Bowhouse Rd. *Air* —6E **93**
Bowie St. *Dumb* —4E **17**
Bowling Grn. La. *G14* —6D **60**
(off Westland Dri.)
Bowling Grn. Rd. *G44* —2E **119**
Bowling Grn. Rd. *Chry* —1B **68**
Bowling Grn. Rd. *Mt V* —1D **106**
Bowling Grn. Rd. *White* —6D **60**
Bowling Grn. St. *Bell* —2D **126**
Bowling Grn. View. *Camb* —3F **123**
BOWLING STATION. *Bowl* —5A **20**
Bowling St. *Coat* —4B **90**
Bowmanflat. *Lark* —2E **161**
Bowman St. *G42* —3E **103**
Bowmont Gdns. *G12* —6A **62**
Bowmont Hill. *B'rig* —3C **48**
Bowmont Pl. *Camb* —2D **122**
Bowmont Pl. *E Kil* —4A **148**
Bowmont Ter. *G12* —6A **62**
Bowmore Gdns. *Ruth* —4G **121**
Bowmore Gdns. *Udd* —5C **108**
Bowmore Rd. *G52* —6E **81**
Bowyer Vennel. *Bell* —1B **126**
Boyd Dri. *Moth* —2D **142**
Boydstone Pl. *T'bnk* —2G **117**
Boydstone Rd. *G53, G43 & T'bnk*
—1E **117**
Boyd St. *G42* —4F **103**
Boylestone Rd. *Barr* —3C **114**
Boyle St. *Clyd* —1F **59**
Boyndie Path. *G34* —3H **87**
Boyndie St. *G34* —3H **87**
Brabloch Cres. *Pais* —5B **78**
Bracadale Dri. *Bail* —1B **108**
Bracadale Gdns. *Bail* —1B **108**
Bracadale Gro. *Bail* —1A **108**
Bracadale Rd. *Bail* —1A **108**
Brackenbrae Av. *B'rig* —5A **48**
Brackenbrae Rd. *B'rig* —6B **48**
Brackendene. *Hous* —2D **74**
Brackenhill Dri. *Ham* —4F **153**
Brackenhill Rd. *Law* —5E **159**
Brackenhirst Rd. *Glenm* —3F **71**
Brackenhurst St. *Dumb* —1H **17**
Brackenrig Rd. *T'bnk* —5E **117**
Bracken St. *G22* —3F **63**
Bracken St. *Moth* —4A **128**
Bracken Ter. *Both* —4E **125**
Bracken Way. *Lark* —4G **161**
(off Donaldson Rd.)
Brackla Av. *Clyd* —1G **59**
Bradan Av. *Clyd* —2G **59**
Bradda Av. *Ruth* —3E **121**
Bradfield Av. *G12* —4A **62**
Bradshaw Cres. *Ham* —6C **140**
Brady Cres. *Mood* —4E **53**
Braedale. *Ham* —6E **141**
Braedale Av. *Air* —4B **92**
Braedale Av. *Moth* —3D **142**
Braedale Cres. *Newm* —4F **147**
Braedale Pl. *Newm* —4G **147**
Braeface Rd. *Cumb* —3G **35**
Braefield Dri. *T'bnk* —4G **117**
Braefoot Av. *Miln* —5G **25**
Braefoot Ct. *Law* —6D **158**
Braefoot Cres. *Law* —1H **163**
Braefoot Cres. *Pais* —6B **98**
Braehead. *Blan* —3B **140**
Braehead Av. *Clyd* —6C **22**
Braehead Av. *Coat* —2H **109**
Braehead Av. *Miln* —4F **25**
Braehead Av. *Neil* —2D **130**
Braehead Cres. *Clyd* —6C **22**
Braehead Dri. *Bell* —3B **126**
Braehead Loan. *Carl* —5H **165**
(off Charles Cres.)
Braehead Pl. *Bell* —3B **126**
Braehead Quad. *Moth* —3D **128**
Braehead Quad. *Neil* —2D **130**
Braehead Rd. *Clyd* —6C **22**
Braehead Rd. *Cumb* —2B **36**
Braehead Rd. *Pais* —6G **97**
Braehead Rd. *T'hall* —6G **135**
Braehead St. *G5* —2H **103**
Braehead St. *Kirk* —4C **30**
Braemar Av. *Clyd* —3B **42**
Braemar Ct. *G44* —3C **118**
Braemar Cres. *Carl* —2G **165**
Braemar Cres. *Pais* —4B **98**
Braemar Dri. *Eld* —4H **95**
Braemar Rd. *Inch* —2H **57**
Braemar Rd. *Ruth* —4G **121**
Braemar St. *G42* —6D **102**
Braemar St. *Ham* —3F **141**
Braemar View. *Clyd* —2B **42**
Braemount Av. *Pais* —6G **97**
Braes Av. *Clyd* —6F **43**
Braesburn Ct. *Cumb* —5F **15**
Braesburn Pl. *Cumb* —5F **15**
Braesburn Rd. *Cumb* —5F **15**
Braeside Av. *Chry* —5D **52**
Braeside Av. *Miln* —5G **25**
Braeside Av. *Ruth* —6E **105**
Braeside Cres. *Bail* —6D **88**
Braeside Cres. *Barr* —6G **115**
Braeside Dri. *Barr* —6F **115**
Braeside Dri. *Dumb* —2H **17**
Braeside Gdns. *Ham* —3A **154**
Braeside La. *Lark* —1F **161**
(off Carrick Pl.)

Braeside Pl. *Camb* —3B **122**
Braeside Rd. *Moth* —3D **128**
Braeside St. *G20* —5D **62**
Braeside Way. *Lark* —4F **161**
(off Keir Hardie Rd.)
Braes o'Yetts. *Kirk* —5G **31**
Braeview Av. *Pais* —6F **97**
Braeview Dri. *Pais* —6F **97**
Braeview Gdns. *Pais* —6F **97**
Brae View Pl. *E Kil* —5B **138**
Braeview Rd. *Pais* —6F **97**
Braidbar Ct. *Giff* —4A **118**
Braidbar Farm Rd. *Giff* —3B **118**
Braidbar Rd. *Giff* —4A **118**
Braidcraft Pl. *G53* —5C **100**
Braidcraft Rd. *G53* —4C **100**
Braidcraft Ter. *G53* —4D **100**
Braidfauld Gdns. *G32* —2H **105**
Braidfauld Pl. *G32* —3H **105**
Braidfauld St. *G32* —3H **105**
Braidfield Gro. *Clyd* —2D **42**
Braidfield Rd. *Clyd* —2D **42**
Braidholm Cres. *Giff* —4A **118**
Braidholm Rd. *Giff* —4A **118**
Braidhurst Ind. Est. *Moth* —6D **127**
Braidhurst St. *Moth* —1G **143**
Braidley Cres. *E Kil* —6G **149**
Braidpark Dri. *Giff* —4B **118**
Braid Sq. *G4* —1E **83**
Braid's Rd. *Pais* —4A **98**
Braid St. *G4* —1E **83**
Braidwood Pl. *Lin* —5F **75**
Braidwood St. *Wis* —3A **146**
Bramah Av. *E Kil* —4H **149**
Bramar Cres. *Bear* —5F **45**
Brambling Ct. *Wis* —3F **157**
Bramley Pl. *Lenz* —3E **51**
Brampton. *E Kil* —5B **148**
Branchalfield Dri. *Wis* —5C **146**
Branchalmuir Cres. *Newm* —3D **146**
Branchal Rd. *Wis* —4B **146**
Branchock Av. *Camb* —3D **122**
Brancumhall Rd. *E Kil* —6D **138**
Brandon Arc. *Moth* —3G **143**
Brandon Ct. *Ham* —5G **141**
Brandon Dri. *Bear* —6E **25**
Brandon Gdns. *Camb* —2G **121**
Brandon Ho. *Ham* —4A **142**
Brandon Pde. E. *Moth* —2G **143**
Brandon Pde. S. *Moth* —3G **143**
Brandon Pl. *Bell* —4A **126**
Brandon St. *G31* —5B **84**
Brandon St. *Coat* —1A **110**
Brandon St. *Ham* —6A **142**
Brandon St. *Moth* —3H **143**
Brandon Way. *Coat* —1H **109**
Brand St. *G51* —5A **82**
Brankholm Brae. *Ham* —5B **140**
Brannock Av. *Moth* —3D **128**
Brannock Pl. *Moth* —3D **128**
Brannock Rd. *Moth* —4D **128**
Brassey St. *G20* —3C **62**
Breadalbane Cres. *Moth* —6F **127**
Breadalbane Gdns. *Ruth* —3F **121**
Breadalbane St. *G3* —3D **82**
Breadie Dri. *Miln* —5F **25**
Breamish Pl. *E Kil* —5B **148**
Bream Pl. *Hous* —3D **74**
Brechin Rd. *B'rig* —6E **49**
Brechin St. *G3* —3C **82**
Breck Av. *Pais* —6B **95**
Brediland Rd. *Lin* —5G **75**
Brediland Rd. *Pais* —6C **96**
Bredin Way. *Moth* —1D **142**
Bredisholm Cres. *Udd* —4G **109**
Bredisholm Dri. *Bail* —1A **108**
Bredisholm Rd. *Bail* —1A **108**
(in four parts)
Bredisholm Ter. *Bail* —1A **108**
Bremners Cotts. *Clyd* —1B **42**
Brenfield Av. *G44* —3D **118**
Brenfield Dri. *G44* —3D **118**
Brenfield Rd. *G44* —3D **118**
Brent Av. *T'bnk* —2F **117**
Brent Ct. *E Kil* —6G **137**
Brent Cres. *Hous* —3C **74**
Brent Dri. *T'bnk* —2F **117**
Brent Rd. *E Kil* —6G **137**
Brent Rd. *T'bnk* —2F **117**
Brentwood Av. *G53* —3A **116**
Brentwood Dri. *G53* —3B **116**
Brentwood Sq. *G53* —3B **116**
Brereton St. *G42* —4G **103**
Bressay. *E Kil* —6G **137**
Bressay Rd. *G33* —5E **87**
Bressay Wynd. *Newm* —3D **146**
(off Tiree Cres.)
Breval Cres. *Clyd* —6C **22**
Brewery St. *John* —2F **95**
Brewster Av. *Pais* —4C **78**
Briar Bank. *Milt C* —6B **8**
Briar Dri. *Clyd* —3D **42**
Briarlea Dri. *Giff* —3A **118**
Briar Neuk. *B'rig* —1D **64**
Briar Rd. *G43* —2B **118**
Briar Rd. *Kirk* —5F **31**
Briarwell La. *Miln* —4H **25**
Briarwell Rd. *Miln* —4H **25**
Briarwood Ct. *G32* —3E **107**
Briarwood Gdns. *G32* —3E **107**

Briarwood Rd. *Wis* —5E **145**
Brick La. *Pais* —6B **78**
Bridgebar St. *Barr* —3G **115**
Bridgeburn Dri. *Chry* —5C **52**
Bridgeford Av. *Bell* —6E **111**
Bridgegait. *Miln* —5A **26**
Bridgegate. *G1* —5G **83**
Bridgend. *B'ton* —4G **39**
Bridgend Cotts. *Kirk* —6G **31**
Bridgend Ct. *C'cry* —2F **15**
Bridgend View. *Carl* —4F **165**
Bridge of Weir Rd. *Bri W* —4G **73**
Bridge of Weir Rd. *Brkfld & Lin*
—6C **74**
Bridge of Weir Rd. *Hous* —2A **74**
Bridge St. *G5* —5F **83**
Bridge St. *Camb* —1A **122**
Bridge St. *Clyd* —4A **42**
Bridge St. *Dumb* —4E **17**
Bridge St. *Ham* —5A **154**
Bridge St. *Lin* —5A **76**
Bridge St. *Pais* —1A **98**
Bridge St. *Wis* —6E **145**
BRIDGE ST. STATION. *G5* —6F **83**
Bridgeton Bus. Cen. *G40* —6B **84**
Bridgeton Cross. *G40* —6B **84**
BRIDGETON STATION. *G40*
—1B **104**
Bridgewater Ind. Pk. *Ersk* —5F **41**
Bridgewater Shopping Cen. *Ersk*
—5F **41**
Bridgeway Ct. *Kirk* —6F **31**
Bridgeway Pl. *Kirk* —6F **31**
Bridgeway Rd. *Kirk* —6F **31**
Bridgeway Ter. *Kirk* —6F **31**
Bridie Ter. *Kil* —5C **138**
Brierie Av. *C'lee* —2B **74**
Brierie Hill Ct. *C'lee* —3B **74**
Brierie Hill Gro. *C'lee* —3B **74**
Brierie Hill Rd. *C'lee* —3A **74**
Brierie Hills. *C'lee* —2B **74**
Brierie La. *C'lee* —3A **74**
Brigbrae Av. *Bell* —4E **127**
Brigham Pl. *G23* —1C **62**
Brighton Pl. *G51* —5H **81**
Brighton St. *G51* —5H **81**
Brightside Av. *Udd* —2D **124**
Brig o'Lea Ter. *Neil* —3C **130**
Brigside Gdns. *Ham* —1C **154**
Brisbane Ct. *Giff* —4B **118**
Brisbane Rd. *B'ton* —4H **39**
Brisbane St. *G42* —6E **103**
Brisbane St. *Clyd* —3H **41**
Brisbane Ter. *E Kil* —4E **149**
Britannia Way. *Clyd* —5D **42**
Britannia Way. *Renf* —2E **79**
Briton St. *G51* —4H **81**
Brittain Way. *Moth* —6H **111**
Broadcroft. *Kirk* —4C **30**
(in two parts)
Broadcroft Rd. *Kirk* —4C **30**
Broadford St. *G4* —1G **83**
Broadholm St. *G22* —3F **63**
Broadleys Av. *B'rig* —4B **48**
Broadlie Ct. *Neil* —2D **130**
Broadlie Dri. *G13* —3A **60**
Broadlie Rd. *Neil* —2C **130**
Broadloan. *Renf* —1E **79**
Broadmeadow Ind. Est. *Dumb*
—3F **17**
Broadmoss Av. *Newt M* —5A **134**
Broad Sq. Houses. *Blan* —1A **140**
Broad St. *G40* —6B **84**
Broadway, The. *Wis* —5E **145**
Broadwood Bus. Pk. *Cumb* —5B **34**
Broadwood Dri. *G44* —1F **119**
Broadwood Roundabout. *Cumb*
—5B **34**
Brockburn Cres. *G53* —5B **100**
Brockburn Rd. *G53* —3A **100**
Brockburn Ter. *G53* —5C **100**
Brocklinn Pk. *E Kil* —4A **148**
Brock Oval. *G53* —1C **116**
Brock Pl. *G53* —6C **100**
Brock Rd. *G53* —1B **116**
Brock Ter. *G53* —1C **116**
Brockville St. *G32* —5H **85**
Brodick Av. *Moth* —2D **142**
Brodick Dri. *E Kil* —6F **137**
Brodick Sq. *B'rig* —1E **65**
Brodick St. *G21* —2C **84**
Brodie Pk. Av. *Pais* —3A **98**
Brodie Pk. Cres. *Pais* —3H **97**
Brodie Pk. Gdns. *Pais* —3A **98**
Brodie Pl. *E Kil* —6F **137**
Brodie Rd. *G21* —2F **65**
Brogan Cres. *Moth* —2D **142**
Bromley Dri. *Giff* —6A **118**
Bromley La. *Giff* —6A **118**
Bron Way. *Cumb* —4A **36**
Brookbank Ter. *Carl* —4G **165**
Brooklands. *E Kil* —2C **148**
Brooklands Av. *Udd* —6C **108**
Brooklea Dri. *Giff* —2A **118**
Brooklime Gdns. *E Kil* —5C **137**
Brooklime Ter. *E Kil* —5C **137**
Brooklyn Pl. *Wis* —5H **157**
Brookside St. *G40* —6C **84**
Brook St. *G40* —6B **84**
Brook St. *Clyd* —3B **42**

Broom Av. *Ersk* —2F **57**
Broomburn Dri. *Newt M* —5F **133**
Broom Cliff. *Newt M* —6F **133**
Broom Cres. *Barr* —2C **114**
Broom Cres. *E Kil* —6F **149**
Broomcroft Rd. *Newt M* —3G **133**
Broom Dri. *Clyd* —3C **42**
Broom Dri. *Lark* —6A **156**
Broomdyke Way. *Pais* —3H **77**
Broomelton Rd. *Ham* —4A **160**
Broomfauld Gdns. *Dumb* —3G **17**
Broomfauld Ind. Est. *Dumb* —4F **17**
Broomfield. *Hous* —2D **74**
Broomfield Av. *Camb* —6F **105**
Broomfield Av. *Newt M* —6F **133**
Broomfield La. *G21* —4B **64**
Broomfield Pl. *G21* —4B **64**
Broomfield Rd. *G21* —4B **64**
Broomfield Rd. *Giff* —3G **133**
Broomfield Rd. *Lark* —5F **161**
Broomfield St. *Air* —4B **92**
Broomfield Ter. *Udd* —4D **108**
Broomfield Wlk. *Kirk* —5D **30**
Broom Gdns. *Kirk* —1B **50**
Broomhill Av. *G11* —1F **81**
Broomhill Av. *Carm* —5B **106**
Broomhill Av. *Newt M* —5F **133**
Broomhill Cres. *Bell* —4B **126**
Broomhill Cres. *Ersk* —2F **57**
Broomhill Dri. *G11* —6F **61**
Broomhill Dri. *Dumb* —2H **17**
Broomhill Farm M. *Kirk* —4E **31**
Broomhill Gdns. *G11* —6F **61**
Broomhill Gdns. *Newt M* —5F **133**
Broomhill Ga. *Lark* —3E **161**
Broomhill La. *G11* —6F **61**
Broomhill Path. *G11* —6F **61**
Broomhill Pl. *G11* —1F **81**
Broomhill Rd. *Lark* —3D **160**
Broomhill Ter. *G11* —1F **81**
Broomhill View. *Lark* —3C **160**
Broomieknowe Dri. *Ruth* —1D **120**
Broomieknowe Rd. *Ruth* —1D **120**
Broomielaw. *G1* —5E **83**
Broomknoll St. *Air* —4A **92**
Broomknowe. *Cumb* —2F **35**
Broomknowes Av. *Kirk* —3E **51**
Broomknowes Rd. *G21* —5C **64**
Broomlands Av. *Ersk* —1A **58**
Broomlands Cres. *Ersk* —1A **58**
Broomlands Gdns. *Ersk* —1H **57**
Broomlands Rd. *Cumb* —5A **36**
Broomlands St. *Pais* —1F **97**
Broomlea Cres. *Inch* —2G **57**
Broomlee Rd. *Cumb* —1H **55**
Broomloan Ct. *G51* —6G **81**
Broomloan Pl. *G51* —5G **81**
Broomloan Rd. *G51* —5G **81**
Broompark Av. *Blan* —3A **140**
Broompark Cir. *G31* —4B **84**
Broompark Cres. *Air* —1A **92**
Broompark Dri. *G31* —4B **84**
Broompark Dri. *Inch* —2H **57**
Broompark Dri. *Newt M* —4G **133**
Broompark La. *G31* —4B **84**
Broompark Rd. *Wis* —5D **144**
Broompark St. *G31* —4B **84**
Broom Path. *Bail* —2F **107**
Broom Pl. *Bri W* —4G **73**
Broom Pl. *Coat* —2B **110**
Broom Pl. *Moth* —3C **128**
Broom Rd. *G43* —2B **118**
Broom Rd. *Cumb* —6D **14**
Broom Rd. E. *Newt M* —6G **133**
Broomside Cres. *Moth* —5G **143**
Broomside St. *Moth* —5G **143**
Broomstone Av. *Newt M* —6F **133**
Broom Ter. *John* —4F **95**
Broomton Rd. *G21* —2E **65**
Broomvale Dri. *Newt M* —4F **133**
Broomward Dri. *John* —2H **95**
Brora Cres. *Ham* —3D **152**
Brora Dri. *Bear* —3H **45**
Brora Dri. *Giff* —5B **118**
Brora Dri. *Renf* —6G **59**
Brora Gdns. *B'rig* —6D **48**
Brora Rd. *B'rig* —6D **48**
Brora St. *G33* —2F **85**
Broughton. *E Kil* —6G **149**
Broughton Dri. *G23* —1C **62**
Broughton Gdns. *G23* —6D **46**
Broughton Pl. *Coat* —2D **110**
Broughton Pl. *Ham* —6E **141**
Broughton Rd. *G23* —1C **62**
Brouster Ga. *E Kil* —2H **149**
Brouster Hill. *E Kil* —2G **149**
Brouster Pl. *E Kil* —2G **149**
Brown Av. *Clyd* —1F **59**
Brown Av. *Dumb* —1C **18**
Brownhill Rd. *G43* —3H **117**
Brownhill View. *Wis* —3H **147**
Browieside Pl. *Plain* —1G **93**
Browieside Rd. *Plain* —1H **93**
Brownlee Rd. *Wis* —1D **162**
Brownlie St. *G42* —5F **103**
Brown Pl. *Camb* —1A **122**
Brown Rd. *Cumb* —3H **35**

Brownsburn Ind. Est. *Air* —6B **92**
Brownsburn Rd. *Air* —1B **112**
Brownsdale Rd. *Ruth* —6B **104**
Brownsfield Cres. *Inch* —4F **57**
Brownsfield Rd. *Inch* —4F **57**
Brownshill Av. *Coat* —1B **110**
Brownside Av. *Barr* —2C **114**
Brownside Av. *Camb* —2G **121**
Brownside Av. *Pais* —6G **97**
Brownside Cres. *Barr* —2C **114**
Brownside Dri. *G13* —3H **59**
Brownside Dri. *Barr* —2C **114**
Brownside Gdns. *Barr* —2C **114**
Brownside M. *Camb* —2G **121**
Brownside Rd. *Ruth* —2F **121**
Brown's La. *Pais* —1A **98**
Brown St. *G2* —4E **83** (6B **4**)
Brown St. *Carl* —2F **165**
Brown St. *Coat* —6C **90**
Brown St. *Ham* —1A **154**
Brown St. *Lark* —1E **161**
Brown St. *Moth* —1H **143**
Brown St. *Newm* —5E **147**
Brown St. *Pais* —6G **77**
Brown St. *Renf* —1D **78**
Bruar Way. *Newm* —3D **146**
(off Tiree Cres.)
Bruce Av. *John* —5E **95**
Bruce Av. *Moth* —2F **143**
Bruce Av. *Pais* —4C **78**
Bruce Ct. *Air* —3E **93**
Brucefield Pl. *G34* —3B **88**
Brucehill Rd. *Dumb* —3C **16**
Bruce Ho. *Cumb* —2H **35**
Bruce Loan. *Wis* —5A **158**
Bruce Pl. *E Kil* —4H **149**
Bruce Rd. *G41* —1C **102**
Bruce Rd. *B'ton* —3G **39**
Bruce Rd. *Moth* —6B **128**
Bruce Rd. *Pais* —5C **78**
Bruce Rd. *Renf* —2C **78**
Bruce's Loan. *Lark* —4G **161**
(off Donaldson Rd.)
Bruce St. *Bell* —2D **126**
Bruce St. *Clyd* —6D **42**
Bruce St. *Coat* —3D **90**
Bruce St. *Dumb* —5G **17**
Bruce St. *Plain* —1G **93**
Bruce St. *E Kil* —4H **149**
Bruce Ter. *Blan* —6C **124**
Bruce Ter. *E Kil* —4H **149**
Brunel Way. *E Kil* —3H **149**
Brunstane Rd. *G34* —2G **87**
Brunswick La. *G1* —4G **83** (6F **5**)
Brunswick St. *G1* —4G **83** (6F **5**)
Brunton St. *G44* —2D **118**
Brunton Ter. *G44* —3E **119**
Bruntsfield Av. *G53* —4B **116**
Bruntsfield Gdns. *G53* —4B **116**
Bryan St. *Ham* —4F **141**
Bryce Gdns. *Lark* —1E **161**
Bryce Pl. *E Kil* —5E **149**
Brydson Pl. *Lin* —5H **75**
Bryson Ct. *Ham* —4H **153**
Bryson St. *Clyd* —6G **23**
Buccleuch Av. *G52* —3G **79**
Buccleuch Av. *Clar* —2B **134**
Buccleuch Dri. *Bear* —6E **25**
Buccleuch La. *G3* —2E **83** (2B **4**)
Buccleuch St. *G3* —2E **83** (2A **4**)
Buchanan Av. *B'ton* —3H **39**
Buchanan Bus. Pk. *Step* —3F **67**
Buchanan Ct. *G33* —3E **67**
Buchanan Cres. *B'rig* —1E **65**
Buchanan Cres. *Ham* —1F **153**
Buchanan Dri. *Bear* —3G **45**
Buchanan Dri. *B'rig* —1E **65**
Buchanan Dri. *Camb* —1G **121**
Buchanan Dri. *Lenz* —4D **50**
Buchanan Dri. *Newt M* —2E **133**
Buchanan Dri. *Ruth* —1D **120**
Buchanan Gro. *Bail* —6H **87**
Buchanan Pl. *Torr* —4D **28**
Buchanan St. *G1* —4F **83** (6D **4**)
Buchanan St. *Air* —4A **92**
Buchanan St. *Bail* —1H **107**
Buchanan St. *Coat* —5B **90**
Buchanan St. *Dumb* —5G **17**
Buchanan St. *John* —3E **95**
Buchanan St. *Miln* —3H **25**
BUCHANAN ST. STATION. *G1*
—3G **83** (4E **5**)
Buchandyke Rd. *E Kil* —5B **138**
Buchanen Gdns. *G32* —3E **107**
Buchan Ga. *E Kil* —6B **138**
Buchan Ho. *Cumb* —2H **35**
Buchan Rd. *Moth* —4A **128**
Buchan St. *Ham* —3G **153**
Buchan St. *Wis* —3H **145**
Buchan Ter. *Camb* —4G **121**
Buchlyvie Gdns. *B'rig* —2B **64**
Buchlyvie Path. *G34* —4H **87**
Buchlyvie Rd. *Pais* —6G **79**
Buchlyvie St. *G34* —4H **87**
Buckie. *Ersk* —4E **41**
Buckie Wlk. *Bell* —1C **126**
Buckingham Ct. *Ham* —5C **140**
Buckingham Dri. *G32* —5B **106**
Buckingham Dri. *Ruth* —6F **105**
Buckingham St. *G12* —6B **62**
Buckingham Ter. *G12* —6B **62**

Bucklaw Gdns. *G52* —1C **100**
Bucklaw Pl. *G52* —1C **100**
Bucklaw Ter. *G52* —1C **100**
Buckley St. *G22* —3H **63**
Bucksburn Rd. *G21* —5E **65**
Buckthorne Pl. *G53* —4B **116**
Buddon St. *G40* —1E **105**
Budhill Av. *G32* —6B **86**
Budshaw Av. *Chap* —3C **112**
Bulldale Rd. *G14* —4G **59**
Bulldale St. *G14* —3G **59**
Bullionslaw Dri. *Ruth* —1F **121**
Bulloch Av. *Giff* —5B **118**
Bull Rd. *Clar* —3D **134**
Bullwood Av. *G53* —5H **99**
Bullwood Ct. *G53* —5A **100**
Bullwood Dri. *G53* —4H **99**
Bullwood Gdns. *G53* —4H **99**
Bullwood Pl. *G53* —4H **99**
Bunbury Ter. *E Kil* —3E **149**
Bunessan St. *G52* —6F **81**
Bunhouse Rd. *G3* —2A **82**
Burbank Highland Rd. *Miln* —3G **25**
Burgh Hall La. *G11* —1H **81**
Burgh Hall St. *G11* —1H **81**
Burgh La. *G12* —6B **62**
(off Cresswell St.)
Burleigh Rd. *Both* —4F **125**
Burleigh St. *G51* —3G **81**
Burleigh St. *Coat* —2D **110**
Burley Pl. *E Kil* —1B **148**
Burmola St. *G22* —5F **63**
Burnacre Gdns. *Udd* —6C **108**
Burnbank Braes. *Carl* —4F **165**
Burnbank Cen. *Ham* —4F **141**
Burnbank Dri. *Barr* —6E **115**
Burnbank Gdns. *G20* —1D **82**
Burnbank Gdns. *Ham* —4E **141**
(off Burnbank Rd.)
Burnbank Pl. *G20* —1E **83**
Burnbank Quad. *Air* —3H **91**
Burnbank Rd. *Ham* —4H **141**
Burnbank St. *Air* —3H **91**
Burnbank St. *Coat* —5B **144**
Burnbank Ter. *G20* —1D **82**
Burnbank Ter. *Kils* —2H **11**
Burnblea Gdns. *Ham* —1A **154**
Burnblea St. *Ham* —1H **153**
Burn Brae. *Clyd* —1C **42**
Burnbrae. *Twe* —2D **32**
Burnbrae Av. *Bear* —6G **25**
Burnbrae Av. *Lin* —6A **76**
Burnbrae Av. *Mood* —5D **52**
Burnbrae Dri. *Lin* —2B **96**
Burnbrae Dri. *Ruth* —1F **121**
Burnbrae Pl. *E Kil* —1E **149**
Burnbrae Rd. *Blan* —2A **140**
Burnbrae Rd. *Kirk & Chry* —5E **51**
Burnbrae Rd. *Lin l* —1H **95**
Burnbrae Rd. *Waters* —6H **31**
Burnbrae St. *G21* —5C **64**
Burnbrae St. *Clyd* —5F **23**
Burnbrae St. *Lark* —2D **160**
Burncleuch Av. *Camb* —3A **122**
Burn Cres. *Chap* —3D **112**
Burn Cres. *Moth* —3A **128**
Burncrooks Av. *E Kil* —1E **149**
Burncrooks Ct. *Clyd* —1B **42**
Burndyke Ct. *G51* —4H **81**
Burndyke Sq. *G51* —4A **82**
Burnet Rose Ct. *E Kil* —5E **137**
Burnet Rose Gdns. *E Kil* —5E **137**
Burnet Rose Pl. *E Kil* —5E **137**
Burnett Rd. *G33* —4E **87**
Burnfield Av. *T'bnk* —3H **117**
Burnfield Cotts. *T'bnk* —3H **117**
Burnfield Dri. *G43* —3H **117**
Burnfield Gdns. *Giff* —3A **118**
Burnfield Rd. *G43 & T'bnk*
—2G **117**
Burnfoot Cres. *Pais* —5G **97**
Burnfoot Cres. *Ruth* —2F **121**
Burnfoot Dri. *G52* —6B **80**
Burnfoot Rd. *Air* —1C **92**
Burngreen. *Kils* —3H **11**
Burngreen Ter. *Cumb* —6B **14**
Burnhall Pl. *Wis* —2B **158**
Burnhall Rd. *Wis* —1A **158**
Burnhall St. *Wis* —2B **158**
Burnham Rd. *G14* —5A **60**
Burnhaven. *Ersk* —5E **41**
Burnhead Rd. *G43* —2C **118**
Burnhead Rd. *Air* —1C **92**
Burnhead Rd. *Cumb* —3E **35**
Burnhead Rd. *Lark* —2F **161**
Burnhead St. *Udd* —5F **109**
Burnhill Quad. *Ruth* —5B **104**
Burnhill St. *Ruth* —5B **104**
Burnhouse Av. *Cumb* —3D **34**
Burnhouse Cres. *Ham* —2F **153**
Burnhouse Rd. *Ham* —2F **153**
Burnhouse St. *G20* —3A **62**
(in two parts)
Burnie St. *Air* —3G **91**
Burniebrae Rd. *Chap* —2E **113**
Burn La. *Moth* —3A **128**
Burnlea Cres. *Hous* —1A **74**
Burnlip Rd. *Air* —5C **70**

Bucklaw Gdns. column... Burnmouth Ct. *G33* —5F **87**
Burnmouth Rd. *G33* —5F **87**
Burnock Pl. *E Kil* —4A **148**
Burnpark Av. *Udd* —6B **108**
Burn Pl. *Camb* —6G **105**
Burn Rd. *Carl* —2F **165**
Burns Av. *B'ton* —4H **39**
Burns Ct. *Kirk* —4G **31**
Burn's Cres. *Air* —5B **92**
Burns Dri. *John* —5E **95**
Burns Dri. *Kirk* —5G **31**
Burns Gdns. *Blan* —6A **124**
Burns Gro. *T'bnk* —5G **117**
Burnside. *Bear* —6C **24**
Burnside Av. *Barr* —3D **114**
Burnside Av. *Bell* —3E **127**
Burnside Av. *Brkfld* —6C **74**
Burnside Av. *C'bnk* —3B **112**
Burnside Av. *Kirk* —6B **30**
Burnside Ct. *Bear* —1C **44**
Burnside Ct. *Coat* —5B **90**
(off Kirk St.)
Burnside Ct. *Moth* —5B **144**
Burnside Ct. *Ruth* —2E **121**
Burnside Cres. *Blan* —3C **140**
Burnside Cres. *Clyd* —6D **22**
Burnside Gdns. *Clar* —2B **134**
Burnside Gdns. *Mill P* —3B **94**
Burnside Ga. *Ruth* —2E **121**
Burnside Gro. *John* —3E **95**
Burnside Ind. Est. *Kils* —3G **11**
Burnside La. *Ham* —1A **154**
Burnside Pl. *Dumb* —5H **17**
Burnside Pl. *Lark* —2F **161**
Burnside Pl. *Pais* —4E **77**
(in two parts)
Burnside Quad. *Moth* —2A **128**
Burnside Rd. *Coat* —2E **91**
Burnside Rd. *Eld* —4A **96**
Burnside Rd. *Giff* —3H **133**
Burnside Rd. *Moth* —3C **128**
BURNSIDE STATION. *Ruth*
—2E **121**
Burnside St. *Dumb* —5H **17**
Burnside St. *Moth* —5B **144**
Burnside Ter. *Dumb* —4H **17**
(off Burnside Pl.)
Burnside Tower. *Moth* —5A **144**
(off Burnside Ct.)
Burnside View. *Coat* —6A **90**
Burnside Wlk. *Coat* —6A **90**
Burns La. *Chap* —2D **112**
Burns Loan. *Lark* —1F **161**
(off Carrick Pl.)
Burns Pk. *E Kil* —1A **150**
Burns Rd. *Chap* —1D **112**
Burns Rd. *Cumb* —3B **36**
Burns Rd. *Kirk* —4F **31**
Burns St. *G4* —1F **83**
Burns St. *Clyd* —4A **42**
Burns St. *Ham* —1H **153**
Burns Wlk. *Bell* —6D **110**
Burns Way. *Moth* —4C **128**
Burntbroom Dri. *Bail* —2F **107**
Burntbroom Gdns. *Bail* —2F **107**
Burntbroom Rd. *Udd* —3F **107**
Burntbroom St. *G33* —3D **86**
Burn Ter. *Camb* —6G **105**
Burn View. *Cumb* —2C **36**
Burnwood Dri. *Air* —5G **93**
Burra Gdns. *B'rig* —5F **49**
Burrell Ct. *G41* —2A **102**
Burrell's La. *G4* —4A **84** (5H **5**)
Burrelton Rd. *G43* —1D **118**
Burton La. *G42* —4E **103**
Burton La. *Carl* —3E **165**
Busby Rd. *Bell* —4B **126**
Busby Rd. *Crmck* —3G **135**
Busby Rd. *Clar* —1C **134**
BUSBY STATION. *Clar* —4E **135**
Bush Cres. *Wis* —1A **158**
Bushelhead Rd. *Brdwd* —6E **165**
Bushes Av. *Pais* —4H **97**
Busheyhill St. *Camb* —2A **122**
Bute. *E Kil* —2C **150**
Bute Av. *Moth* —2E **143**
Bute Av. *Renf* —2F **79**
Bute Cres. *Bear* —5F **45**
Bute Cres. *Pais* —6H **97**
Bute Dri. *John* —4D **94**
Bute Gdns. *G12* —1B **82**
Bute Gdns. *Muir* —3D **118**
Bute La. *G12* —1B **82**
Bute La. *Pais* —4F **77**
Bute Rd. *Glas A* —2G **77**
Bute Rd. *Kirk* —5H **31**
Bute St. *Coat* —1D **110**
Bute St. *Ham* —3F **141**
Bute Ter. *Ruth* —2C **120**
Bute Ter. *Udd* —6F **109**
Bute Tower. *Camb* —4G **121**
Butler Wynd. *Bell* —2B **126**
Butterbiggins Rd. *G42* —2E **103**
Butterburn Pk. St. *Ham* —2H **153**
Butterfield Pl. *G42* —2C **103**
Buttermere. *E Kil* —6B **148**
Byars Rd. *Kirk* —5B **31**
Byrebush Rd. *G53* —4C **100**
Byres Av. *Pais* —5C **78**
Byres Cres. *Pais* —5C **78**

Byresknowe La. *Moth* —6B **128**
Byres Rd. *G11 & G12* —1A **82**
Byres Rd. *Eld* —3B **96**
Byres Rd. *Moth* —3E **129**
Byrestone Av. *Newt M* —5A **134**
Byron Ct. *Both* —5F **125**
Byron St. *G11* —1E **81**
Byron St. *Clyd* —3C **42**
Byshot Path. *G22* —5H **63**
Byshot St. *G22* —5H **63**

Cable Depot Rd. *Clyd* —5B **42**
Cadder Ct. *B'rig* —2D **48**
Cadder Gro. *G20* —2C **62**
Cadder Pl. *G20* —2C **62**
Cadder Rd. *G23* —1C **62**
Cadder Rd. *B'rig* —2D **48**
Cadder Way. *B'rig* —2D **48**
Cadell Gdns. *E Kil* —4D **138**
Cadger's Sheuch. *Kils* —3D **12**
Cadoc St. *Camb* —2B **122**
Cadogan St. *G2* —4E **83** (5B **4**)
Cadzow Av. *Giff* —1H **133**
Cadzow Bri. *Ham* —5A **142**
Cadzow Cres. *Coat* —1A **110**
Cadzow Dri. *Bell* —3F **127**
Cadzow Dri. *Camb* —2H **121**
Cadzow Grn. *E Kil* —1F **149**
Cadzow Ho. *Ham* —5A **142**
Cadzow Ind. Est. *Ham* —3H **153**
Cadzow La. *Ham* —5A **142**
Cadzow St. *Ham* —5A **142**
Cadzow St. *Lark* —1E **161**
Cadzow St. *Moth* —3F **143**
Caird Dri. *G11* —1H **81**
Caird Gdns. *Ham* —4G **141**
Caird Pk. *Ham* —4H **141**
Caird St. *Ham* —4G **141**
Caird Ter. *Bear* —6D **24**
  (off Grampian Way)
Cairnhill Trad. Est. *Air* —5A **92**
Cairn Av. *Renf* —2G **79**
Cairnbarn Ct. *Carl* —2F **165**
  (off Carranbute Rd.)
Cairnban St. *G51* —5D **80**
Cairnbrook Ind. Est. *G34* —3A **88**
Cairnbrook Rd. *G34* —3A **88**
Cairn Ct. *E Kil* —5G **137**
Cairn Ct. *Moth* —4H **143**
Cairncraig St. *G40* —1E **105**
Cairndow Av. *G44* —3D **118**
Cairndow Av. La. *G44* —3D **118**
Cairndow Ct. *G44* —3D **118**
Cairn Dri. *Lin* —5H **75**
Cairndyke Cres. *Air* —5A **92**
Cairneymount Rd. *Carl* —3F **165**
Cairney Pl. *Newm* —3H **147**
Cairngorm Cres. *Barr* —6E **115**
Cairngorm Cres. *Bear* —1B **44**
Cairngorm Cres. *Pais* —4A **98**
Cairngorm Cres. *Wis* —6F **145**
Cairngorm Gdns. *Cumb* —4D **34**
Cairngorm Rd. *G43* —2A **118**
Cairnhill Av. *Air* —6A **92**
Cairnhill Cir. *G52* —2H **99**
Cairnhill Ct. *Carl* —3F **165**
Cairnhill Cres. *Coat* —2F **111**
Cairnhill Dri. *G52* —2H **99**
Cairnhill Pl. *G52* —2H **99**
Cairnhill Rd. *Air* —6H **91**
Cairnhill Rd. *Bear* —6F **45**
Cairnhope Av. *Air* —6H **91**
Cairnlea Dri. *G51* —5H **81**
Cairnlea Gdns. *Bell* —4D **126**
Cairnlea Rd. *Miln* —4E **25**
Cairnmuir Rd. *Clar* —4C **136**
Cairnmuir Rd. *E Kil* —3F **137**
Cairnoch Hill. *Cumb* —3E **35**
Cairn Pl. *E Kil* —5G **137**
Cairnryan. *E Kil* —6F **137**
Cairns Av. *Camb* —2B **122**
Cairns Dri. *Miln* —3G **25**
Cairnsmore Dri. *Bear* —6B **24**
Cairnsmore Rd. *G15* —5G **43**
Cairns Rd. *B'ton* —3G **39**
Cairns Rd. *Camb* —3B **122**
Cairns St. *Moth* —3G **143**
Cairn St. *G21* —3B **64**
Cairnswell Av. *Camb* —3C **122**
Cairnswell Pl. *Camb* —3C **122**
Cairntoul Ct. *Cumb* —4D **34**
Cairntoul Dri. *G14* —3A **60**
Cairntoul Pl. *G14* —4A **60**
Cairn View. *Air* —5H **91**
Cairn View. *Kirk* —4A **31**
Cairnview Rd. *Milt C* —6B **8**
Cairnwood Dri. *Air* —6H **91**
Caithness Rd. *E Kil* —6D **138**
Caithness St. *G4* —1F **83**
Caithness St. *G20* —5D **62**
Caithness St. *Blan* —3A **140**
Cala Sona Ct. *Wis* —3E **157**
Calcots Path. *G34* —2A **88**
Calcots Pl. *G34* —2B **88**
Caldarvan St. *G22* —6F **63**
Caldean Rd. *Coat* —6D **90**
Calder Av. *Barr* —6E **115**
Calder Av. *Coat* —1D **110**
Calder Av. *Newm* —3E **147**
Calderbank Rd. *C'bnk* —1A **112**

Calderbank Ter. *Moth* —2H **143**
Calderbank View. *Bail* —1A **108**
Calderbraes Av. *Udd* —4C **108**
Calder Ct. *Coat* —1D **110**
  (off Whifflet St.)
Caldercuilt Rd. *G20* —1A **62**
Calder Dri. *Bell* —3E **127**
Calder Dri. *Camb* —2A **122**
Calder Ga. *B'rig* —3B **48**
Calderglen Av. *Camb* —4A **124**
Calderglen Rd. *E Kil* —2C **150**
Caldergrove. *Moth* —1G **143**
Calderpark Av. *Udd* —3H **107**
Calderpark Cres. *Udd* —3H **107**
Calder Pl. *Bail* —1H **107**
Calderrigg Pl. *Air* —4E **93**
Calder Rd. *Bell* —2E **127**
Calder Rd. *Camb* —2H **123**
Calder Rd. *Pais* —6E **77**
Calder Rd. *Udd* —4H **109**
Calderside Rd. *E Kil* —3D **150**
Calder St. *G42* —3E **103**
Calder St. *Blan* —1B **140**
Calder St. *C'bnk* —3C **112**
Calder St. *Coat* —1D **110**
Calder Tower. *E Kil* —4B **150**
Calder Tower. *Moth* —4G **143**
Caldervale St. *Air* —1E **113**
Calder View. *Ham* —3F **153**
Calder View. *Moth* —2H **143**
Calderview Av. *Coat* —1F **111**
Calderwood Av. *Bail* —2G **107**
Calderwood Dri. *Bail* —2G **107**
Calderwood Dri. *Blan* —3B **140**
Calderwood Gdns. *Bail* —2G **107**
Calderwood Gdns. *E Kil* —6E **139**
Calderwood Rd. *G43* —1B **118**
Calderwood Rd. *E Kil* —2A **150**
Calderwood Rd. *Ruth* —6E **105**
Calderwood Sq. *E Kil* —6B **138**
  (off Pollok Pl.)
Caldwell Av. *G13* —3A **60**
Caldwell Av. *Lin* —6F **75**
Caldwell Gro. *Bell* —5C **110**
Caldwell Quad. *Moth* —4E **143**
Caldwell Rd. *Carl* —5H **165**
Caledonia Av. *G5* —2G **103**
Caledonia Av. *Ruth* —5D **104**
Caledonia Ct. *Pais* —5H **77**
Caledonia Dri. *Bail* —2H **107**
Caledonia Dri. *Moth* —3E **129**
Caledonian Av. *Bell* —3B **126**
Caledonian Ct. *E Kil* —3H **149**
Caledonian Cres. *G12* —1C **82**
  (off Otago St.)
Caledonian Rd. *Lark* —2E **161**
Caledonian Rd. *Wis* —2G **157**
Caledonia Rd. *G5* —1G **103**
Caledonia Rd. *Bail* —2G **107**
Caledonia St. *G5* —2G **103**
Caledonia St. *Clyd* —4B **42**
Caledonia St. *Pais* —6H **77**
Caledonia Ter. *Dumb* —4C **16**
Caledonia Way. *Glas A* —2H **77**
Caledonia Way E. *Glas A* —2A **78**
Caledonia Way W. *Glas A* —2H **77**
Caledon La. *G12* —1A **82**
  (off Highburgh Rd.)
Caledon St. *G12* —1A **82**
Caley Brae. *Udd* —1D **124**
Calfhill Rd. *G53* —2B **100**
Calfmuir Rd. *Kirk* —6G **31**
Calgary Pk. *E Kil* —3F **149**
Calgary Pl. *E Kil* —3F **149**
Calgary St. *G4* —2G **83** (2F **5**)
Callaghan Wynd. *Blan* —6H **123**
Callander Ct. *Cumb* —1H **35**
Callander Rd. *Chap* —4D **112**
Callander Rd. *Cumb* —1H **35**
Callander St. *G20* —6E **63**
Callieburn Rd. *B'rig* —1C **64**
Callon St. *Air* —4A **92**
Cally Av. *G15* —4A **44**
Calside. *Pais* —3H **97**
Calside Av. *Pais* —2H **97**
Calton Entry. *G40* —5A **84**
  (off Stevenson St.)
Calvay Cres. *G33* —4D **86**
Calvay Rd. *G33* —4D **86**
Cambell St. *E Kil* —4G **149**
Cambourne Rd. *Chry* —4D **52**
Cambridge Av. *Clyd* —4D **42**
Cambridge Rd. *Renf* —1E **79**
Cambridge St. *G3 & G2* —3F **83**
Camburn St. *G32* —6H **85**
Cambusdoon Rd. *G33* —1C **86**
Cambuskenneth Gdns. *G32* —6D **86**
Cambuskenneth Pl. *G33* —1C **86**
Cambuslang Bri. *Camb* —6A **106**
Cambuslang Ind. Pk. *G32* —5A **106**
Cambuslang Investment Pk. *G32*
  —5A **106**
Cambuslang Rd. *G32* —5H **105**
Cambuslang Rd. *Camb* —5G **105**
Cambuslang Rd. *Ruth* —4D **104**
CAMBUSLANG STATION. *Camb*
  —1H **121**
Cambusmore Pl. *G33* —1C **86**
Cambusnethan St. *Wis* —5C **146**
Cambus Pl. *G33* —1C **86**
Camden St. *G5* —1G **103**

Camelon Cres. *Blan* —2B **140**
Camelon St. *G32* —5H **85**
Cameron Av. *B'ton* —3H **39**
Cameron Ct. *Air* —3E **93**
Cameron Ct. *Ruth* —6C **104**
Cameron Cres. *Crmck* —2A **136**
Cameron Cres. *Ham* —6F **141**
Cameron Dri. *Bear* —4G **45**
Cameron Dri. *Newt M* —2E **133**
Cameron Dri. *Udd* —5E **109**
Cameronian Dri. *Carl* —4G **165**
Cameronian Pl. *Bell* —4B **126**
Cameronian Way. *Lark* —4G **161**
Cameron Path. *Lark* —4G **161**
  (off Donaldson Rd.)
Cameron Rd. *Carl* —5H **165**
Cameron Sq. *Clyd* —1E **43**
Cameron St. *G52* —4G **79**
Cameron St. *Coat* —3D **90**
Cameron St. *Moth* —3F **143**
Camlachie St. *G31* —6D **84**
Campbell Av. *B'ton* —3H **39**
Campbell Av. *Dumb* —1C **18**
Campbell Av. *Miln* —4G **25**
Campbell Cres. *Both* —3E **125**
Campbell Cres. *Newt M* —3E **133**
Campbell Dri. *Barr* —5E **115**
Campbell Dri. *Bear* —2D **44**
Campbell Dri. *Dumb* —1C **18**
Campbell Ho. *Cumb* —4G **35**
Campbell La. *Ham* —6A **142**
Campbell Pl. *Torr* —4D **28**
Campbell St. *G20* —2B **62**
Campbell St. *Bell* —2C **126**
Campbell St. *Ham* —6A **142**
Campbell St. *John* —3F **95**
Campbell St. *Renf* —5F **59**
Campbell St. *Wis* —6H **145**
Campbell Ter. *Dumb* —1C **18**
Camphill. *Pais* —2H **97**
Camphill Av. *G41* —5C **102**
Camphill Av. *Kirk* —5C **30**
Camphill Gdns. *B'ton* —4A **40**
Camphill Ho. *G41* —4D **102**
Campion Rd. *Moth* —1G **143**
Camp Rd. *Bail* —6H **87**
Camp Rd. *Moth* —5G **143**
Camp Rd. *Ruth* —3B **104**
Camps Cres. *Renf* —1G **79**
Campsie Av. *Barr* —6E **115**
Campsie Ct. *Coat* —2E **111**
Campsie Cres. *Air* —3H **91**
Campsie Dri. *Abb* —1A **78**
Campsie Dri. *Bear* —6D **24**
Campsie Dri. *Miln* —3H **25**
Campsie Dri. *Pais* —5H **97**
Campsie Dri. *Renf* —3C **78**
Campsie Pl. *Chry* —1A **68**
Campsie Rd. *Kirk* —4B **30**
Campsie Rd. *Milt C* —4H **7**
Campsie Rd. *Torr* —4E **29**
Campsie Rd. *Wis* —5E **145**
Campsie St. *G21* —4B **64**
Campsie View. *G33* —5D **66**
Campsie View. *Bail* —6D **88**
Campsie View. *Chry* —1A **68**
Campsie View. *Cumb* —2B **36**
Campsie View. *Ham* —1D **152**
Campsie View. *Kirk* —5A **30**
Campsie View. *Udd* —5E **109**
Campston Pl. *G33* —2B **86**
Camp St. *Moth* —4G **143**
Camstradden Dri. E. *Bear* —3C **44**
Camstradden Dri. W. *Bear* —3C **44**
Camus Pl. *G15* —3H **43**
Canal Av. *John* —3G **95**
Canal Gdns. *Eld* —2B **96**
Canal La. *Kirk* —4D **30**
Canal Rd. *John* —3F **95**
Canal St. *G4* —2G **83** (1F **5**)
Canal St. *Clyd* —1D **58**
Canal St. *Eld* —2B **96**
Canal St. *John* —2G **95**
Canal St. *Kirk* —4D **30**
Canal St. *Pais* —1H **97**
Canal St. *Renf* —5F **59**
Canal Ter. *Pais* —1A **98**
Canberra Av. *Clyd* —3H **41**
Canberra Ct. *Giff* —4C **118**
Candermill & Marlage Rd. *Ashg*
  —6B **162**
Canderrigg. *B'rig* —3C **48**
Candimilne Ct. *Carl* —4H **165**
Candleriggs. *G1* —4H **83** (6G **5**)
Candren Rd. *Lin* —6B **76**
Candren Rd. *Pais* —6E **77**
Caneluk Av. *Carl* —5H **165**
Canmore Pl. *G31* —1F **105**
Canmore St. *G31* —1F **105**
Cannerton Cres. *Milt C* —6B **8**
Cannich Dri. *Pais* —4D **98**
Cannich Pl. *Newm* —3D **146**
Canniesburn Rd. *Bear* —5C **44**
Canniesburn Sq. *Bear* —5C **44**
Canniesburn Toll. *Bear* —4F **45**
Canniesbury Rd. *Bear* —4D **44**
Canonbie St. *G34* —2B **88**

Canon Ct. *Moth* —5D **128**
Canongate. *E Kil* —5D **138**
Canterbury. *E Kil* —5D **148**
Cantieslaw Dri. *E Kil* —6A **138**
Canton Way. *G51* —4A **82**
Canyon Rd. *Wis* —1D **156**
Capel Av. *Newt M* —3F **133**
Capel Gro. *E Kil* —6B **138**
Capelrig Dri. *E Kil* —1B **150**
Capelrig Dri. *Newt M* —1D **132**
Capelrig La. *Newt M* —3D **132**
Capelrig Rd. *Newt M* —1D **132**
Capelrig St. *T'bnk* —3F **117**
Caplaw Pl. *Wis* —3F **157**
Caplaw Rd. *Pais* —6G **97**
Caplaw Tower. *Wis* —3F **157**
Caplethill Rd. *Pais* —6A **98**
Caprington St. *G33* —2A **86**
Cara Dri. *G51* —3E **81**
Caravelle Way. *Renf* —2F **79**
Carbarns. *Wis* —2D **156**
Carbarns E. *Wis* —2D **156**
Carbarns Rd. *Wis* —3C **156**
Carbarns W. *Wis* —2D **156**
Carberry Rd. *G41* —3B **102**
Carbeth St. *Miln* —4F **25**
Carbeth St. *G22* —5F **63**
Carbisdale St. *G22* —4A **64**
Carbost St. *G23* —6B **46**
Carbrach Loan. *Newm* —3D **146**
  (off Tiree Cres.)
Carbrain Ind. Est. *Cumb* —4B **36**
Carbrook St. *G21* —2C **84**
Carbrook St. *Pais* —1G **97**
Cardarrach St. *G21* —5C **64**
Cardean Rd. *Bell* —1G **127**
Cardell Av. *Pais* —2E **97**
Cardell Cres. *Chap* —3D **112**
Cardell Dri. *Pais* —2E **97**
Cardell Rd. *Pais* —2E **97**
Cardonald Dri. *G52* —1A **100**
Cardonald Gdns. *G52* —1B **100**
Cardonald Pk. *G52* —4B **80**
Cardonald Pl. Rd. *G52* —1B **100**
CARDONALD STATION. *G52*
  —5D **80**
Cardowan Dri. *Cumb* —4A **34**
Cardowan Dri. *Step* —4D **66**
Cardowan Pk. *Udd* —4F **109**
Cardowan Rd. *G32* —5H **85**
Cardowan Rd. *Step* —3E **67**
Cardow Rd. *G21* —5E **65**
Cardrona St. *G33* —6B **66**
Cardross Ct. *G31* —4B **84**
Cardross Rd. *Dumb* —2A **16**
Cardross St. *G31* —4B **84**
Cardwell St. *G41* —1E **103**
Cardyke St. *G21* —5C **64**
Careston Pl. *B'rig* —6F **49**
Carey Gdns. *Cle* —6H **129**
Carfin Ind. Est. *Carf* —5B **128**
Carfin Mill Rd. *Moth* —6C **128**
Carfin Rd. *Moth* —5D **128**
Carfin Rd. *Wis* —5C **144**
CARFIN STATION. *Carf* —5D **128**
Carfin St. *G42* —3F **103**
Carfin St. *Coat* —1D **110**
Carfin St. *Moth* —4A **128**
Carfrae St. *G3* —4A **82**
Cargill Sq. *B'rig* —1E **65**
Cargill St. *G31* —1G **105**
Carham Cres. *G52* —6C **80**
Carham Dri. *G52* —6C **80**
Caribou Grn. *E Kil* —3D **148**
Carillon Rd. *G51* —6A **82**
Carinthia Sq. *Clyd* —5D **42**
Carisbrooke Cres. *B'rig* —3D **48**
Carlaverock Rd. *G43* —1B **118**
Carleith Av. *Clyd* —1B **42**
Carleith Quad. *G51* —4D **80**
Carleith Ter. *Clyd* —1B **42**
Carleston St. *G21* —5B **64**
Carleton Dri. *Giff* —3A **118**
Carleton Ga. *Giff* —3A **118**
Carlibar Av. *G13* —3H **59**
Carlibar Dri. *Barr* —4E **115**
Carlibar Gdns. *Barr* —4E **115**
Carlibar Rd. *Barr* —4D **114**
Carlile Pl. *Pais* —5A **78**
Carlin La. *Carl* —4H **165**
Carlisle La. *Air* —4C **92**
Carlisle Rd. *Air* —5C **92**
Carlisle Rd. *Ham* —6B **142**
Carlisle St. *G21* —6H **63**
Carlock Wlk. *G32* —5C **86**
Carlouk La. *Carl* —4H **165**
Carlowrie Av. *Blan* —5A **124**
Carlton Ct. *G5* —5F **83**
Carlton Pl. *G5* —5F **83**
CARLUKE STATION. *Carl* —4D **164**
Carlyle Av. *G52* —3H **79**
Carlyle Dri. *E Kil* —1A **150**
Carlyle Ter. *E Kil* —1B **150**
Carlyle Ter. *Ruth* —4D **104**
Carmaben Rd. *G33* —3E **87**
Carman View. *Dumb* —1G **17**
Carment Dri. *G41* —5B **102**
Carmichael Path. *Glenb* —3G **69**
  (off Oval, The)
Carmichael Pl. *G42* —6D **102**

Carmichael St. *G51* —5H **81**
Carmichael St. *Law* —6D **158**
Carmichael Way. *Law* —6D **158**
Carmunnock By-Pass. *Clar* —6G **119**
Carmunnock Rd. *G44 & G45*
  —6F **103**
Carmunnock Rd. *Crmck* —4C **136**
Carmunnock Rd. *Clar* —4B **135**
Carmunnock Rd. *E Kil* —1F **149**
Carmyle Av. *G32* —3B **106**
CARMYLE STATION. *Carm* —4B **106**
Carna Dri. *G44* —2G **119**
Carnarvon St. *G3* —2D **82**
Carnbooth Ct. *G45* —5B **120**
Carnbroe Rd. *Bell* —6D **110**
Carnbroe Rd. *Coat* —1F **111**
Carneddans Rd. *Miln* —1C **24**
Carnegie Pl. *E Kil* —3F **149**
Carnegie Rd. *G52* —4A **80**
Carney Hill. *E Kil* —3F **149**
Carnoch St. *G23* —6B **46**
Carnoustie Ct. *Both* —5D **124**
Carnoustie Cres. *B'rig* —6E **49**
Carnoustie Cres. *E Kil* —5C **148**
Carnoustie Pl. *G5* —6D **82**
Carnoustie Pl. *Bell* —6C **110**
Carnoustie St. *G5* —6D **82**
Carnoustie Way. *Cumb* —5H **13**
Carntynehall Rd. *G32* —4H **85**
Carntyne Ind. Est. *G32* —5G **85**
Carntyne Path. *G32* —4F **85**
Carntyne Pl. *G32* —4F **85**
Carntyne Rd. *G31 & G32* —5E **85**
CARNTYNE STATION. *G32* —5H **85**
Carnwadric Rd. *T'bnk* —3E **117**
Carnwath Av. *G43* —1D **118**
Carnwath Rd. *Carl* —4F **165**
Caroline St. *G31* —6G **85**
Carolside Av. *Clar* —2C **134**
Carolside Dri. *G15* —4B **44**
Carolside Gdns. *Clar* —2C **134**
Carousel Cres. *Wis* —6A **146**
Carradale Cres. *Cumb* —5B **34**
Carradale Gdns. *B'rig* —6E **49**
Carradale Gdns. *Carl* —5G **165**
Carradale Pl. *Lin* —5G **75**
Carradale St. *Coat* —4B **90**
  (in two parts)
Carranbute Rd. *Carl* —2F **165**
Carrbridge Dri. *G20* —3B **62**
Carresbrook Av. *Kirk* —1G **51**
Carriagehill Av. *Pais* —3A **98**
Carriagehill Dri. *Pais* —4A **98**
Carrickarden Rd. *Bear* —4F **45**
Carrick Av. *Kirk* —3G **31**
Carrick Cres. *Giff* —6A **118**
Carrick Cres. *Wis* —5G **145**
Carrick Dri. *G32* —1E **107**
Carrick Dri. *Coat* —4H **89**
Carrick Dri. *Ruth* —2C **120**
Carrick Gdns. *Blan* —3B **140**
Carrick Gdns. *Carl* —5G **165**
Carrick Gdns. *Ham* —1C **152**
Carrick Gro. *G32* —1E **107**
Carrick Pl. *Bell* —6D **110**
Carrick Pl. *Coat* —4H **89**
Carrick Pl. *Glenb* —3A **70**
Carrick Pl. *Lark* —1F **161**
Carrick Rd. *B'rig* —6E **49**
Carrick Rd. *Cumb* —1A **36**
Carrick Rd. *E Kil* —6H **137**
Carrick Rd. *Ruth* —2B **120**
Carrickstone Ind. *Cumb* —6G **13**
Carrickstone Roundabout. *Cumb*
  —6G **13**
Carrickstone View. *Cumb* —6H **13**
Carrick St. *G2* —4E **83** (6B **4**)
Carrick St. *Lark* —3G **161**
Carrick Ter. *Dumb* —3B **16**
Carrick View. *Glenb* —3A **70**
Carrick Way. *Both* —4E **125**
Carriden Path. *G33* —4E **87**
  (off Langbar Cres.)
Carrington St. *G4* —1D **82**
Carroglen Gdns. *G32* —6D **86**
Carroglen Gro. *G32* —6D **86**
Carron Ct. *Camb* —2D **122**
Carron Ct. *Ham* —2F **153**
Carron Cres. *G22* —4H **63**
Carron Cres. *Bear* —4C **44**
Carron Cres. *Lenz* —3E **51**
Carron Dri. *B'ton* —5A **40**
Carron Ho. *Cumb* —3H **35**
  (off Cumbernauld Cen., The)
Carron Pl. *G22* —4A **64**
Carron Pl. *Coat* —2H **89**
Carron Pl. *E Kil* —6A **149**
Carron St. *G22* —4A **64**
Carron St. *Wis* —2H **157**
Carron Way. *Cumb* —3H **35**
  (off Cumbernauld Cen., The)
Carron Way. *Moth* —3C **128**
Carron Way. *Pais* —4C **78**
Carrour Gdns. *B'rig* —5B **48**
Carrow Cres. *B'rig* —6D **48**
Carruth Rd. *Bri W* —3E **73**

Carsaig Dri. *G52* —6E **81**
Carsaig Loan. *Glenb* —3G **69**
Carscallan Rd. *Ham* —5H **153**
Carsegreen Av. *Pais* —6F **97**
Carsemeadow. *Bri W* —1A **72**
Carse View Dri. *Bear* —1G **45**
Carstairs St. *G40* —3B **104**
Carswell Gdns. *G41* —3C **102**
Carswell Pl. *Newt M* —4H **132**
Cartcraigs Rd. *G43* —1H **117**
Carter Dri. *Udd* —4E **125**
Cartha Cres. *G41* —2C **98**
Cartha St. *G41* —6C **102**
Cartland Av. *Carl* —5F **165**
Cart La. *Pais* —5A **78**
Cartsbridge Rd. *Clar* —3C **134**
Cartside Av. *Inch* —5F **57**
Cartside Av. *John* —4D **94**
Cartside Dri. *Clar* —3E **135**
Cartside Pl. *Clar* —4D **134**
Cartside Quad. *G42* —6E **103**
Cartside Rd. *Clar* —4D **134**
Cartside St. *G42* —6D **102**
Cart St. *Clyd* —1D **58**
Cartvale La. *Pais* —5A **78**
Cartvale Rd. *G42* —6D **102**
Cartview St. *Clar* —3D **134**
Caskie Dri. *Blan* —6C **124**
Cassels St. *Moth* —1G **143**
Cassels Gro. *Moth* —6E **127**
Cassels St. *Carl* —4F **165**
Cassels St. *Moth* —1G **143**
Cassiltoun Gdns. *G45* —5H **119**
Cassley Av. *Renf* —1H **79**
Castburn Rd. *Cumb* —5F **15**
Castle Av. *Eld* —4H **95**
Castle Av. *Moth* —1B **128**
Castle Av. *Udd* —3C **124**
Castle Bank Ct. *G13* —3E **61**
Castlebank Cres. *G11* —2G **81**
Castle Bank Gdns. *G13* —3E **61**
Castlebank St. *G11* —2F **81**
Castle Bank Vs. *G13* —3E **61**
Castlebay Dri. *G22* —6G **47**
Castlebay Pl. *G22* —1G **63**
Castlebay St. *G22* —1G **63**
Castlebrae. *Dumb* —2C **16**
Castlecary Rd. *C'cry* —5C **14**
Castle Chimmins Av. *Camb* —3D **122**
Castle Chimmins Rd. *Camb*
—4D **122**
Castle Ct. *C'cry* —3F **15**
Castle Ct. *Kirk* —5D **30**
Castle Cres. *B'ton* —5H **39**
Castlecroft Gdns. *Udd* —2D **124**
Castle Dri. *Moth* —1B **128**
Castlefern Rd. *Ruth* —4D **120**
Castlefield Gdns. *E Kil* —6D **148**
Castle Gait. *Pais* —2H **97**
Castle Gdns. *Chry* —5D **52**
Castle Gdns. *Pais* —2H **97**
Castle Ga. *Newt M* —6G **133**
Castle Ga. *Udd* —2C **124**
Castleglen Rd. *E Kil* —5B **136**
Castlegreen Cres. *Dumb* —5H **17**
Castlegreen La. *Dumb* —5G **17**
Castlegreen St. *Dumb* —5G **17**
Castle Gro. *C'cry* —3H **11**
Castlehill Cres. *Bank* —1E **15**
Castlehill Cres. *Ham* —1B **154**
Castlehill Cres. *Ham* —2F **155**
(Allanton)
Castlehill Cres. *Law* —1A **164**
Castlehill Cres. *Renf* —5F **59**
Castlehill Dri. *Newt M* —5F **133**
Castlehill Grn. *E Kil* —5B **136**
Castlehill Ind. Est. *Carl* —1E **165**
Castlehill Quad. *Dumb* —2C **16**
Castlehill Rd. *Bear* —3B **44**
Castlehill Rd. *Carl* —1E **165**
Castlehill Rd. *Dumb* —2C **16**
Castlehill Rd. *Over* —3F **157**
Castlehill View. *Kils* —1G **11**
Castlelaw Gdns. *G32* —5B **86**
Castlelaw St. *G32* —5B **86**
Castle Mains Rd. *Miln* —3D **24**
Castlemilk Arc. *G45* —4A **120**
Castlemilk Cres. *G44* —2A **120**
Castlemilk Dri. *G45* —4A **120**
Castlemilk Rd. *G44* —6A **104**
Castlemount Av. *Newt M* —6F **133**
Castle Pl. *Udd* —1C **124**
Castle Quad. *Air* —4D **92**
Castle Rd. *Air* —4D **92**
Castle Rd. *Bri W* —2F **73**
Castle Rd. *Dumb* —5G **17**
Castle Rd. *Eld* —2A **96**
Castle Rd. *Newt M* —5C **132**
Castle Sq. *Clyd* —4A **42**
Castle St. *G4* —3A **84**
Castle St. *G11* —2A **82**
Castle St. *Bail* —2B **107**
Castle St. *Chap* —3D **112**
Castle St. *Clyd* —4A **42**
Castle St. *Dumb* —4F **17**
Castle St. *Ham* —5B **142**
Castle St. *Pais* —1H **97**
Castle St. *Ruth* —5C **104**
Castle Ter. *Bri W* —4G **73**
(off Kilbarchan Rd.)
Castleton Av. *B'rig* —2A **64**

Castleton Av. *Newt M* —6F **133**
Castleton St. *Clyd* —5B **120**
Castleton Ct. *Newt M* —6F **133**
Castleton Cres. *Newt M* —6F **133**
Castleton Dri. *Newt M* —6F **133**
Castleton Gro. *Newt M* —6F **133**
Castleview. *Cam G* —1B **6**
Castleview. *Clyd* —4D **42**
Castleview. *Cumb* —3E **15**
Castle View. *Wis* —3E **147**
Castleview Av. *Pais* —6E **97**
Castleview Dri. *Pais* —6E **97**
Castleview Pl. *Pais* —6E **97**
Castleview Ter. *Hag* —1G **15**
Castle Way. *Bail* —6D **88**
Castle Way. *Cumb* —1C **36**
Castle Wynd. *Both* —5F **125**
Cathay St. *G22* —1G **63**
Cathburn Rd. *Wis* —5F **147**
Cathcart Cres. *Pais* —2C **98**
Cathcart Pl. *Ruth* —6B **104**
Cathcart Rd. *G42* —6E **103**
Cathcart Rd. *Ruth* —6B **104**
CATHCART STATION. *G44* —1E **119**
Cathedral Sq. *G4* —4A **84**
Cathedral St. *G1 & G4*
—3G **83** (4E **5**)
Catherine St. *Kirk* —5C **30**
Catherine St. *Moth* —5H **143**
Catherines Wlk. *Blan* —3A **140**
Catherine Way. *Moth* —4H **127**
Cathkin Av. *Camb* —1G **121**
Cathkin Av. *Ruth* —6E **105**
Cathkin By-Pass. *Ruth* —4F **121**
Cathkin Ct. *G45* —5B **120**
Cathkin Gdns. *Udd* —4C **108**
Cathkin Pl. *Camb* —1G **121**
Cathkin Rd. *G42* —6D **102**
Cathkin Rd. *Clar & Ruth* —1A **136**
Cathkin Rd. *Udd* —4C **108**
Cathkin View. *Carm* —5B **106**
Cathkinview Pl. *G42* —6E **103**
Cathkinview Rd. *G42* —6E **103**
Catrine. *E Kil* —1F **149**
Catrine Cres. *Moth* —6A **144**
Catrine St. *Lark* —3G **161**
Catriona Way. *Moth* —2B **128**
Cauldstream Pl. *Miln* —4E **25**
Causewayside Cres. *G32* —2A **106**
Causewayside St. *G32* —3A **106**
Causeyside St. *Pais* —2A **98**
(in two parts)
Causeystanes. *Blan* —2A **140**
(off Burnbrae Rd.)
Cavendish Ct. *G5* —1F **103**
Cavendish Dri. *Newt M* —3F **133**
Cavendish Pl. *G5* —1F **103**
Cavendish St. *G5* —1F **103**
Cavin Dri. *G45* —3A **120**
Cavin Rd. *G45* —3A **120**
Cawdor Cres. *B'ton* —5H **39**
Cawdor Way. *E Kil* —6F **137**
Cayton Gdns. *Bail* —1F **107**
Cecil Pl. *G12* —6B **62**
Cecil St. *Clar* —2C **134**
Cecil St. *Coat* —6C **90**
Cedar Av. *Clyd* —3H **41**
Cedar Av. *John* —5F **95**
Cedar Av. *Udd* —5F **109**
Cedar Ct. *G20* —1E **83**
Cedar Ct. *E Kil* —6E **149**
Cedar Ct. *Kilb* —2A **94**
Cedar Cres. *Ham* —2A **154**
Cedar Dri. *E Kil* —6E **149**
Cedar Dri. *Lenz* —2C **50**
Cedar Dri. *Udd* —5G **109**
Cedar Gdns. *N'hill* —3C **128**
Cedar Gdns. *Ruth* —3E **121**
Cedar La. *Air* —4C **92**
Cedar La. *Moth* —3B **128**
Cedar Pl. *Barr* —6E **115**
Cedar Pl. *Blan* —6A **124**
Cedar Pl. *E Kil* —6E **149**
Cedar Rd. *Bank* —1E **15**
Cedar Rd. *B'rig* —1D **64**
Cedar Rd. *Cumb* —2D **36**
Cedar Rd. *Milt C* —6C **8**
Cedar St. *G20* —1E **83**
Cedar Wlk. *B'rig* —1D **64**
Cedarwood Av. *Newt M* —5F **133**
Cedric Pl. *G13* —2D **60**
Cedric Rd. *G13* —2D **60**
Celtic St. *G20* —1A **62**
Cemetery Rd. *G52* —1D **100**
Cemetery Rd. *Blan* —3A **140**
Centenary Av. *Air* —4F **91**
Centenary Ct. *Clyd* —6D **42**
Centenary Gdns. *Coat* —6C **90**
Centenary Gdns. *Ham* —1A **154**
Centenary Quad. *Moth* —2A **128**
Central Av. *G11* —1F **81**
Central Av. *Blan* —4C **140**
Central Av. *Camb* —1H **121**
Central Av. *Clyd B* —5C **42**
Central Av. *Holy* —2D **127**
Central Av. *Moth* —5A **128**
Central Av. *Mt V* —2D **106**
Central Av. *Udd* —1G **125**
Central Cres. *Ashg* —5B **162**

Central Path. *G32* —2E **107**
Central Rd. *Pais* —6A **78**
CENTRAL STATION. *G2* —4F **83**
Central Way. *Cumb* —5G **35**
Central Way. *Pais* —6A **78**
Centre Pk. Ct. *Coat* —5C **90**
Centre Roundabout, The. *E Kil*
—2H **149**
Centre St. *G5* —6E **83**
Centre St. *Chap* —3D **112**
Centre St. *Glenb* —3G **69**
Centre, The. *Barr* —5D **114**
Ceres Gdns. *B'rig* —6F **49**
Cessnock Pl. *Camb* —2D **122**
CESSNOCK STATION. *G51* —5A **82**
Cessnock St. *G51* —5A **82**
Chalmers Ct. *G40* —5A **84**
(off Chalmers St.)
Chalmers Cres. *Udd* —1D **124**
Chalmers Cres. *E Kil* —4H **149**
Chalmers Dri. *E Kil* —3F **149**
Chalmers Ga. *G40* —5A **84**
(off Claythorn St.)
Chalmers Pl. *G40* —5A **84**
(off Claythorn St.)
Chalmers St. *G40* —5A **84**
Chalmers St. *Clyd* —6D **42**
Chamberlain La. *G13* —4E **61**
Chamberlain Rd. *G13* —3E **61**
Chancellor St. *G11* —1H **81**
Chantinghall Rd. *Ham* —6F **141**
Chantinghall Ter. *Ham* —6F **141**
Chantree Ct. *Moth* —4C **128**
Chapel Ct. *Ruth* —5B **104**
Chapelcross Av. *Air* —2A **92**
Chapelhall Ind. Est. *Chap* —1D **112**
Chapelhill Rd. *Pais* —3C **98**
Chapelknowe Rd. *Moth* —6C **128**
Chapel La. *Hous* —1B **74**
Chapel Rd. *Clyd* —1C **42**
Chapel Rd. *Wis* —2F **159**
Chapelside Av. *Air* —3A **92**
Chapelside Rd. *E Kil* —3A **138**
Chapel St. *G20* —4C **62**
Chapel St. *Air* —3A **92**
Chapel St. *Carl* —3F **165**
Chapel St. *Cle* —6H **129**
Chapel St. *Len* —3F **7**
Chapel St. *Ruth* —5B **104**
Chapel St. Ind. Est. *G20* —4C **62**
Chapelton Av. *Bear* —3F **45**
Chapelton Av. *Dumb* —2G **17**
Chapelton Gdns. *Bear* —3F **45**
Chapelton Gdns. *Dumb* —2G **17**
Chapelton Rd. *Cumb* —1E **55**
Chapelton St. *G22* —3F **63**
Chaplet Av. *G13* —1C **60**
Chapman Av. *Glenb* —3G **69**
Chapman St. *G42* —3E **103**
Chappell St. *Barr* —4D **114**
Charing Cross. *Lark* —2E **161**
Charing Cross La. *G3* —3D **82**
(off Granville St.)
CHARING CROSS STATION. *G2*
—3E **83**
Charles Av. *Renf* —5F **59**
Charles Cres. *Carl* —4H **165**
Charles Cres. *Lenz* —4D **50**
Charleson Row. *Kils* —2B **34**
Charles Path. *Chap* —4D **112**
Charles Quad. *Moth* —2A **128**
Charles St. *G21* —2A **84**
Charles St. *Kils* —2H **11**
Charles St. *Wis* —5C **144**
Charlotte Av. *Torr* —5D **28**
Charlotte Path. *Lark* —3E **161**
Charlotte Pl. *Pais* —3A **98**
Charlotte St. *G1* —5H **83**
Charlotte St. *Dumb* —3D **16**
Chartwell Rd. *B'ton* —4H **39**
Chassels St. *Coat* —3C **90**
Chateau Gro. *Ham* —1C **154**
Chatelherault Av. *Camb* —2G **121**
Chatelherault Cres. *Ham* —2A **154**
Chatelherault Wlk. *Ham* —2A **154**
Chatham. *E Kil* —4E **149**
Chatton St. *G23* —6B **46**
Cheapside St. *G3* —4D **82**
Chelmsford Dri. *G12* —4H **61**
Cherry Bank. *Kirk* —2B **50**
Cherrybank Rd. *G43* —1D **118**
Cherrybank Wlk. *Air* —3F **91**
Cherry Cres. *Clyd* —3C **42**
Cherryhill View. *Lark* —2D **160**
Cherry La. *Bank* —1E **15**
Cherry Pl. *B'rig* —1D **64**
Cherry Pl. *John* —4G **95**
Cherry Pl. *Milt C* —1B **30**
Cherry Pl. *Moth* —2B **128**
Cherry Pl. *Udd* —6H **109**
Cherry Tree Cres. *Lark* —6A **156**
Cherry Wlk. *Moth* —6G **143**
Cherrywood Rd. *Eld* —3A **96**
Chesterfield Av. *G12* —4G **61**
Chesters Cres. *Moth* —1E **143**
Chesters Pl. *Ruth* —6B **104**
Chesters Rd. *Bear* —3C **44**
Chester St. *G32* —6A **86**
Chestnut Av. *B'ton* —2F **39**
Chestnut Ct. *Cumb* —6E **15**
Chestnut Ct. *Cumb* —6E **15**

Chestnut Ct. *Milt C* —6B **8**
Chestnut Cres. *E Kil* —5E **149**
Chestnut Cres. *Ham* —4A **154**
Chestnut Cres. *Udd* —6H **109**
Chestnut Dri. *Clyd* —2B **42**
Chestnut Dri. *Kirk* —1B **50**
Chestnut Gro. *Blan* —1A **140**
Chestnut Gro. *Carl* —4E **165**
Chestnut Gro. *Glenb* —3G **69**
Chestnut Gro. *Lark* —4A **156**
Chestnut Gro. *Moth* —4F **143**
Chestnut La. *Miln* —4E **25**
Chestnut Pl. *Cumb* —6E **15**
Chestnut Pl. *John* —5G **95**
Chestnut St. *G22* —4H **63**
Cheviot Av. *Barr* —5E **115**
Cheviot Ct. *Air* —1B **92**
Cheviot Ct. *Coat* —2E **111**
Cheviot Cres. *Wis* —5F **145**
Cheviot Dri. *Newt M* —6C **132**
Cheviot Gdns. *Bear* —6D **24**
Cheviot Rd. *G43* —2A **118**
Cheviot Rd. *Ham* —1B **154**
Cheviot Rd. *Lark* —3G **161**
Cheviot Rd. *Pais* —4B **98**
Cheviot St. *Blan* —2A **140**
Chillin Pl. *Lark* —2G **161**
Chirnside Ct. *Blan* —4C **140**
Chirnside Pl. *G52* —5A **80**
Chirnside Rd. *G52* —5A **80**
Chisholm Dri. *Newt M* —3E **133**
Chisholm St. *G1* —5H **83**
Chisholm St. *Coat* —3D **90**
Chrighton Grn. *Udd* —5E **109**
Chriss Av. *Ham* —4H **153**
Christchurch Pl. *E Kil* —4D **148**
Christian St. *G43* —5A **102**
Christie La. *Pais* —6A **78**
Christie Pl. *Camb* —2B **122**
Christie St. *Bell* —2F **127**
Christie St. *Pais* —6B **78**
Christopher St. *G21* —2C **84**
Chryston Rd. *Chry* —1B **68**
Chryston Rd. *Kirk* —1H **51**
Chryston Valley Bus. Cen. *Bail*
—1A **68**
Chuckie La. *Brkfld* —5C **74**
Church Av. *G33* —3D **66**
Church Av. *Newt M* —5D **146**
Church Av. *Ruth* —2E **121**
Church Ct. *Dumb* —4F **17**
Church Cres. *Air* —2E **93**
Church Hill. *Pais* —6A **78**
Churchill Av. *E Kil* —2H **149**
Churchill Av. *John* —6C **94**
Churchill Cres. *Both* —4F **125**
Churchill Dri. *G11* —5F **61**
Churchill Dri. *B'ton* —4H **39**
Churchill Dri. *Kilb* —2A **94**
Churchill Pl. *Barr* —2E **131**
Churchill Way. *B'rig* —6B **48**
Church La. *Carl* —4F **165**
Church La. *Coat* —4C **90**
Church La. *Kils* —3H **11**
(off Church St.)
Church Pl. *Old K* —1E **41**
Church Rd. *Bri W* —4G **73**
Church Rd. *Clar* —3D **134**
Church Rd. *Muirh* —2A **68**
Church Rd. *Quar H* —1A **72**
Church Rd. *Wis* —2H **147**
Church St. *G11* —1A **82**
Church St. *Bail* —1A **108**
Church St. *Blan* —2C **140**
Church St. *Clyd* —4D **42**
Church St. *Coat* —4C **90**
Church St. *Dumb* —4F **17**
Church St. *Ham* —5A **142**
Church St. *John* —2F **95**
Church St. *Kilb* —2A **94**
Church St. *Kils* —3H **11**
Church St. *Lark* —2E **161**
Church St. *Moth* —3F **129**
Church St. *Udd* —2D **124**
Church View. *Camb* —6A **106**
Church View. *Coat* —4C **90**
Church View Ct. *Len* —2F **7**
Church View Gdns. *Bell* —2C **126**
Circus Dri. *G31* —4B **84**
Circus Pl. *G31* —4B **84**
Circus Pl. La. *G31* —3B **84**
Citadel Pl. *Moth* —1E **143**
Citizen La. *G2* —4G **83** (5E **5**)
Citrus Cres. *Udd* —5G **109**
Cityford Cres. *Ruth* —6B **104**
Cityford Dri. *Ruth* —1B **120**
Civic Sq. *Moth* —4H **143**
(off Camp St.)
Civic St. *G4* —1F **83** (1C **4**)
Civic Way. *Kirk* —6C **30**
Clachan Dri. *G51* —3E **81**
Clachan, The. *Wis* —6H **145**
Claddens Pl. *Lenz* —3E **51**
Claddens Quad. *G22* —3G **63**
Claddens St. *G22* —3F **63**
Claddens Wynd. *Kirk* —3E **51**
Cladence Gro. *E Kil* —6H **149**
Claire St. *Newm* —4E **147**

Clairinch Gdns. *Renf* —2E **79**
Clairmont Gdns. *G3* —2D **82**
Clair Rd. *B'rig* —6F **49**
Clamp Rd. *Wis* —5C **144**
Clamps Gro. *E Kil* —3A **150**
Clamps Rd. *E Kil* —3A **150**
Clamps Ter. *E Kil* —3B **150**
Clamps Wood. *E Kil* —3A **150**
Clanrye Dri. *Coat* —1C **110**
Clapperhow Rd. *Moth* —4A **128**
Claremont Av. *Kirk* —5B **30**
Claremont Dri. *Miln* —4G **25**
Claremont Gdns. *Miln* —4G **25**
Claremont Pl. *G3* —2D **82**
(off Lynedoch St.)
Claremont St. *G3* —3C **82**
(in two parts)
Claremont Ter. *G3* —2D **82**
Claremont Ter. La. *G3* —2D **82**
(off Clifton St.)
Claremount Av. *Giff* —5A **118**
Clarence Dri. *G11 & G12* —6G **61**
Clarence Gdns. *G11* —6C **78**
Clarence Gdns. *G11* —6G **61**
Clarence La. *G12* —6H **61**
(off Hyndland Rd.)
Clarence St. *Clyd* —4D **42**
Clarence St. *Pais* —6C **78**
Clarendon Pl. *G20* —1E **83**
Clarendon Rd. *Wis* —2E **157**
Clarendon St. *G20* —1E **83**
Clare St. *G21* —2C **84**
Clarinda Cres. *Kirk* —3G **31**
Clarinda Pl. *Moth* —4C **128**
Clarion Cres. *G13* —1A **60**
Clarion Rd. *G13* —2A **60**
Clark Pl. *Newt M* —5B **132**
Clark Pl. *Torr* —5E **29**
Clarkston Av. *G44* —3D **118**
Clarkston Dri. *Air* —4D **92**
Clarkston Rd. *G44* —3D **118**
Clarkston Rd. *Clar* —1C **134**
CLARKSTON STATION. *Clar*
—2C **134**
Clark St. *Air* —4B **92**
Clark St. *Clyd* —3B **42**
Clark St. *John* —2F **95**
Clark St. *Newm* —4D **146**
Clark St. *Pais* —5G **77**
Clark St. *Renf* —6D **58**
Clark Ter. *Newt M* —5G **133**
Clark Way. *Bell* —6B **110**
Clarkwell Rd. *Ham* —1C **152**
Clarkwell Ter. *Ham* —6D **140**
Clathic Av. *Bear* —3G **45**
Claude Av. *Camb* —3E **123**
Claude St. *Lark* —2E **161**
Claud Rd. *Pais* —5C **78**
Clavens Rd. *G52* —5G **79**
Claverhouse Pl. *Pais* —2C **98**
Claverhouse Rd. *H'ton I* —4H **79**
Clavering St. E. *Pais* —6G **77**
Clavering St. W. *Pais* —6G **77**
Clay Cres. *Bell* —6D **110**
Clayhouse Rd. *G33* —5E **67**
Claymore Dri. *Hous* —3D **74**
Claypotts Pl. *G33* —2A **86**
Claypotts Rd. *G33* —2A **86**
Clay Rd. *Bell* —6D **110**
Clayslaps Rd. *G3* —2B **82**
Claythorn Av. *G40* —5A **84**
Claythorn Ct. *G40* —5A **84**
(off Claythorn St.)
Claythorn Pk. *G40* —6A **84**
Claythorn St. *G40* —5A **84**
Claythorn Ter. *G40* —5A **84**
Clayton Cir. *G40* —5A **84**
Clayton Path. *Bell* —6D **110**
Clayton Ter. *G31* —4B **84**
Clearfield Av. *Ham* —5F **141**
Cleddans Cres. *Clyd* —1E **43**
Cleddans Rd. *Clyd* —2E **43**
Cleddans Rd. *Kirk* —4E **31**
Cleddans View. *Clyd* —3E **43**
Cleddans View. *Glenm* —5G **71**
Cleddens Ct. *Air* —3F **91**
(off Monkscourt Av.)
Cleddens Ct. *B'rig* —6C **48**
Cleeves Quad. *G53* —2A **116**
Cleeves Rd. *G53* —2A **116**
Cleghorn St. *G22* —6F **63**
Cleland La. *G5* —6G **83**
Cleland Pl. *E Kil* —4A **138**
Cleland Rd. *Moth* —6C **128**
Cleland Rd. *N'hill* —4F **129**
Cleland Rd. *Wis* —6G **145**
Cleland St. *G5* —6G **83**
Clelland Av. *B'rig* —1C **64**
Clem Atlee Gdns. *Lark* —3F **161**
Clerwood St. *G32* —5F **85**
Cleuch Gdns. *Clar* —1B **134**
Clevans Rd. *Bri W* —4D **72**
Cleveden Cres. *G12* —4H **61**
Cleveden Cres. La. *G12* —4H **61**
Cleveden Dri. *G12* —4H **61**
Cleveden Dri. *Ruth* —1E **121**
Cleveden Dri. La. *G12* —5A **62**
Cleveden Gdns. *G12* —4A **62**
Cleveden La. *G12* —3H **61**
(off Northampton Dri.)
Cleveden Pl. *G12* —4H **61**
Cleveden Rd. *G12* —4H **61**

Cleveden Rd. *G20* —2H **61**
Cleveland La. *G3* —3D **82**
(off Kent Rd.)
Cleveland St. *G3* —3D **82**
Cliesh Av. *Bear* —5C **24**
Clifford Gdns. *G51* —6H **81**
Clifford La. *G51* —6B **82**
Clifford Pl. *G51* —6B **82**
(off Clifford La.)
Clifford St. *G51* —6H **81**
Cliff Rd. *G3* —1D **82**
Clifton La. *Clar* —1H **135**
Clifton Pl. *G3* —2C **82**
(off Clifton St.)
Clifton Pl. *Coat* —5E **91**
Clifton Rd. *Giff* —4H **117**
Clifton St. *G3* —2C **82**
Clifton Ter. *Camb* —4G **121**
Clifton Ter. *John* —3G **95**
Cliftonville Ct. *Coat* —5E **91**
(off Clifton Pl.)
Clincarthill Rd. *Ruth* —6C **104**
Clincart Rd. *G42* —5F **103**
Clippens Rd. *Hous* —3E **75**
Clippens Rd. *Lin* —6H **75**
Cloan Av. *G15* —5B **44**
Cloan Cres. *B'rig* —3D **48**
Clober Farm La. *Miln* —2E **25**
Cloberfield. *Miln* —1F **25**
Cloberfield Gdns. *Miln* —2F **25**
Cloberhill Rd. *G13* —6C **44**
Clober Rd. *Miln* —2F **25**
Clochbar Av. *Miln* —2F **25**
Clochbar Gdns. *Miln* —3F **25**
Clochoderick Av. *Mill P* —3B **94**
Cloch St. *G33* —3A **86**
Clockerhill Pl. *Moth* —3E **129**
Clock Sq. *Cumb* —3H **35**
(off Cumbernauld Cen., The)
Cloister Av. *Air* —1C **112**
Clonbeith St. *G33* —1E **87**
Closeburn St. *G22* —4G **63**
Cloth St. *Barr* —5E **115**
Clouden Rd. *Cumb* —3B **36**
Cloudhowe Ter. *Blan* —6A **124**
Clouston Ct. *G20* —5C **62**
Clouston La. *G20* —5C **62**
Clouston St. *G20* —5B **62**
Clova Pl. *Udd* —1D **124**
Clova St. *T'bnk* —3F **117**
Clove Mill Wynd. *Lark* —3C **160**
Clovend Dri. *Ruth* —4D **120**
Cloverbank St. *G21* —2C **84**
Clovergate. *B'rig* —6A **48**
Cloverhill Pl. *Chry* —1A **68**
Cloverhill Ter. *E Kil* —2G **149**
Cloverhill View. *E Kil* —2F **149**
Clunie Pl. *Coat* —2D **110**
Clunie Pl. *G33* —3D **146**
Clunie Rd. *G52* —1E **101**
Cluny Av. *Bear* —5G **45**
Cluny Av. *Clyd* —6E **23**
Cluny Dri. *Bear* —5G **45**
Cluny Dri. *Pais* —5C **78**
Cluny Gdns. *G14* —5E **61**
Cluny Gdns. *Bail* —1G **107**
Cluny Vs. *G14* —5E **61**
Clutha Pl. *E Kil* —4C **148**
Clutha St. *G51* —5B **82**
Clyde Av. *Barr* —6F **115**
Clyde Av. *Both* —6D **124**
Clyde Av. *Ham* —2E **155**
Clyde Av. *Torr* —5H **28**
Clydebank Bus. Pk. *Clyd* —5C **42**
Clydebank Ind. Est. *Clyd* —5H **41**
Clydebrae Dri. *Both* —4F **141**
Clydebrae St. *G51* —3H **81**
Clyde Bri. *Ham* —4D **142**
Clyde Ct. *Clyd* —2A **42**
Clyde Ct. *Coat* —5E **91**
(off Clifton Pl.)
Clyde Ct. *Dumb* —3E **17**
Clyde Dri. *Bell* —3E **127**
Clydeford Dri. *G32* —2G **105**
Clydeford Dri. *Udd* —6B **108**
Clydeford Rd. *G32* —6A **106**
Clydeford Rd. *Camb* —1B **122**
Clydeholm Rd. *G14* —1D **80**
Clydeholm Ter. *Clyd* —2F **59**
Clyde Ho. *Ham* —4A **142**
Clyde La. *Moth* —3A **128**
Clydeneuk Dri. *Udd* —6B **108**
Clyde Pl. *G5* —5E **83**
Clyde Pl. *Camb* —3D **122**
Clyde Pl. *John* —5C **94**
Clyde Pl. *Moth* —3A **128**
Clyde Pl. *Pais* —4D **78**
Clydesdale Av. *Ham* —5H **153**
Clydesdale Av. *Pais* —2C **78**
Clydesdale Av. *Wis* —2D **156**
Clydesdale Pl. *Ham* —5H **153**
Clydesdale St. *Bell* —3F **127**
Clydesdale St. *Ham* —5G **141**
Clydesdale St. *Lark* —1E **161**
Clyde Shopping Cen. *Clyd* —5C **42**
Clydeshore Rd. *Dumb* —5E **17**
Clydeside Expressway. *G14* —6D **60**
Clydeside Ind. Est. *G14* —1D **80**
Clydeside Rd. *Ruth* —3B **104**
Clydesmill Dri. *G32* —6A **106**
Clydesmill Gro. *G32* —6A **106**

Clydesmill Pl. *G32* —5A **106**
Clydesmill Rd. *G32* —5H **105**
Clyde Sq. *Cumb* —3H **35**
(off Cumbernauld Cen., The)
Clyde St. *Carl* —3D **164**
Clyde St. *Clyd* —1E **59**
Clyde St. *Coat* —4E **91**
Clyde St. *Renf* —4F **59**
Clyde Ter. *Both* —6E **125**
Clyde Ter. *Moth* —1C **156**
Clyde Tower. *E Kil* —4B **150**
Clyde Tower. *Moth* —4G **143**
(off Airbles Rd.)
Clyde Tunnel. *G51* —2E **81**
Clydevale. *Both* —6F **125**
Clyde Valley Av. *Moth* —5G **143**
Clydeview. *Both* —6G **125**
Clyde View. *Dumb* —5E **17**
Clyde View. *Ham* —2F **153**
Clyde View. *Pais* —3D **98**
Clyde View Ct. *Bowl* —4A **20**
Clydeview Shopping Cen. *Blan*
—2C **140**
Clydeview Ter. *G32* —5C **106**
Clyde Wlk. *Cumb* —3H **35**
(off Cumbernauld Cen., The)
Clyde Wlk. *Newm* —3E **147**
Clyde Way. *Cumb* —3H **35**
(off Cumbernauld Cen., The)
Clyde Way. *Pais* —4D **78**
Clydeway Ind. Est. *G3* —3C **82**
(off Finnieston Sq.)
Clynder St. *G51* —5H **81**
Clyth Dri. *Giff* —5B **118**
Coach Clo. *Kils* —3C **12**
Coach Pl. *Kils* —4A **12**
Coach Rd. *Kils* —4B **12**
Coalburn Rd. *Both* —2F **125**
Coalhall Av. *Moth* —6A **128**
Coatbank St. *Coat* —6D **90**
Coatbank Way. *Coat* —5D **90**
COATBRIDGE CENTRAL STATION.
Coat —4B **90**
Coatbridge Ind. Est. *Coat* —2C **90**
Coatbridge Rd. *Bail* —6B **88**
Coatbridge Rd. *G'csh* —1E **89**
Coatbridge Rd. *Glenb* —1E **91**
Coatbridge Rd. *Glenm* —4B **70**
COATBRIDGE SUNNYSIDE STATION.
Coat —3C **90**
Coathill St. *Coat* —1C **110**
Coats Cres. *Bail* —6G **87**
Coats Dri. *Pais* —2F **97**
Coatshill Av. *Blan* —6A **124**
Coats St. *Coat* —5D **90**
Cobbett Rd. *Moth* —4D **142**
Cobblerigg Way. *Udd* —2C **124**
Cobbleton Rd. *Moth* —5H **127**
Cobden St. *St R* —1B **84**
Cobington Pl. *G33* —2B **86**
Cobinshaw St. *G32* —5A **86**
Coburg St. *G5* —6F **83**
(in two parts)
Cochno Pl. *Clyd* —5F **23**
Cochno Rd. *Hard* —6D **22**
Cochno St. *Clyd* —1E **59**
Cochrane Ct. *Miln* —5A **26**
Cochranemill Rd. *John* —4C **94**
Cochrane St. *Barr* —5D **114**
Cochrane St. *Bell* —2B **126**
Cochran St. *Pais* —1B **98**
Cockburn Pl. *Coat* —1B **110**
Cockels Loan. *Renf* —2D **78**
Cockenzie St. *G32* —6A **86**
Cockmuir St. *G21* —5C **64**
Coddington Cres. *Moth* —6H **111**
Cogan Rd. *G43* —1A **118**
Cogan St. *G43* —6A **102**
Cogan St. *Barr* —5D **114**
Colbert St. *G40* —1B **104**
Colbreggan Ct. *Clyd* —1E **43**
Colbreggan Gdns. *Clyd* —1E **43**
Colbreggan Pl. *Clyd* —1E **43**
Colchester Dri. *G12* —3G **61**
Coldingham Av. *G14* —3G **59**
Coldstream Cres. *Wis* —4A **146**
Coldstream Dri. *Pais* —4E **97**
Coldstream Dri. *Ruth* —6F **105**
Coldstream Pl. *G21* —6G **63**
Coldstream Rd. *Clyd* —6D **42**
Coldstream St. *Blan* —2B **140**
Cole. *E Kil* —3C **150**
Colebrooke Pl. *G12* —6C **62**
Colebrooke St. *G12* —6C **62**
Colebrooke Ter. *G12* —6C **62**
Colebrook St. *Camb* —1A **122**
Coleridge. *E Kil* —4C **148**
Coleridge Av. *Both* —5F **125**
Colfin St. *G34* —2A **88**
Colgrain St. *G20* —3E **63**
Colgrave Cres. *G32* —2H **105**
Colinbar Circ. *Barr* —6D **114**
Colinslee Av. *Pais* —4B **98**
Colinslee Cres. *Pais* —4B **98**
Colinslee Dri. *Pais* —4B **98**
Colinslie Rd. *G53* —5D **100**
Colinton Pl. *G32* —4B **86**
Colintraive Av. *G33* —6G **65**
Colintraive Cres. *G33* —5G **65**

Collace Av. *Bri W* —4F **73**
Colla Gdns. *B'rig* —5F **49**
Coll Av. *Renf* —2F **79**
College La. *G1* —4H **83** (6H **5**)
College St. *G1* —4H **83** (6G **5**)
College St. *Dumb* —4F **17**
College Way Shopping Cen. *Dumb*
—4F **17**
Collessie Dri. *G33* —1C **86**
Collier St. *John* —2F **95**
Colliertree Rd. *Air* —3D **92**
Collina St. *G20* —3A **62**
Collins St. *G4* —4A **84**
Collins St. *Clyd* —1E **43**
Coll Pl. *G21* —1D **84**
Coll St. *G21* —1D **84**
Coll St. *Wis* —3D **146**
Collylinn Rd. *Bear* —3E **45**
Colmonell Av. *G13* —2H **59**
Colonsay. *E Kil* —4B **150**
Colonsay Av. *Renf* —2E **79**
Colonsay Dri. *Newt M* —4B **132**
Colonsay Rd. *G52* —6E **81**
Colonsay Rd. *Pais* —6H **97**
Colquhoun Av. *G52* —4A **80**
Colquhoun Ct. *G41* —1A **102**
Colquhoun Dri. *Bear* —2D **44**
Colquhoun Rd. *Milt* —4E **19**
Colquhoun St. *Dumb* —3G **17**
Colston Av. *B'rig* —2B **64**
Colston Dri. *B'rig* —2B **64**
Colston Gdns. *Air* —4C **92**
Colston Gdns. *B'rig* —2A **64**
Colston Path. *B'rig* —2A **64**
Colston Pl. *Air* —4C **92**
Colston Pl. *B'rig* —2A **64**
Colston Rd. *Air* —4C **92**
Colston Rd. *B'rig* —2A **64**
Colston Ter. *Air* —4C **92**
Colt Av. *Coat* —3A **90**
Coltmuir Cres. *B'rig* —1A **64**
Coltmuir Dri. *B'rig* —1A **64**
Coltmuir Gdns. *B'rig* —1A **64**
Coltmuir St. *G22* —3F **63**
Coltness Dri. *Bell* —3D **126**
Coltness La. *G33* —4C **86**
Coltness Rd. *Wis* —3A **146**
Coltness St. *G33* —3C **86**
Coltpark Av. *B'rig* —1A **64**
Coltpark La. *B'rig* —1B **64**
Colt Pl. *Coat* —3C **90**
Coltsfoot Dri. *G53* —4B **116**
Coltswood Ct. *Coat* —3C **90**
Coltswood Rd. *Coat* —2C **90**
Colt Ter. *Coat* —3C **90**
Columba Cres. *Moth* —5F **127**
Columba St. *G51* —4H **81**
Columbia Path. *Blan* —1A **140**
Columbia Pl. *E Kil* —3D **148**
Columbia Way. *E Kil* —3D **148**
Columbine Way. *Carl* —5F **165**
Colvend Dri. *Ruth* —3D **120**
Colvend St. *G40* —2B **104**
Colville Dri. *Ruth* —1F **121**
Colvilles Pl. *E Kil* —6B **150**
Colvilles Rd. *E Kil* —6A **150**
Colwood Av. *G53* —3A **116**
Colwood Gdns. *G53* —3A **116**
Colwood Path. *G53* —3A **116**
Colwood Pl. *G53* —3A **116**
Colwood Sq. *G53* —3A **116**
Colwyn Ct. *Air* —2A **92**
Colzium View. *Kils* —3A **12**
Combe Quad. *Bell* —4A **126**
Comedie Rd. *G33* —5E **67**
Comely Bank. *Ham* —6D **140**
Comelybank La. *Dumb* —3D **16**
Comelybank Rd. *Dumb* —3D **16**
Comelypark Pl. *G31* —5C **84**
(off Comelypark St.)
Comelypark St. *G31* —5B **84**
Commerce St. *G5* —6F **83**
Commercial Ct. *G5* —6H **83**
Commercial Rd. *G5* —1G **103**
Commercial Rd. *Barr* —4E **115**
Common Grn. *Ham* —5A **142**
Commonhead Av. *Air* —2H **91**
Commonhead La. *Air* —2H **91**
Commonhead Rd. *G34* —3B **88**
Commonhead St. *Air* —2H **91**
Commonside St. *Air* —2H **91**
Commore Av. *Barr* —6F **115**
Commore Dri. *G13* —2A **60**
Commore Pl. *Neil* —3C **130**
Commonside St. *Air* —2H **91**
Comrie Cres. *Ham* —6B **140**
Comrie Rd. *G33* —4C **66**
Comrie St. *G32* —2B **106**
Conan Ct. *Camb* —2D **122**
Cona St. *Giff* —3E **117**
Condor Glen. *Holy* —6G **111**
Condorrat Interchange. *Cumb*
—5E **35**
Condorrat Ring Rd. *Cumb* —6C **34**
Condorrat Rd. *Cumb* —4D **54**
Condorrat Rd. *Glenm* —5E **55**
Coneypark Cres. *Bank* —1C **14**
Coneypark Pl. *Bank* —1C **14**
Congress Rd. *G3* —4B **82**
Conifer Pl. *Kirk* —1B **50**

Conisborough Path. *G34* —1F **87**
Conisborough Rd. *G34* —1F **87**
Coniston. *E Kil* —6B **148**
Coniston Dri. *Bell* —4D **126**
Conistone Cres. *Bail* —1F **107**
Connal St. *G40* —2D **104**
Connell Cres. *Miln* —4A **26**
Conniston St. *G32* —4G **85**
Connor Rd. *Barr* —4D **114**
Connor St. *Air* —2E **93**
Conolly's Land. *Clyd* —1C **42**
(off Dumbarton Rd.)
Conon Av. *Bear* —4C **44**
Consett La. *G33* —3C **86**
Consett St. *G33* —3C **86**
Constable Cres. *E Kil* —6F **137**
Constarry Rd. *Croy* —6A **12**
Contin Pl. *G20* —4B **62**
Convair Way. *Renf* —2F **79**
Cook St. *G5* —6E **83**
Cook St. *E Kil* —6B **138**
Coolgardie Grn. *E Kil* —4E **149**
Coolgardie Pl. *E Kil* —4E **149**
Co-operative Ter. *John* —2G **95**
Cooper's Well St. *G11* —2A **82**
Copenhagen Av. *E Kil* —5G **149**
Copland Pl. *G51* —5H **81**
Copland Quad. *G51* —5H **81**
Copland Rd. *G51* —6H **81**
Coplaw St. *G42* —2E **103**
Copperfield La. *Udd* —6E **109**
Coral Mt. Gdns. *Kirk* —6E **31**
Corbett Ct. *G32* —2H **105**
Corbett St. *G32* —2H **105**
Corbie Pl. *Miln* —3D **24**
Corbiston Way. *Cumb* —3B **36**
Cordiner St. *G44* —6F **103**
Corkerhill Gdns. *G52* —1E **101**
Corkerhill Pl. *G52* —3D **100**
Corkerhill Rd. *G52* —2D **100**
Corkerhill Rd. *G43* —4H **31**
CORKERHILL STATION. *G52*
—3D **100**
Corlaich Av. *G42* —6A **104**
Corlaich Dri. *G42* —6A **104**
Cormack Av. *Torr* —4E **29**
Cormorant Av. *Hous* —3D **74**
Cornaig Rd. *G53* —5B **100**
Cornalee Gdns. *G53* —5A **100**
Cornalee Pl. *G53* —5A **100**
(in two parts)
Cornalee Rd. *G53* —5B **100**
Cornelian Ter. *Bell* —3C **126**
Cornelia St. *Moth* —6D **126**
Cornhill Dri. *Coat* —3A **90**
Cornhill St. *G21* —4C **64**
Cornish Ct. *Coat* —3B **90**
Cornock Cres. *Clyd* —4D **42**
Cornock St. *Clyd* —4D **42**
Cornsilloch Brae. *Lark* —2C **162**
Corn St. *G4* —1F **83**
Cornwall Av. *Ruth* —2F **121**
Cornwall Ct. *E Kil* —2H **149**
Cornwall St. *G41* —6B **82**
Cornwall St. *E Kil* —2F **149**
Cornwall St. S. *G41* —6B **82**
Cornwall Way. *E Kil* —2H **149**
Coronation Av. *Lark* —5E **161**
Coronation Cres. *Lark* —5E **161**
Coronation Pl. *G'csh* —2C **68**
Coronation Pl. *Lark* —5F **161**
Coronation Rd. *Moth* —3H **127**
Coronation Rd. E. *Moth* —4H **127**
Coronation St. *Wis* —6B **146**
Coronation Way. *Bear* —5F **45**
Corpach Pl. *G34* —2B **88**
Corra Linn. *Ham* —6E **141**
Corran Av. *Newt M* —3C **132**
Corran St. *G33* —3H **85**
Correen Gdns. *Bear* —6B **24**
Corrie Brae. *Kils* —2G **11**
Corrie Ct. *Ham* —1D **152**
Corrie Dri. *Moth* —2D **142**
Corrie Dri. *Pais* —1G **99**
Corrie Gro. *G44* —3D **118**
Corrie Pl. *Lenz* —3E **51**
Corrie Rd. *Kils* —2G **11**
Corrie View. *Cumb* —5B **34**
Corrie View Cotts. *Kils* —1C **32**
(off Alexander St.)
Corrie Way. *Lark* —3F **161**
Corrour Rd. *G43* —6B **102**
Corrour Rd. *Newt M* —3C **132**
Corruna St. *Carl* —4H **165**
Corsebar Av. *Pais* —3G **97**
Corsebar Cres. *Pais* —4G **97**
Corsebar Dri. *Pais* —3G **97**
Corsebar La. *Pais* —4F **97**
Corsebar Rd. *Pais* —4F **97**
Corsebar Way. *Pais* —2G **97**
Corseford Av. *John* —5C **94**
Corsehill Path. *G34* —3A **88**
Corsehill Pl. *G34* —3A **88**
Corsehill St. *G34* —3A **88**
Corselet Rd. *G53* —4A **116**
Corselet Rd. *Barr* —1A **132**
Corse Rd. *G52* —5G **79**
Corsewall Av. *G32* —2E **107**
Corsewall St. *Coat* —4A **90**
Corsford Dri. *G53* —1C **116**
Corsock Av. *Ham* —1C **152**

Corsock St. *G31* —4D **84**
Corston St. *G33* —3F **85**
Cortachy Pl. *B'rig* —6F **49**
Coruisk Dri. *Clar* —1B **134**
Coruisk Way. *Pais* —5C **96**
Corunna St. *G3* —3C **82**
Coshneuk Rd. *G33* —4B **66**
Cosy Neuk. *Lark* —4G **161**
Cottar St. *G20* —2C **62**
Cotton Av. *Lin* —6H **75**
Cotton St. *G40* —3C **104**
Cotton St. *Pais* —1B **98**
Cotton Vale. *Moth* —6E **129**
Couldridge Gdns. *Ham* —5C **140**
Coulter Av. *Coat* —3A **90**
Coulter Av. *Wis* —2A **146**
Countess Way. *Bail* —6E **89**
(off Princess Dri.)
County Av. *Camb* —6F **105**
County Pl. *Pais* —6A **78**
County Sq. *Pais* —6A **78**
Couper Av. *G4* —2H **83** (2G **5**)
Couper St. *G4* —2H **83** (2G **5**)
Coursington Cres. *Moth* —2A **144**
Coursington Gdns. *Moth* —2H **143**
Coursington Pl. *Moth* —2H **143**
Coursington Rd. *Moth* —2H **143**
(in two parts)
Coursington Tower. *Moth* —2H **143**
(off Coursington Rd.)
Courthill. *Bear* —1D **44**
Courthill Av. *G44* —2F **119**
Courthill Cres. *Kils* —3A **12**
Coustonholm Rd. *G43* —6B **102**
Couther Quad. *Air* —1A **92**
Covanburn Av. *Ham* —2B **154**
Covenant Cres. *Lark* —3F **161**
Covenanters Way. *Wis* —5A **158**
Covenant St. *Wis* —1C **156**
Coventry Dri. *G31* —3D **84**
Cowal Cres. *Kirk* —4H **31**
Cowal Dri. *Lin* —6G **75**
Cowal St. *G20* —2A **62**
Cowal View. *Clyd* —4D **42**
Cowan Cres. *Barr* —4F **115**
Cowan La. *G12* —1C **82**
(off Glasgow St.)
Cowan Rd. *Cumb* —3D **34**
Cowan St. *G12* —1C **82**
Cowan Wilson Av. *Blan* —1B **140**
Cowan Wynd. *Wis* —4A **158**
Cowcaddens Rd. *G4* —2F **83** (2C **4**)
COWCADDENS STATION. *G4*
—2F **83** (2C **4**)
Cowcaddens St. *G2* —3F **83** (3D **4**)
Cowden Dri. *B'rig* —4C **48**
Cowdenhill Cir. *G13* —1D **60**
Cowdenhill Pl. *G13* —1D **60**
Cowdenhill Rd. *G13* —1C **60**
Cowden St. *G51* —4D **80**
Cowdray Cres. *Renf* —6F **59**
Cowgate. *Kirk* —4C **30**
Cowglen Rd. *G53* —6C **100**
Cowlairs Ind. Est. *G21* —5H **63**
Cowlairs Rd. *G21* —5A **64**
Coxdale Av. *Kirk* —5B **30**
Coxhill St. *G21* —6H **63**
Coxton Pl. *G33* —2D **86**
Coylton Cres. *Ham* —2C **152**
Coylton Rd. *G43* —2C **118**
Crabb Quad. *Moth* —6E **127**
Cragdale. *E Kil* —6E **137**
Craggan Dri. *G14* —3H **59**
Crags Av. *Pais* —4B **98**
Crags Cres. *Pais* —3B **98**
Crags Rd. *Pais* —4B **98**
Cragwell Pl. *Crmck* —2A **136**
Craigallian Av. *Camb* —3D **122**
Craigallian Av. *Miln* —1F **25**
Craiganour La. *G43* —1A **118**
Craigard Pl. *Ruth* —4F **121**
Craigash Quad. *Miln* —2E **25**
Craigash Rd. *Miln* —3E **25**
Craigbank Dri. *G53* —1A **116**
Craigbank Rd. *Lark* —5E **161**
Craigbank St. *Lark* —4E **161**
Craigbanzo St. *Clyd* —5F **23**
Craigbarnet Av. *Torr* —5C **28**
Craigbarnet Rd. *Miln* —3D **24**
Craigbet Av. *Quar H* —1A **72**
Craigbet Cres. *Quar H* —1A **72**
Craigbet Pl. *Quar H* —1A **72**
Craigbo Av. *G23* —6B **46**
Craigbo Ct. *G23* —1B **62**
Craigbo Dri. *G23* —6B **46**
Craigbog Av. *John* —4D **94**
Craigbo Pl. *G23* —6B **46**
Craigbo Pl. *John* —5F **95**
Craigbo Pl. *G23* —1B **62**
Craigbo Rd. *G23* —1B **62**
Craigbo St. *G23* —6B **46**
Craigburn Av. *Hous* —3D **74**
Craigburn Ct. *Ashg* —4B **162**
Craigburn Cres. *Hous* —4D **74**
Craigburn Pl. *Hous* —4D **74**
Craigburn St. *Ham* —3H **153**
Craigdhu Av. *Air* —4B **93**
Craigdhu Av. *Miln* —4F **25**
Craigdhu Cres. *Air* —4B **93**
Craigdhu Rd. *Bear* —5D **24**
Craigdonald Pl. *John* —2F **95**

Craigellan Rd. *G43* —1B **118**
Craigelvan Av. *Cumb* —1B **54**
Craigelvan Ct. *Cumb* —1B **54**
Craigelvan Dri. *Cumb* —1B **54**
Craigelvan Gdns. *Cumb* —1B **54**
Craigelvan Gro. *Cumb* —1B **54**
Craigelvan Pl. *Cumb* —1B **54**
Craigelvan View. *Cumb* —1B **54**
Craigenbay Cres. *Lenz* —2E **51**
Craigenbay Rd. *Lenz* —3D **50**
Craigenbay St. *G21* —5D **64**
Craigencart Ct. *Clyd* —1B **42**
Craigend Cres. *Miln* —3F **25**
Craigend Dri. *Coat* —1G **109**
Craigend Dri. W. *Miln* —3E **25**
Craigendmuir Cvn. Site. *Step*
—5D **66**
Craigendmuir Rd. *G33* —5E **67**
Craigendmuir St. *G33* —1F **85**
Craigendon Oval. *Pais* —6G **97**
Craigendon Rd. *Pais* —6G **97**
Craigend Pl. *G13* —3E **61**
Craigend Rd. *Cumb* —2B **54**
Craigends Av. *Quar H* —1A **72**
Craigends Dri. *Kilb* —2A **94**
Craigends Pl. *Quar H* —1A **72**
Craigends Rd. *Hous* —4D **74**
Craigend St. *G13* —3E **61**
Craigend View. *Cumb* —2B **54**
Craigenfeoch Av. *John* —4D **94**
Craigens Rd. *Air* —6F **93**
Craigfaulds Av. *Pais* —3F **97**
Craigfell Ct. *Ham* —1C **152**
Craigflower Av. *G53* —3A **116**
Craigflower Gdns. *G53* —3A **116**
Craigflower Rd. *G53* —3A **116**
Craig Gdns. *Newt M* —5C **132**
Craighalbert Rd. *Cumb* —2E **35**
(in two parts)
Craighalbert Roundabout. *Cumb*
—1E **35**
Craighalbert Way. *Dull* —1E **35**
Craighall Quad. *Neil* —3D **130**
Craighall Rd. *G4* —1F **83** (1D **4**)
Craighaw St. *Clyd* —5F **23**
Craighead Av. *G33* —6F **65**
Craighead Av. *Milt C* —5C **8**
Craighead Rd. *B'ton* —5H **39**
Craighead Rd. *Milt C* —5C **8**
Craighead St. *Air* —3E **93**
Craighead Way. *Barr* —5D **114**
(in two parts)
Craig Hill. *E Kil* —4E **149**
Craighill Dri. *Clar* —3B **134**
Craighill Gro. *Clar* —3B **134**
Craighirst Rd. *Miln* —3D **24**
Craigholme. *Hous* —1D **74**
Craighouse St. *G33* —2A **86**
Craighton Gdns. *Len* —3H **7**
Craighurst Dri. *Clyd* —6C **22**
Craigiebar Dri. *Pais* —5G **97**
Craigieburn Gdns. *G20* —1H **61**
Craigieburn Rd. *Cumb* —4H **35**
Craigie Dri. *Newt M* —6E **133**
Craigiehall Av. *Ersk* —2E **57**
Craigiehall Cres. *Ersk* —2E **57**
Craigiehall Pl. *G51* —5B **82**
Craigiehall St. *G51* —5B **82**
Craigiehall Way. *Ersk* —2E **57**
Craigie La. G11 —1F **161**
(off Duncan Graham St.)
Craigielea Ct. *Renf* —5E **59**
Craigielea Cres. *Miln* —3E **25**
Craigielea Dri. *Pais* —5F **77**
Craigielea Pk. *Renf* —6E **59**
Craigielea Rd. *Clyd* —6A **22**
Craigielea Rd. *Renf* —6E **59**
Craigielea St. *G31* —3C **84**
Craigielinn Av. *Pais* —6F **97**
Craigie Pk. *Lenz* —2E **51**
Craigie St. *G42* —3E **103**
Craigievar St. *G33* —1E **87**
Craiglea Pl. *Air* —3C **92**
Craiglea Ter. *Plain* —1F **93**
Craiglee. *E Kil* —6G **149**
Craigleith St. *G32* —5G **85**
Craiglinn Pk. Rd. *Cumb* —4C **34**
Craiglinn Roundabout. *Cumb*
—4C **34**
Craiglockhart St. *G33* —1D **86**
Craigmaddie Gdns. *Torr* —5C **28**
Craigmaddie Rd. *Bard* —3D **26**
Craigmaddie Ter. La. G3 —2C **82**
(off Derby St.)
Craigmarloch Av. *Torr* —5D **28**
Craigmarloch Roundabout. *Cumb*
—2E **35**
Craigmillar Av. *Miln* —3H **25**
Craigmillar Rd. *G42* —6E **103**
Craigmochan Av. *Air* —1H **91**
Craigmont Dri. *G20* —3C **62**
Craigmont St. *G20* —3C **62**
Craigmore St. *Bear* —6B **24**
Craigmore St. *G31* —5E **85**
Craigmount Av. *Pais* —6G **97**
Craigmount St. *Kirk* —6D **30**
Craigmuir Cres. *G52* —5H **79**
Craigmuir Gdns. *Blan* —3H **139**
Craigmuir Pl. *G52* —5G **79**
Craigmuir Rd. *G52* —5G **79**
Craigmuir Rd. *Blan* —3H **139**

Craigneil St. *G33* —1E **87**
Craigneith Ct. *E Kil* —5E **139**
Craignethan Rd. *Carl* —2E **165**
Craignethan Rd. *Giff* —2G **133**
Craigneuk Av. *Air* —4E **93**
Craigneuk St. *Moth & Wis* —4B **144**
Craignure Cres. *Air* —4C **93**
Craignure Rd. *Ruth* —4D **120**
Craigpark. *G31* —4C **84**
Craigpark Dri. *G31* —4C **84**
Craigpark St. *Clyd* —6F **23**
Craigpark Way. *Udd* —6E **109**
Craig Pl. *Newt M* —4B **132**
Craig Rd. *G44* —2E **119**
Craig Rd. *Lin* —4F **75**
Craig Rd. *Neil* —3D **130**
Craigs Av. *Clyd* —1E **43**
Craigshaw Av. *Crmck* —2H **135**
Craigside Ct. *Cumb* —6B **34**
Craigside Pl. *Cumb* —6B **34**
Craigside Rd. *Cumb* —6B **34**
Craigson Pl. *Air* —5F **93**
Craigstone View. *Kils* —3B **12**
Craigston Dri. *John* —3F **95**
Craigston Rd. *John* —3E **95**
Craig St. *Air* —4H **91**
Craig St. *Blan* —3C **140**
Craig St. *Coat* —1B **110**
Craigthornhill Rd. *Ham* —6A **160**
Craigton Av. *Barr* —6G **115**
Craigton Av. *Miln* —3F **25**
Craigton Clo. *Newt M* —4B **132**
Craigton Dri. *G51* —5F **81**
Craigton Dri. *Barr* —6G **115**
Craigton Dri. *Newt M* —4C **132**
Craigton Gdns. *Miln* —2E **25**
Craigton Ind. Est. *G52* —6E **81**
Craigton Pl. *G51* —5E **81**
Craigton Pl. *Blan* —6B **124**
Craigton Rd. *G51* —5F **81**
Craigton Rd. *Miln* —2C **24**
Craigton Rd. *Newt M* —6H **131**
Craigton St. *Clyd* —5F **23**
Craigvicar Gdns. *G32* —6D **86**
Craigview Av. *John* —5D **94**
Craigview Rd. *Moth* —1H **143**
Craigview Ter. *John* —4D **94**
Craigwell Av. *Ruth* —1F **121**
Crail St. *G31* —6F **85**
Craithie St. *G11* —1G **81**
Crammond Av. *Coat* —1G **109**
Cramond Av. *Renf* —1G **79**
Cramond St. *G5* —3H **103**
Cramond Ter. *G32* —6B **86**
Cranborne Rd. *G12* —4G **61**
Cranbrooke Dri. *G20* —2B **62**
Crannog Rd. *Milt* —4E **19**
Cranston St. *G3* —4D **82**
Cranworth La. G12 —6B **62**
(off Gt. George St.)
Cranworth St. *G12* —6B **62**
Crarae Av. *Bear* —5E **45**
Crathes Ct. *G44* —3C **118**
Crathie Ct. *Carl* —2E **165**
Crathie Dri. *G11* —1G **81**
Crathie Dri. *Glenm* —5H **71**
Crathie Quad. *Wis* —4H **145**
Crauchlan Av. *Pais* —5A **98**
Crawford Av. *Lenz* —4D **50**
Crawford Cres. *Blan* —6A **124**
Crawford Cres. *Udd* —6C **108**
Crawford Dri. *G15* —6H **43**
Crawford Dri. *E Kil* —1B **150**
Crawford Hill. *E Kil* —1B **150**
Crawford La. G11 —1G **81**
(off Crawford St.)
Crawford Path. G11 —1G **81**
(off Crawford St.)
Crawford Rd. *Hous* —2D **74**
Crawford Rd. *Miln* —1F **25**
Crawford Rd. *Burnh* —3D **120**
Crawford St. *G11* —1G **81**
Crawford St. *Ham* —4E **141**
Crawford St. *Moth* —3E **143**
Crawford St. *Renf* —5F **77**
Crawford Gdns. *Ruth* —3E **121**
Crawriggs Av. *Kirk* —1D **50**
Craw Rd. *Pais* —2G **97**
Creamery Rd. *Wis* —3B **158**
Crebar Dri. *Barr* —5E **115**
Crebar St. *T'bnk* —3E **117**
Credon Dri. *Air* —6A **92**
Credon Gdns. *Ruth* —3E **121**
Cree Av. *B'rig* —6F **49**
Cree Gdns. *G32* —6H **85**
Cree Pl. *E Kil* —2D **148**
Creighton Gro. *E Kil* —2G **149**
Creran Ct. *Ham* —2E **153**
Creran Dri. *Renf* —5D **58**
Creran Path. Newm —3D **146**
(off Tiree Cres.)
Crescent Ct. Clyd —4A **42**
(off Crescent, The.)
Crescent Rd. *G14 & G13* —4B **60**
Crescent, The. *Clar* —4E **135**
Crescent, The. *Clyd* —4A **42**
Cresswell La. G12 —6B **62**
(off Cresswell St.)
Cresswell St. *G12* —6B **62**
Cressy St. *G51* —3E **81**
Crest Av. *G13* —1B **60**

Crestlea Av. *Pais* —5A **98**
Crichton Ct. *G45* —5B **120**
Crichton St. *G21* —5A **64**
Crichton St. *Coat* —3C **90**
Cricketfield La. *Hous* —1B **74**
Criffel Gdns. *G32* —2D **106**
Criffel Rd. *G32* —1D **106**
Criffel Pl. Moth —4C **128**
(off Clarinda Pl.)
Crighton Wynd. *Bell* —2H **125**
Crimea St. *G2* —4E **83** (6A **4**)
Crimond Pl. *Kils* —2F **11**
Crinan Cres. *Coat* —2H **89**
Crinan Gdns. *B'rig* —6E **49**
Crinan Pl. *Coat* —2H **89**
Crinan Rd. *B'rig* —6E **49**
Crinan St. *G31* —3D **84**
Crindledyke Cres. *Newm* —3F **147**
Cripps Av. *Clyd* —6F **43**
Croftbank Av. *Both* —6F **125**
Croftbank Cres. *Both* —6F **125**
Croftbank Cres. *Udd* —1D **124**
Croftbank St. *G21* —5B **64**
Croftburn Dri. *G44* —3H **119**
Croftcot Av. *Bell* —4B **126**
Croftcroighn Rd. *G33* —2B **86**
Croftend Av. *G44* —1A **120**
Croftend La. *Ruth* —2B **120**
Croftfoot Cres. *G45* —3C **120**
Croftfoot Quad. *G45* —3A **120**
Croftfoot Rd. *G45* —3B **120**
Croftfoot Rd. *G44* —3H **119**
CROFTFOOT STATION. *Ruth*
—1A **120**
Croftfoot St. *G45* —3C **120**
Croftfoot Ter. *G45* —3B **120**
Crofthead Cres. *Bell* —4B **126**
Crofthead Dri. *Len* —2E **7**
Crofthead Pl. *Bell* —4B **126**
Crofthead Pl. *Newt M* —6E **133**
Crofthead St. *Udd* —2D **124**
Crofthill Av. *Udd* —1D **124**
Crofthill Rd. *G44* —1H **119**
Crofthouse Dri. *G44* —3A **120**
Croftmont Av. *G44* —3A **120**
Croftmoraig Av. Chry —3E **53**
Crofton Av. *G44* —3H **119**
Croftpark Av. *G44* —3G **119**
Croftpark Cres. *Blan* —3A **140**
Croftpark Rd. *Clyd* —6D **22**
Croftpark St. *Bell* —1C **126**
Croft Pl. *Lark* —2D **160**
Croft Rd. *Camb* —2H **121**
Croft Rd. *E Kil* —4G **149**
Croft Rd. *Lark* —3D **160**
Croft Rd. *Torr* —5A **28**
Croftside Av. *G44* —3A **120**
Croftspar Av. *G32* —5C **86**
Croftspar Dri. *G32* —5C **86**
Croftspar Pl. *G32* —5C **86**
Croftwood. *B'rig* —3C **48**
Croftwood Av. *G44* —3H **119**
Croftwood Rd. *Ham* —2H **153**
Croft Wynd. *Udd* —1E **125**
Crogal Cres. *Chap* —3D **112**
Cromalt Cres. *Bear* —5C **24**
Cromarty Av. *G43* —1D **118**
Cromarty Av. *B'rig* —5F **49**
Cromarty Cres. *Bear* —6F **25**
Cromarty Gdns. *Clar* —6E **119**
Cromarty Pl. *Chry* —6B **52**
Cromarty Pl. *E Kil* —6C **138**
Cromarty Rd. *Air* —6H **91**
Crombie Gdns. *Bail* —2F **107**
Cromdale St. *G51* —4E **81**
Cromer St. *G20* —4D **62**
Cromer Way. *Pais* —4H **77**
Crompton Av. *G44* —2F **119**
Cromwell La. G20 —1E **83**
(off Cromwell St.)
Cromwell St. *G20* —1E **83**
Crona Dri. *Ham* —5C **140**
Cronberry Quad. *G52* —2H **99**
Cronberry Ter. *G52* —2H **99**
Cronin Pl. *Bell* —6D **112**
Cronulla Pl. *Kils* —3B **12**
Crookedshields Rd. *E Kil* —2A **138**
Crookfur Cottage Homes. *Newt M*
—4D **132**
Crookfur Rd. *Newt M* —3B **132**
Crookston Av. *G52* —1A **100**
Crookston Ct. *G52* —1A **100**
Crookston Dri. *Pais & G52* —1H **99**
Crookston Gdns. *G52* —1H **99**
Crookston Gro. *G52* —1A **100**
Crookstonhill Path. G52 —1H **99**
(off Crookston Quad.)
Crookston Path. G52 —1H **99**
(off Crookston Quad.)
Crookston Pl. *G52* —1H **99**
Crookston Quad. *G52* —1H **99**
Crookston Rd. *G52* —2H **99**
Crookston Rd. *G53* —6A **100**
CROOKSTON STATION. *G52*
—1H **99**
Crookston Ter. *G52* —1A **100**
Crosbie Dri. *Pais* —6C **96**
Crosbie La. *G20* —1A **62**
Crosbie St. *G20* —1A **62**

Crosbie Wood. *Pais* —4F **97**
Cross Arthurlie St. *Barr* —4D **114**
Crossbank Av. *G42* —4A **104**
Crossbank Dri. *G42* —4H **103**
Crossbank Rd. *G42* —4H **103**
Crossbank Ter. *G42* —4H **103**
Crossburn Av. *Miln* —4H **25**
Cross Ct. *B'rig* —6B **48**
Crossdykes. *Kirk* —6G **31**
Crossflat Cres. *Pais* —6C **78**
Crossford Dri. *G23* —6C **46**
Crossgate. *Kirk* —4D **30**
Cross Gates. *Bell* —3C **126**
Crossgates. *B'ton* —3F **39**
Crossgates Av. *Cle* —4H **129**
Crossgates St. *Lark* —1D **160**
Crosshill Av. *G42* —4F **103**
Crosshill Av. *Kirk* —1D **50**
Crosshill Dri. *Cle* —4H **129**
Crosshill Dri. *Ruth* —1D **120**
Crosshill Rd. *B'rig* —2E **49**
Crosshill Rd. *Kirk* —4B **50**
CROSSHILL STATION. *G42*
—4F **103**
Crosshill St. *Air* —4H **91**
Crosshill St. *Coat* —1F **109**
Crosshill St. *Len* —2F **7**
Crosshill St. *Moth* —3H **143**
Crosshouse Rd. *E Kil* —6B **148**
Crosslee Cres. *Hous* —2C **74**
Crosslee Pk. *C'lee* —3C **74**
Crosslee Rd. *Bri W* —5H **73**
Crosslees Dri. *T'bnk* —4F **117**
Crosslees Pk. *T'bnk* —4F **117**
Crosslees Rd. *T'bnk* —5F **117**
Crosslee St. *G52* —6D **80**
Crosslet Av. *Dumb* —1C **18**
Crosslet Ct. *Dumb* —2C **18**
Crosslet Pl. *Dumb* —4H **17**
Crosslet Rd. *Dumb* —3G **17**
Crossloan Rd. *G51* —4F **81**
Crossloan Ter. *G51* —4F **81**
Crossmill Av. *Barr* —3F **115**
Crossmount Ct. *Carl* —3E **165**
Crossmyloof Gdns. *G41* —4B **102**
CROSSMYLOOF STATION. *G41*
—4B **102**
Cross Orchard Way. *Bell* —2C **126**
Crosspoint Dri. *G23* —6C **46**
Cross Rd. *Pais* —3F **97**
Cross St. *G32* —4C **106**
Cross St. *Pais* —1G **97**
Cross, The. *Kilb* —2A **94**
Cross, The. *Pais* —6A **78**
Crosstobs Rd. *G53* —4A **100**
Crossveggate. *Miln* —4H **25**
Crossview Av. *Bail* —6B **88**
Crossview Pl. *Bail* —6B **88**
Crossways. *Hous* —1D **74**
Crovie Rd. *G53* —6A **100**
Crow Av. *Moth* —2B **128**
Crowflats Rd. *Udd* —1C **124**
Crowfoot View. *Udd* —4G **109**
Crowhill Cres. *Air* —1H **91**
Crowhill Rd. *B'rig* —2B **64**
Crowhill St. *G22* —3G **63**
Crow La. *G13* —4F **61**
Crowlin Cres. *G33* —3B **86**
Crown Av. *Clyd* —4C **42**
Crown Cir. *G12* —6A **62**
Crown Gdns. *G12* —6A **62**
Crownpoint Rd. *G40* —6B **84**
Crown Rd. N. *G12* —6H **61**
Crown Rd. S. *G12* —6H **61**
Crown St. *G5* —1F **103**
Crown St. *Bail* —2F **107**
Crown St. *C'bnk* —2B **112**
Crown St. *Coat* —4E **91**
Crown Ter. *G12* —6H **61**
Crow Rd. *G11* —5F **61**
Crow Rd. *G13* —3F **61**
Crow Rd. *Len* —1F **7**
Crow-Wood Cres. *C'bnk* —3B **112**
Crow-Wood Dri. *Air* —4D **92**
Crow-Wood Rd. *C'bnk* —3B **112**
Crow Wood Rd. *Chry* —2H **67**
Crow Wood Ter. *Chry* —2H **67**
Croy. *E Kil* —6F **137**
Croy Av. *Newt M* —4G **133**
Croy Pl. *G21* —4E **65**
Croy Rd. *G21* —4E **65**
Croy Rd. *Coat* —1A **110**
CROY STATION. *Cumb* —2B **34**
Cruachan Av. *Renf* —2E **79**
Cruachan Dri. *Barr* —6E **115**
Cruachan Dri. *Newt M* —6F **133**
Cruachan Rd. *Bear* —6B **24**
Cruachan Rd. *Ruth* —4F **121**
Cruachan St. *T'bnk* —3F **117**
Cruachan Way. *Barr* —6E **115**
Cruden St. *G51* —5F **81**
Crum Av. *T'bnk* —4G **117**
Crusader Av. *G13* —6D **44**
Cubie St. *G40* —6B **84**
Cuckoo Way. *Moth* —2B **128**
Cuilhill Rd. *Bail* —3D **88**
Cuillins, The. *Mood* —3E **53**
Cuillin Way. *Barr* —5E **115**
Cuilmuir Ter. *Kils* —1B **34**

Cuilmuir View. *Kils* —6B **12**
Culbin Dri. *G13* —1H **59**
Cullen. *Ersk* —4E **41**
Cullen La. *E Kil* —4G **149**
Cullen Pl. *Udd* —5E **109**
Cullen Rd. *E Kil* —4F **149**
Cullen Rd. *Moth* —4E **143**
Cullen St. *G32* —1A **106**
Cullins Rd. *Ruth* —4F **121**
Cullins, The. *Udd* —4C **108**
Cullion Way. *Moth* —2G **129**
Cullochrig Rd. *Rigg* —5G **55**
Culrain Gdns. *G32* —6A **86**
Culrain St. *G32* —6A **86**
Culross Hill. *E Kil* —2F **149**
Culross La. *G32* —1C **106**
Culross Pl. *Coat* —4B **90**
Culross Pl. *E Kil* —2F **149**
Culross St. *G32* —1C **106**
Culross Way. *Mood* —4E **53**
Culterfell Path. *Cle* —5H **129**
Cult Rd. *Lenz* —3E **51**
Cults St. *G51* —5F **81**
Culvain Av. *Bear* —6B **24**
Culzean. *Glenm* —4H **71**
Culzean Av. *Coat* —6A **90**
Culzean Ct. Coat —6A **90**
(off Torriden St.)
Culzean Cres. *Bail* —1G **107**
Culzean Cres. *Newt M* —4G **133**
Culzean Dri. *G32* —1D **106**
Culzean Dri. *E Kil* —6F **137**
Culzean Dri. *N'hill* —4D **128**
Culzean Pl. *E Kil* —6F **137**
Cumberland Arc. *G5* —1G **103**
Cumberland Pl. *G5* —1G **103**
Cumberland Pl. *Coat* —6G **89**
Cumberland St. *G5* —6F **83**
(in two parts)
Cumbernauld Cen., The. *Cumb*
—3H **35**
Cumbernauld Rd. *G31 & G33*
—4D **84**
Cumbernauld Rd. *Cumb* —3H **53**
Cumbernauld Rd. *Longc* —1F **15**
Cumbernauld Rd. *Muir* —2G **67**
CUMBERNAULD STATION. *Cumb*
—5A **36**
Cumbrae. *E Kil* —2C **150**
Cumbrae Ct. *Clyd* —5D **42**
Cumbrae Cres. *Coat* —6G **91**
Cumbrae Cres. N. *Dumb* —2C **16**
Cumbrae Cres. S. *Dumb* —2B **16**
Cumbrae Dri. *Moth* —1E **143**
Cumbrae Pl. *Coat* —1G **111**
Cumbrae Rd. *Pais* —6A **98**
Cumbrae Rd. *Renf* —2F **79**
Cumbrae St. *G33* —3A **86**
Cumlodden Dri. *G20* —2A **62**
Cumming Dri. *G42* —5F **103**
Cummock Dri. *Barr* —6F **115**
Cumnock Dri. *Ham* —2B **152**
Cumnock Rd. *G33* —3G **65**
Cumroch Rd. *Len* —2E **7**
Cunard Ct. *Clyd* —1D **58**
Cunard St. *Clyd* —1D **58**
Cunningair Dri. *Moth* —5G **143**
Cunningham Dri. *Clyd* —1B **42**
Cunningham Dri. *Giff* —4C **118**
Cunninghame Rd. *E Kil* —2G **149**
Cunninghame Rd. *Kilb* —2B **94**
Cunninghame Rd. *Ruth* —5E **105**
Cunningham Rd. *G52* —3H **79**
Cunningham St. *Moth* —3F **143**
Cuparhead Av. *Coat* —1H **109**
Curfew Rd. *G13* —6D **44**
Curle St. *G14* —1D **80**
(in three parts)
Curlew Pl. *John* —6C **94**
Curling Cres. *G44* —6G **103**
Curlinghaugh Cres. *Wis* —6A **146**
Curlingmire. *E Kil* —4G **149**
Curran Av. *Wis* —2E **157**
Currie Ct. *John* —4E **95**
(off Tannahill Cres.)
Currie St. *G20* —3C **62**
Curtis Av. *G44* —5G **103**
Curzon St. *G20* —3C **62**
Cuthberton St. *G42* —2E **103**
Cuthbert St. *Udd* —6F **109**
Cuthelton Dri. *G31* —1G **105**
Cuthelton St. *G31* —1F **105**
Cuthelton Ter. *G31* —1F **105**
Cypress Av. *Blan* —6A **124**
Cypress Av. *Udd* —5F **109**
Cypress Ct. *E Kil* —6E **149**
Cypress Ct. *Ham* —1A **154**
Cypress Ct. *Kirk* —1B **50**
Cypress Cres. *E Kil* —6E **149**
Cypress Pl. *E Kil* —6E **149**
Cypress St. *G22* —4H **63**
Cyprus Av. *Eld* —3H **95**
Cyril St. *Pais* —1C **98**

Daer Av. *Renf* —2G **79**
Daer Wlk. *Lark* —5E **161**

Daer Way. *Ham* —6E **141**
Daffodil Way. *Moth* —1G **143**
Dairsie Gdns. *B'rig* —1F **65**
Dairsie St. *G44* —3D **118**
Daisy St. *G42* —4F **103**
Dakota Way. *Renf* —2F **79**
Dalbeth Pl. *G32* —3H **105**
Dalbeth Rd. *G32* —3H **105**
Dalcharn Path. G34 —3G 87
(off Kildermorie Rd.)
Dalcharn Pl. *G34* —3G **87**
Dalcraig Cres. *Blan* —5A **124**
Dalcross St. *G11* —1A **82**
Dalcruin Gdns. *Mood* —3E **53**
Daldowie Av. *G32* —2D **106**
Daldowie St. *Coat* —2A **110**
(in two parts)
Dale Av. *E Kil* —4E **149**
Dale Ct. *Wis* —1C **156**
Dale Dri. *Moth* —3A **128**
Dale Path. G40 —1B 104
(off Main St.)
Dale St. *G40* —1B **104**
(in two parts)
Daleswinton Path. *G34* —3B **88**
Daleview Av. *G12* —3H **61**
Daleview Dri. *Clar* —3B **134**
Daleview Gro. *Clar* —3B **134**
Dale Way. *Ruth* —3D **120**
Dalfoil Ct. *Pais* —1H **99**
Dalgarrock Av. *Clyd* —1G **59**
Dalgleish Av. *Clyd* —1A **42**
Dalhousie Gdns. *B'rig* —5B **48**
Dalhousie La. *G3* —2E **83** (2B **4**)
Dalhousie Rd. *Mill P* —3B **94**
Dalhousie St. *G3* —3E **83** (3B **4**)
Dalilea Dri. *G34* —2B **88**
Dalilea Path. *G34* —2B **88**
Dalilea Pl. *G34* —2B **88**
Dalintober St. *G5* —5E **83**
Dalkeith Av. *G41* —1H **101**
Dalkeith Av. *B'rig* —4D **48**
Dalkeith Av. *B'rig* —3D **48**
Dalmacoulter Rd. *Air* —1B **92**
Dalmahoy Cres. *Bri W* —5D **72**
Dalmahoy St. *G32* —4G **85**
Dalmally St. *G20* —6D **62**
Dalmarnock Bri. *Ruth* —3D **104**
Dalmarnock Ct. *G40* —2D **104**
Dalmarnock Rd. *G40* —1B **104**
Dalmarnock Rd. *Ruth* —3D **104**
DALMARNOCK STATION. *G40*
—2C **104**
Dalmary Dri. *Pais* —5D **78**
Dalmellington Ct. E Kil —1G 149
(off Dalmellington Dri.)
Dalmellington Dri. *E Kil* —1F **149**
Dalmellington Rd. *Ham* —2B **152**
Dalmeny Av. *Giff* —4A **118**
Dalmeny Dri. *Barr* —5C **114**
Dalmeny Rd. *Ham* —1H **153**
Dalmeny St. *G5* —3A **104**
Dalmuir Ct. *Clyd* —4A **42**
Dalnair Pl. *Miln* —4D **24**
Dalnair St. *G3* —2A **82**
Dalness Pas. G32 —1A 106
(off Ochil St.)
Dalness St. *G32* —2A **106**
Dalnottar Av. *Old K* —1F **41**
Dalnottar Dri. *Old K* —2F **41**
Dalnottar Gdns. *Old K* —2F **41**
Dalnottar Hill Rd. *Old K* —2F **41**
Dalnottar Ter. *Old K* —1F **41**
Dalreoch Av. *Bail* —6A **88**
Dalreoch Ct. *Dumb* —3D **16**
Dalreoch Path. *Bail* —6A **88**
DALREOCH STATION. *Dumb*
—3E **17**
Dalriada Cres. *Moth* —5F **127**
Dalriada Dri. *Torr* —5E **29**
Dalriada St. *G40* —1E **105**
Dalry Gdns. *Ham* —1B **152**
Dalrymple Dri. *E Kil* —6G **137**
Dalrymple Dri. *Newt M* —5G **133**
Dalry Rd. *Udd* —6F **109**
Dalry St. *G32* —1B **106**
Dalserf Cres. *Giff* —6H **117**
Dalserf Path. Lark —4G 161
(off Donaldson Rd.)
Dalserf St. *G31* —6D **84**
Dalsetter Av. *G15* —5H **43**
Dalsetter Pl. *G15* —5A **44**
Dalshannon Pl. *Cumb* —6C **34**
Dalshannon Rd. *Cumb* —6D **34**
Dalshannon View. *Cumb* —6C **34**
Dalshannon Way. *Cumb* —6C **34**
Dalsholm Ind. Est. *G20* —2H **61**
Dalsholm Rd. *G20* —2H **61**
Dalskeith Av. *Pais* —6E **77**
Dalskeith Cres. *Pais* —6E **77**
Dalskeith Rd. *Pais* —1E **97**
Dalswinton St. *G34* —3A **88**
Dalton Av. *Clyd* —6G **43**
Dalton Hill. *Ham* —1C **152**
Dalton St. *G31* —6G **85**
Dalveen Ct. *Barr* —6E **115**
Dalveen Dri. *Udd* —5C **108**
Dalveen Quad. *Coat* —6F **91**
Dalveen St. *G32* —6H **85**
Dalveen Way. *Ruth* —4E **121**

Dalwhinnie Av. *Blan* —5A **124**
Daly Gdns. *Blan* —6C **124**
Dalzell Av. *Moth* —5A **144**
Dalzell Dri. *Moth* —5A **144**
Dalziel Dri. *G41* —2A **102**
Dalziel Rd. *H'ton I* —3H **79**
Dalziel St. *Ham* —4F **141**
Dalziel St. *Moth* —2H **143**
Dalziel Tower. *Moth* —6B **144**
Damshot Cres. *G53* —5D **100**
Damshot Rd. *G53* —6D **100**
Danby Rd. *Bail* —1F **107**
Danes Cres. *G14* —4B **60**
Danes Dri. *G14* —4B **60**
Danes La. S. *G14* —4B **60**
Daniel McLaughlin Pl. *Kirk* —4E **31**
Dargarvel Av. *G41* —1H **101**
Dargarvel Av. *B'ton* —4H **39**
Dargavel Path. G41 —2G 101
(off Dumbreck Pl.)
Dargavel Rd. *B'ton* —6A **40**
(in two parts)
Darkwood Ct. *Pais* —5F **77**
Darkwood Cres. *Pais* —5F **77**
Darkwood Dri. *Pais* —5F **77**
Darleith St. *G32* —6H **85**
Darley Pl. *Ham* —3F **153**
Darley Rd. *Cumb* —6G **13**
Darluith Rd. *Lin* —5E **75**
Darnaway Av. *G33* —1D **86**
Darnaway Dri. *G33* —1D **86**
Darnaway St. *G33* —1D **86**
Darngavel Ct. Air —3F 91
(off Monkscourt Av.)
Darnick St. *G21* —6C **64**
Darnley Cres. *B'rig* —4B **48**
Darnley Gdns. *G41* —3C **102**
Darnley Ind. Est. *G53* —3B **116**
Darnley Mains Rd. *G53* —4C **116**
Darnley Path. *T'bnk* —2E **117**
Darnley Pl. *G41* —3C **102**
Darnley Rd. *G41* —3C **102**
Darnley Rd. *Barr* —4F **115**
Darnley St. *G41* —3D **102**
Darroch Dri. *Ersk* —4D **40**
Darroch Way. *Cumb* —2A **36**
Dartford St. *G22* —6F **63**
Darvel Cres. *Pais* —1F **99**
Darvel Dri. *Newt M* —4G **133**
Darvel St. *G53* —1H **115**
Darwin Pl. *Clyd* —3H **41**
Darwin Rd. *E Kil* —3E **149**
Davaar. *E Kil* —2C **150**
Davaar Dri. *Coat* —4H **89**
Davaar Dri. *Moth* —5E **127**
Davaar Dri. *Pais* —6A **98**
Davaar Pl. *Newt M* —3C **132**
Davaar Rd. *Renf* —2F **79**
Davaar St. *G40* —1D **104**
Davan Loan. Newm —3D 146
(off Isla Av.)
Dava St. *G51* —4G **81**
Dave Barrie Av. *Lark* —6H **155**
Daventry Dri. *G12* —4G **61**
David Gray Dri. *Kirk* —4G **31**
David Pl. *Bail* —1F **107**
David Pl. *Pais* —4D **78**
Davidson Cres. *Twe* —2D **32**
Davidson Gdns. *G14* —5E **61**
Davidson La. Carl —4H 165
(off Kilcadzow Rd.)
Davidson Pl. *G32* —5C **86**
Davidson Quad. *Clyd* —1C **42**
Davidson St. *G40* —3C **104**
Davidson St. *Air* —3H **91**
Davidson St. *Clyd* —1G **59**
Davidson St. *Coat* —1D **110**
Davidson Pl. *Kirk* —3F **51**
David St. *G40* —6C **84**
David St. *Coat* —4E **91**
David Way. *Pais* —4D **78**
Davieland Rd. *Giff* —6G **117**
Davie's Acre. *E Kil* —5C **136**
Davies Quad. *Moth* —5F **127**
Davie's Sq. *Clyd* —1C **42**
Davington Dri. *Ham* —1B **152**
Daviot St. *G51* —5D **80**
Dawson Av. *E Kil* —2D **148**
Dawson Pl. *G4* —6F **63**
Dawson Rd. *G4* —6F **63**
Deacons Rd. *Kils* —3A **12**
Dealston Rd. *Barr* —3D **114**
Deanbrae St. *Udd* —1D **124**
Dean Cres. *Chry* —6B **52**
Dean Cres. *Ham* —2G **153**
Deanfield Quad. *G52* —5H **79**
Dean Pk. Av. *Udd* —5E **125**
Dean Pk. Dri. *Camb* —3D **122**
Dean Pk. Rd. *Renf* —1G **79**
Deans Av. *Camb* —3D **122**
Deanside Rd. *G52* —3A **80**
Deanside Transit Depot. *G52*
—2A **80**
Deanston Dri. *G41* —5B **102**
Dean St. *Bell* —2D **126**
Dean St. *Clyd* —6E **43**
Deanwood Av. *G44* —4D **118**
Deanwood Rd. *G44* —4D **118**
Dechmont. *E Kil* —6F **149**
Dechmont Av. *Camb* —4D **122**

Dechmont Av. *Moth* —2E **143**
Dechmont Cotts. *Camb* —4F **123**
Dechmont Gdns. *Blan* —6A **124**
Dechmont Pl. *Camb* —4D **122**
Dechmont St. *G31* —1E **105**
Dechmont St. *Ham* —1G **153**
Dechmont View. *Bell* —4B **126**
Dechmont View. *Udd* —6E **109**
Dee Av. *Pais* —4D **96**
Dee Av. *Renf* —6G **59**
Dee Dri. *Pais* —4D **96**
Dee Path. *Lark* —5E **161**
Dee Path. *Moth* —2B **128**
Deep Dale. *E Kil* —6E **137**
Deepdene Rd. *Bear* —4D **44**
Deepdene Rd. *Chry* —5D **52**
Dee Pl. *E Kil* —4A **148**
Dee Pl. *John* —5C **94**
Deerdykes Ct. N. *Cumb* —1A **54**
Deerdykes Ct. S. *Cumb* —2A **54**
Deerdykes Pl. *Cumb* —1A **54**
Deerdykes Rd. *Cumb* —2H **53**
Deerdykes View. *Cumb* —2H **53**
Deer Pk. Ct. *Ham* —4A **154**
Deer Pk. Pl. *Ham* —4A **154**
Deeside Dri. *Carl* —2G **165**
Dee St. *G33* —2F **85**
Dee St. *Coat* —1H **89**
Dee Ter. *Ham* —3F **153**
Delhi Av. *Clyd* —3G **41**
Dellburn St. *Moth* —4A **144**
Dell, The. *Bell* —4F **127**
Delny Pl. *G33* —4E **87**
Delvin Rd. *G44* —1E **119**
Dempsey Rd. *Bell* —4B **126**
Denbak Av. *Ham* —1E **153**
Denbeck St. *G32* —6H **85**
Denbrae St. *G32* —6H **85**
Dene Wlk. *B'rig* —1E **65**
Denewood Av. *Pais* —5H **97**
Denham St. *G22* —6F **63**
Denholm Cres. *E Kil* —3G **149**
Denholm Dri. *Wis* —3A **146**
Denholm Dri. *Giff* —6A **118**
Denholm Grn. *E Kil* —3H **149**
Denholm Ter. *Ham* —6C **140**
Denmark St. *G22* —5G **63**
Denmill St. Ind. Cen. *G22* —4G **63**
Denmilne Gdns. *G34* —4A **88**
Denmilne Path. *G34* —4A **88**
Denmilne Rd. *Bail* —4B **88**
Denmilne St. *G34* —4A **88**
Dennison Av. *G33* —4E **87**
Dennistoun St. *Bell* —2C **126**
Dentdale. *E Kil* —6E **137**
Deramore Av. *Giff* —2G **133**
Derby St. *G3* —3C **82**
Derby Ter. La. G3 —3C 82
(off Derby St.)
Derrywood Rd. *Milt C* —5C **8**
Derwent Dri. *Coat* —1G **89**
Derwent St. *G22* —5F **63**
Derwentwater. *E Kil* —5B **148**
Despard Av. *G32* —1D **106**
Despard Gdns. *G32* —1E **107**
Deveron Av. *Giff* —5B **118**
Deveron Cres. *Ham* —5B **140**
Deveron Rd. *Bear* —5C **44**
Deveron Rd. *E Kil* —2A **150**
Deveron Rd. *Moth* —1B **128**
Deveron St. *G33* —2F **85**
Deveron St. *Coat* —2G **89**
Deveron Way. Cumb —3H 35
(off Cumbernauld Cen., The)
Deveron Way. *Pais* —4D **96**
Devine Gro. *Newm* —2C **147**
Devlin Gro. *Blan* —2C **140**
Devol Cres. *G53* —5B **100**
Devondale Av. *Blan* —6A **124**
Devon Dri. *B'ton* —4A **40**
Devon Gdns. *B'rig* —4B **48**
Devon Gdns. *Carl* —3E **165**
Devonhill Av. *Ham* —4H **153**
Devon Pl. *G41* —1F **103**
Devonport Pk. *E Kil* —4C **148**
Devonshire Gdns. La. *G12* —5H **61**
Devonshire Ter. La. *G12* —5H **61**
Devonshire Ter. La. *G12* —5H **61**
Devon St. *G5* —1F **103**
Devonview Pl. *Air* —5H **91**
Devonview St. *Air* —4H **91**
Devon Wlk. *Cumb* —5A **34**
Devon Way. *Moth* —3D **142**
Dewar Clo. *Udd* —4E **109**
Diamond St. *Bell* —3C **126**
Diana Av. *G13* —1B **60**
Diana Quad. *Moth* —2A **128**
Dickens Av. *Clyd* —3B **42**
Dickson Sq. *Cle* —6H **129**
Dickson St. *Lark* —4G **161**
Dicks Pk. *E Kil* —3F **149**
Dick St. *G20* —6D **62**
Differ Av. *Twe* —3D **32**
Dilwara Av. *G14* —1E **81**
Dimity St. *John* —3F **95**
Dimsdale Cres. *Wis* —2A **158**
Dimsdale Rd. *Wis* —2A **158**
Dinard Dri. *Giff* —3A **118**
Dinart St. *G33* —2F **85**
Dinduff St. *G34* —2A **88**

Dinmont Av. *Pais* —4D **96**
Dinmont Cres. *Moth* —5E **127**
Dinmont Pl. G41 —4C 102
(off Dinmont Rd.)
Dinmont Rd. *G41* —4B **102**
Dinmont Way. *Pais* —4C **96**
Dinnet Way. *Newm* —3D **146**
(off Isla Av.)
Dinwiddie St. *G21* —1E **85**
Dinyra Pl. *Glenb* —3G **69**
Dipple Pl. *G15* —5B **44**
Dirleton Dri. *G41* —5C **102**
Dirleton Dri. *Pais* —4E **97**
Dirleton Ga. *Bear* —4D **44**
Dirleton Pl. *G41* —5C **102**
Divernia Way. *Barr* —6E **115**
Dixon Av. *G42* —3E **103**
Dixon Av. *Dumb* —4E **17**
Dixon Dri. *Dumb* —5D **16**
Dixon Pl. *E Kil* —6D **136**
Dixon Rd. *G42* —4F **103**
Dixons Blazes Ind. Est. *G5*
—2G **103**
Dixon St. *G1* —5F **83**
Dixon St. *Coat* —1D **110**
Dixon St. *Ham* —6H **141**
Dixon St. *Pais* —1B **98**
Dobbies Ct. *Law* —5E **159**
Dobbie's Loan. *G4* —2F **83** (1D **4**)
Dobbies Loan Pl. *G4* —3H **83**
Dochart Av. *Renf* —2G **79**
Dochart Dri. *Coat* —1G **89**
Dochart St. *G33* —1G **85**
Dock St. *Clyd* —2F **59**
Dodhill Pl. *G13* —3B **60**
Dodside Gdns. *G32* —1C **106**
Dodside Pl. *G32* —1C **106**
Dodside Rd. *Newt M* —4A **132**
Dodside St. *G32* —1C **106**
Dolan St. *Bail* —6H **87**
Dollar Pk. *Moth* —6B **144**
Dollar Ter. *G20* —1A **62**
(off Crosbie St.)
Dolley Rd. *Wis* —6G **145**
Dolphin Rd. *G41* —3B **102**
Dominica Grn. *E Kil* —2C **148**
Donaldfield Rd. *Bri W* —4D **72**
Donaldson Av. *Kils* —4H **11**
Donaldson Cres. *Kirk* —6C **30**
Donaldson Dri. *Renf* —6E **59**
Donaldson Grn. *Udd* —5E **109**
Donaldson Pl. *Kirk* —5D **30**
Donaldson Rd. *Lark* —4G **161**
Donaldson St. *Ham* —4E **141**
Donaldson St. *Kirk* —6C **30**
Donaldswood Pk. *Pais* —5G **97**
Donaldswood Rd. *Pais* —5G **97**
Donald Ter. *Ham* —2G **153**
Donald Way. *Udd* —6E **109**
Don Av. *Renf* —1G **79**
Doncaster St. *G20* —6E **63**
Don Ct. *Ham* —3E **153**
Don Dri. *Pais* —4D **96**
Donnelly Way. *Wis* —5C **144**
Donnie Clo. *Udd* —5F **109**
Donnies Brae. *Barr* —1F **131**
Don Path. *Lark* —5E **161**
Don Pl. *John* —5C **94**
Don St. *G33* —3F **85**
Doon Cres. *Bear* —4D **44**
Doonfoot Ct. E Kil —1F 149
Doonfoot Gdns. *E Kil* —1F **149**
Doonfoot Rd. *G43* —1B **118**
Doon Pl. *Kirk* —3F **31**
Doon Rd. *Kirk* —4F **31**
Doonside. *Cumb* —3B **36**
Doonside Tower. *Moth* —5B **144**
Doon St. *Clyd* —4D **42**
Doon St. *Lark* —3G **161**
Doon St. *Moth* —5A **144**
Doon Way. *Kirk* —4G **31**
Dorain Rd. *Moth* —4D **128**
Dora St. *G40* —2C **104**
Dorchester Av. *G12* —3G **61**
Dorchester Pl. *G12* —3G **61**
Dorian Dri. *Clar* —1H **133**
Dorlin Rd. *G33* —4E **67**
Dormanside Ct. *G53* —2B **100**
Dormanside Gro. *G53* —2B **100**
Dormanside Rd. *G53* —2B **100**
Dornal Av. *G13* —2G **59**
Dornford Av. *G32* —3D **106**
Dornford Rd. *G32* —3D **106**
Dornie Dri. *G32* —5B **106**
Dornie Path. Newm —3D 146
(off Isla Av.)
Dornoch Av. *Giff* —6A **118**
Dornoch Ct. *Bell* —1C **126**
Dornoch Pl. *B'rig* —5F **49**
Dornoch Pl. *Chry* —6B **52**
Dornoch Pl. *E Kil* —1E **149**
Dornoch Rd. *Bear* —5D **44**
Dornoch Rd. *Moth* —3B **128**
Dornoch St. *G40* —6B **84**
Dornoch Way. *Air* —6H **91**
Dornoch Way. *Cumb* —6A **14**
Dorset Sq. G3 —3D 82
(off Dorset St.)
Dorset St. *G3* —3D **82**
Dosk Av. *G13* —1H **59**
Dosk Pl. *G13* —1H **59**

Double Edge Rd. *Neil* —3D **130**
Dougalston Av. *Miln* —4H **25**
Dougalston Cres. *Miln* —4H **25**
Dougalston Gdns. N. *Miln* —4H **25**
Dougalston Gdns. S. *Miln* —4H **25**
Dougalston Rd. *G23* —6C **46**
Douglas Av. *G32* —4B **106**
Douglas Av. *Eld* —3H **95**
Douglas Av. *Giff* —6A **118**
Douglas Av. *Lenz* —2D **50**
Douglas Av. *Ruth* —2E **121**
Douglas Ct. *Lenz* —2D **50**
Douglas Cres. *Air* —5A **92**
Douglas Cres. *Ersk* —4D **40**
Douglas Cres. *Ham* —5H **153**
Douglas Cres. *Udd* —5F **109**
Douglasdale. *E Kil* —1F **149**
Douglas Dri. *G15* —6H **43**
Douglas Dri. *Ashg* —5B **162**
Douglas Dri. *Bail* —6F **87**
Douglas Dri. *Both* —6E **125**
Douglas Dri. *Camb* —2H **121**
Douglas Dri. *E Kil* —4A **148**
Douglas Dri. *Newt M* —3E **133**
Douglas Gdns. *Bear* —3F **45**
Douglas Gdns. *Giff* —6A **118**
Douglas Gdns. *Lenz* —2D **50**
Douglas Gdns. *Udd* —2D **124**
Douglas Ho. *Cumb* —3H **35**
Douglas La. G2 —3E 83 (4B 4)
(off Pitt St.)
Douglas Muir Dri. *Miln* —2C **24**
Douglas Muir Gdns. *Miln* —2C **24**
Douglas Muir Pl. *Miln* —2C **24**
Douglasmuir Rd. *Clyd* —6F **23**
Douglas Muir Rd. *Miln* —3C **24**
Douglas Pk. Cres. *Bear* —1G **45**
Douglas Pk. La. *Ham* —5G **141**
Douglas Pl. *Bear* —2E **45**
Douglas Pl. *Coat* —5B **90**
Douglas Pl. *Ham* —5H **153**
Douglas Pl. *Kirk* —2D **50**
Douglas Rd. *Dumb* —4H **17**
Douglas Rd. *Renf* —3D **78**
Douglas St. *G2* —4E **83** (5B **4**)
Douglas St. *Air* —5A **92**
Douglas St. *Blan* —3A **140**
Douglas St. *Carl* —3E **165**
Douglas St. *Ham* —4G **141**
(in two parts)
Douglas St. *Lark* —1E **161**
Douglas St. *Miln* —4G **25**
Douglas St. *Moth* —2F **143**
Douglas St. *Pais* —6G **77**
Douglas St. *Udd* —5F **109**
Douglas St. *Wis* —4B **158**
Douglas Ter. *G41* —3D **102**
Douglas Tower. *Udd* —3B **124**
Douglas View. *Coat* —2B **110**
Dougrie Dri. *G45* —4H **119**
Dougrie Pl. *G45* —4A **120**
Dougrie Rd. *G45* —5G **119**
Dougrie St. *G45* —4H **119**
Dougrie Ter. *G45* —4H **119**
Doune Cres. *B'rig* —3D **48**
Doune Cres. *Chap* —4D **112**
Doune Cres. *Newt M* —4F **133**
Doune Gdns. *G20* —6C **62**
Doune Gdns. La. *G20* —6C **62**
Doune Quad. *G20* —6C **62**
Doune Ter. *Coat* —2H **89**
Dovcothall St. *Barr* —4F **115**
Dovecot. *G43* —5A **102**
Dovecote View. *Kirk* —6F **31**
Dovecotwood. *Kils* —2H **11**
Doveholm. *Dumb* —2G **17**
Doveholm Av. *Dumb* —2H **17**
Dove Pl. *E Kil* —5B **148**
Dover St. *G3* —3C **82**
Dover St. *Coat* —1H **89**
Dove St. *G53* —3A **116**
Dove Wynd. *Stra B* —6A **110**
Dowanfield Rd. *Cumb* —4F **35**
Dowanhill St. *G11 & G12* —1A **82**
Dowan Rd. *Miln* —6C **26**
Dowanside La. *G12* —6B **62**
Dowanside Rd. *G12* —6A **62**
Downcraig Dri. *G45* —6G **119**
Downcraig Rd. *G45* —5H **119**
Downcraig Ter. *G45* —5H **119**
Downfield Dri. *Ham* —4F **153**
Downfield Gdns. *Both* —6D **124**
Downfield St. *G32* —2G **105**
Downiebrae Rd. *Ruth* —3D **104**
Downie St. *Ham* —2H **153**
Downs St. *G21* —4B **64**
Dowrie Cres. *G53* —4B **100**
Draffan Tower. *Moth* —2H **143**
Draffen Ct. *Moth* —2H **143**
Draffen St. *Moth* —2H **143**
Drakemire Av. *G45* —3G **119**
Drakemire Dri. *G45 & G44* —5F **119**
Drake St. *G40* —6A **84**
Dreghorn St. *G31* —4E **85**
Drimmin Rd. *G33* —4F **67**
Drive Rd. *G51* —3E **81**
Drochil St. *G34* —2G **87**
Dromore St. *Kirk* —6D **30**
Drove Hill. *Cumb* —2D **34**
Drumaling Ter. *Len* —3H **7**

Drumbathie Rd. *Air* —3B **92**
Drumbathie Ter. *Air* —3C **92**
Drumbeg Dri. *G53* —1A **116**
Drumbeg Pl. *G53* —1A **116**
Drumbeg Ter. *Miln* —3D **24**
Drumbottie Rd. *G21* —4C **64**
Drumbreck Pl. *Kirk* —3E **51**
Drumby Cres. *Clar* —6B **118**
Drumby Dri. *Clar* —1B **134**
Drumcarn Dri. *Miln* —4F **25**
Drumcavel Rd. *Muir* —2B **68**
Drumchapel Gdns. *G15* —5A **44**
Drumchapel Rd. *G15* —5A **44**
DRUMCHAPEL STATION. *G15*
—6A **44**
Drumclair Pl. *Air* —4D **92**
Drumclog Av. *Miln* —1G **25**
Drumclog Gdns. *G33* —3H **65**
Drumcross Rd. *G53* —4C **100**
Drumcross Rd. *B'ton* —4B **40**
Drumduff. *E Kil* —6F **149**
DRUMGELLOCH STATION. *Air*
—4D **92**
Drumgelloch St. *Air* —2D **92**
Drumglass View. *Croy* —1B **34**
Drumhead Pl. *G32* —4H **105**
Drumhead Rd. *G32* —4H **105**
Drumhill. *Kirk* —3H **31**
Drumilaw Cres. *Ruth* —2C **120**
Drumilaw Rd. *Ruth* —2C **120**
Drumilaw Way. *Ruth* —2C **120**
Drumlaken Av. *G23* —6A **46**
(off Drumlaken St.)
Drumlaken Ct. *G23* —6B **46**
Drumlaken Pl. *G23* —6B **46**
(off Drumlaken Ct.)
Drumlaken St. *G23* —6A **46**
Drumlanrig Av. *G34* —2A **88**
Drumlanrig Pl. *G34* —3B **88**
Drumlanrig Quad. *G34* —2B **88**
Drumlin Dri. *Miln* —5F **25**
Drumloch Gdns. *E Kil* —6G **149**
Drumlochy Rd. *G33* —2A **86**
Drum Mains Pk. *Cumb* —6G **33**
Drummond Av. *Ruth* —5B **104**
Drummond Dri. *Pais* —1F **99**
Drummond Dri. *Wis* —1H **157**
Drummond Hill. *E Kil* —6B **138**
Drummond Ho. *Cumb* —2A **36**
Drummond Pl. *E Kil* —6B **138**
Drummore Rd. *G15* —2A **44**
Drumnessie Ct. *Cumb* —5B **34**
Drumnessie Rd. *Cumb* —5B **34**
Drumnessie View. *Cumb* —5B **34**
Drumore Av. *Chap* —4D **112**
Drumover Dri. *G31* —1G **105**
Drumoyne Av. *G51* —5E **81**
Drumoyne Cir. *G51* —5E **81**
Drumoyne Dri. *G51* —4E **81**
Drumoyne Pl. *G51* —5E **81**
Drumoyne Quad. *G51* —5E **81**
Drumoyne Rd. *G51* —5E **81**
Drumoyne Sq. *G51* —4E **81**
Drumpark St. *Coat* —1F **109**
Drumpark St. *T'bnk* —3F **117**
Drumpellier Av. *Bail* —2H **107**
Drumpellier Av. *Coat* —4G **89**
Drumpellier Av. *Cumb* —1E **55**
Drumpellier Ct. *Cumb* —6E **35**
Drumpellier Cres. *Coat* —5H **89**
Drumpellier Gdns. *Cumb* —6E **35**
Drumpellier Gro. *Cumb* —6E **35**
Drumpellier Pl. *Bail* —1H **107**
Drumpellier Pl. *Coat* —4H **89**
Drumpellier Pl. *Cumb* —6E **35**
Drumpellier Rd. *Bail* —2G **107**
Drumpellier St. *G33* —1F **85**
Drumreoch Dri. *G42* —5A **104**
Drumreoch Pl. *G42* —5A **104**
Drumry Rd. *Clyd* —4D **42**
Drumry Rd. E. *G15* —5G **43**
Drumsack Av. *Chry* —1A **68**
Drumsargard Rd. *Ruth* —2F **121**
Drums Av. *Pais* —5G **77**
Drums Cres. *Pais* —6G **77**
Drumshangie St. *Air* —1A **92**
Drumshaw Dri. *G32* —5C **106**
Drums Rd. *G53* —2A **100**
Drumtrocher St. *Kils* —3H **11**
Drumvale Dri. *Chry* —5C **52**
Drury La. Ct. *E Kil* —5C **138**
(off Bosworth Rd.)
Drury St. *G2* —4F **83** (5D **4**)
Dryad St. *T'bnk* —2E **117**
Dryburgh Av. *Pais* —4E **97**
Dryburgh Av. *Ruth* —6E **105**
Dryburgh Gdns. *G20* —6D **62**
Dryburgh Hill. *E Kil* —2F **149**
Dryburgh La. *E Kil* —2F **149**
Dryburgh Pl. *Coat* —4B **90**
Dryburgh Pl. *Kirk* —5F **31**
Dryburgh Rd. *Bear* —1C **44**
Dryburgh Rd. *Wis* —6G **145**
Dryburgh St. *Ham* —3F **141**
Dryburgh Wlk. *Mood* —4E **53**
Dryburn Av. *G52* —6A **80**
Dryden St. *Ham* —3F **141**
Drygate. *G4* —4A **84**
Drygate St. *Lark* —1E **161**
Drygrange Rd. *G33* —1C **86**
Drymen Pl. *Lenz* —4D **50**

Drymen Rd. *Bear* —1D **44**
Drymen St. *G52* —6E **81**
Drynoch Pl. *G22* —2F **63**
Drysdale St. *G14* —4H **59**
Duart Dri. *E Kil* —6F **137**
Duart Dri. *Eld* —4H **95**
Duart Dri. *Newt M* —4G **133**
Duart St. *G20* —1A **62**
Dubs Rd. *Barr* —4G **115**
Dubton Path. *G34* —2H **87**
Dubton St. *G34* —2H **87**
Duchall Pl. *G14* —5B **60**
Duchess Ct. *Ham* —1C **154**
Duchess Pl. *Ruth* —5E **105**
Duchess Rd. *Ruth* —4E **105**
Duchess Way. *Bail* —6D **88**
(off Park Rd.)
Duchray Dri. *Pais* —2G **99**
Duchray La. *G33* —2F **85**
Duchray St. *G33* —2F **85**
Ducraig St. *G32* —6A **86**
Dudhope St. *G33* —1D **86**
Dudley Dri. *G12* —6G **61**
Dudley Dri. *Coat* —1G **89**
Dudley La. *G12* —6G **61**
Duffus Pl. *G32* —5C **106**
Duffus St. *G34* —2G **87**
Duffus Ter. *G32* —5C **106**
Duich Gdns. *G23* —5C **46**
Duisdale Rd. *G32* —5C **106**
Dukes Ga. *Both* —3C **124**
Dukes Pl. *Ham* —5H **153**
Dukes Rd. *Bail* —6D **88**
Duke's Rd. *Ruth* —2E **121**
Duke St. *G1* —5F **83**
Duke St. *G4* —4A **84** (5H **5**)
Duke St. *Ham* —6A **142**
Duke St. *Lark* —1E **161**
Duke St. *Moth* —1G **143**
Duke St. *Newm* —3D **146**
Duke St. *Pais* —3A **98**
DUKE ST. STATION. *G31* —4D **84**
Dullatur Roundabout. *Cumb*
—6H **13**
Dulnain St. *Camb* —2D **122**
Dulsie Rd. *G21* —3E **65**
DUMBARTON CENTRAL STATION.
Dumb —3F **17**
DUMBARTON EAST STATION. *Dumb*
—4H **17**
Dumbarton Rd. *G11* —1F **81**
Dumbarton Rd. *G14* —3G **59**
Dumbarton Rd. *Bowl* —5H **19**
Dumbarton Rd. *Dun* —1B **42**
Dumbarton Rd. *Milt* —4E **19**
Dumbarton Rd. *Old K* —6D **20**
Dumbreck Av. *G41* —1G **101**
Dumbreck Ct. *G41* —2G **101**
Dumbreck Path. *G41* —2G **101**
(off Dumbreck Pl.)
Dumbreck Pl. *G41* —2G **101**
Dumbreck Rd. *G41* —6G **81**
Dumbreck Sq. *G41* —1G **101**
DUMBRECK STATION. *G41*
—1A **102**
Dumbrock Ter. *Kils* —3D **10**
Dumbrock Rd. *Miln* —4D **24**
Dumbuck Cres. *Dumb* —5H **17**
Dumbuck Rd. *Dumb* —2C **18**
(Crosslet)
Dumbuck Rd. *Dumb* —2H **17**
(in two parts)
Dumbuie Av. *Dumb* —3H **17**
Dumfries Cres. *Air* —6H **91**
Dumgoyne Av. *Miln* —4F **25**
Dumgoyne Ct. *Air* —1A **92**
(off Thrushbush Rd.)
Dumgoyne Dri. *Bear* —6D **24**
Dumgoyne Gdns. *Miln* —4F **25**
Dumgoyne Pl. *Clar* —2A **134**
Dunagoil Rd. *G45* —5H **119**
Dunagoil St. *G45* —5A **120**
Dunagoil Ter. *G45* —5A **120**
Dunalastair Dri. *G33* —4B **66**
Dunan Pl. *G33* —4E **87**
Dunard Ct. *Carl* —2F **165**
(off Carranbute Rd.)
Dunard Rd. *Ruth* —6D **104**
Dunard St. *G20* —5D **62**
Dunard Way. *Pais* —4H **77**
Dunaskin St. *G11* —2A **82**
Dunbar Av. *Coat* —1H **109**
Dunbar Av. *John* —5E **95**
Dunbar Av. *Ruth* —6E **105**
Dunbar Dri. *Moth* —5A **144**
Dunbar Pl. *E Kil* —2E **149**
Dunbar Hill. *E Kil* —2E **149**
Dunbar La. *E Kil* —2E **149**
Dunbar St. *Ham* —4F **141**
Dunbeath Av. *Newt M* —4F **133**
Dunbeith Pl. *G20* —4B **62**
Dunbeth Av. *Coat* —4D **90**
Dunbeth Ct. *Coat* —4D **90**
Dunbeth Rd. *Coat* —4D **90**
Dunblane Dri. *E Kil* —6H **137**
Dunblane Pl. *Coat* —1B **110**
Dunblane Pl. *E Kil* —1H **149**
Dunblane St. *G4* —2F **83** (1D **4**)
Dunbrach Rd. *Cumb* —2D **34**
Dunbritton Rd. *Dumb* —2C **18**

Duncan Av. *G14* —6C **60**
Duncan Graham St. *Lark* —1F **161**
Duncan La. N. *G14* —5C **60**
(off Norse La. N.)
Duncan Macintosh Rd. *Ward N*
—4C **14**
Duncansby Rd. *G33* —5D **86**
Duncansby Av. *Neil* —2E **131**
Duncarnock Cres. *Neil* —2E **131**
Dunchatten St. *G31* —4B **84**
Dunchurch Rd. *Pais* —6F **79**
Dunclutha Dri. *Both* —6E **125**
Dunclutha St. *G40* —3D **104**
Duncolm Pl. *Miln* —3D **24**
Duncombe Av. *Clyd* —6D **22**
Duncombe St. *G20* —2B **62**
Duncombe View. *Clyd* —4E **43**
Duncraig Cres. *John* —5D **94**
Duncrub Dri. *B'rig* —6A **48**
Duncruin St. *G20* —2A **62**
Duncruin Ter. *G20* —2B **62**
Duncryne Av. *G32* —1D **106**
Duncryne Gdns. *G32* —1E **107**
Duncryne Pl. *B'rig* —1A **64**
Duncryne Rd. *G32* —1D **106**
Dundaff Hill. *Cumb* —3E **35**
Dundas Av. *Torr* —5D **28**
Dundas Cotts. *Alla* —1G **15**
Dundas Ct. *E Kil* —1G **149**
Dundashill. *G4* —1F **83**
Dundas La. *G1* —3G **83** (4E **5**)
Dundas La. *E Kil* —1G **149**
Dundas St. *G1* —3G **83** (4E **5**)
Dundasvale Ct. *G4* —2F **83** (1C **4**)
Dundee Dri. *G52* —1B **100**
Dundee Path. *G52* —2C **100**
Dundonald Av. *John* —4D **94**
Dundonald Cres. *Newt M* —5G **133**
Dundonald Dri. *Ham* —4H **153**
Dundonald Pl. *Neil* —2D **130**
Dundonald Rd. *G12* —6A **62**
Dundonald Rd. *Pais* —4C **78**
Dundonald St. *Blan* —1A **140**
Dundrennan Rd. *G42* —6D **102**
Dundyvan Gdns. *Coat* —6C **90**
Dundyvan Ga. *Coat* —6C **90**
Dundyvan Ind. Est. *Coat* —6C **90**
Dundyvan La. *Wis* —1G **157**
Dundyvan Rd. *Coat* —5B **90**
Dundyvan St. *Wis* —1G **157**
Dundyvan Way. *Coat* —6B **90**
Dunearn Pl. *Pais* —2C **98**
Dunearn St. *G4* —1D **82**
Duneaton Wynd. *Lark* —5F **161**
Dunedin Ct. *E Kil* —3C **148**
Dunedin Dri. *E Kil* —3C **148**
Dunedin Rd. *Lark* —4F **161**
Dunedin Ter. *Clyd* —6D **22**
Dunellan Dri. *Clyd* —6D **22**
Dunellan Rd. *Miln* —3D **24**
Dunellan St. *G52* —6E **81**
Dungavel Gdns. *Ham* —3A **154**
Dungavel La. *Carl* —4H **165**
(off Kelso Dri.)
Dungeonhill Rd. *G34* —3B **88**
Dunglass Av. *G14* —5C **60**
Dunglass Av. *E Kil* —6D **137**
Dunglass La. N. *G14* —5C **60**
(off Norse Rd.)
Dunglass La. *G14* —5C **60**
(off Danes Dri.)
Dunglass Pl. *Miln* —2E **25**
Dunglass Rd. *B'ton* —5A **40**
Dunglass Sq. *E Kil* —6D **137**
Dungoil Av. *Cumb* —2D **34**
Dungoil Rd. *Lenz* —3E **51**
Dungoyne St. *G20* —1A **62**
Dunholme Pk. *Clyd* —4H **41**
Dunira St. *G32* —2H **105**
Duniston Rd. *Chap* —1H **113**
Dunkeld Av. *Ruth* —6D **104**
Dunkeld Dri. *Bear* —4H **45**
Dunkeld Gdns. *B'rig* —5D **48**
Dunkeld La. *Chry* —5E **53**
Dunkeld Pl. *Coat* —1B **110**
Dunkeld Pl. *Ham* —6C **140**
Dunkeld St. *G31* —1E **105**
Dunkenny Pl. *G15* —3H **43**
Dunkenny Rd. *G15* —4H **43**
Dunkenny Sq. *G15* —4H **43**
Dunlin. *E Kil* —6G **137**
Dunlin Ct. *Stra B* —5A **110**
Dunlin Cres. *C'lee* —2C **74**
Dunlop Ct. *Ham* —4A **154**
Dunlop Cres. *Both* —6F **125**
Dunlop Cres. *Renf* —5F **59**
Dunlop Gro. *Udd* —4E **109**
Dunlop Pl. *Ashg* —5C **162**
Dunlop Pl. *Miln* —2F **25**
Dunlop St. *G1* —5G **83**
(in two parts)
Dunlop St. *Camb* —1E **123**
Dunlop St. *Lin* —5A **76**
Dunlop St. *Renf* —5F **59**
(off Dunlop Cres.)
Dunlop Tower. *E Kil* —3G **149**
(off Denholm Cres.)
Dunmore Dri. *Miln* —5A **26**
Dunmore St. *Clyd* —1E **59**
Dunnachie Dri. *Coat* —1F **109**
Dunnachie Pl. *Coat* —1G **109**
Dunnegan Dri. *B'rig* —3C **48**
Dunnet Av. *Glenm* —4H **71**

Dunnet Dri. *C'lee* —2B **74**
Dunnichen Gdns. *B'rig* —6F **49**
Dunnikier Wlk. *Cumb* —4A **34**
Dunning St. *G31* —2F **105**
Dunnolly St. *G21* —2C **84**
Dunnotar St. *Newm* —3D **146**
(off Tiree Gdns.)
Dunnottar Ct. *E Kil* —6E **137**
Dunnottar Cres. *E Kil* —6E **137**
Dunnottar St. *G33* —1B **86**
Dunnottar St. *B'rig* —5F **49**
Dunn Sq. *Pais* —1A **98**
Dunn St. *G40* —2B **104**
Dunn St. *Clyd* —4A **42**
Dunn St. *Dun* —1B **42**
Dunn St. *Pais* —6C **78**
Dunns Wood Rd. *Ward S* —5D **14**
Dunolly Dri. *Newt M* —4F **133**
Dunottar Av. *Coat* —3D **110**
Dunottar Pl. *Coat* —2D **110**
Dunphail Dri. *G34* —3B **88**
Dunphail Rd. *G34* —3B **88**
Dunragit St. *G31* —4E **85**
Dunrobin Av. *Eld* —4A **96**
Dunrobin Ct. *Clyd* —5C **42**
Dunrobin Ct. *E Kil* —6F **137**
Dunrobin Cres. *E Kil* —6F **137**
Dunrobin Gdns. *Air* —5E **93**
Dunrobin Pl. *Coat* —4B **90**
Dunrobin Rd. *Air* —4E **93**
Dunrobin St. *G31* —5C **84**
Dunrod Hill. *E Kil* —6H **137**
Dunrod St. *G32* —1B **106**
Dunscore Brae. *Ham* —1C **152**
Duns Cres. *Wis* —3A **146**
Dunside Dri. *G53* —1A **116**
Dunskaith Pl. *G34* —4B **88**
Dunskaith St. *G34* —4B **88**
Dunsmore Rd. *B'ton* —3G **39**
Dunsmuir St. *G51* —4H **81**
Duns Path. *Coat* —2F **111**
Dunster Gdns. *B'rig* —3D **48**
Dunswin Av. *Clyd* —4A **42**
Dunswin Ct. *Clyd* —4A **42**
Dunsyre Pl. *G23* —6C **46**
Dunsyre St. *G33* —3G **85**
Duntarvie Cres. *G34* —3A **88**
Duntarvie Pl. *G34* —3H **87**
Duntarvie Quad. *G34* —3A **88**
Duntarvie Rd. *G34* —3H **87**
Dunterlie Av. *G13* —3A **60**
Dunterlie Ct. *Barr* —4E **115**
Duntiblae Rd. *Kirk* —6G **31**
Duntiglennan Rd. *Clyd* —1C **42**
Duntocher Rd. *Clyd & Bear* —6G **23**
Duntocher Rd. *Dun* —2C **42**
Duntocher Rd. *Dun* —4A **42**
Duntreath Av. *G13* —1G **59**
Duntreath Av. *G15* —6H **43**
Duntreath Dri. *G15* —6H **43**
Duntreath Gdns. *G15* —5A **44**
Duntreath Gro. *G15* —5A **44**
Duntreath Ter. *Kils* —3H **11**
Duntroon Pl. *Bell* —4D **126**
(off Glencalder Cres.)
Duntroon St. *G31* —3D **84**
Dunure Dri. *Ham* —1B **152**
Dunure Dri. *Newt M* —4G **133**
Dunure Dri. *Ruth* —2B **120**
Dunure Pl. *Coat* —2A **110**
Dunure Pl. *Newt M* —5G **133**
Dunure St. *G20* —2B **62**
Dunure St. *Coat* —2A **110**
Dunvaig St. *G33* —4D **86**
Dunvegan. *Glenm* —5G **71**
Dunvegan Av. *Coat* —2H **89**
Dunvegan Av. *Eld* —4H **95**
Dunvegan Dri. *Newt M* —4G **133**
Dunvegan Pl. *E Kil* —6D **137**
Dunvegan Pl. *Udd* —5B **108**
Dunvegan Quad. *Renf* —5D **58**
Dunwan Av. *G13* —2H **59**
Dunwan Pl. *G13* —2H **59**
Durban Av. *Clyd* —3G **41**
Durham St. *G41* —6B **82**
Durisdeer Dri. *Ham* —2C **152**
Durne Path. *G33* —3E **87**
Durness Av. *Bear* —2H **45**
Duror St. *G32* —6A **86**
Durris Gdns. *G32* —2C **106**
Durrockstock Cres. *Pais* —6D **96**
Durrockstock Rd. *Pais* —6D **96**
Durrockstock Way. *Pais* —6D **96**
Durward. *E Kil* —5E **139**
Durward Av. *G41* —4B **102**
Durward Ct. *G41* —4B **102**
Durward Cres. *Pais* —4C **96**
Durward Way. *Pais* —4C **96**
Duthil St. *G51* —5D **80**
Dyce La. *G11* —1G **81**
Dyer's La. *G1* —5H **83**
Dyer's Wynd. *Pais* —6A **78**
Dyfrig St. *Blan* —1A **140**
Dykebar Av. *G13* —3B **60**
Dykebar Cres. *Pais* —3D **98**
Dykehead Cres. *Air* —1H **91**
Dykehead La. *G33* —4D **86**
Dykehead Rd. *Air* —1H **91**
Dykehead Rd. *Bail* —6D **88**

Dykehead Rd. *Dull* —5E **13**
Dykehead Rd. *Kils* —2C **10**
Dykehead Sq. *Ham* —6D **140**
Dykehead St. *G33* —4D **86**
Dykemuir Pl. *G21* —5D **64**
Dykemuir Quad. *G21* —5C **64**
Dykemuir St. *G21* —5C **64**
Dyke Rd. *G13* —1A **60**
Dyke Rd. *G14* —4H **59**
Dyke St. *Bail* —6A **88**
Dyke St. *Coat* —1F **109**
Dysart Ct. *Cumb* —4A **34**
Dysart Way. *Air* —5G **93**

E

Eagle Cres. *Bear* —1B **44**
Eaglesham Ct. *G51* —5C **82**
Eaglesham Path. *Glenb* —3G **69**
Eaglesham Pl. *G51* —5C **82**
Eaglesham Rd. *Clar* —6B **134**
Eaglesham Rd. *E Kil* —3A **148**
Eaglesham Rd. *Newt M* —5D **132**
Eagle St. *G4* —1G **83**
Earlbank Av. *G14* —5C **60**
Earlbank La. *G14* —5C **60**
(off Earlbank Av.)
Earlbank La. N. *G14* —5C **60**
Earlbank La. S. *G14* —5C **60**
Earl Haig Rd. *G52* —4H **79**
Earl La. *G14* —6C **60**
Earl Pl. *G14* —5C **60**
Earl Pl. *Bri W* —5F **73**
Earlsburn Rd. *Lenz* —3E **51**
Earlscourt. *Mood* —6D **52**
Earl's Ga. *Both* —4C **124**
Earl's Hill. *Cumb* —3D **34**
Earlspark Av. *G43* —1D **118**
Earlston Cres. *Coat* —2F **111**
Earlston St. *Wis* —3A **146**
Earl St. *G14* —5A **60**
Earl View. *Moth* —4A **128**
Earn Av. *Bear* —3H **45**
Earn Av. *Renf* —1G **79**
Earn Av. *Rig I* —1A **126**
Earn Cres. *Wis* —2H **157**
Earn Gdns. *Lark* —5E **161**
Earn La. *Moth* —4A **128**
(off Howden Pl.)
Earnock Av. *Moth* —3E **143**
Earnock Rd. *Ham* —1B **152**
Earnock St. *G33* —5F **65**
Earnock St. *Ham* —5E **141**
Earn Rd. *Newt M* —2D **132**
Earnside St. *G32* —6B **86**
Earn St. *G33* —2G **85**
Easdale. *E Kil* —4B **150**
Easdale Dri. *G32* —1A **106**
Easdale Path. *Glenb* —3G **69**
Easdale Pl. *Newt M* —4B **132**
Easdale Rise. *Ham* —6C **140**
E. Academy St. *Wis* —1H **157**
East Av. *Blan* —4B **140**
East Av. *Carl* —3D **164**
East Av. *Moth* —5A **128**
East Av. *Plain* —1G **93**
East Av. *Renf* —6F **59**
East Av. *Udd* —1G **125**
E. Barns St. *Clyd* —1F **59**
E. Bath La. *G2* —3G **83** (4E **5**)
E. Buchanan St. *Pais* —6B **78**
Eastburn Rd. *G21* —4G **64**
E. Burnside St. *Kils* —3H **11**
E. Campbell St. *G1* —5A **84**
Eastcote Av. *G14* —5E **61**
Eastcroft. *Ruth* —5D **104**
Eastcroft Ter. *G21* —5C **64**
E. Dean St. *Bell* —2D **126**
Eastend Av. *Moth* —6B **128**
Easter Craigs. *G31* —3D **84**
Easter Cres. *Wis* —5A **146**
Easter Garngaber Rd. *Lenz* —2E **51**
Eastergreens Av. *Kirk* —6C **30**
Easterhill Pl. *G32* —2H **105**
Easterhill St. *G32* —2H **105**
Easterhouse Path. *G34* —3A **88**
Easterhouse Pl. *G34* —3A **88**
Easterhouse Quad. *G34* —4A **88**
Easterhouse Rd. *Bail & G34*
—6H **87**
EASTERHOUSE STATION. *Bail*
—5A **88**
Easterhouse Township Cen.
—3G **87**
Eastermains. *Kirk* —3H **31**
Easter M. *Udd* —2C **124**
Easter Queenslie Rd. *G33* —3E **87**
Easter Rd. *Clar* —3E **135**
Easterton Av. *Clar* —4E **135**
Easter Wood Cres. *Udd* —4H **109**
Eastfield Av. *Camb* —1G **121**
Eastfield Cres. *Dumb* —5H **17**
Eastfield Pl. *Dumb* —5H **17**
Eastfield Rd. *G21* —5A **64**
Eastfield Rd. *Carl* —4G **165**
Eastfield Rd. *Cumb* —3D **34**
Eastfield Ter. *Bell* —3F **127**
E. Gartferry Rd. *Bail* —5C **52**
Eastgate. *G'csh* —4E **69**
East Ga. *Glenb* —2H **69**
East Ga. *Wis* —6B **146**
E. George St. *Coat* —3D **90**

E. Glebe Ter. *Ham* —1H **153**
E. Greenlees Av. *Camb* —4C **122**
E. Greenlees Cres. *Camb* —4B **122**
E. Greenlees Dri. *Camb* —4C **122**
E. Greenlees Rd. *Camb* —4A **122**
E. Hallhill Rd. *Bail* —5F **87**
E. Hamilton St. *Wis* —1H **157**
E. High St. *Air* —3A **92**
E. High St. *Kirk* —4C **30**
E. Kilbride Rd. *Clar* —3E **135**
E. Kilbride Rd. *Ruth* —2E **121**
EAST KILBRIDE STATION. *E Kil*
—1G **149**
East La. *Pais* —1C **98**
Eastlea Pl. *Air* —5B **92**
E. Machen St. *Lark* —4F **161**
E. Mains Rd. *E Kil* —1G **149**
E. Milton Gro. *E Kil* —2D **148**
Eastmuir St. *G32* —6B **86**
Eastmuir St. *Wis* —5C **146**
Easton Pl. *Coat* —6D **90**
East Rd. *Kilb* —1A **94**
East Rd. *Moth* —3A **128**
E. Scott Ter. *Ham* —2H **153**
Eastside. *Kirk* —4D **30**
E. Springfield Ter. *B'rig* —1D **64**
E. Station Ind. Est. *Lark* —1F **161**
E. Stewart Pl. *Coat* —4E **91**
E. Stewart St. *Coat* —5E **91**
E. Thomson St. *Clyd* —4D **42**
E. Thornlie St. *Wis* —1H **157**
Eastvale Pl. *G3* —3A **82**
E. Wellbrae Cres. *Ham* —2F **153**
E. Wellington St. *G31* —6F **85**
Eastwood Av. *G41* —5B **102**
Eastwood Av. *Giff* —4A **118**
Eastwood Cres. *T'bnk* —3F **117**
Eastwood Dri. *Newm* —3E **147**
Eastwoodmains Rd. *Giff* —6H **117**
Eastwood Rd. *Chry* —5D **52**
Eastwood Toll. *T'bnk* —6H **117**
Eastwood View. *Camb* —1E **123**
Eastwood Way. *Lark* —1F **161**
(off Antrim La.)
Easwald Bank. *Mill P* —3B **94**
Ebroch Dri. *Kils* —3A **12**
Ebroch Pk. *Kils* —3A **12**
Eccles St. *G22* —4A **64**
Eckford St. *G32* —1A **106**
Eck Path. *Moth* —2A **128**
(off Howden Pl.)
Eday St. *G22* —3H **63**
Edderton Pl. *G34* —4G **87**
Eddington Dri. *Newt M* —6C **132**
Eddleston Pl. *Camb* —2E **123**
Eddlewood Path. *G33* —4F **87**
Eddlewood Rd. *G33* —4F **87**
Eden Dri. *E Kil* —5B **148**
Eden Gdns. *E Kil* —4B **148**
Eden La. *G33* —2F **85**
Eden Pk. *Both* —5D **124**
Eden Pl. *Camb* —2D **122**
Eden Pl. *Renf* —1G **79**
Edenside. *Cumb* —4B **14**
Eden St. *G33* —2F **85**
Edenwood St. *G31* —6G **85**
Edgam Dri. *G52* —6C **80**
Edgefauld Av. *G21* —6B **64**
Edgefauld Dri. *G21* —5B **64**
Edgefauld Pl. *G21* —4B **64**
Edgefauld Rd. *G21* —4B **64**
Edgehill La. *G11* —5G **61**
Edgehill Rd. *G11* —5F **61**
Edgehill Rd. *Bear* —1E **45**
Edgemont Pk. *Ham* —3G **153**
Edgemont St. *G41* —5C **102**
Edinbeg Av. *G42* —5A **104**
Edinbeg Pl. *G42* —5A **104**
Edinburgh Rd. *G33 & Bail* —4F **85**
Edinburgh Rd. *Ham* —5B **142**
Edinburgh Rd. *Moth* —1C **128**
Edington Gdns. *Chry* —4D **52**
Edington St. *G4* —1F **83**
Edison St. *G52* —3G **79**
(in three parts)
Edmiston Dri. *G51* —5F **81**
Edmiston Dri. *Lin* —5F **75**
Edmonstone Dri. *Kils* —4H **11**
Edmonton Ter. *E Kil* —3E **149**
Edmund Kean. *E Kil* —4C **138**
Edrick Ct. *Coat* —5B **90**
(off Kirk St.)
Edrom Ct. *G32* —6H **85**
Edrom Path. *G32* —6H **85**
Edrom St. *G32* —1H **105**
(in two parts)
Edward Av. *Renf* —5G **59**
Edward St. *Bail* —6D **88**
Edward St. *Clyd* —2F **59**
Edward St. *Ham* —1H **153**
Edward St. *Kils* —2H **11**
Edward St. *Moth* —4H **143**
Edwin St. *G51* —6B **82**
Edzell Ct. *G14* —1D **80**
Edzell Dri. *Eld* —3B **96**
Edzell Dri. *Newt M* —5E **133**
Edzell Gdns. *B'rig* —1E **65**
Edzell Pl. *G14* —6D **60**
Edzell St. *G14* —1D **80**
Edzell St. *Coat* —1H **109**

Egidia Av. *Giff* —5A **118**
Egilsay Cres. *G22* —1G **63**
Egilsay Pl. *G22* —1G **63**
Egilsay St. *G22* —1G **63**
Egilsay Ter. *G22* —1G **63**
Eglinton Ct. *G5* —6F **83**
Eglinton Dri. *Giff* —5A **118**
Eglinton St. *G41 & G5* —1E **103**
Eglinton St. *Coat* —3D **90**
Egmont Pk. *E Kil* —4C **148**
Eider Av. *E Kil* —6C **148**
Eider Pl. *E Kil* —6C **148**
Eider Gro. *E Kil* —6C **148**
Eighth St. *Udd* —4C **108**
Eildon Dri. *Barr* —6E **115**
Eildon Rd. *Kirk* —5F **31**
Eileen Gdns. *B'rig* —5D **48**
Elcho St. *G40* —5B **84**
Elderbank. *Bear* —4E **45**
Elder Gro. *Udd* —5F **109**
Elderpark Gdns. *G51* —4F **81**
Elderpark Gro. *G51* —4F **81**
Elderpark St. *G51* —4F **81**
Elderslea Rd. *Carl* —5G **165**
Elderslie St. *G3* —2D **82**
Elder St. *G51* —4F **81**
(in two parts)
Eldin Pl. *Bri W* —5G **73**
Eldin Pl. *Eld* —3H **95**
Eldon Ct. *G11* —1H **81**
Eldon Gdns. *B'rig* —6A **48**
Eldon St. *G3* —1C **82**
Elgin Av. *E Kil* —6H **137**
Elgin Gdns. *Clar* —1D **134**
Elgin Pl. *Air* —6G **91**
Elgin Pl. *Coat* —2D **110**
Elgin Pl. *E Kil* —6H **137**
Elgin Pl. *Kils* —2H **11**
Elgin Rd. *Bear* —6F **25**
Elgin Ter. *Ham* —5C **140**
Elibank St. *G33* —2A **86**
Elie St. *G11* —1A **82**
Eliot Cres. *Ham* —2H **153**
Eliot Ter. *Ham* —1H **153**
Elizabethan Way. *Renf* —2E **79**
Elizabeth Av. *Milt C* —5B **8**
Elizabeth Cres. *T'bnk* —4G **117**
Elizabeth Quad. *Moth* —2A **128**
Elizabeth St. *G51* —6A **82**
Elizabeth Wynd. *Ham* —4H **153**
Ella Gdns. *Bell* —3E **127**
Ellangowan Rd. *G41* —5A **102**
Ellangowan Rd. *Miln* —3G **25**
Ellergreen Rd. *Bear* —3E **45**
Ellerslie St. *John* —2G **95**
Ellesmere St. *G22* —6E **63**
Ellinger Ct. *Clyd* —3A **42**
Elliot Av. *Giff* —5A **118**
Elliot Av. *Pais* —6C **96**
Elliot Cres. *E Kil* —1B **150**
Elliot Dri. *Giff* —4A **118**
Elliot Pl. *G3* —4C **82**
Elliot St. *G3* —4C **82**
(in two parts)
Ellisland. *E Kil* —6D **138**
Ellisland. *Kirk* —3H **31**
Ellisland Av. *Clyd* —4E **43**
Ellisland Cres. *Ruth* —2B **120**
Ellisland Dri. *Blan* —3H **139**
Ellisland Dri. *Kirk* —3G **31**
Ellisland Rd. *G43* —1B **118**
Ellisland Rd. *Clar* —4C **134**
Ellisland Rd. *Cumb* —3B **36**
Ellisland Wynd. *Moth* —2A **128**
Ellismuir Farm Rd. *Bail* —1B **108**
Ellismuir Pl. *Bail* —1A **108**
Ellismuir Rd. *Bail* —1A **108**
Ellismuir St. *Coat* —2H **109**
(in two parts)
Ellis St. *Coat* —4C **90**
Elliston Av. *G53* —2C **116**
Elliston Cres. *G53* —2C **116**
Elliston Dri. *G53* —2C **116**
Ellis Way. *Moth* —4H **143**
Ellon Dri. *Lin* —6G **75**
Ellon Way. *Pais* —4C **78**
Elrig. *E Kil* —6F **149**
Elm Av. *Lenz* —1C **50**
Elm Av. *Renf* —5E **59**
Elm Bank. *B'rig* —6D **48**
Elm Bank. *Kirk* —4D **30**
Elmbank Av. *Udd* —6F **109**
Elmbank Cres. *G2* —3E **83**
Elmbank Cres. *Ham* —5E **141**
Elmbank Dri. *Lark* —4G **161**
Elmbank St. *G2* —3E **83** (4A **4**)
Elmbank St. *Bell* —2C **126**
Elmbank St. *Carl* —5G **165**
Elmbank St. La. *G2* —3E **83** (4A **4**)
(off Elmbank St.)
Elm Cres. *Udd* —6H **109**
Elm Dri. *Camb* —2C **122**
Elm Dri. *Cumb* —1F **37**
Elm Dri. *John* —5F **95**
Elmfoot St. *G5* —3H **103**
Elm Gdns. *Bear* —1E **45**
Elmhurst. *Moth* —5F **143**
Elmira Rd. *Muirh* —2B **68**
Elm La. W. G14 —6D **60**
(off Lime St.)

Elmore Av. *G44* —2F **119**
Elmore La. *G44* —2F **119**
Elm Pl. *E Kil* —5E **149**
Elm Quad. *Air* —4D **92**
Elm Rd. *Bri W* —2G **73**
Elm Rd. *Broad I* —3F **17**
Elm Rd. *Clyd* —2C **42**
Elm Rd. *Moth* —2B **128**
Elm Rd. *Pais* —4C **98**
Elm Rd. *Ruth* —3D **120**
Elmslie Ct. *Bail* —1A **108**
Elms, The. *G44* —3F **119**
Elm St. *G14* —6D **60**
Elm St. *Blan* —2C **140**
Elm St. *Clar* —3D **134**
Elm St. *Coat* —6E **91**
Elm St. *Len* —3G **7**
Elm St. *Moth* —2F **143**
Elm St. E. G14 —6D **60**
(off Elm St.)
Elmvale Rd. *G21* —4A **64**
Elmvale St. *G21* —4A **64**
Elm View Ct. *Bell* —3F **127**
Elm Wlk. *Bear* —1E **45**
Elm Way. *Lark* —4A **156**
Elmwood Av. *G11* —5F **61**
Elmwood Av. *Newt M* —3F **133**
Elmwood Ct. *Both* —5E **125**
Elmwood Gdns. *Kirk* —2A **50**
Elmwood La. G11 —5F **61**
(off Elmwood Av.)
Elphinstone Cres. *E Kil* —4H **149**
Elphinstone Pl. *G51* —4A **82**
Elphinstone Rd. *Giff* —2G **133**
Elphin St. *G23* —6B **46**
Elrig Rd. *G44* —2D **118**
Elsinore Path. *E Kil* —6G **149**
Elspeth Gdns. *B'rig* —5E **49**
Eltham St. *G22* —6F **63**
Elvan Ct. *Moth* —3F **143**
Elvan Pl. *E Kil* —4A **148**
Elvan St. *G32* —6H **85**
Elvan St. *Moth* —2F **143**
Elvan Tower. *Moth* —4G **143**
Embo Dri. *G13* —3B **60**
Emerald Ter. *Bell* —3C **126**
Emerson Rd. *B'rig* —6C **48**
Emerson Rd. W. *B'rig* —6C **48**
Emerson St. *G20* —3E **63**
Emily Dri. *Moth* —5G **143**
Emma Jay Rd. *Bell* —2D **126**
Endfield Av. *G12* —3H **61**
Endrick Bank. *B'rig* —3C **48**
Endrick Dri. *Bear* —4F **45**
Endrick Dri. *Pais* —5D **78**
Endrick Gdns. *Miln* —3E **25**
Endrick St. *G21* —6H **63**
English St. *Wis* —6D **144**
Ennerdale. *E Kil* —5B **148**
Ennisfree Rd. *Blan* —1B **140**
Ensay St. *G22* —2H **63**
Enterkin St. *G32* —1H **105**
Eriboll Pl. *G22* —2F **63**
Eriboll St. *G22* —2F **63**
Eribol Wlk. *Moth* —4D **128**
Ericht Rd. *G43* —2A **118**
Eriska Av. *G14* —4A **60**
Eriskay Av. *Ham* —1D **153**
Eriskay Av. *Newt M* —4B **132**
Eriskay Cres. *Newt M* —4B **132**
Eriskay Dri. *Old K* —1G **41**
Eriskay Pl. *Old K* —1G **41**
Erradale St. *G22* —2E **63**
Errogie St. *G34* —3H **87**
Erskine Av. *G41* —1H **101**
Erskine Bri. *B'ton* —3D **40**
Erskine Ct. Air —3E **93**
(off Katherine St.)
Erskine Cres. *Air* —6H **91**
Erskinefauld Rd. *Lin* —5G **75**
Erskine Ferry Rd. *Old K* —2F **41**
Erskine Rd. *Giff* —3H **133**
Erskine Sq. *G52* —4H **79**
Erskine View. *Clyd* —4D **42**
Erskine View. *Old K* —1E **41**
Ervie St. *G34* —4A **88**
Escarp Rd. *Carl* —2F **165**
Esdaile Ct. *Moth* —4A **128**
Esk Av. *Renf* —1G **79**
Eskbank St. *G32* —5A **86**
Eskdale. *E Kil* —6E **137**
Eskdale. *Newt M* —4H **133**
Eskdale Dri. *Ruth* —6F **105**
Eskdale Rd. *Bear* —5D **44**
Eskdale St. *G42* —4F **103**
Esk Dri. *Pais* —4C **96**
Esk St. *G14* —4H **59**
Esk Wlk. Cumb —3H **35**
(off Cumbernauld Cen., The)
Esk Way. *Pais* —4C **96**
Esmond St. *G3* —2A **82**
Espedair St. *Pais* —2A **98**
Espieside Cres. *Coat* —3H **89**
Essenside Av. *G15* —5B **44**
Essex Dri. *G14* —5D **60**
Essex La. *G14* —5D **60**
Esslemont Av. *G14* —4B **60**
Esslemont La. *G14* —4C **60**
Estate Quad. *G32* —4C **106**
Estate Rd. *G32* —4C **106**
Etive Av. *Bear* —3H **45**

Etive Av. *Ham* —2E **153**
Etive Ct. *Clyd* —2E **43**
Etive Ct. *Coat* —2D **110**
Etive Ct. *Cumb* —1D **54**
Etive Cres. *B'rig* —6D **48**
Etive Cres. *Cumb* —1D **54**
Etive Cres. *Wis* —3H **157**
Etive Dri. *Air* —6C **92**
Etive Dri. *B'ton* —5A **40**
Etive Dri. *Giff* —6B **118**
Etive Pl. *Cumb* —1D **54**
Etive Pl. *Cumb* —1E **55**
Etive St. *G32* —6A **86**
Etive St. *Wis* —2H **157**
Etna Ind. Est. *Wis* —5C **144**
Etna St. *Wis* —6C **144**
Eton La. *G12* —1C **82**
(off Gt. George St.)
Etrick Av. *Bell* —6C **110**
Etrick Ct. *Camb* —2D **122**
Etrick Ct. *Coat* —2E **111**
Ettrick Cres. *Ruth* —6E **105**
Ettrick Dri. *Bear* —6C **24**
Ettrick Dri. *B'ton* —5A **40**
Ettrick Hill. *E Kil* —6A **138**
Ettrick Oval. *Pais* —5C **96**
Ettrick Pl. *G43* —6B **102**
Ettrick Sq. Cumb —3H **35**
(off Cumbernauld Cen., The)
Ettrick St. *Wis* —4G **145**
Ettrick Ter. *John* —5C **94**
Ettrick Wlk. Cumb —3H **35**
(off Cumbernauld Cen., The)
Ettrick Way. Cumb —3H **35**
(off Cumbernauld Cen., The)
Eurocentral Ind. Est. *Moth* —6H **111**
Evan Cres. *Giff* —5B **118**
Evan Dri. *Giff* —5B **118**
Evanton Dri. *Giff* —5E **117**
Evanton Pl. *T'bnk* —4E **117**
Everall Dri. *Wis* —4E **147**
Everard Ct. *G21* —2A **64**
Everard Dri. *G21* —3A **64**
Everard Pl. *G21* —2A **64**
Everard Quad. *G21* —3A **64**
Everglades, The. *Chry* —1H **67**
Eversley St. *G32* —2A **106**
Everton Rd. *G53* —3C **100**
Ewart Cres. *Ham* —1E **153**
Ewart Ter. *Ham* —1F **153**
Ewing Ct. *Ham* —4G **153**
Ewing Pl. *G31* —6E **85**
Ewing St. *Kilb* —2A **94**
Ewing St. *Ruth* —6C **104**
Ewing Wlk. *Miln* —4A **26**
Excelsior St. *Wis* —6D **144**
Exchange Pl. G1 —4G **83** (5E **5**)
(off Buchanan St.)
Exchange Pl. *Coat* —5C **90**
Exeter Dri. *G11* —1G **81**
Exeter La. G11 —1G **81**
(off Dumbarton Rd.)
Exeter St. *Coat* —6C **90**
EXHIBITION CENTRE STATION. *G3*
—3C **82**
Exhibition Way. *G3* —4C **82**
Eynort St. *G22* —2E **63**

Factory Rd. *Moth* —4G **143**
Fagan Ct. *Blan* —6C **124**
Faifley Rd. *Clyd* —6F **23**
Fairbairn Cres. *T'bnk* —5G **117**
Fairbairn St. *G40* —1C **104**
Fairburn St. *G32* —1H **105**
Fairfax Av. *G44* —2G **119**
Fairfield Ct. *Clar* —4C **134**
Fairfield Dri. *Clar* —4C **134**
Fairfield Gdns. *G51* —3F **81**
Fairfield Pl. *G51* —3F **81**
Fairfield Pl. *Both* —5F **125**
Fairfield Pl. *E Kil* —1D **148**
Fairfield Pl. *Ham* —2A **154**
Fairfield St. *G51* —3F **81**
Fairford Dri. *Cumb* —6F **35**
Fairhaven Rd. *G23* —1C **62**
Fairhill Av. *G53* —6C **100**
Fairhill Av. *Ham* —2G **153**
Fairhill Cres. *Ham* —2G **153**
Fairhill Pl. *Ham* —4F **153**
Fairholm Av. *Ham* —2F **155**
Fairholm St. *G32* —1H **105**
Fairholm St. *Lark* —1D **160**
Fairley St. *G51* —5H **81**
Fairlie. *E Kil* —6F **137**
Fairlie Pk. Dri. *G11* —1G **81**
Fair Oaks. *Crmck* —1A **136**
Fairway. *Bear* —2B **44**
Fairway Av. *Pais* —5H **97**
Fairways. *Lenz* —1G **161**
Fairways View. *Hard* —1F **43**
Fairweather Pl. *Newt M* —5C **132**
Fairyknowe Gdns. *Both* —5F **125**
Faith Av. *Bri W* —4A **72**
Falconbridge Rd. *E Kil* —5C **138**
Falcon Cres. *Pais* —6F **77**
Falcon Rd. *John* —6D **94**

Falcon Ter. *G20* —1A **62**
Falfield St. *G5* —1E **103**
Falkland Av. *Newt M* —4G **133**
Falkland Cres. *B'rig* —1F **65**
Falkland Dri. *E Kil* —2E **149**
Falkland La. *G12* —6H **61**
Falkland Pk. *E Kil* —2F **149**
Falkland Pl. *Coat* —2D **110**
Falkland Pl. *E Kil* —2F **149**
Falkland St. *G12* —6H **61**
Falloch Pl. *Newm* —3D **146**
Falloch Rd. *G42* —6E **103**
Falloch Rd. *Bear* —5C **44**
Falloch Rd. *Miln* —3D **24**
Fallside Av. *Udd* —1G **125**
Fallside Rd. *Both* —6E **125**
Falside Av. *Pais* —4A **98**
Falside Rd. *G32* —3A **106**
Falside Rd. *Pais* —4H **97**
Falstaff. *E Kil* —4C **138**
Fancett Sq. *E Kil* —3H **149**
Faraday Av. *Wis* —6A **146**
Faraday Retail Pk. *Coat* —5C **90**
Fara St. *G23* —1D **62**
Farie St. *Ruth* —5B **104**
Farm Cres. *Moth* —3F **129**
Farme Cross. *Ruth* —4D **104**
Farmeloan Rd. *Ruth* —5D **104**
Farmgate Sq. *Bell* —3B **126**
Farmington Av. *G32* —6D **86**
Farmington Gdns. *G32* —6D **86**
Farmington Gro. *G32* —6D **86**
Farm La. *Bell* —4B **126**
Farm Pk. *Lenz* —3D **50**
Farm Rd. *G41* —6B **81**
Farm Rd. *Blan* —6B **124**
Farm Rd. *Dalm* —4H **41**
Farm Rd. *Dun* —6C **22**
Farm Rd. *Ham* —5D **140**
Farm Ter. *Ham* —5D **140**
Farndale. *E Kil* —6E **137**
Farne Dri. *G44* —3F **119**
Farnell St. *G4* —1F **83**
Farrier Ct. *John* —2F **95**
Faskally Wlk. *Newm* —3D **146**
Faskin Cres. *G53* —6H **99**
Faskine Av. *Air* —5H **91**
Faskine Av. *C'bnk* —3B **112**
Faskine Cres. *Air* —5H **91**
Faskin Pl. *G53* —6H **99**
Faskin Rd. *G53* —6H **99**
Faskley Av. *B'rig* —4A **48**
Fasque Pl. *G15* —3G **43**
Fastnet St. *G33* —3A **86**
Fauldhouse St. *G5* —2H **103**
Faulds. *Bail* —6A **88**
Faulds Gdns. *Bail* —6A **88**
Fauldshead Rd. *Renf* —6E **59**
Faulds La. *Coat* —2B **110**
Fauldspark Cres. *Bail* —5A **88**
Faulds St. *Coat* —2A **110**
Fauldswood Cres. *Pais* —3F **97**
Fauldswood Dri. *Pais* —3F **97**
Fearnmore Rd. *G20* —2B **62**
Fells, The. *Len* —3G **7**
Fellsview Av. *Kirk* —4F **31**
Felton Pl. *G13* —2H **59**
Fendoch St. *G32* —1A **106**
Fenella St. *G32* —6B **86**
Fennsbank Av. *Ruth* —4F **121**
Fenwick Dri. *Barr* —6E **115**
Fenwick Dri. *Ham* —4A **154**
Fenwick Pl. *Giff* —6H **117**
Fenwick Rd. *Giff* —6H **117**
Ferclay St. *Clyd* —6F **23**
Fereneze Av. *Barr* —4D **114**
Fereneze Av. *Clar* —1A **134**
Fereneze Av. *Renf* —3C **78**
Fereneze Cres. *G13* —2A **60**
Fereneze Cres. *Ham* —6D **140**
Fereneze Dri. *Pais* —5F **97**
Fereneze Rd. *Neil* —2A **130**
Fergus Av. *Pais* —6E **77**
Fergus Ct. *G20* —5C **62**
Fergus Dri. *G20* —5C **62**
Fergus Dri. *Pais* —6E **77**
Fergus Gdns. *Ham* —1B **154**
Fergus La. *G20* —5C **62**
Ferguslie. *Pais* —2D **96**
Ferguslie Pk. Av. *Pais* —6E **77**
Ferguslie Pk. Oval. *Pais* —6E **77**
Ferguslie Wlk. *Pais* —1F **97**
(in two parts)
Ferguson Av. *Miln* —3F **25**
Ferguson Av. *Renf* —6F **59**
Ferguson Dri. *Moth* —6G **143**
Ferguson St. *John* —2E **95**
Ferguson St. *Renf* —5F **59**
Fergusson Pl. *E Kil* —4D **138**
Fergusson Rd. *Cumb* —3H **35**
Fergusson Ter. *Milt C* —5C **8**
Ferguston Rd. *Bear* —3F **45**
Fernan St. *G32* —6H **85**
Fern Av. *B'rig* —1D **64**
Fern Av. *Ersk* —2F **57**
Fern Av. *Lenz* —3C **50**
Fernbank Av. *Camb* —3C **122**
Fernbank St. *G21* —4A **64**

Fernbrae Av. *Ruth* —4D **120**
Fernbrae Way. *Ruth* —4D **120**
Fern Cotts. *G13* —4F **61**
Ferncroft Dri. *G44* —2H **119**
Ferndale. *Lark* —4E **161**
Ferndale Ct. *G23* —1B **62**
Ferndale Dri. *G23* —1B **62**
Ferndale Gdns. *G23* —1B **62**
Ferndale Pl. *G23* —1B **62**
Fern Dri. *Barr* —3D **114**
Ferness Oval. *G21* —2E **65**
Ferness Pl. *G21* —2E **65**
Ferness Rd. *G21* —3E **65**
Ferngrove Av. *G12* —3H **61**
Fernhill Grange. *Both* —6E **125**
Fernhill Rd. *Ruth* —2C **120**
Fernlea. *Bear* —4E **45**
Fernleigh Pl. *Chry* —5D **52**
Fernleigh Rd. *G43* —2B **118**
Fernside Wlk. *Ham* —2A **154**
Fernslea Av. *Blan* —1A **140**
Fern St. *Moth* —5A **144**
Ferry Rd. *G3* —3H **81**
Ferry Rd. *B'ton* —4G **39**
Ferry Rd. *Both* —5E **125**
Ferry Rd. *Renf* —5F **59**
Ferry Rd. *Udd* —1B **124**
Fersit St. *G43* —1A **118**
Fetlar Dri. *G44* —2G **119**
Fetlar Rd. *Bri W* —3E **73**
Fettercairn Av. *G15* —4G **43**
Fettercairn Gdns. *B'rig* —6E **49**
Fettes St. *G33* —3H **85**
Fiddoch Ct. *Newm* —2D **146**
Fidra St. *G33* —3H **85**
Fielden Pl. *G40* —6C **84**
Fielden St. *G40* —6C **84**
Field Gro. *Clar* —4D **134**
Fieldhead Dri. *G43* —2G **117**
Fieldhead Sq. *G43* —2G **117**
Field Rd. *Clar* —4D **134**
Field Rd. *Clyd* —5E **23**
Field Rd. *Lark* —3F **161**
Fields La. *Hous* —1B **74**
Field St. *Ham* —2H **153**
Fife Av. *G52* —1B **100**
Fife Av. *Air* —6A **92**
Fife Cres. *Both* —6E **125**
Fife Dri. *Moth* —5F **127**
Fife Way. *B'rig* —1F **65**
Fifth Av. *G12* —4F **61**
Fifth Av. *Air* —3C **92**
Fifth Av. *Blan* —4C **140**
Fifth Av. *Renf* —1E **79**
Fifth Av. *Step* —4B **66**
Fifty Pitches Pl. *G52* —4B **80**
Fifty Pitches Rd. *G52* —4B **80**
Finart Dri. *Pais* —4D **98**
Finaven Gdns. *Bear* —5B **24**
Finch Dri. *G13* —1H **59**
Finch Pl. *John* —6D **94**
Findhorn. *Ersk* —4E **41**
Findhorn Av. *Pais* —4D **96**
Findhorn Av. *Renf* —6G **59**
Findhorn Ct. *E Kil* —3A **148**
Findhorn Pl. *E Kil* —3A **148**
Findhorn St. *G33* —3F **85**
Findlay St. *Kils* —3H **11**
Findlay St. *Moth* —4H **143**
Findochty. *Ersk* —4E **41**
Findochty St. *G33* —2D **86**
Fingal La. *G20* —2A **62**
Fingal St. *G20* —2B **62**
Fingalton Rd. *Newt M* —4A **132**
Fingask St. *G32* —1C **106**
Finglas Av. *Pais* —4D **98**
Finglen Gdns. *Miln* —3E **25**
Finglen Pl. *G53* —3B **116**
Fingleton Av. *Barr* —6F **115**
Finhaven St. *G32* —2G **105**
Finlarig St. *G34* —4A **88**
Finlas St. *G22* —5H **63**
Finlay Dri. *G31* —4C **84**
Finlay Dri. *Lin* —6F **75**
Finlay Rise. *Miln* —5H **25**
Finlayson Dri. *Air* —4E **93**
Finlayson Quad. *Air* —4E **93**
Finlaystone St. *Coat* —4A **90**
Finnart Sq. *G40* —2B **104**
Finnart St. *G40* —2B **104**
Finnieston Sq. *G3* —3C **82**
Finnieston St. *G3* —4C **82**
Finnie Wynd. *Moth* —5B **144**
Finsbay St. *G51* —5D **80**
Fintrie Ter. *Ham* —5C **140**
Fintry Av. *Pais* —5A **98**
Fintry Cres. *Barr* —6E **115**
Fintry Cres. *B'rig* —6E **49**
Fintry Dri. *G44* —6G **103**
Fintry Gdns. *Bear* —5C **24**
Fir Bank Av. *Lark* —3F **161**
Firbank Av. *Torr* —5D **28**
Firbank Ter. *Barr* —6G **115**
Fir Ct. *Coat* —1A **110**
Fir Dri. *E Kil* —6D **148**
Firdon Cres. *G15* —6A **44**
Firhill Av. *Air* —5H **91**
Firhill Rd. *G20* —5D **62**

Firhill St. *G20* —5E **63**
Firlee. *E Kil* —3B **148**
Firpark Rd. *B'rig* —1D **64**
Firpark St. *G31* —3B **84**
Fir Pk. St. *Moth* —5H **143**
Firpark Ter. *G31* —4B **84**
Fir Pl. *Bail* —2G **107**
Fir Pl. *Camb* —1C **122**
Fir Pl. *Cle* —6H **129**
Fir Pl. *John* —4G **95**
First Av. *G44* —5D **118**
First Av. *Bear* —4G **45**
First Av. *Dumb* —3C **18**
First Av. *Kirk* —6D **50**
First Av. *Mille* —4B **66**
First Av. *Renf* —1E **79**
First Av. *Udd* —5C **108**
First Gdns. *G41* —1G **101**
Firs, The. *G44* —2F **119**
First Rd. *Blan* —4C **140**
First St. *Udd* —5D **108**
First Ter. *Clyd* —4C **42**
Firthview Ter. *Dumb* —4C **16**
Firtree Pl. *Newm* —3F **147**
Firtree Rd. *Newm* —3F **147**
Fir View. *C'bnk* —3B **112**
Firwood Ct. *Newt M* —5E **133**
Firwood Dri. *G44* —1G **119**
Firwood Rd. *Newt M* —4E **133**
Fischer Gdns. *Pais* —1D **96**
Fisher Av. *Kils* —3H **11**
Fisher Av. *Pais* —1D **96**
Fisher Ct. *G31* —4B **84**
Fisher Cres. *Clyd* —1D **42**
Fisher Dri. *Pais* —1D **96**
Fishers Rd. *Renf* —3E **59**
Fisher St. *Lark* —4F **161**
Fisher Way. *Pais* —1D **96**
Fishescoates Av. *Ruth* —3E **121**
(in two parts)
Fishescoates Gdns. *Ruth* —2F **121**
Fitzalan Dri. *Pais* —5C **78**
Fitzalan Rd. *Renf* —2C **78**
Fitzroy La. *G3* —3C **82**
Fitzroy Pl. *G3* —3C **82**
(off Royal Cres.)
Flakefield. *E Kil* —1D **148**
Flanders St. *Clyd* —6E **23**
Flaxford Gro. *Moth* —5F **127**
Flaxmill Av. *Wis* —5D **144**
Flax Rd. *Udd* —2E **125**
Fleet Av. *Renf* —2G **79**
Fleet St. *G32* —1B **106**
Fleming Av. *Chry* —1A **68**
Fleming Av. *Clyd* —1F **59**
Fleming Ct. *Carl* —4E **165**
Fleming Ct. *Clyd* —5D **42**
Fleming Ct. *Ham* —5C **140**
Fleming Ct. *Moth* —5A **144**
Fleming Pl. *E Kil* —3G **149**
Fleming Rd. *Bell* —1D **126**
Fleming Rd. *B'ton* —4H **39**
Fleming Rd. *Cumb* —3H **35**
Fleming Rd. *Hous* —1A **74**
Fleming St. *G31* —5D **84**
Fleming St. *Pais* —4A **78**
Flemington Ind. Est. *Camb*
—3E **123**
Flemington Rd. *G21* —6A **64**
Flemington Rd. *Camb* —2E **139**
Fleming Way. *Ham* —5B **140**
Fleming Way. *Lark* —4G **161**
(off Donaldson Rd.)
Flenders Av. *Clar* —3A **134**
Flenders Rd. *Clar* —3A **134**
Fleurs Av. *G41* —1H **101**
Fleurs Rd. *G41* —1H **101**
Flinders Pl. *E Kil* —3D **148**
Flloyd St. *Coat* —4B **90**
Floorsburn Cres. *John* —3E **95**
Floors St. *John* —3E **95**
Flora Gdns. *B'rig* —5E **49**
Florence Dri. *Giff* —5A **118**
Florence Gdns. *Ruth* —3E **121**
Florence St. *G5* —1G **103**
Florida Av. *G42* —5F **103**
Florida Cres. *G42* —5F **103**
Florida Dri. *G42* —5E **103**
Florida Gdns. *Bail* —6G **87**
Florida Sq. *G42* —5F **103**
Florida St. *G42* —5F **103**
Flowerdale Pl. *G53* —4B **116**
Flowerhill Ind. Est. *Air* —3B **92**
Flowerhill St. *Air* —3B **92**
Flures Av. *Ersk* —1A **58**
Flures Cres. *Ersk* —2A **58**
Flures Dri. *Ersk* —1A **58**
Flures Pl. *Ersk* —1A **58**
Fochabers Dri. *G52* —5C **80**
Fogo Pl. *G20* —3B **62**
Footfield Rd. *Bell* —3B **126**
Forbes Dri. *G40* —6B **84**
Forbes Dri. *Moth* —1D **126**
Forbes Pl. *Pais* —1A **98**
Forbes St. *G40* —5B **84**
Fordneuk St. *G40* —6C **84**
Fordoun St. *G34* —3B **88**
Ford Rd. *G12* —5B **62**
Ford Rd. *Newt M* —6D **132**
Fordyce Ct. *Newt M* —5D **132**
Fordyce St. *G11* —1H **81**

Forehouse Rd. *Kilb* —1A **94**
Foremount Ter. La. *G12* —6H **61**
(off Hyndland Rd.)
Fore Row. *Ham* —5A **142**
Forest Av. *Ham* —5H **153**
Forestburn Ct. *Air* —4F **91**
(off Monkscourt Av.)
Forest Dri. *Both* —4E **125**
Forest Gdns. *Kirk* —3A **50**
Foresthall Dri. *G21* —6C **64**
Foresthall Gdns. *G21* —6C **64**
Forest Kirk. *Carl* —5H **165**
Forest La. *Ham* —5H **153**
Forest Pk. *Wis* —4B **146**
Forest Pl. *Kirk* —3A **50**
Forest Pl. *Pais* —3A **98**
Fore St. *G14* —6C **60**
Forest Rd. *Cumb* —4C **36**
Forest Rd. *Lark* —3F **161**
Forest View. *Cumb* —2C **36**
Forfar Av. *G52* —1B **100**
Forfar Cres. *B'rig* —1E **65**
Forgan Gdns. *B'rig* —1F **65**
Forge Dri. *Coat* —4B **90**
Forge Pl. *G21* —1D **84**
Forge Rd. *Air* —5F **93**
Forge Shopping Cen., The. *G31*
—6E **85**
Forge St. *G21* —1D **84**
Forgewood Path. *Air* —1H **91**
Forgewood Rd. *Moth* —5E **127**
Forglen St. *G34* —2H **87**
Formby Dri. *G23* —6B **46**
Forres Av. *Giff* —4A **118**
Forres Cres. *Bell* —1C **126**
Forres Ga. *Giff* —5B **118**
Forres Quad. *Wis* —4H **145**
Forres St. *G23* —6C **46**
Forres St. *Blan* —3A **140**
Forrest Cres. *Ham* —2F **153**
Forrest Dri. *Bear* —4B **24**
Forrest Dri. *Bell* —4E **127**
Forrester Ct. *B'rig* —1B **64**
Forrestfield Cres. *Newt M* —4E **133**
Forrestfield Gdns. *Newt M*
—4D **132**
Forrestfield St. *G21* —2C **84**
Forrest Ga. *Udd* —4F **109**
Forrestlea Rd. *Carl* —5G **165**
Forrest Rd. *G40* —6C **84**
Forrest St. *Air* —3C **92**
Forrest St. *Blan* —2D **140**
Forsyth St. *Air* —3B **92**
Fortevíot Av. *Bail* —6A **88**
Fortevíot Pl. *Bail* —6A **88**
Forth Av. *Pais* —4D **96**
Forth Ct. *E Kil* —4A **148**
Forth Cres. *E Kil* —3A **148**
Forth Gro. *E Kil* —4A **148**
Forth Pl. *John* —5C **94**
Forth Pl. *Lark* —5F **161**
Forth Rd. *Bear* —5D **44**
Forth Rd. *Torr* —5D **28**
Forth St. *G41* —2D **102**
Forth St. *Clyd* —1E **59**
Forth Ter. *Ham* —3F **153**
Forth Wlk. *Cumb* —3H **35**
(off Cumbernauld Cen., The)
Forties Ct. *T'bnk* —2G **117**
Forties Cres. *T'bnk* —2G **117**
Forties Rd. *Hous* —3C **74**
Fortieth Av. *E Kil* —6H **149**
Fortingale Av. *G12* —3A **62**
Fortingale Pl. *G12* —3A **62**
Fortingall Rd. *Blan* —4D **140**
Fortrose St. *G11* —1H **81**
Fort St. *Moth* —1D **142**
Fossil Gro. *Kirk* —4G **31**
Foswell Pl. *G15* —2H **43**
Fotheringay La. *G41* —3B **102**
Fotheringay Rd. *G41* —3B **102**
Foulis La. *G13* —3F **61**
Foulis St. *G13* —3F **61**
Foulsykes Rd. *Wis* —5C **146**
Foundry La. *Barr* —5E **115**
Foundry Rd. *Cle* —5H **129**
Fountain La. *Inch* —4F **57**
Fountain Cres. *Inch* —4F **57**
Fountain Dri. *Inch* —5G **57**
Fountainwell Av. *G21* —1H **83**
Fountainwell Dri. *G21* —1H **83**
Fountainwell Pl. *G21* —1H **83**
Fountainwell Rd. *G21* —1A **84**
Fountainwell Sq. *G21* —1A **84**
Fountainwell Ter. *G21* —1A **84**
Fourth Av. *G33* —4B **66**
Fourth Av. *Dumb* —2C **18**
Fourth Av. *Kirk* —6D **50**
Fourth Av. *Renf* —1E **79**
Fourth Gdns. *G41* —1G **101**
Fourth Rd. *Blan* —4C **140**
Fourth St. *Udd* —4D **108**
Four Windings. *Hous* —1B **74**
Fowlis Dri. *Newt M* —3C **132**
Foxbar Cres. *Pais* —6C **96**
Foxbar Dri. *G13* —3B **60**
Foxbar Dri. *Pais* —6C **96**
Foxbar Rd. *Eld & Pais* —6B **96**
Foxes Gro. *Lenz* —2E **51**
Foxglove Pl. *G53* —4B **116**
Fox Gro. *Moth* —2D **142**

Foxhills Pl. *G23* —6C **46**
Foxley St. *G32* —4C **106**
Fox St. *G1* —5F **83**
Foyers Ter. *G21* —5C **64**
Francis St. *G5* —1E **103**
Franconia Sq. *Clyd* —6D **42**
Frankel Ter. *E Kil* —1C **150**
Frankfield Rd. *G33* —4E **67**
Frankfield St. *G33* —1F **85**
Frankfort St. *G41* —4C **102**
Franklin Pl. *E Kil* —2D **148**
Franklin St. *G40* —2B **104**
Fraser Av. *B'ton* —3H **39**
Fraser Av. *Dumb* —1C **18**
Fraser Av. *John* —3G **95**
Fraser Av. *Newt M* —3H **133**
Fraser Av. *Ruth* —5E **105**
Fraser Ct. *Air* —3E **93**
(off Katherine St.)
Fraser Cres. *Ham* —1F **153**
Fraser Gdns. *Kirk* —5B **30**
Fraser St. *Camb* —1G **121**
Fraser St. *Cle* —5H **129**
Frazer River Tower. *E Kil* —3F **149**
Frazer St. *G40* —6C **84**
Frederick St. *Coat* —3A **90**
Freeland Brae. *E Kil* —3H **149**
(off Telford Rd.)
Freeland Ct. *G53* —1C **116**
Freeland Cres. *G53* —1B **116**
Freeland Dri. *G53* —1B **116**
Freeland Dri. *Bri W* —2F **73**
Freeland Dri. *Inch* —3G **57**
Freeland La. *E Kil* —3H **149**
(off Telford Rd.)
Freeland Pl. *Kirk* —5D **30**
Freeland Rd. *Ersk* —2F **57**
Freelands Ct. *Old K* —3G **41**
Freelands Cres. *Old K* —2G **41**
Freelands Pl. *Old K* —3G **41**
Freelands Rd. *Old K* —3G **41**
Freesia Ct. *Moth* —4G **143**
French St. *G40* —2B **104**
French St. *Clyd* —4A **42**
French St. *Renf* —1D **78**
French St. *Wis* —6H **145**
Freuchie St. *G34* —4H **87**
Frew St. *Air* —3B **92**
Friar Av. *B'rig* —4D **48**
Friarscourt Av. *G13* —6D **44**
Friarscourt Rd. *Chry* —6H **51**
Friars Croft. *Kirk* —5E **31**
Friars Pl. *G13* —1D **60**
Friars Way. *Air* —1C **112**
Friarton Rd. *G43* —2D **118**
Friendship Way. *Renf* —2F **79**
Frood St. *Moth* —6E **127**
Fruin Av. *Newt M* —3E **133**
Fruin Dri. *Wis* —6C **146**
Fruin Pl. *G22* —5G **63**
Fruin Rise. *Ham* —1C **152**
Fruin Rd. *G15* —6H **43**
Fruin St. *G22* —5G **63**
Fulbar Av. *Renf* —5E **59**
Fulbar Ct. *Renf* —5F **59**
Fulbar La. *Renf* —5F **59**
Fulbar Rd. *G51* —4D **80**
Fulbar Rd. *Pais* —5E **95**
Fulbar St. *Renf* —5F **59**
Fulfar Cres. *Pais* —3D **96**
Fullarton Av. *G32* —3A **106**
Fullarton La. *G32* —3A **106**
Fullarton Pl. *Coat* —2A **110**
Fullarton Rd. *G32* —5H **105**
Fullarton Rd. *Cumb* —6G **13**
Fullarton St. *Coat* —2A **110**
Fullers Ga. *Clyd* —6E **23**
Fullerton St. *Pais* —4H **77**
Fullerton Ter. *Pais* —4A **78**
Fullwood Ind. Est. *Ham* —5F **141**
Fulmar Ct. *B'rig* —1B **64**
Fulmar Pk. *E Kil* —6F **137**
Fulmar Pl. *John* —6C **94**
Fulton Cres. *Kilb* —2A **94**
Fulton Dri. *Hous* —4E **75**
Fulton Gdns. *Hous* —3E **75**
Fulton Rd. *Miln* —4H **25**
Fulton St. *G13* —2D **60**
Fulwood Av. *G13* —2H **59**
Fulwood Av. *Lin* —5H **75**
Fulwood Pl. *G13* —2H **59**
Furlongs, The. *Ham* —4A **142**
Fyneart St. *Wis* —5C **146**
Fyne Av. *Rig I* —6A **110**
Fyne Ct. *Ham* —2E **153**
Fyne Way. *Moth* —2A **128**
(off Howden Pl.)
Fynloch Pl. *Clyd* —6A **22**
Fyvie Av. *G43* —2G **117**

Gadie Av. *Renf* —1G **79**
Gadie St. *G33* —3F **85**
Gadloch Av. *Kirk* —5D **50**
Gadloch Gdns. *Kirk* —4D **50**
Gadloch St. *G22* —3G **63**
Gadloch View. *Kirk* —5D **50**
Gadsburn Ct. *G21* —3E **65**
Gadshill St. *G21* —2B **84**
Gailes Pk. *Both* —5D **124**

Gailes Rd. *Cumb* —6H **13**
Gailes St. *G40* —1D **104**
Gainburn Cres. *Cumb* —1B **54**
Gainburn Gdns. *Cumb* —2B **54**
Gainburn Gdns. *Cumb* —2B **54**
Gainburn Pl. *Cumb* —1B **54**
Gainburn View. *Cumb* —1C **54**
Gain Rd. *Anna* —6B **54**
Gain & Shankburn Rd. *Rigg*
—6D **54**
Gainside Rd. *Glenb* —3G **69**
Gairbraid Av. *G20* —3A **62**
Gairbraid Ct. *G20* —3A **62**
Gairbraid Pl. *G20* —3B **62**
Gairbraid Ter. *Bail* —6E **89**
Gair Cres. *Carl* —2G **165**
Gair Cres. *Wis* —2H **157**
Gair Rd. *Carl* —1G **165**
Gairloch Gdns. *Kirk* —4H **31**
Gala Av. *Renf* —1G **79**
Gala Cres. *Wis* —4G **145**
Gala St. *G33* —1G **85**
Galbraith Cres. *Law* —5E **159**
Galbraith Dri. *G51* —3D **80**
Galbraith Dri. *Miln* —5F **25**
Galdenoch St. *G33* —1B **86**
Gallacher Av. *Pais* —4E **97**
Gallacher Ct. *Moth* —6B **144**
Gallacher Ct. *Pais* —6G **77**
Gallan Av. *G23* —6C **46**
Galloway Av. *Ham* —4G **153**
Galloway Dri. *Ruth* —4D **120**
Galloway Rd. *Air* —6H **91**
Galloway Rd. *E Kil* —6C **138**
Galloway St. *G21* —3B **64**
Gallowflat St. *Ruth* —5D **104**
Gallowgate. *G1, G4, G40 & G31*
—5H **83**
Gallowhill. *Lark* —3E **161**
Gallowhill Av. *Lenz* —1C **50**
Gallowhill Ct. *Pais* —3C **78**
Gallowhill Gro. *Kirk* —6C **30**
Gallowhill Rd. *Crmck* —1H **135**
Gallowhill Rd. *Kirk* —1C **50**
Gallowhill Rd. *Pais* —5B **78**
Galston Av. *Newt M* —4G **133**
Galston Ct. *Ham* —4A **154**
Galston St. *G53* —1H **115**
Galt Pl. *E Kil* —4F **149**
Gamrie Dri. *G53* —6A **100**
Gamrie Gdns. *G53* —5A **100**
Gamrie Rd. *G53* —5A **100**
Gannochy Dri. *B'rig* —6E **49**
Gantock Cres. *G33* —4B **86**
Gardenhall. *E Kil* —3A **148**
Gardenhall Ct. *E Kil* —3A **148**
Gardenside. *Bell* —3C **126**
Gardenside Av. *G32* —5B **106**
Gardenside Av. *Udd* —1C **124**
Gardenside Cres. *G32* —5B **106**
Gardenside Gro. *G32* —5B **106**
Gardenside Pl. *G32* —5B **106**
Gardenside Rd. *Ham* —1H **153**
Gardenside St. *Udd* —1C **124**
Garden Sq. Wlk. *Air* —3F **91**
Gardner Gro. *Udd* —5E **109**
Gardner St. *G11* —1H **81**
Gardyne St. *G34* —2G **87**
Gareloch Av. *Air* —1H **91**
Gareloch Av. *Pais* —3E **97**
Garfield Av. *Bell* —2E **127**
Garfield Dri. *Bell* —3E **127**
Garfield St. *G31* —5C **84**
Garforth Rd. *Bail* —1F **107**
Gargrave Av. *Bail* —1F **107**
Garion Dri. *G13* —4B **60**
Garlieston Rd. *G33* —5F **87**
Garliston Ter. *Bail* —6E **89**
Garmouth Ct. *G51* —3G **81**
Garmouth Gdns. *G51* —3G **81**
Garmouth St. *G51* —3F **81**
Garnethill St. *G3* —2E **83** (2B **4**)
Garnet St. *G3* —2E **83** (2A **4**)
Garngaber Av. *Lenz* —2D **50**
Garngaber Ct. *Kirk* —2E **51**
Garngrew Rd. *Hag* —1F **15**
Garnhall Farm Rd. *Cumb* —3E **15**
Garnie Av. *Ersk* —6H **41**
Garnieland Rd. *Ersk* —6H **41**
Garnie La. *Ersk* —6H **41**
Garnie Oval. *Ersk* —6A **42**
Garnie Pl. *Ersk* —6H **41**
Garnkirk La. *G33* —4E **67**
Garnock Pl. *E Kil* —2B **150**
Garnock St. *G21* —2B **84**
Garrell Av. *Kils* —2H **11**
Garrell Gro. *Kils* —1H **11**
Garrell Pl. *Kils* —3G **11**
Garrell Rd. *Kils* —4G **11**
Garrell Way. *Cumb* —3G **35**
Garrell Way. *Kils* —3G **11**
Garrioch Cres. *G20* —4B **62**
Garrioch Dri. *G20* —4B **62**
Garrioch Ga. *G20* —4B **62**
Garriochmill Rd. *G20* —6C **62**
(in two parts)
Garrioch Quad. *G20* —4B **62**
Garrioch Rd. *G20* —5B **62**
Garrion Bus. Pk. *Wis* —3H **157**
Garrion Pl. *Ashg* —4B **162**
Garrion St. *Wis* —5A **158**

Garrochmill Rd. *G20* —6D **62**
Garrochmill Way. *G20* —6D *62*
  (off Henderson St.)
Garrowhill Dri. *Bail* —6F **87**
GARROWHILL STATION. *Bail*
  —6F **87**
Garry Av. *Bear* —5H **45**
Garry Dri. *Pais* —3E **97**
Garry St. *G44* —6E **103**
Garscadden Rd. *G15* —4H **43**
Garscadden Rd. S. *G13* —1A **60**
GARSCADDEN STATION. *G14*
  —3A **60**
Garscadden View. *Clyd* —4F **43**
Garscube Rd. *G4* —2F **83** (1C **4**)
Garscube Rd. *G20 & G4* —6E **63**
Garshake Av. *Dumb* —1C **18**
Garshake Rd. *Dumb* —3H **17**
Garshake Ter. *Dumb* —1C **18**
Garside Ct. *Ham* —1D **152**
Gartartan Rd. *Pais* —6H **79**
Gartcarron Hill. *Cumb* —2E **35**
Gartcloss Rd. *Coat* —1G **89**
Gartconnell Dri. *Bear* —1E **45**
Gartconnell Gdns. *Bear* —1E **45**
Gartconnell Rd. *Bear* —1E **45**
Gartconner Av. *Kirk* —5H **31**
Gartcosh Rd. *Bail* —5D **88**
Gartcosh Rd. *G'csh* —1E **89**
Gartcosh Wlk. *Bell* —2B **126**
Gartcraig Path. *G33* —2A *86*
  (off Gartcraig Rd.)
Gartcraig Pl. *G33* —2A **86**
Gartcraig Rd. *G33* —3G **85**
Gartferry Av. *Chry* —5D **52**
Gartferry Rd. *Mood* —5B **52**
Gartferry St. *G21* —5C **64**
Gartfield St. *Air* —5B **92**
Gartgill Rd. *Coat* —1A **90**
Garthamlock Rd. *G33* —2E **87**
Garthland Dri. *G31* —4C **84**
Garthland La. *Pais* —6B **78**
Garth St. *G1* —4G **83** (6F **5**)
Gartlea Av. *Air* —4A **92**
Gartlea Gdns. *Air* —4B **92**
Gartleahill. *Air* —5A **92**
Gartlea Rd. *Air* —4A **92**
Gartliston Rd. *Coat* —6B **70**
Gartloch Rd. *G33 & G34* —1H **85**
Gartloch Rd. *G'csh* —6H **67**
Gartly St. *G44* —3D **118**
Gartmore Gdns. *Udd* —5C **108**
Gartmore La. *Chry* —5E **53**
Gartmore Rd. *Pais* —1D **98**
Gartmore Ter. *Camb* —4G **121**
Gartness Dri. *Air* —6E **93**
Gartness Rd. *Air* —2G **113**
Gartocher Rd. *G32* —6C **86**
Gartocher Ter. *G32* —6C **86**
Gartons Rd. *G21* —4E **65**
Gartsherrie Av. *Glenb* —4B **70**
Gartsherrie Ind. Est. *Coat* —2B **90**
Gartsherrie Rd. *Coat* —3A **90**
Gartshore Cres. *Twe* —3D **32**
Gartshore Gdns. *Cumb* —4A **34**
Garturk St. *G42* —3F **103**
Garturk St. *Coat* —1D **110**
Garvald Ct. *G40* —2D **104**
Garvald St. *G40* —2D **104**
Garve Av. *G44* —3E **119**
Garvel Cres. *G33* —5E **87**
Garvel Pl. *Miln* —3D **24**
Garvel Rd. *G33* —5E **87**
Garvel Rd. *Miln* —3E **25**
Garvin Lea. *Bell* —5C **110**
Garvock Dri. *G43* —2H **117**
Garwhitter Dri. *Miln* —3H **25**
Gascoyne. *E Kil* —4E **149**
Gaskin Path. *G33* —4E **67**
Gask Pl. *G13* —1H **59**
Gas St. *John* —2G **95**
Gasworks Rd. *Carl* —2C **164**
Gatehouse St. *G32* —6B **86**
Gateside Av. *Camb* —2D **122**
Gateside Av. *Kils* —3F **11**
Gateside Ct. *Barr* —5C **114**
Gateside Cres. *Air* —3A **92**
Gateside Cres. *Barr* —6C **114**
Gateside Pk. *Kils* —2F **11**
Gateside Pl. *Kilb* —2A **94**
Gateside Rd. *Barr* —6B **114**
Gateside Rd. *Wis* —5E **145**
Gateside St. *G31* —5D **84**
Gateside St. *Ham* —1A **154**
Gateway, The. *E Kil* —5A **138**
Gauldry Av. *G52* —2C **100**
Gauze St. *Pais* —6B **78**
Gavell Rd. *Kils* —4D **10**
Gavinburn Gdns. *Old K* —6E **21**
Gavinburn Pl. *Old K* —6E **21**
Gavinburn St. *Old K* —6E **21**
Gavin's Mill Rd. *Miln* —4G **25**
Gavins Rd. *Clyd* —3D **42**
Gavin St. *Moth* —4G **143**
Gavinton St. *G44* —2D **118**
Gayne Dri. *Glenb* —3G **69**
Gean Ct. *Cumb* —1F **37**
Geary St. *G23* —6B **46**
Geddes Hill. *E Kil* —5B **138**
Geddes Rd. *G21* —2E **65**

Geelong Gdns. *Len* —2F **7**
Geils Av. *Dumb* —2C **18**
Geils Quadrant. *Dumb* —2C **18**
Gelston St. *G32* —1B **106**
Gemini Gro. *Moth* —2B **128**
Gemmel Pl. *Newt M* —5B **132**
Generals Ga. *Udd* —1C **124**
Gentle Row. *Clyd* —1B **42**
George Av. *Clyd* —4E **43**
George Ct. *Ham* —4E **141**
George Ct. *Pais* —1H **97**
George Cres. *Clyd* —4E **43**
George IV Bri. *G5* —5F **83**
George Gray St. *Ruth* —5E **105**
George La. *Ham* —1B **154**
George La. *Pais* —1A **98**
George Mann Ter. *Ruth* —3C **120**
George Pl. *Pais* —1A **98**
George Reith Av. *G12* —4F **61**
George Sq. *G2* —4G **83** (5E **5**)
George St. *G1* —4G **83** (5F **5**)
George St. *Air* —4G **91**
George St. *Bail* —1H **107**
George St. *Barr* —4D **114**
George St. *Bell* —2B **126**
George St. *Chap* —2D **112**
George St. *Ham* —4E **141**
George St. *John* —2F **95**
George St. *Moth* —5G **143**
George St. *New S* —3B **128**
George St. *Pais* —1G **97**
George Way. *Lark* —1F *161*
  (off Duncan Graham St.)
Gerard Pl. *Bell* —6D **110**
Gertrude Pl. *Barr* —5C **114**
Ghillies La. *Moth* —6E **127**
Gibbon Cres. *E Kil* —6C **138**
Gibb St. *Chap* —2D **112**
Gibb St. *Cle* —6H **129**
Gibson Av. *Dumb* —3H **17**
Gibson Cres. *John* —3E **95**
Gibson Quad. *Moth* —6E **127**
Gibson Rd. *Renf* —3D **78**
Gibson St. *G12* —1B **82**
Gibson St. *G40* —5A **84**
Gibson St. *Dumb* —3G **17**
Giffnock Pk. Av. *Giff* —3A **118**
GIFFNOCK STATION. *Giff* —4A **118**
Gifford Dri. *G52* —6A **80**
Gigha Gdns. *Carl* —5G **165**
Gigha Quad. *Wis* —2E **157**
Gilbertfield Path. *G33* —1B **86**
Gilbertfield Pl. *G33* —1B **86**
Gilbertfield Rd. *Camb* —4C **122**
Gilbertfield St. *G33* —1B **86**
Gilbert St. *G3* —3A **82**
Gilchrist Ct. *John* —4E *95*
  (off Tannahill Cres.)
Gilchrist Gdns. *Udd* —6F **125**
Gilchrist St. *Coat* —3D **90**
Gilderdale. *E Kil* —1E **149**
Gilfillan Pl. *Over* —4A **158**
Gilfillan Way. *Pais* —5C **96**
Gilhill St. *G20* —2B **62**
Gillbank Av. *Carl* —3D **164**
Gillbank La. *Lark* —4G *161*
  (off Donaldson Rd.)
Gillburn St. *Wis* —5A **158**
Gillies Ct. *Air* —3E **93**
Gillies Cres. *E Kil* —4D **138**
Gillies La. *Bail* —1A **108**
Gill Rd. *Wis* —4A **158**
Gilmartin Rd. *Lin* —5E **75**
Gilmerton St. *G32* —1A **106**
Gilmour Av. *Clyd* —2D **42**
Gilmour Av. *T'hall* —6F **135**
Gilmour Cres. *Ruth* —5B **104**
Gilmour Dri. *Ham* —1D **152**
Gilmour Pl. *G5* —1G **103**
Gilmour Pl. *Bell* —2A **126**
Gilmour Pl. *Coat* —3B **90**
Gilmour St. *Clyd* —3E **43**
Gilmour St. *Pais* —6A **78**
Gilmourton Cres. *Newt M* —6D **132**
Gimmerscroft Cres. *Air* —5F **93**
Girthon St. *G32* —1C **106**
Girvan St. *G33* —2F **85**
Glade, The. *Lark* —3F **161**
Gladney Av. *G13* —1G **59**
Gladsmuir Rd. *G52* —5A **80**
Gladstone Av. *Barr* —5D **114**
Gladstone Av. *John* —6D **94**
Gladstone Ct. *Ham* —4E **141**
Gladstone St. *G4* —1E **83**
Gladstone St. *Bell* —2D **126**
Glaive Rd. *G13* —6D **44**
Glamis Av. *Carl* —3F **165**
Glamis Av. *Eld* —4H **95**
Glamis Av. *Newt M* —4F **133**
Glamis Dri. *E Kil* —6H **137**
Glamis Gdns. *B'rig* —3D **48**
Glamis Rd. *G31* —1F **105**
Glanderston Av. *Newt M* —3B **132**
Glanderston Dri. *G13* —2A **60**
Glanderston Ga. *Newt M* —3B **132**
Glanderston Rd. *Barr* —3H **131**
Glandston Av. *Barr* —5G **115**
Glasgow Airport. *Abb* —1H **77**
Glasgow Bri. *G5* —5F **83**
Glasgow & Edinburgh Rd. *Bail*
  —6B **88**

Glasgow & Edinburgh Rd. *Moth*
  —5E **113**
Glasgow Fish Mkt. *G21* —2D **84**
Glasgow Fruit Mkt. *G21* —2C **84**
Glasgow Rd. *Bail* —1F **107**
Glasgow Rd. *Barg & Coat* —5F **89**
Glasgow Rd. *Barr* —4F **115**
Glasgow Rd. *Blan* —6H **123**
Glasgow Rd. *Camb* —6G **105**
Glasgow Rd. *Clar* —6B **134**
Glasgow Rd. *Clyd* —1D **58**
Glasgow Rd. *Cumb* —5E **35**
Glasgow Rd. *Cumb* —1B **36**
  (Cumbernauld Village)
Glasgow Rd. *Dumb* —3E **17**
Glasgow Rd. *Ham* —4E **141**
Glasgow Rd. *Hard* —1D **42**
Glasgow Rd. *Kils* —3E **11**
Glasgow Rd. *Kirk* —5A **30**
Glasgow Rd. *Miln* —5G **25**
Glasgow Rd. *Pais* —6B **78**
Glasgow Rd. *Renf* —6G **59**
Glasgow Rd. *Ruth* —3B **104**
Glasgow Rd. *Ruth* —5G **121**
  (Cathkin)
Glasgow Rd. *Udd* —4A **108**
Glasgow Rd. *Wis* —6D **144**
Glasgow St. *G12* —6C **62**
Glassel Rd. *G34* —2B **88**
Glasserton Pl. *G43* —2D **118**
Glasserton Rd. *G43* —2D **118**
Glassford St. *G1* —4G **83** (6F **5**)
Glassford St. *Miln* —3H **25**
Glassford St. *Moth* —5A **144**
Glassford Tower. *Moth* —5A *144*
  (off Burnside Ct.)
Glaudhall Av. *G'csh* —2C **68**
Glazert Meadow. *Len* —4G **7**
Glazert Pk. Dri. *Len* —4G **7**
Glazert Pl. *Milt C* —6B **8**
Glebe Av. *Both* —5F **125**
Glebe Av. *Clar* —2H **135**
Glebe Av. *Coat* —1H **109**
Glebe Ct. *G4* —3H **83** (3H **5**)
Glebe Cres. *Air* —3D **92**
Glebe Cres. *E Kil* —2H **149**
Glebe Cres. *Ham* —1G **153**
Glebe Gdns. *Hous* —1B **74**
Glebe Hollow. *Both* —5F **125**
Glebe La. *Newt M* —5D **132**
Glebe Pk. *Dumb* —2H **17**
Glebe Pl. *Camb* —2B **122**
Glebe Pl. *Ruth* —5B **104**
Glebe Rd. *Newt M* —5D **132**
Glebe St. *G4* —2H **83** (2H **5**)
  (in three parts)
Glebe St. *Bell* —2B **126**
Glebe St. *E Kil* —1H **149**
Glebe St. *Ham* —1G **153**
Glebe St. *Renf* —6F **59**
Glebe, The. *Both* —5F **125**
Glebe Wynd. *Both* —5F **125**
Gleddoch Rd. *G52* —5G **79**
Gledstane Rd. *B'ton* —5H **39**
Glenacre Cres. *Udd* —5C **108**
Glenacre Dri. *G45* —4H **119**
Glenacre Dri. *Air* —5D **92**
Glenacre Quad. *G45* —4H **119**
Glenacre Rd. *Cumb* —5H **35**
Glenacre St. *G45* —4H **119**
Glenacre Ter. *G45* —4H **119**
Glenafeoch Rd. *Carl* —4F **165**
Glen Affric. *E Kil* —2B **150**
Glen Affric Av. *G53* —3C **116**
Glen Affric Dri. *G53* —3D **116**
Glen Affric Way. *Chap* —4D *112*
  (off Glen Avon Dri.)
Glenafton View. *Ham* —3F **153**
Glen Alby Pl. *G53* —3C **116**
Glenallan Way. *Pais* —6B **96**
Glen Almond. *E Kil* —1D **150**
Glenalmond Rd. *Ruth* —4F **121**
Glenalmond St. *G32* —1A **106**
Glenapp Av. *Pais* —4D **98**
Glenapp Pl. *Mood* —4D **52**
Glenapp Rd. *Pais* —4D **98**
Glenapp St. *G41* —2D **102**
Glenarklet Dri. *Pais* —4C **98**
Glen Arroch. *E Kil* —2B **150**
Glenartney Rd. *Chry* —6A **52**
Glenashdale Way. *Pais* —4C **98**
Glen Av. *G32* —5B **86**
Glen Av. *Lark* —5D **160**
Glen Av. *Mood* —5D **52**
Glen Av. *Neil* —2E **131**
Glenavon Ct. *Ham* —2F **153**
Glen Avon Dri. *Air* —4D **112**
Glenavon Rd. *G20* —2B **62**
Glenbank Av. *Lenz* —3D **50**
Glenbank Dri. *T'bnk* —5F **117**
Glenbank Rd. *Lenz* —3D **50**
Glenbarr St. *G21* —2B **84**
Glen Bervie. *E Kil* —1B **150**
Glenbervie Cres. *Cumb* —1H **35**
Glenbervie Pl. *G23* —6B **46**
Glenboig Farm Rd. *Glenb* —3A **70**
Glenboig New Rd. *Glenb* —3B **70**
Glenboig Rd. *G'csh* —1F **69**
Glen Brae. *Bri W* —3E **73**
Glenbrittle Dri. *Pais* —4C **98**

Glenbrittle Way. *Pais* —4C **98**
Glenbuck Av. *G33* —3H **65**
Glenbuck Dri. *G33* —3H **65**
Glenburn Av. *Bail* —6A **88**
Glenburn Av. *Camb* —2F **121**
Glenburn Av. *Chry* —5D **52**
Glenburn Av. *Moth* —3C **128**
Glenburn Cres. *Milt C* —6C **8**
Glenburn Cres. *Pais* —5H **97**
Glenburn Cres. *Udd* —5G **109**
Glenburn Gdns. *B'rig* —5B **48**
Glenburn Gdns. *Glenb* —3G **69**
Glenburnie Pl. *G34* —4F **87**
Glenburn Rd. *Bear* —2D **44**
Glenburn Rd. *E Kil* —6C **136**
Glenburn Rd. *Giff* —6H **117**
Glenburn Rd. *Ham* —6F **141**
Glenburn Rd. *Pais* —5F **97**
Glenburn St. *G20* —2C **62**
Glenburn Ter. *Carl* —5E **165**
Glenburn Ter. *Moth* —6C **128**
Glenburn Wlk. *Bail* —6A **88**
Glenburn Way. *E Kil* —6B **136**
Glenburn Wynd. *Lark* —1F *161*
  (off Muirshot Rd.)
Glencairn Av. *Wis* —5D **144**
Glencairn Ct. *Pais* —3D *78*
  (off Montgomery La.)
Glencairn Dri. *G41* —3B **102**
Glencairn Dri. *Chry* —5C **52**
Glencairn Dri. *Ruth* —5B **104**
Glencairn Gdns. *G41* —3C **102**
Glencairn Gdns. *Camb* —2D **122**
Glencairn La. *G41* —3C **102**
Glencairn Path. *G32* —5C *86*
  (off Mansionhouse Dri.)
Glencairn Rd. *Cumb* —3C **36**
Glencairn Rd. *Dumb* —4C **16**
Glencairn Rd. *Pais* —4C **78**
Glencairn St. *Kirk* —6D **30**
Glencairn St. *Moth* —4G **143**
Glencairn Tower. *Moth* —4G **143**
Glen Calder Ct. *Air* —6D **92**
Glencalder Cres. *Bell* —4D **126**
Glen Cally. *E Kil* —1B **150**
Glencally Av. *Pais* —4D **98**
Glen Cannich. *E Kil* —2B **150**
Glen Carron. *E Kil* —2B **150**
Glencart Gro. *Mill P* —4C **94**
Glencleland Rd. *Wis* —5D **144**
Glenclora Dri. *Pais* —4C **98**
Glencloy St. *G20* —2A **62**
Glen Clunie. *E Kil* —1D **150**
Glen Clunie Av. *G53* —3C **116**
Glen Clunie Dri. *G53* —3C **116**
Glen Clunie Pl. *G53* —3C **116**
Glencoats Cres. *Pais* —6F **77**
Glencoats Dri. *Pais* —6E **77**
Glencoe Dri. *Moth* —2A **128**
Glencoe Pl. *G13* —2F **61**
Glencoe Pl. *Ham* —3F **153**
Glencoe Rd. *Carl* —5G **165**
Glencoe Rd. *Ruth* —4F **121**
Glencoe St. *G13* —2F **61**
Glen Cona Dri. *G53* —2C **116**
Glenconner Way. *Kirk* —4G **31**
Glencorse Rd. *Pais* —3G **97**
Glencorse St. *G32* —4G **85**
Glen Ct. *Coat* —6H **89**
Glen Ct. *Moth* —5B **144**
Glen Cova. *E Kil* —1B **150**
Glencraig St. *Air* —4G **91**
Glen Crerand Clo. *Neil* —3C **130**
Glen Cres. *G13* —2G **59**
Glencroft Av. *G44* —1H **119**
Glencroft Rd. *Udd* —5C **108**
Glencroft Rd. *G44* —2H **119**
Glencryan Rd. *Cumb* —5A **36**
Glendale Av. *Air* —5D **92**
Glendale Cres. *B'rig* —1E **65**
Glendale Dri. *B'rig* —1E **65**
Glendale Pl. *B'rig* —2E **65**
Glendale St. *G31* —5D **84**
Glendaruel Av. *Bear* —3H **45**
Glendarvel Rd. *Ruth* —5G **121**
Glendee Gdns. *Renf* —1F **79**
Glendee Rd. *Renf* —1F **79**
Glendentan Rd. *Bri W* —4E **73**
Glendermott Ct. *Carl* —2F **165**
Glen Derry. *E Kil* —6D **138**
Glen Dessary. *E Kil* —3B **150**
Glen Devon. *E Kil* —2D **150**
Glendevon Pl. *Clyd* —4B **42**
Glendevon Pl. *Ham* —3F **153**
Glendevon Sq. *G33* —1B **86**
Glendinning Rd. *G13* —6E **45**
Glen Doll. *E Kil* —1B **150**
Glendoll Rd. *Neil* —3B **130**
Glendorch Av. *Wis* —2A **146**
Glendore St. *G14* —1E **81**
Glen Douglas Dri. *Cumb* —1E **35**
Glendoune Rd. *Clar* —4C **134**
Glendower Way. *Pais* —5C **96**
Glen Dri. *Moth* —2B **128**
Glenduffhill Rd. *Bail* —6F **87**
Glen Dye. *E Kil* —1B **150**
Glen Eagles. *E Kil* —2C **150**
Gleneagles Av. *Cumb* —6A **14**
Gleneagles Dri. *B'rig* —4C **48**
Gleneagles Dri. *Newt M* —5H **133**
Gleneagles Gdns. *B'rig* —4B **48**

Gleneagles La. N. *G14* —5C **60**
Gleneagles La. S. *G14* —6C **60**
Gleneagles Pk. *Both* —5D **124**
Glenelg Cres. *Kirk* —4G **31**
Glenelg Path. *Glenb* —3G **69**
Glenelg Quad. *G34* —2B **88**
Glenelm Pl. *Bell* —1C **126**
Glen Esk. *E Kil* —1C **150**
Glen Esk Cres. *G53* —3C **116**
Glen Esk Dri. *G53* —3C **116**
Glen Etive Pl. *Ruth* —5G **121**
Glen Falloch. *E Kil* —2C **150**
Glen Falloch Cres. *Neil* —4D **130**
Glen Farg. *E Kil* —2D **150**
Glenfarg Ct. *Ham* —3F **153**
Glenfarg Cres. *Bear* —3H **45**
Glenfarg Rd. *Ruth* —3D **120**
Glenfarg St. *G20* —1E **83**
Glenfarm Rd. *Moth* —3E **129**
Glen Farrar. *E Kil* —2B **150**
Glen Feshie. *E Kil* —3B **150**
Glenfield Av. *Pais* —6H **97**
Glenfield Cres. *Pais* —6H **97**
Glenfield Rd. *E Kil* —5A **150**
Glenfield Rd. *Pais* —6G **97**
Glen Finlet Rd. *Neil* —3C **130**
Glenfinnan Dri. *G20* —3B **62**
Glenfinnan Dri. *Bear* —4H **45**
Glenfinnan Pl. *G20* —3B *62*
  (off Glenfinnan Rd.)
Glenfinnan Rd. *G20* —3B **62**
Glenfruin Cres. *Pais* —4D **98**
Glen Fruin Dri. *Lark* —4G **161**
Glen Fruin Pl. *G53* —3D *112*
  (off Glen Rannoch Dri.)
Glenfruin Rd. *Blan* —1A **140**
Glen Fyne Rd. *Cumb* —1D **34**
Glen Gairn. *E Kil* —1D **150**
Glen Gairn Cres. *Neil* —3C **130**
Glen Gdns. *Eld* —2A **96**
Glen Garrell Pl. *Kils* —2F **11**
Glengarriff Rd. *Bell* —5D **110**
Glen Garry. *E Kil* —2C **150**
Glengarry Dri. *G52* —6C **80**
Glengavel Cres. *G33* —3H **65**
Glengavel Gdns. *Wis* —2A **146**
Glengonnar St. *Lark* —5E **161**
Glengowan Rd. *Bri W* —3E **73**
Glen Gro. *E Kil* —4F **149**
Glen Gro. *Kils* —1H **11**
Glengyre St. *G34* —2A **88**
Glenhead Cres. *G22* —3G **63**
Glenhead Cres. *Clyd* —6C **22**
Glenhead Rd. *Clyd* —2B **42**
Glenhead Rd. *Lenz* —3D **50**
Glenhead St. *G22* —3G **63**
Glenholme Av. *Pais* —4F **97**
Glenhove Rd. *Cumb* —3A **36**
Gleniffer Av. *G13* —3A **60**
Gleniffer Ct. *Air* —1B **92**
Gleniffer Ct. *Pais* —6F **97**
Gleniffer Cres. *Eld* —4A **96**
Gleniffer Dri. *Barr* —2C **114**
Gleniffer Rd. *Pais* —6F **96**
Gleniffer Rd. *Renf* —3D **78**
Gleniffer View. *Clyd* —4F **43**
Gleniffer View. *Neil* —1D **130**
Glen Isla. *E Kil* —1C **150**
Glenisla Av. *Chry* —3E **53**
Glen Isla Av. *Mood* —3E **53**
Glenisla St. *G31* —2F **105**
Glenkirk Dri. *G15* —5B **44**
Glen La. *Pais* —6A **78**
Glen Lednock Dri. *Cumb* —1D **34**
Glen Lee. *E Kil* —1C **150**
Glenlee St. *Ham* —4D **140**
Glen Lethnot. *E Kil* —1C **150**
Glen Livet. *E Kil* —3C **116**
Glenlivet Rd. *Neil* —3C **130**
Glen Lochay Gdns. *Cumb* —1D **34**
Glenlora Dri. *G53* —6A **100**
Glenlora Ter. *G53* —6B **100**
Glen Loy Pl. *G53* —3C **116**
Glenluce Dri. *G32* —2D **106**
Glenluce Gdns. *Mood* —4E **53**
Glenluce Ter. *E Kil* —1E **149**
Glenlui Av. *Ruth* —2D **120**
Glen Luss Gdns. *Cumb* —1D **34**
Glen Luss Pl. *Coat* —6F **91**
Glen Lyon. *E Kil* —2C **150**
Glen Lyon Ct. *Cumb* —1D **34**
Glenlyon Ct. *Ham* —3F **153**
Glenlyon Pl. *Ruth* —4E **121**
Glen Lyon Rd. *Neil* —3C **130**
Glen Mair Rd. *Neil* —4D **130**
Glen Mallie. *E Kil* —2C **150**
Glenmalloch Pl. *Eld* —2A **96**
Glenmanor Av. *Mood* —5C **52**
Glenmanor Rd. *Chry* —5C **52**
Glenmare Av. *Kirk* —6G **31**
Glen Mark. *E Kil* —1C **150**
Glen Markie Dri. *G53* —3C **116**
Glen Mark Rd. *Neil* —3C **130**
Glenmavis Cres. *Carl* —4G **165**
Glenmavis Rd. *Glenm* —6G **71**
Glenmavis St. *G4* —2F **83** (1D **4**)
Glen More. *E Kil* —2A **150**
Glenmore Av. *G42* —5A **104**
Glenmore Av. *Bell* —4D **126**
Glenmore Rd. *Moth* —4C **128**

Glen Moriston Rd. *G53* —4C **116**
Glen Morriston. *E Kil* —2C **150**
Glen Morriston Rd. *Cumb* —1D **34**
Glenmoss Av. *Ersk* —6D **40**
Glen Moy. *E Kil* —2B **150**
Glenmuir Dri. *G53* —2B **116**
Glen Nevis. *E Kil* —3B **150**
Glen Nevis Pl. *Ruth* —5E **121**
Glen Ochil Rd. *Chap* —4D **112**
Glen Ogilvie. *E Kil* —1C **150**
Glenogle St. *G32* —1D **106**
Glenoran La. *Lark* —1F **161**
Glenorchard Rd. *Torr* —3H **27**
Glen Orchy Ct. *Cumb* —6D **12**
Glen Orchy Dri. *G53* —3C **116**
Glen Orchy Dri. *Cumb* —1D **34**
Glen Orchy Pl. *G53* —3D **116**
Glen Orchy Pl. *Chap* —4D **112**
(off Glen Rannoch Dri.)
Glen Orchy Pl. *Cumb* —1D **34**
Glen Orrin Way. *Neil* —3C **130**
Glenpark. *Air* —5E **93**
Glenpark Av. *T'bnk* —5F **117**
Glenpark Gdns. *Camb* —6G **105**
Glenpark Ind. Est. *G31* —5D **84**
Glenpark Rd. *G31* —5D **84**
Glenpark St. *G31* —5D **84**
Glenpark St. *Wis* —5G **145**
Glenpark Ter. *Camb* —6G **105**
Glenpath. *Dumb* —2C **18**
Glenpatrick Rd. *Eld* —5A **96**
Glen Prosen. *E Kil* —1C **150**
Glen Quoich. *E Kil* —6D **138**
Glenraith Path. *G33* —6B **66**
Glenraith Rd. *G33* —6B **66**
Glenraith Sq. *G33* —6B **66**
Glenraith Wlk. *G33* —6C **66**
Glen Rannoch Dri. *Chap* —4D **112**
Glen Rinnes Dri. *Neil* —4D **130**
Glen Rd. *G32* —4B **86**
Glen Rd. *Air* —5E **93**
Glen Rd. *B'ton* —3G **39**
Glen Rd. *Dull* —4F **13**
Glen Rd. *E Kil* —4B **136**
(in two parts)
Glen Rd. *Len* —1C **6**
Glen Rd. *Moth* —6D **112**
Glen Rd. *Old K* —1F **41**
Glen Rd. *Wis* —5G **145**
Glen Roy Dri. *Neil* —3C **130**
Glen Sax Dri. *Renf* —2G **79**
Glen Shee. *E Kil* —1C **150**
Glen Shee Av. *Neil* —3C **130**
Glen Shee Cres. *Air* —4D **112**
Glenshee St. *G31* —1F **105**
Glenshee Ter. *Ham* —3F **153**
Glenshiel Av. *Pais* —4C **98**
Glenshira Av. *Pais* —4C **98**
Glen Shirva Rd. *Kils* —1C **32**
Glenside Av. *G53* —3B **100**
Glenside Dri. *Ruth* —1F **121**
Glenside Rd. *Dumb* —1H **17**
Glen Spean Pl. *Coat* —6F **91**
Glenspean St. *G43* —1A **118**
Glen St. *Barr* —5E **115**
Glen St. *Camb* —3D **122**
Glen St. *Moth* —6G **127**
Glen St. *N'hill* —3D **128**
Glen St. *Pais* —6H **77**
Glentanar Pl. *G22* —2F **63**
Glentanar Rd. *G22* —2F **63**
Glen Tanner. *E Kil* —1D **150**
Glentarbert Rd. *Ruth* —4F **121**
Glen Tarbet Dri. *Neil* —3C **130**
Glen Tennet. *E Kil* —1C **150**
Glentore Quad. *Air* —1A **92**
Glen Tower. *Moth* —5B **144**
(off Glen Ct.)
Glentrool Gdns. *Mood* —4E **53**
Glen Turret. *E Kil* —1C **150**
Glenturret St. *G32* —1A **106**
Glentyan Av. *Kilb* —1A **94**
Glentyan Dri. *G53* —6A **100**
Glentyan Ter. *G53* —6A **100**
Glen Urquhart. *E Kil* —2B **150**
Glenview. *Air* —5D **92**
Glen View. *Cumb* —2C **36**
Glen View. *Ham* —5H **153**
Glenview. *Kirk* —5D **30**
Glenview. *Lark* —1D **160**
Glenview Av. *Bank* —1E **15**
Glenview Cres. *Chry* —4D **52**
Glenview Pl. *Blan* —6B **124**
Glenville Av. *Giff* —4H **117**
Glenville Ga. *Clar* —4E **135**
Glenville Ter. *Clar* —4E **135**
Glenward Av. *Len* —3G **7**
Glenwell St. *Glenm* —6G **71**
Glenwood Av. *Air* —1C **112**
Glenwood Bus. Cen. *G45* —4B **120**
Glenwood Dri. *T'bnk* —5F **117**
Glenwood Gdns. *Kirk* —2A **50**
Glenwood Pl. *Kirk* —2A **50**
Glenwood Rd. *Kirk* —2A **50**
Glidden Ct. *Over* —4A **158**
Glorat Av. *Len* —3G **7**
Gloucester Av. *Clar* —2B **134**
Gloucester Av. *Ruth* —2F **121**
Gloucester St. *G5* —6E **83**

Gockston Rd. *Pais* —4H **77**
Goddard Pl. *Wis* —4F **147**
Gogar Pl. *G33* —3G **85**
Gogar St. *G33* —3G **85**
Goil Av. *Rig I* —1H **125**
Goil Way. Moth —2A **128**
(off Howden Pl.)
Goldberry Av. *G14* —4B **60**
Goldenhill Ct. *Clyd* —1D **42**
Goldie Rd. *Udd* —3E **125**
Golf Av. *Bell* —4C **126**
Golf Course Rd. *Balm* —5A **28**
Golf Course Rd. *Bri W* —3D **72**
Golf Dri. *G15* —6H **43**
Golf Dri. *Pais* —1E **99**
Golfhill Dri. *G31* —3C **84**
Golfhill Quad. *Air* —1A **92**
Golfhill Rd. *Wis* —5D **144**
Golf Pl. *Bell* —4D **126**
Golf Rd. *Clar* —2B **134**
Golf Rd. *Ruth* —3D **120**
Golfview. *Bear* —2B **44**
Golf View. *Clyd* —3B **42**
Golfview Dri. *Coat* —4G **89**
Golfview Pl. *Coat* —5G **89**
Golsbie Av. *Air* —1G **111**
Golspie St. *G51* —3G **81**
Gonval Way. *Pais* —3H **77**
Goodfellow M. *Wis* —2E **157**
Goodview Gdns. *Lark* —3G **161**
Goosedubs. G1 —5G **83**
(off Bridgegate)
Gooseholm Cres. *Dumb* —2G **17**
Gooseholm Rd. *Dumb* —2G **17**
Gopher Av. *Udd* —5F **109**
Gorbals Cross. *G5* —6G **83**
Gorbals Cross. *Lark* —2E **161**
Gorbals St. *G5* —6F **83**
Gordon Av. *G44* —5C **118**
Gordon Av. *G52* —4G **79**
Gordon Av. *Bail* —6F **87**
Gordon Av. *B'ton* —3G **39**
Gordon Ct. *Air* —3E **93**
Gordon Cres. *Newt M* —3E **133**
Gordon Dri. *G44* —5C **118**
Gordon Dri. *E Kil* —6B **138**
Gordon La. *G1* —4F **83** (5D **4**)
Gordon Pl. *Bell* —4B **126**
Gordon Rd. *G44* —5C **118**
Gordon Rd. *Ham* —5D **140**
Gordon St. *G2 & G1* —4F **83** (5D **4**)
Gordon St. *Pais* —1A **98**
Gordon Ter. *Blan* —3A **124**
Gordon Ter. *Ham* —6D **140**
Gorebridge St. *G32* —4G **85**
Goremire Rd. *Carl* —6G **165**
Gorget Av. *G13* —6C **44**
Gorget Pl. *G13* —6C **44**
Gorget Quad. *G13* —6B **44**
Gorse Cres. *Bri W* —4G **73**
Gorse Dri. *Barr* —3D **114**
Gorsehall St. *Cle* —5H **129**
Gorse Pl. *Udd* —5F **109**
Gorsewood. *B'rig* —6A **48**
Gorstan Pl. *G20* —4A **62**
Gorstan St. *G23* —1B **62**
Gosford La. *G14* —5A **60**
Goudie St. *Pais* —4H **77**
Gough St. *G33* —3F **85**
Gourlay. *E Kil* —4D **138**
Gourlay Dri. *Wis* —3A **158**
Gourlay St. *G21* —6H **63**
(in two parts)
Gourlock St. *G41* —1E **103**
Govanhill St. *G42* —3F **103**
Govan Rd. *G51* —2D **80**
GOVAN STATION. *G51* —3G **81**
Gowanbank Gdns. *John* —3E **95**
Gowanbrae. *Kirk* —1C **50**
Gowanlea Av. *G15* —6A **44**
Gowanlea Dri. *Giff* —3B **118**
Gowanlea Ter. *Udd* —6F **109**
Gowanside Pl. *Carl* —3D **164**
Gower St. *G51* —1A **102**
Gower Ter. *G41* —6A **82**
Gowkhall Av. *Moth* —4F **129**
Goyle Av. *G15* —4C **44**
Goy Pl. *Law* —6E **159**
Grace Av. *Bail* —6B **88**
Grace St. *G3* —4D **82**
Graeme St. *Moth* —5F **127**
Graffham Av. *Giff* —4B **118**
Grafton Pl. *G1* —3G **83** (3F **5**)
Graham Av. *Camb* —2D **122**
Graham Av. *Clyd* —4D **42**
Graham Av. *E Kil* —1G **149**
Graham Av. *Ham* —3H **153**
(in two parts)
Graham Dri. *Miln* —3E **25**
Graham Ho. *Cumb* —6G **35**
Graham Pl. *Kils* —1G **11**
Graham Rd. *Dumb* —3D **16**
Grahamsdyke Rd. *Kirk* —4E **31**
Grahamshill Av. *Air* —3C **92**
Grahamshill St. *Air* —3C **92**
Graham Sq. *G40* —5B **84**
Grahamston Ct. *Pais* —5E **99**
Grahamston Cres. *Pais* —5E **99**
Grahamston Pk. *Barr* —2D **114**

Grahamston Rd. *Barr & Pais*
—2D **114**
Graham St. *Air* —4A **92**
(in two parts)
Graham St. *Barr* —4D **114**
Graham St. *Ham* —6A **142**
Graham St. *John* —3E **95**
Graham St. *Moth* —2A **142**
Graham St. *Wis* —1H **157**
Grahamstown Pl. *Pais* —5E **99**
Graham Ter. *B'rig* —2D **64**
Graignestock Pl. *G40* —6A **84**
Graignestock St. *G40* —6A **84**
Grainger Rd. *B'rig* —6F **49**
Grampian Av. *Pais* —5H **97**
Grampian Cres. *G32* —1B **106**
Grampian Pl. *G32* —1B **106**
Grampian Rd. *Wis* —5F **145**
Grampian St. *G32* —1B **106**
Grampian Way. *Barr* —6E **115**
Grampian Way. *Bear* —6B **24**
Grampian Way. *Cumb* —3C **34**
Granby La. *G12* —6B **62**
Grandtully Dri. *G12* —3A **62**
Grange Av. *Miln* —3H **25**
Grange Av. *Wis* —2E **157**
Grange Gdns. *Both* —6F **125**
Grangeneuk Gdns. *Cumb* —4E **35**
Granger Rd. *Lark* —2F **161**
Grange Rd. *G42* —5E **103**
Grange Rd. *Bear* —2F **45**
Grange Rd. *Moth* —5A **144**
Grange Tower. *Moth* —1B **156**
Gran St. *Clyd* —1G **59**
Grant Ct. *Air* —3E **93**
Grant Ct. *Ham* —5G **153**
Grantholm Av. *Moth* —1B **128**
Grantlea Gro. *G32* —1D **106**
Grantlea Ter. *G32* —1D **106**
Grantley Gdns. *G41* —5B **102**
Grantley St. *G41* —5B **102**
Grantoften Path. *E Kil* —5F **149**
Granton St. *G5* —3A **104**
Grantown Gdns. *Glenm* —4H **71**
Grant St. *G3* —2D **82**
Granville St. *G3* —3D **82**
Granville St. *Clyd* —4D **42**
Grasmere. *E Kil* —6B **148**
Grathellen Ct. *Moth* —1A **144**
Gray Dri. *Bear* —4F **45**
Grayshill Rd. *Cumb* —6H **33**
Gray's Rd. *Udd* —2F **125**
Gray St. *G3* —2B **82**
Gray St. *Cle* —6H **129**
Gray St. *Kirk* —6H **31**
Gray St. *Lark* —1E **161**
Gt. George La. *G12* —6B **62**
Gt. George St. *G12* —6B **62**
Gt. Hamilton St. *Pais* —3A **98**
Gt. Kelvin La. G12 —1C **82**
(off Glasgow St.)
Gt. Western Retail Pk. *G15* —6H **43**
Gt. Western Rd. *G15, G13, G12 & G4*
—6H **43**
Gt. Western Ter. *G12* —5A **62**
Gt. Western Ter. La. *G12* —5A **62**
Gt. West Rd. *Old K* —5H **19**
Greenacres. *Moth* —4E **143**
Greenacres View. *Moth* —4E **143**
Greenan Av. *G42* —6A **104**
Greenbank. *Blan* —2A **140**
Greenbank Av. *Giff* —2G **133**
Greenbank Dri. *Pais* —6H **97**
Green Bank Rd. *Cumb* —3E **35**
Greenbank Rd. *Wis* —6A **146**
Greenbank Rd. *Ruth* —5C **104**
Greenbank Ter. *Carl* —3F **165**
Green Dale. *Wis* —4B **146**
Greendyke St. *G1* —5H **83**
Greenend Av. *John* —5D **94**
Greenend Pl. *G32* —4C **86**
Greenend View. *Bell* —3B **126**
Green Farm Rd. *Lin* —5H **75**
Greenfarm Rd. *Newt M* —4B **132**
Greenfaulds Cres. *Cumb* —5A **36**
Greenfaulds Rd. *Cumb* —6F **35**
Greenfaulds Rd. *Cumb* —5A **36**
(Lenziemill)
GREENFAULDS STATION. *Cumb*
—6H **35**
Greenfield Av. *G32* —5B **86**
Greenfield Cres. *Wis* —5B **146**
Greenfield Dri. *Wis* —5B **146**
Greenfield Pl. *G32* —5B **86**
Greenfield Quad. *Moth* —3F **129**
Greenfield Rd. *G32* —4C **86**
Greenfield Rd. *Carl* —2F **165**
Greenfield Rd. *Clar* —3C **134**
Greenfield Rd. *Ham* —3E **141**
Greenfield St. *G51* —4F **81**
Greenfield St. *Wis* —5B **146**
Greengairs Av. *G51* —3D **80**
Green Gdns. *Cle* —5H **129**
Greenhall Pl. *Blan* —3A **140**
Greenhead Av. *Dumb* —4H **17**
Greenhead Gdns. *Dumb* —3D **18**
Greenhead Rd. *Bear* —3F **45**
Greenhead Rd. *Dumb* —4H **17**
Greenhead Rd. *Inch* —2G **57**
Greenhead Rd. *Len* —3G **7**
Greenhead Rd. *Wis* —1A **158**

Greenhead St. *G40* —6A **84**
Greenhill. *B'rig* —1E **65**
Greenhill Av. *G'csh* —2C **68**
Greenhill Av. *Giff* —6H **117**
Greenhill Ct. *Ruth* —5C **104**
Greenhill Cres. *Eld* —3B **96**
Greenhill Cres. *Lin* —5H **75**
Greenhill Dri. *Lin* —5H **75**
Greenhill Rd. *Pais* —5G **77**
Greenhill Rd. *Ruth* —5C **104**
Greenhills Cres. *E Kil* —6D **148**
Greenhills Rd. *E Kil* —3A **148**
Greenhills Sq. *E Kil* —5C **148**
Greenhill St. *Ruth* —5C **104**
Greenhills Way. *E Kil* —5F **149**
Greenholm Av. *Clar* —2C **134**
Greenholm Av. *Udd* —6C **108**
Greenholme Ct. *G44* —1F **119**
Greenholme St. *G44* —1F **119**
Greenknowe Dri. *Law* —5D **158**
Greenknowe Rd. *G43* —1H **117**
Greenknowe St. *Wis* —5H **157**
Greenlaw Av. *Pais* —6C **78**
Greenlaw Av. *Wis* —4A **146**
Greenlaw Cres. *Pais* —5C **78**
Greenlaw Dri. *Newt M* —4C **132**
Greenlaw Dri. *Pais* —6C **78**
Greenlaw Ind. Est. *Pais* —5B **78**
Greenlaw Rd. *G14* —3F **59**
Greenlaw Rd. *Newt M* —4C **132**
Greenlea Rd. *Chry* —1H **67**
Greenlea St. *G13* —3E **61**
Greenlees Gdns. *Camb* —4H **121**
Greenlees Pk. *Camb* —4A **122**
Greenlees Rd. *Camb* —5H **121**
Greenless Gro. *Coat* —6F **91**
Green Loan. *Moth* —4A **128**
Greenloan Av. *G51* —3D **80**
Greenloan View. Lark —4F **161**
(off Keir Hardie Rd.)
Greenlodge Ter. *G40* —1B **104**
Greenmoss Pl. *Bell* —2D **126**
Greenmount. *G22* —2E **63**
Greenock Av. *G44* —2F **119**
Greenock Rd. *B'ton & Inch* —1A **38**
Greenock Rd. *Pais* —4H **77**
Green Pl. *Both* —5F **125**
Green Pl. *C'bnk* —3B **112**
Greenrig. *Udd* —1D **124**
Greenrigg Rd. *Cumb* —4A **36**
Greenrigg St. *G33* —6F **65**
Greenrigg St. *Udd* —1D **124**
Green Rd. *Ruth* —2D **96**
Green Rd. *Ruth* —5C **104**
Greens Av. *Kirk* —6C **30**
Greens Cres. *Kirk* —6C **30**
Greenshields Rd. *Bail* —6H **87**
Greenside Cres. *G33* —6G **65**
Greenside Pl. *Bear* —5C **24**
Greenside Rd. *Clar* —1A **136**
Greenside Rd. *Clyd* —6D **22**
Greenside Rd. *Moth* —6C **112**
Greenside Av. *Wis* —1A **158**
Greenside St. *G33* —6G **65**
Greenside St. *Coat* —2D **90**
Greenside St. *Moth* —3F **129**
Greens Rd. *Cumb* —1H **55**
Green St. *G40* —6A **84**
Green St. *Both* —5F **125**
Green St. *Clyd* —4C **42**
Green, The. *G40* —1A **104**
Greentree Dri. *Bail* —2F **107**
Greenview St. *G43* —5A **102**
Greenway La. *Blan* —3A **140**
Greenways Av. *Pais* —3E **97**
Greenways Ct. *Pais* —3E **97**
Greenwood Av. *Camb* —1E **123**
Greenwood Av. *Chry* —5D **52**
Greenwood Ct. *Clar* —2C **134**
Greenwood Cres. *Coat* —6E **91**
Greenwood Dri. *Bear* —3G **45**
Greenwood Quad. *Clyd* —6F **43**
Greenwood Rd. *Clar* —2C **134**
Greenyards Interchange. *Cumb*
—4C **36**
Greer Quad. *Clyd* —3D **42**
Grenada Pl. *E Kil* —2C **148**
Grenadier Gdns. *Moth* —6F **143**
Grenville Dri. *Camb* —3H **121**
Greta Meek La. *Milt C* —5C **8**
Gretna St. *G40* —1D **104**
Greyfriars Rd. *Udd* —5A **108**
Greyfriars St. *G32* —4H **85**
Greystone Av. *Ruth* —1E **121**
Greywood St. *G13* —2E **61**
Grier Path. *G31* —6F **85**
Grier Pl. *Lark* —3D **160**
Grierson St. *G33* —3F **85**
Grieve Croft. *Both* —6E **125**
Grieve Rd. *Cumb* —2A **36**
Griffin Pl. *Bell* —5C **110**
Griffin Pl. *Law* —1H **163**
Griffiths Way. *Law* —1H **163**
Griqua Ter. *Both* —5F **125**
Grogan Ct. *G32* —5C **86**
Grogarry Rd. *G15* —3A **44**
Grosvenor Cres. *G12* —6B **62**
Grosvenor Cres. La. *G12* —6B **62**
Grosvenor La. *G12* —6B **62**
Grosvenor Ter. *G12* —6B **62**
Groveburn Av. *T'bnk* —3G **117**

Grove Cres. *Lark* —3G **161**
Grove Pk. *Lenz* —3D **50**
Grovepark Ct. *G20* —1E **83**
Grove Pk. Gdns. *G20* —1E **83**
Grovepark St. *G20* —6E **63**
Grove, The. *B'ton* —4G **39**
Grove, The. *Bri W* —5G **73**
Grove, The. *Giff* —1H **133**
Grove, The. *Kilb* —1A **94**
Grove, The. *Neil* —3C **130**
Grove Way. *Bell* —2B **126**
Grovewood Bus. Cen. *Bell* —5A **110**
Grove Wood N. *Udd* —4H **109**
Grove Wynd. *Moth* —4A **128**
Grudie St. *G34* —3G **87**
Gryfebank Av. *Hous* —2E **75**
Gryfebank Clo. *Hous* —2E **75**
Gryfee St. *G44* —6E **103**
Gryfewood Cres. *Hous* —2E **75**
Gryfewood Way. *Hous* —2E **75**
Gryffe Av. *Bri W* —2E **73**
Gryffe Av. *Renf* —4D **58**
Gryffe Cres. *Pais* —4D **96**
Gryffe Gro. *Bri W* —3F **73**
Gryffe Pk. *Bri W* —2E **73**
Gryffe Rd. *Bri W* —4F **73**
Guildford St. *G33* —2C **86**
Gullane Ct. *Ham* —3F **153**
Gullane Cres. *Cumb* —5H **13**
Gullane St. *G11* —2H **81**
Gunderson Rd. *G2* —4F **83**
Gunn Quad. *Bell* —4A **126**
Guthrie Dri. *Udd* —4E **109**
Guthrie Pl. *E Kil* —1H **149**
Guthrie Pl. *Torr* —5E **29**
Guthrie St. *G20* —3B **62**
Guthrie St. *Ham* —5H **141**

Haberlea Av. *G53* —4C **116**
Haberlea Gdns. *G53* —5C **116**
Haddow Gro. *Udd* —5E **109**
Haddow St. *Ham* —6A **142**
Hadrian Ter. *Moth* —1E **143**
Hagart Rd. *Hous* —1B **74**
Hagg Cres. *John* —2E **95**
Hagg Pl. *John* —2E **95**
Hagg Rd. *John* —3E **95**
Haggs La. *G41* —3A **102**
Haggs Rd. *G41* —4A **102**
Haggswood Av. *G41* —3A **102**
Haghill Rd. *G31* —5E **85**
Hagmill Cres. *Coat* —3E **111**
Hagmill Rd. *Coat* —3C **110**
Haig Dri. *Bail* —1F **107**
Haig St. *G21* —5B **64**
Hailes Av. *G32* —6D **86**
Haining Rd. *Renf* —6F **59**
Haining, The. *Renf* —1F **79**
Hairmyres Dri. *E Kil* —3A **148**
Hairmyres La. *E Kil* —3A **148**
Hairmyres Pk. *E Kil* —3B **148**
Hairmyres Roundabout. *E Kil*
—2B **148**
HAIRMYRES STATION. *E Kil*
—2B **148**
Hairmyres St. *G42* —3G **103**
Hairst St. *Renf* —5F **59**
Halbeath Av. *G15* —4H **43**
Halbert St. *G41* —4C **102**
Haldane La. G14 —6D **60**
(off Haldane St.)
Haldane Pl. *E Kil* —4H **149**
Haldane St. *G14* —6D **60**
Halfmerk N. *E Kil* —1A **150**
Halfmerk S. *E Kil* —1A **150**
Halgreen Av. *G15* —4G **43**
Halifax Way. Renf —2E **79**
(off Tiree Av.)
Hallbrae St. *G33* —1G **85**
Hallburton Cres. *G34* —4F **87**
Hallburton Rd. *G34* —4G **87**
Hallcraig Pl. *Carl* —3D **164**
Hallcraig St. *Air* —3A **92**
Halley Dri. *G13* —2G **59**
Halley Pl. *G13* —3G **59**
Halley Sq. *G13* —2H **59**
Halley St. *G13* —2G **59**
Hallforest St. *G33* —1B **86**
Hallhill Cres. *G33* —5E **87**
Hallhill Rd. *G32* —6B **86**
Hallhill Rd. *Bail* —5G **87**
Hallhill Rd. *John* —6C **94**
Hallidale Cres. *Renf* —1H **79**
Hallinan Gdns. *Wis* —2F **157**
Hallrule Dri. *G52* —6C **80**
Hallside Av. *Camb* —2E **123**
Hallside Cres. *Camb* —2E **123**
Hallside Dri. *Camb* —2E **123**
Hallside Gdns. *Wis* —5C **146**
Hallside Pl. *G5* —1G **103**
Hallside Rd. *Camb* —3E **123**
Hall St. *Clyd* —6C **42**
Hall St. *Ham* —2H **153**
Hall St. *Moth* —3A **128**
Hallydown Dri. *G13* —4C **60**
Halpin Clo. *Bell* —2H **125**
Halston St. *Pais* —1C **98**
Halton Gdns. *Bail* —1F **107**
Hamersley Pl. *E Kil* —4D **148**
Hamilcomb Rd. *Bell* —4C **126**

Hamill Dri. *Kils* —3B **12**
Hamilton Av. *G41* —2H **101**
Hamilton Bus. Pk. *Ham* —4H **141**
HAMILTON CENTRAL STATION.
   Ham —6A **142**
Hamilton Ct. *Pais* —3A **98**
Hamilton Cres. *Bear* —6E **25**
Hamilton Cres. *B'ton* —4F **39**
Hamilton Cres. *Camb* —3B **122**
Hamilton Cres. *Coat* —6C **90**
Hamilton Cres. *Renf* —4F **59**
Hamilton Dri. *G12* —6C **62**
Hamilton Dri. *Air* —2B **92**
Hamilton Dri. *Blan* —4H **139**
Hamilton Dri. *Both* —6F **125**
Hamilton Dri. *Camb* —2A **122**
Hamilton Dri. *Ersk* —4D **40**
Hamilton Dri. *Giff* —5B **118**
Hamilton Dri. *Moth* —5H **143**
Hamiltonhill Cres. *G22* —5F **63**
Hamiltonhill Rd. *G22* —6F **63**
Hamilton International
   Technology Pk. *Ham* —4A **140**
Hamilton Pk. Av. *G12* —6C **62**
Hamilton Pl. *Carf* —3C **128**
Hamilton Pl. *E Kil* —4G **149**
Hamilton Pl. *Ham* —5H **153**
Hamilton Pl. *New S* —3B **128**
Hamilton Rd. *G32* —2B **106**
Hamilton Rd. *Bell* —4B **126**
Hamilton Rd. *Both* —6F **125**
Hamilton Rd. *Camb* —1A **122**
Hamilton Rd. *E Kil* —4C **138**
Hamilton Rd. *Lark* —6H **155**
Hamilton Rd. *Moth* —4D **142**
Hamilton Rd. *Ruth* —5D **104**
Hamilton St. *G42* —4G **103**
Hamilton St. *Carl* —4F **165**
Hamilton St. *Clyd* —2F **59**
Hamilton St. *Dumb* —3G **17**
Hamilton St. *Lark* —1E **161**
Hamilton St. *Pais* —6B **78**
Hamilton Ter. *Clyd* —2F **59**
Hamilton Tower. *Udd* —3B **124**
Hamilton View. *Udd* —6E **109**
HAMILTON WEST STATION. *Ham*
   —5G **141**
Hamlet. *E Kil* —5B **138**
Hampden Dri. *G42* —6F **103**
Hampden La. *G42* —5F **103**
Hampden Ter. *G42* —5F **103**
Hampden Way. *Renf* —2F **79**
Hangingshaw Pl. *G42* —5G **103**
Hanover Clo. *G42* —5E **103**
Hanover St. *G1* —3G **83** (4F **5**)
Hanover Ct. *G1* —1G **81**
Hanover Ct. *Pais* —6C **78**
Hanover Gdns. *B'rig* —6C **48**
Hanover Gdns. *Pais* —1G **97**
Hanover St. *G1* —4G **83** (5E **5**)
Hanson St. *G31* —4B **84**
Hapland Av. *G53* —3C **100**
Hapland Rd. *G53* —3C **100**
Harbour La. *Pais* —6A **78**
Harbour Rd. *Pais* —4A **78**
Harburn Pl. *G14* —3H **59**
Harburn Pl. *G23* —6C **46**
Harcourt Dri. *G31* —3D **84**
Hardgate Dri. *G51* —3C **80**
Hardgate Gdns. *G51* —3C **80**
Hardgate Pl. *G51* —3C **80**
Hardgate Rd. *G51* —3C **80**
Hardie Av. *Ruth* —5E **105**
Hardie St. *Blan* —2B **140**
Hardie St. *Ham* —1F **153**
Hardie St. *Moth* —1G **143**
Hardmuir Gdns. *Kirk* —4E **31**
Hardmuir Rd. *Kirk* —4E **31**
Hardridge Av. *G52* —3E **101**
Hardridge Pl. *G52* —3E **101**
Hardridge Rd. *G52* —3D **100**
Harefield Dri. *G14* —4B **60**
Harelaw Av. *G44* —3C **118**
Harelaw Av. *Barr* —6F **115**
Harelaw Av. *Neil* —3D **130**
Harelaw Cres. *Pais* —6G **97**
Hareleeshill Rd. *Lark* —3F **161**
Harestanes Gdns. *Kirk* —4G **31**
Harestone Cres. *Wis* —1A **158**
Harestone Rd. *Wis* —1A **158**
Harhill St. *G51* —4F **81**
Harkins Av. *Blan* —2A **140**
Harkness Av. *Milt C* —6B **8**
Harland Cotts. *G14* —6C **60**
Harland St. *G14* —6C **60**
Harlaw Gdns. *B'rig* —5F **49**
Harley St. *G51* —5A **82**
Harmetray St. *G22* —3H **63**
Harmony Pl. *G51* —4G **81**
Harmony Row. *G51* —4G **81**
   (in two parts)
Harmony Sq. *G51* —4G **81**
Harmsworth St. *G11* —1E **81**
Harper Cres. *Wis* —5C **146**
Harport St. *T'bnk* —2E **117**
Harriet Pl. *G43* —1H **117**
Harriet St. *Ruth* —6C **104**
Harrington Rd. *E Kil* —2G **149**
Harris Clo. *Newt M* —3B **132**
Harris Cres. *Old K* —2F **41**
Harris Dri. *Old K* —2F **41**

Harris Gdns. *Old K* —2G **41**
Harrison Dri. *G51* —5H **81**
Harrison Quad. *Wis* —4C **146**
Harris Rd. *G23* —6C **46**
Harris Rd. *Old K* —2F **41**
Harrow Ct. *G15* —4H **43**
Harrow Pl. *G15* —4H **43**
Hartfield Ct. *Dumb* —3G **17**
Hartfield Cres. *Neil* —2E **131**
Hartfield Gdns. *Dumb* —3G **17**
Hartfield Ter. *Pais* —3B **98**
Hartlaw Cres. *G52* —5A **80**
Hartree Av. *G13* —1G **59**
Hartstone Pl. *G53* —6B **100**
Hartstone Rd. *G53* —6B **100**
Hartstone Ter. *G53* —6B **100**
Hart St. *G31* —6G **85**
Hart St. *Lin* —6H **75**
Harvest Dri. *Moth* —5F **143**
Harvey St. *G4* —1G **83**
Harvey Way. *Bell* —6E **111**
Harvie Av. *Newt M* —4C **132**
Harvie St. *G51* —5B **82**
Harwood Gdns. *Mood* —4E **53**
Harwood St. *G32* —4G **85**
Hastie St. *G3* —2B **82**
Hastings. *E Kil* —4D **148**
Hatchard Gdns. *Lin* —5H **75**
Hatfield Dri. *G12* —4H **61**
Hathaway Dri. *Giff* —5H **117**
Hathaway La. *G20* —4C **62**
Hathaway St. *G20* —4C **62**
Hathersage Av. *Bail* —6H **87**
Hathersage Dri. *Bail* —6H **87**
Hathersage Gdns. *Bail* —6H **87**
Hatton Gdns. *G52* —1A **100**
Hattonhill. *Moth* —5C **128**
Hatton Path. *G52* —1A **100**
   (off Hatton Gdns.)
Hatton Pl. *Moth* —5C **128**
Hattonrigg Rd. *Bell* —1D **126**
Hatton Ter. *Moth* —5C **128**
Haughburn Pl. *G53* —6B **100**
Haughburn Rd. *G53* —6B **100**
Haughburn Ter. *G53* —6C **100**
Haughhead Bri. *Udd* —5A **108**
Haugh Pl. *Ham* —2A **154**
Haugh Rd. *G3* —3B **82**
Haugh Rd. *Kils* —3G **11**
Haughton Av. *Kils* —3A **12**
Haughview Rd. *Moth* —3D **142**
Havelock La. *G11* —1A **82**
   (off Havelock St.)
Havelock Pk. *E Kil* —2C **148**
Havelock St. *G11* —1A **82**
Haven Pl. *E Kil* —5B **148**
Havoc Rd. *Dumb* —4B **16**
Hawbank Rd. *E Kil* —6C **136**
Hawbank Roundabout. *E Kil*
   —1D **148**
Hawick Av. *Pais* —4F **97**
Hawick Cres. *Lark* —3E **161**
Hawick Dri. *Coat* —2F **111**
Hawick St. *G13* —3G **59**
Hawick St. *Wis* —4A **146**
Hawkhead Av. *Pais* —3D **98**
Hawkhead Rd. *Pais* —1D **98**
HAWKHEAD STATION. *Pais* —1D **98**
Hawkslea Wlk. *Ham* —2A **154**
Hawkwood. *E Kil* —6F **149**
Hawkwood Rd. *Glenm* —5H **71**
Hawthorn Av. *Bear* —6G **25**
Hawthorn Av. *B'rig* —1D **64**
Hawthorn Av. *Dumb* —2B **16**
Hawthorn Av. *Ersk* —1A **58**
Hawthorn Av. *John* —4G **95**
Hawthorn Av. *Lenz* —2C **50**
Hawthorn Av. *Newm* —3G **147**
Hawthorn Ct. *Clar* —3C **134**
Hawthorn Cres. *Ersk* —1A **58**
Hawthornden Gdns. *G23* —5C **46**
Hawthorn Dri. *Air* —4D **92**
Hawthorn Dri. *Bank* —1E **15**
Hawthorn Dri. *Barr* —6F **115**
Hawthorn Dri. *Coat* —6F **91**
Hawthorn Dri. *Moth* —4B **128**
Hawthorn Dri. *Wis* —1A **158**
Hawthorn Gdns. *Bell* —3E **127**
Hawthorn Gdns. *Clar* —3C **134**
Hawthorn Gdns. *Lark* —3G **161**
Hawthorn Gro. *Law* —5D **158**
Hawthorn Hill. *Ham* —2A **154**
Hawthornhill Rd. *Dumb* —2B **16**
Hawthorn Pl. *Blan* —3D **140**
Hawthorn Quad. *G22* —4G **63**
Hawthorn Rd. *Clar* —3C **134**
Hawthorn Rd. *Cumb* —1F **37**
Hawthorn Rd. *Ersk* —1A **58**
Hawthorn St. *G22* —4G **63**
Hawthorn St. *Clyd* —3C **42**
Hawthorn St. *Torr* —4E **29**
Hawthorn Ter. *E Kil* —5D **148**
Hawthorn Ter. *Udd* —6F **109**
Hawthorn Wlk. *B'rig* —1F **65**
Hawthorn Wlk. *Camb* —2F **121**
Hawthorn Way. *Ersk* —1A **58**
Hawthorn Way. *Milt C* —6C **8**
Hay Av. *B'ton* —4A **40**
Hayburn Cres. *G11* —6G **61**
Hayburn Ga. *G11* —1H **81**
Hayburn La. *G12* —6G **61**

Harris Gdns.

Hayburn St. *G11* —2G **81**
Hay Dri. *John* —2H **95**
Hayfield St. *G5* —1H **103**
Hayle Gdns. *Chry* —4D **52**
Haylynn St. *G14* —1E **81**
Haymarket St. *G32* —4G **85**
Haystack Pl. *Lenz* —3D **50**
Hayston Cres. *G22* —4F **63**
Hayston Rd. *Kirk* —5A **30**
Hayston St. *G22* —4F **63**
Haywood St. *G22* —3F **63**
Hazel Av. *G44* —3D **118**
Hazel Av. *Bear* —6G **25**
Hazel Av. *Dumb* —2B **16**
Hazel Av. *John* —4G **95**
Hazel Av. *Lenz* —1D **50**
Hazel Bank. *Milt C* —1B **30**
Hazelbank. *Moth* —2B **128**
Hazelbank Wlk. *Air* —3F **91**
Hazeldean Cres. *Wis* —4A **146**
Hazel Dene. *B'rig* —6D **48**
Hazeldene La. *Lark* —4G **161**
   (off Donaldson Rd.)
Hazel Gdns. *Moth* —6G **143**
Hazel Gro. *Kirk* —1D **50**
Hazel Gro. *Law* —5D **158**
Hazelhead. *E Kil* —1B **150**
Hazellea Dri. *Giff* —3C **118**
Hazel Pk. *Ham* —1A **154**
Hazel Path. *Cle* —6H **129**
Hazel Rd. *Bear* —6E **15**
Hazel Rd. *Cumb* —2D **36**
Hazel Ter. *Udd* —6F **109**
Hazelton. *Moth* —4F **143**
Hazel Wood. *Wis* —4B **146**
Hazelwood Av. *Bri W* —4G **73**
Hazelwood Av. *Newt M* —5E **133**
Hazelwood Av. *Pais* —6C **96**
Hazelwood Gdns. *Ruth* —3E **121**
Hazelwood La. *Bri W* —4F **73**
Hazelwood Rd. *G41* —1A **102**
Hazelwood Rd. *Bri W* —4F **73**
Hazlewood Dri. *Blan* —1A **140**
Hazlitt St. *G20* —3F **63**
Headhouse Ct. *E Kil* —3F **149**
Headhouse Grn. *E Kil* —3G **149**
Headsmuir Av. *Carl* —3D **164**
Hearn Pl. *Bail* —4D **68**
Heath Av. *B'rig* —1D **64**
Heath Av. *Lenz* —3C **50**
Heathcliffe Av. *Blan* —6A **124**
Heathcote Av. *G15* —5G **43**
Heathcot Pl. *G15* —5G **43**
Heather Av. *Barr* —2C **114**
Heather Av. *Bear* —5D **24**
Heather Av. *Clyd* —6C **22**
Heather Av. *Moth* —2A **128**
Heatherbank Wlk. *Air* —3F **91**
Heatherbrae. *B'rig* —6A **48**
Heather Dri. *Kirk* —3A **50**
Heather Gdns. *Kirk* —3A **50**
Heather Gdns. *Udd* —6E **109**
   (off Heathery Knowe)
Heather Pl. *John* —3G **95**
Heather Pl. *Kirk* —2A **50**
Heather Row. *Carl* —1E **165**
Heather View. *Len* —2G **7**
Heather Way. *Moth* —3A **128**
Heathery Knowe. *E Kil* —4G **149**
Heatheryknowe Rd. *Barg* —4C **88**
Heathery Rd. *Wis* —6F **145**
Heathfield. *Wis* —4G **157**
Heathfield Av. *Mood* —5D **52**
Heathfield Dri. *Miln* —2H **25**
Heathfield St. *G33* —3C **86**
Heath Rd. *Lark* —2F **161**
Heathside Rd. *Giff* —4B **118**
Heathwood Dri. *T'bnk* —4G **117**
Hecla Av. *G15* —4H **43**
Hecla Pl. *G15* —4H **43**
Hecla Sq. *G15* —5H **43**
Hector Rd. *G41* —5B **102**
Helena Pl. *Clar* —1C **134**
Helena Ter. *Clyd* —1C **42**
Helensburgh Dri. *G13* —3D **60**
Helenslea. *Camb* —3D **122**
Helenslea Pl. *Bell* —3B **126**
Helenslee Ct. *Dumb* —4D **16**
Helenslee Cres. *Dumb* —4D **16**
Helenslee Rd. *Dumb* —4D **16**
Helen St. *G51* —4G **81**
Helen St. *G52* —6F **81**
Helenvale Ct. *G31* —6F **85**
Helenvale St. *G31* —1E **105**
Helmsdale Av. *Blan* —4A **124**
Helmsdale Ct. *Camb* —2D **122**
Hemlock St. *G13* —2F **61**
Hemmingen Ga. *Bear* —5E **45**
Henderland Dri. *Bear* —5E **45**
Henderland Rd. *Bear* —5E **45**
Henderson Av. *Camb* —1D **122**
Henderson St. *G20* —6D **62**
Henderson St. *Air* —3B **92**
Henderson St. *Clyd* —1G **59**
Henderson St. *Coat* —5B **90**
Henderson St. *Pais* —6H **77**
Hendry Ct. *Clyd* —5C **42**
Henrietta St. *G14* —6C **60**
Henry Bell St. *E Kil* —3H **149**
   (off Telford Rd.)
Henry St. *Barr* —4D **114**

Hepburn Hill. *Ham* —3F **153**
Hepburn Rd. *G52* —4B **80**
Herald Av. *G13* —6D **44**
Herald Gro. *Moth* —5F **143**
Herald Way. *Renf* —2E **79**
Herbertson Gro. *Blan* —6A **124**
Herbertson St. *G5* —6F **83**
Herbertson St. *Blan* —2C **140**
Herbert St. *G20* —6D **62**
Hercules Way. *Renf* —2F **79**
Heriot Av. *Pais* —5C **96**
Heriot Ct. *Pais* —5D **96**
Heriot Cres. *B'rig* —4C **48**
Heriot Rd. *Lenz* —4C **50**
Heritage Ct. *Newt M* —4E **133**
Heritage View. *Coat* —3B **90**
Heritage Way. *Coat* —4B **90**
Herma St. *G23* —1C **62**
Hermes Way. *Bell* —2H **127**
Hermiston Av. *G32* —5C **86**
Hermiston Pl. *G32* —5C **86**
Hermiston Pl. *Moth* —2A **128**
   (off Windsor Rd.)
Hermiston Rd. *G32* —4B **86**
Hermitage Av. *G13* —2C **60**
Hermitage Cres. *Coat* —2D **110**
Herndon Ct. *Newt M* —3G **133**
Heron Ct. *Clyd* —2D **42**
Heron Pl. *John* —6D **94**
Heron St. *G40* —1B **104**
Heron Way. *Renf* —2E **79**
Herries Rd. *G41* —4A **102**
Herriet St. *G41* —2D **102**
Herriot St. *Coat* —3A **90**
Herschell St. *G13* —3F **61**
Hertford Av. *G12* —3H **61**
Hewett Cres. *C'lee* —2C **74**
Hexham Gdns. *G41* —4B **102**
Heys St. *Barr* —5E **115**
Hickman St. *G42* —4F **103**
Hickory Cres. *Udd* —4G **109**
Hickory St. *G22* —4A **64**
High Avon St. *Lark* —1D **160**
High Barholm. *Kilb* —2A **94**
High Barrwood Rd. *Kils* —3A **12**
High Beeches. *Crmck* —1A **136**
High Blantyre Rd. *Ham* —4D **140**
Highburgh Dri. *Ruth* —2D **120**
Highburgh Rd. *G12* —6A **62**
High Burnside Av. *Coat* —6A **90**
High Calside. *Pais* —2H **97**
High Coats. *Coat* —4D **90**
High Comn. Rd. *E Kil* —4B **150**
Highcraig Av. *John* —4D **94**
High Craighall Rd. *G4* —1F **83**
Highcroft Av. *G44* —2H **119**
Highcross Av. *Coat* —1H **109**
Highfield Av. *Kirk* —4E **31**
Highfield Av. *Pais* —6H **97**
Highfield Ct. *Kirk* —5F **31**
Highfield Cres. *Moth* —1A **144**
Highfield Cres. *Pais* —6H **97**
Highfield Dri. *G12* —3H **61**
Highfield Dri. *Clar* —2B **134**
Highfield Dri. *Ruth* —4E **121**
Highfield Gro. *Kirk* —4E **31**
Highfield Pl. *G12* —3H **61**
Highfield Pl. *E Kil* —6H **137**
Highfield Rd. *Kirk* —4E **31**
Highfield Rd. *Lark* —2F **161**
High Flender Rd. *Clar* —3A **134**
High Kirk View. *John* —3F **95**
Highland Av. *Blan* —1A **140**
Highland La. *G51* —3A **82**
Highland Pk. *Kils* —2G **11**
Highland Pl. *Kils* —1G **11**
High Mains Av. *Dumb* —2C **18**
High Meadow. *Carl* —5H **165**
   (in two parts)
High Mill Rd. *Carl* —3G **165**
High Parksail. *Ersk* —1G **57**
High Parks Cres. *Ham* —5H **153**
High Patrick St. *Ham* —1A **154**
High Pleasance. *Lark* —2E **161**
High Rd. *Cast* —2G **97**
High Rd. *Moth* —2F **143**
High Row. *B'rig* —2D **48**
Highstonehall Rd. *Ham* —4C **152**
High St. Airdrie. *Air* —3H **91**
High St. Carluke. *Carl* —3F **165**
High St. Dumbarton. *Dumb* —4E **17**
High St. Glasgow. *G1 & G4*
   —5H **83** (6G **5**)
High St. Johnstone. *John* —2E **95**
High St. Neilston. *Neil* —2D **130**
High St. Newarthill. *N'hill* —3E **129**
High St. Paisley. *Pais* —1H **97**
High St. Renfrew. *Renf* —5F **59**
High St. Rutherglen. *Ruth* —5C **104**
HIGH ST. STATION. *G1*
   —4H **83** (6H **5**)
High Whitehills Rd. *E Kil* —6F **149**
Hilary Dri. *Bail* —6F **87**
Hilda Cres. *G33* —5G **65**
Hillary Av. *Ruth* —1F **121**
Hill Av. *Newt M* —5F **132**
Hill Cres. *Clar* —3C **134**
Hillcrest. *Crmck* —1H **135**
Hillcrest. *Chry* —1B **68**
Hillcrest Av. *Clyd* —6C **22**

Hillcrest Av. *Coat* —5E **91**
Hillcrest Av. *Cumb* —5H **35**
Hillcrest Av. *Mt V* —5B **106**
Hillcrest Av. *Muir* —3C **118**
Hillcrest Av. *Pais* —6G **97**
Hillcrest Av. *Wis* —6E **145**
Hillcrest Ct. *Cumb* —4H **35**
Hillcrest Dri. *Newt M* —4G **133**
Hillcrest Rd. *G32* —4C **106**
Hillcrest Rd. *Bear* —3F **45**
Hillcrest Rd. *Kils* —3C **10**
Hillcrest Rd. *Udd* —6E **109**
Hillcrest St. *Miln* —3G **25**
Hillcrest Ter. *Both* —4F **125**
Hillcrest View. *Lark* —3F **161**
Hillcroft Ter. *B'rig* —1B **64**
Hillend Cres. *Clar* —3A **134**
Hillend Cres. *Clyd* —1B **42**
Hillend Rd. *G22* —2E **63**
Hillend Rd. *Clar* —3A **134**
Hillend Rd. *Ruth* —2D **120**
Hillfoot. *Hous* —3E **75**
Hillfoot Av. *Dumb* —1C **18**
Hillfoot Av. *Ruth* —6D **104**
Hillfoot Av. *Wis* —2B **146**
Hillfoot Cres. *Wis* —2B **146**
Hillfoot Dri. *Bear* —2F **45**
Hillfoot Dri. *Coat* —5H **89**
Hillfoot Dri. *Wis* —2B **146**
Hillfoot Gdns. *Udd* —5C **108**
Hillfoot Gdns. *Wis* —2B **146**
Hillfoot Rd. *Air* —5A **92**
HILLFOOT STATION. *Bear* —2G **45**
Hillfoot St. *G31* —4C **84**
Hillfoot Ter. *Carl* —4G **165**
Hillhead Av. *Bank* —1E **15**
Hillhead Av. *Carl* —3G **165**
Hillhead Av. *Chry* —5D **52**
Hillhead Av. *Moth* —5A **128**
Hillhead Av. *Ruth* —3D **120**
Hillhead Cres. *Ham* —6C **140**
Hillhead Cres. *Moth* —5A **128**
Hillhead Dri. *Air* —5A **92**
Hillhead Dri. *Moth* —6A **128**
Hillhead Pl. *Ruth* —3D **120**
Hillhead Rd. *G21* —2F **65**
Hillhead Rd. *Kirk* —4D **30**
HILLHEAD STATION. *G12* —6B **62**
Hillhead St. *G12* —1B **82**
Hillhead St. *Miln* —3G **25**
Hillhead Ter. *Ham* —6C **140**
Hillhouse Cres. *Ham* —6D **140**
Hillhouse Ga. *Carl* —5H **165**
Hillhouse Pk. Ind. Est. *Ham*
   —5E **14?**
Hillhouse Rd. *Ham* —4H **139**
Hillhouse St. *G21* —5C **64**
Hillhouse Ter. *Ham* —6D **140**
HILLINGTON EAST STATION. *G52*
   —5B **8?**
Hillington Gdns. *G52* —1C **100**
Hillington Ind. Est. *G52* —3H **79**
   (off Lothian St.)
Hillington Pk. Cir. *G52* —6C **80**
Hillington Quad. *G52* —6A **80**
Hillington Rd. *H'ton I* —4A **80**
Hillington Rd. S. *G52* —5A **80**
Hillington Ter. *G52* —6A **80**
HILLINGTON WEST STATION. *G52*
   —4H **7?**
Hillkirk La. *G21* —5B **64**
   (off Hillkirk St.)
Hillkirk Pl. *G21* —5B **64**
Hillkirk St. *G21* —5B **64**
Hillneuk Av. *Bear* —2F **45**
Hillneuk Dri. *Bear* —2G **45**
Hillpark Av. *Pais* —4H **97**
Hillpark Dri. *G43* —1H **117**
Hill Pl. *Bell* —4B **126**
Hill Pl. *Moth* —5C **128**
Hillrigg Av. *Air* —3C **92**
Hill Rd. *Cumb* —3G **35**
Hill Rd. *Kils* —1H **11**
Hillsborough Rd. *Bail* —6F **87**
Hillside. *Croy* —6B **12**
Hillside. *Hous* —3E **75**
Hillside Av. *Bear* —2F **45**
Hillside Av. *Clar* —2B **134**
Hillside Cotts. *Glenb* —3A **70**
Hillside Ct. *T'bnk* —4F **117**
Hillside Cres. *Coat* —1B **110**
Hillside Cres. *Ham* —1H **153**
Hillside Cres. *Moth* —3D **128**
Hillside Cres. *Neil* —2D **130**
Hillside Dri. *Barr* —4C **114**
Hillside Dri. *Bear* —2G **45**
Hillside Dri. *B'rig* —6C **48**
Hillside Gro. *Barr* —5C **114**
Hillside Gro. *B'rig* —1E **65**
Hillside La. *Ham* —1G **153**
Hillside Pk. *Hard* —1D **42**
Hillside Pl. *Moth* —4D **128**
Hillside Quad. *G43* —2H **117**
Hillside Rd. *G43* —2H **117**
Hillside Rd. *Barr* —5B **114**
Hillside Rd. *Neil* —2D **130**
Hillside Rd. *Pais* —3C **98**
Hillside Ter. *Ham* —1G **153**
Hillside Ter. *Milt C* —6B **8**
Hillside Ter. *Old K* —1F **41**
Hill St. *G3* —2E **83** (2A **4**)

Hill St. *Chap* —3D **112**
Hill St. *Dumb* —4D **16**
Hill St. *Ham* —6D **140**
Hill St. *Wis* —1G **157**
Hillswick Cres. *G22* —1F **63**
Hill Ter. *Moth* —5C **128**
Hilltop Av. *Bell* —6C **110**
Hilltop Ter. *Bail* —5D **52**
Hill View. *E Kil* —3G **149**
Hill View. *Milt* —4F **19**
Hillview Av. *Bear* —4H **11**
Hillview Av. *Len* —3G **7**
Hillview Cres. *Bell* —5C **110**
Hillview Cres. *Lark* —3F **161**
Hillview Cres. *Udd* —5C **108**
Hillview Dri. *Ham* —5A **124**
Hillview Dri. *Clar* —2B **134**
Hill View Pl. *Clar* —2C **134**
Hillview Pl. *Newt M* —5D **132**
Hillview Rd. *Bri W* —4G **73**
Hillview Rd. *Eld* —3H **95**
Hillview St. *G32* —6H **85**
Hillview Ter. *Old K* —2F **41**
Hiltonbank St. *Ham* —5F **125**
Hilton Dri. *B'rig* —4C **48**
Hilton Gdns. *G13* —2F **61**
Hilton Gdns. La. *G13* —2F **61**
Hilton Pk. *B'rig* —3B **48**
Hilton Rd. *B'rig* —4B **48**
Hilton Rd. *Miln* —3E **25**
Hilton Ter. *G13* —2E **61**
Hilton Ter. *B'rig* —3B **48**
Hilton Ter. *Camb* —3A **122**
Hindsland Rd. *Lark* —4F **161**
Hinshaw St. *G20* —6E **63**
Hinshelwood Dri. *G51* —5G **81**
Hinshelwood Pl. *G51* —6H **81**
Hirsel Pl. *Both* —5F **125**
Hobart Cres. *Clyd* —2H **41**
Hobart Rd. *E Kil* —4E **149**
Hobart St. *G22* —5F **63**
Hobden St. *G21* —6C **64**
Hoddam Av. *G45* —4B **120**
Hoddam Ter. *G45* —4C **120**
Hoey Dri. *Wis* —4A **158**
Hogan Ct. *Clyd* —1B **42**
Hogarth Av. *G32* —4F **85**
Hogarth Cres. *G32* —4F **85**
Hogarth Dri. *G32* —4F **85**
Hogarth Gdns. *G32* —4F **85**
Hogganfield St. *G33* —1F **85**
Hogg Av. *John* —4E **95**
Hogg Rd. *Chap* —1D **112**
Hogg St. *Air* —4A **92**
Holeburn La. *G43* —1A **118**
Holeburn Rd. *G43* —1A **118**
Holehills Dri. *Air* —1B **92**
Holehills Pl. *Air* —1B **92**
Holehouse Brae. *Neil* —2C **130**
Holehouse Dri. *G13* —3A **60**
Holehouse Ter. *Neil* —2C **130**
Hollandbush Cres. *Bank* —1F **15**
Hollandbush Gro. *Ham* —3H **153**
Hollandhurst Rd. *Coat* —2B **90**
Holland St. *G2* —3E **83** (4A **4**)
Hollinwell Rd. *G23* —1B **62**
Hollowglen Rd. *G32* —5B **86**
Hollows Av. *Pais* —6D **96**
Hollows Cres. *Pais* —6D **96**
Holly Av. *Milt C* —6B **8**
Hollybank Pl. *Camb* —3B **122**
Hollybank St. *G21* —2C **84**
Hollybrook St. *G42* —3F **103**
(in two parts)
Hollybush Av. *Pais* —6F **97**
Hollybush Rd. *G52* —6H **79**
Holly Dri. *G21* —6C **64**
Holly Dri. *Dumb* —2B **16**
Holly Gro. *Bank* —1F **15**
Holly Gro. *Bell* —2H **127**
Hollymount. *Bear* —5F **45**
Holly Pl. *John* —5G **95**
Holly St. *Air* —4C **92**
Holly St. *Clyd* —3C **42**
Holm Av. *Pais* —3B **98**
Holm Av. *Udd* —6C **108**
Holmbank Av. *G41* —6B **102**
Holmbrae Av. *Udd* —6D **108**
Holmbrae Rd. *Udd* —6D **108**
Holmbyre Rd. *G45* —6F **119**
Holmbyre Ter. *G45* —5G **119**
Holmes Av. *Renf* —2E **79**
Holmes Quad. *Bell* —4D **126**
Holmfauldhead Pl. *G51* —3E **81**
Holmfauld Pl. *G51* —3E **81**
Holmfauld Rd. *G51* —3E **81**
Holmfield. *Kirk* —6E **31**
Holm Gdns. *Bell* —3E **127**
Holmhead Cres. *G44* —1E **119**
Holmhead Pl. *G44* —1E **119**
Holmhead Rd. *G44* —2E **119**
Holmhill Av. *Camb* —3A **122**
Holmhills Dri. *Camb* —4H **121**
Holmhills Gdns. *Camb* —3H **121**
Holmhills Gro. *Camb* —3H **121**
Holmhills Pl. *Camb* —3H **121**
Holmhills Rd. *Camb* —3H **121**
Holmhills Ter. *Camb* —3H **121**
Holm La. *E Kil* —2G **149**

Holmlea Rd. *G42* & *G44* —6E **103**
Holmpark. *B'ton* —4G **39**
Holm Pl. *Lark* —3C **160**
Holm Pl. *Lin* —4H **75**
Holms Cres. *Ersk* —5D **40**
Holm St. *G2* —4E **83** (6B **4**)
Holms Pl. *G'csh* —2C **68**
Holm St. *Carl* —3E **165**
Holm St. *Moth* —4A **128**
Holmswood Av. *Blan* —1B **140**
Holmwood Av. *Udd* —6D **108**
Holmwood Gdns. *Udd* —1D **124**
Holmwood Gro. *G44* —3E **119**
Holyknowe Cres. *Len* —3F **7**
Holyknowe Rd. *Len* —4G **7**
Holyrood Cres. *G20* —1D **82**
Holyrood Quad. *G20* —1D **82**
(off Holyrood Cres.)
Holyrood St. *Ham* —4E **141**
Holytown Rd. *Bell* & *Moth* —2G **127**
HOLYTOWN STATION. *Holy*
—4A **128**
Holywell St. *G31* —6D **84**
Homeblair Ho. *Giff* —2A **118**
Homeglen Ho. *Giff* —5A **118**
Homer Pl. *Bell* —2G **127**
Homeston Av. *Both* —4E **125**
Honeybank Cres. *Carl* —2F **165**
Honeybog Rd. *G52* —5G **79**
Honeywell Cres. *Chap* —4E **113**
Hood St. *Clyd* —5E **43**
Hope Av. *Bri W* —1A **72**
Hope Cres. *Lark* —2F **161**
Hopefield Av. *G12* —4A **62**
Hopehill Rd. *G20* —6E **63**
(in two parts)
Hopeman. *Ersk* —4E **41**
Hopeman Av. *T'bnk* —3E **117**
Hopeman Dri. *Giff* —3E **117**
Hopeman Path. *T'bnk* —3E **117**
Hopeman Rd. *T'bnk* —3E **117**
Hopeman St. *T'bnk* —3E **117**
Hope St. *G2* —4F **83** (6C **4**)
Hope St. *Ham* —6A **142**
Hope St. *Moth* —2G **143**
Hope St. *Newm* —5E **147**
Hopetoun Pl. *G23* —6C **46**
Hopkins Brae. *Kirk* —4D **30**
Horatius St. *Moth* —6D **126**
Hornal Rd. *Udd* —3E **125**
Hornbeam Dri. *Clyd* —3C **42**
Hornbeam Rd. *Cumb* —6E **15**
Hornbeam Rd. *Udd* —5F **109**
Horndean Ct. *B'rig* —3C **48**
Horndean Cres. *G33* —2D **86**
Horne St. *G22* —4A **64**
Hornock Rd. *Coat* —2B **90**
Hornshill Dri. *Cle* —5H **129**
Hornshill Farm Rd. *Step* —3E **67**
Hornshill St. *G21* —5C **64**
Horsburgh Av. *Kils* —2H **11**
Horsburgh St. *G33* —1D **86**
Horse Shoe Rd. *Bear* —2E **45**
Horsewood Rd. *Bri W* —4E **72**
Horslethill Rd. *G12* —5A **62**
Horslet St. *Coat* —1G **109**
Horsley Brae. *Wis* —2G **162**
Hospital Rd. *Wis* —3H **157**
Hospital St. *G5* —6G **83**
Hospital St. *Coat* —1C **110**
Hotspur St. *G20* —4C **62**
Houldsworth La. *G3* —3C **82**
(off Elliot St.)
Houldsworth St. *G3* —3C **82**
Househillmuir Cres. *G53* —1C **116**
Househillmuir Pl. *G53* —6C **100**
Househillmuir Rd. *G53* —2A **116**
Househillwood Cres. *G53* —6B **100**
Househillwood Rd. *G53* —1A **116**
Housel Av. *G13* —2B **60**
Houston Ct. *John* —2F **95**
(off Houston Sq.)
Houstonfield Quad. *Hous* —1A **74**
Houstonfield Rd. *Hous* —1A **74**
Houston Pl. *G5* —5D **82**
Houston Pl. *Eld* —3A **96**
Houston Rd. *B'ton* —5B **38**
Houston Rd. *Bri W* —3F **73**
Houston Rd. *Hous* —1B **74**
Houston Rd. *Inch* —5D **56**
Houston St. *G5* —6D **82**
Houston St. *Ham* —2H **153**
Houston St. *Renf* —5F **59**
Houston St. *Wis* —2B **158**
Houston Ter. *E Kil* —1F **149**
Houstoun Sq. *John* —2F **95**
Howard Av. *E Kil* —4A **138**
Howard Ct. *E Kil* —4A **138**
Howard St. *G1* —5F **83**
Howard St. *Lark* —4G **161**
Howard St. *Pais* —6C **78**
Howatshaws Rd. *Dumb* —1H **17**
Howat St. *G51* —3G **81**
Howcraigs Ct. *Clyd* —2F **59**
(off Clydeholm Ter.)
Howden Av. *Moth* —5D **112**
Howden Dri. *Lin* —6G **75**
Howden Pl. *Moth* —2A **128**
Howe Rd. *Kils* —4H **11**
Howes St. *Coat* —1D **110**
Howe St. *Pais* —1D **96**

Howford Rd. *G52* —1B **100**
Howgate Av. *G15* —4H **43**
Howgate Rd. *Ham* —3F **153**
Howie Bldgs. *Clar* —1C **134**
Howieshill Av. *Camb* —2B **122**
Howieshill Rd. *Camb* —3B **122**
Howie St. *Lark* —4F **161**
Howletnest Rd. *Air* —5C **92**
Howlet Pl. *Ham* —2A **154**
Howson Lea. *Moth* —5B **144**
Howson View. *Moth* —2D **142**
Howth Dri. *G13* —1F **61**
Howth Ter. *G13* —1F **61**
Hoylake Pk. *Both* —5D **124**
Hoylake Pl. *G23* —6C **46**
Hozier Cres. *Udd* —5D **108**
Hozier Loan. *Lark* —1F **161**
(off Duncan Graham St.)
Hozier Pl. *Both* —4F **125**
Hozier St. *Carl* —3F **165**
Hozier St. *Coat* —6C **90**
Hudson Ter. *E Kil* —3D **148**
Hudson Way. *E Kil* —3E **149**
Hughenden Dri. *G12* —5H **61**
Hughenden Gdns. *G12* —5G **61**
Hughenden La. *G12* —5H **61**
Hughenden Rd. *G12* —5H **61**
Hughenden Ter. *G12* —5H **61**
Hugh Murray Dri. *Camb* —2C **122**
Hugo St. *G20* —4D **62**
Humbie Ct. *Newt M* —6E **133**
Humbie Ga. *Newt M* —6E **133**
Humbie Gro. *Newt M* —6E **133**
Humbie Lawns. *Newt M* —6E **133**
Humbie Rd. *Newt M* —6E **133**
Hume Dri. *Both* —4E **125**
Hume Dri. *Udd* —6C **108**
Hume Pl. *E Kil* —3F **149**
Hume Rd. *Cumb* —2A **36**
Hume St. *Clyd* —6D **42**
Hunterfield Dri. *Camb* —2G **121**
Hunterhill Av. *Pais* —2B **98**
Hunterhill Rd. *Pais* —2B **98**
Hunter Pl. *Kilb* —3A **94**
Hunter Pl. *Miln* —4E **25**
Hunter Rd. *Ham* —3F **141**
Hunter Rd. *Miln* —3E **25**
Hunter Rd. *Ruth* —4E **105**
Hunter's Av. *Dumb* —2D **18**
Hunter St. *G4* —4A **84**
Hunter St. *Air* —2H **91**
Hunter St. *Bell* —2C **126**
Hunter St. *E Kil* —1H **149**
Hunter St. *Pais* —6A **78**
Hunthill La. *Blan* —3H **139**
Hunthill Pl. *Clar* —4E **135**
Hunthill Rd. *Blan* —3H **139**
Huntingdon Rd. *G21* —1A **84**
Huntingdon Sq. *G21* —1A **84**
Hunting Lodge Gdns. *Ham*
—1C **154**
Huntingtower Rd. *Bail* —1F **107**
Huntly Av. *Bell* —1C **126**
Huntly Av. *Giff* —5B **118**
Huntly Ct. *B'rig* —1C **64**
Huntly Dri. *Bear* —6E **25**
Huntly Dri. *Camb* —3B **122**
Huntly Dri. *Coat* —1H **109**
Huntly Gdns. *G12* —6B **62**
Huntly Ga. *Giff* —4B **118**
Huntly Path. *Chry* —5E **53**
Huntly Quad. *Wis* —4H **145**
Huntly Rd. *G12* —6A **62**
Huntly Rd. *H'ton I* —3H **79**
Huntly Ter. *Pais* —4C **98**
Huntshill St. *G21* —3A **64**
Hurlawcrook Rd. *E Kil* —6A **150**
Hurlet Rd. *Pais* & *G53* —4E **99**
Hurly Hawkin. *B'rig* —1F **65**
Hurlford Av. *G13* —1H **59**
Hutcheson Rd. *T'bnk* —5G **117**
Hutcheson St. *G1* —4G **83** (6F **5**)
Hutchinson Pl. *Camb* —4E **123**
Hutchinson Town Ct. *G5* —1G **103**
Hutchison Ct. *Giff* —6H **117**
Hutchison Dri. *Bear* —5G **45**
Hutchison Pl. *Coat* —5B **90**
Hutchison St. *Ham* —3H **153**
Hutchison St. *Wis* —4B **158**
Hutton. *G12* —3G **61**
Hutton Dri. *G51* —3E **81**
Huxley St. *G20* —3D **62**
Hyacinth Way. *Carl* —5F **165**
Hydepark St. *G3* —4D **82**
Hyndal Av. *G53* —4C **100**
Hyndland Av. *G11* —1H **81**
Hyndland Rd. *G12* —6A **62**
HYNDLAND STATION. *G11* —5G **62**
Hyndland St. *G11* —1A **82**
Hyndlee Dri. *G52* —6D **80**
Hyndshaw Rd. *Carl* —2F **165**
Hyndshaw View. *Law* —1A **164**
Hyslop Pl. *Clyd* —4C **42**
Hyslop St. *Air* —3G **91**

Iain Dri. *Bear* —1C **44**
Iain Rd. *Bear* —2C **44**

Ian Smith Ct. *Clyd* —1F **59**
Ibroxholm Av. *G51* —6H **81**
Ibroxholm Oval. *G51* —5H **81**
Ibroxholm Pl. *G51* —6H **81**
Ibrox Ind. Est. *G51* —5H **81**
IBROX STATION. *G51* —5H **81**
Ibrox St. *G51* —5A **82**
Ibrox Ter. *G51* —5H **81**
Ida Quad. *Bell* —2B **126**
Iddesleigh Av. *Miln* —3G **25**
Ilay Av. *Bear* —1G **61**
Ilay Ct. *Bear* —1G **61**
Ilay Rd. *Bear* —1G **61**
Imperial Dri. *Air* —6H **91**
Inchbrae Rd. *G52* —1C **100**
Inchcolm Gdns. *Mood* —4E **53**
Inchcolm Pl. *E Kil* —1E **149**
Inchfad Dri. *G15* —4G **43**
Inch Garvie. *E Kil* —2D **150**
Inchinnan Dri. *Inch* —5F **57**
Inchinnan Rd. *Bell* —6B **110**
Inchinnan Rd. *Pais* —4A **78**
Inchinnan Rd. *Renf* —5D **58**
Inch Keith. *E Kil* —2D **150**
Inchkeith Pl. *G32* —4B **86**
Inchlee St. *G14* —1E **81**
Inch Marnock. *E Kil* —3C **150**
Inch Murrin. *E Kil* —2D **150**
Inchmurrin Av. *Kirk* —5H **31**
Inchmurrin Dri. *Ruth* —5E **121**
Inchmurrin Gdns. *Ruth* —5F **121**
Inchmurrin Pl. *Ruth* —5F **121**
Inchneuk Rd. *Glenb* —3A **70**
Inchoch St. *G33* —1E **87**
Incholm La. *G11* —1E **81**
(off Incholm St.)
Incholm St. *G11* —1E **81**
Inchrory Pl. *G15* —3G **43**
Inchwood Ct. *Cumb* —6B **34**
Inchwood Pl. *Cumb* —6B **34**
Inchwood Rd. *Cumb* —6B **34**
Incle St. *Pais* —6B **78**
India Dri. *Inch* —3G **57**
India St. *G2* —3E **83**
Industry St. *Kirk* —6D **30**
Inga St. *G20* —2C **62**
Ingerbreck Av. *Ruth* —3F **121**
Ingleby Dri. *G31* —4C **84**
Ingleby Pl. *Neil* —2E **131**
Inglefield Ct. *Air* —4A **92**
Inglefield St. *G42* —3F **103**
Ingleneuk Av. *G33* —4B **66**
Ingleside. *Kirk* —1C **50**
Inglestone Av. *T'bnk* —5G **117**
Inglewood Cres. *E Kil* —3C **148**
Inglis Pl. *E Kil* —4H **149**
Inglis St. *G31* —5C **84**
Inglis St. *Wis* —1D **156**
Ingliston Dri. *B'ton* —4F **39**
Ingram St. *G1* —4G **83** (5E **5**)
Inishail Rd. *G33* —2C **86**
Inkerman Rd. *G52* —6H **79**
Innellan Quad. *Moth* —2F **129**
Innermanse Quad. *Moth* —2F **129**
Innerwick Dri. *G52* —6B **80**
Innes Ct. *Air* —3E **93**
Innes Ct. *E Kil* —5G **137**
Innspark. *Kils* —2H **11**
International Av. *Ham* —5B **140**
Inveraray Dri. *B'rig* —3D **48**
Inveravon Dri. *Moth* —4A **142**
Inverbervie. *Ersk* —5E **41**
Invercanny Dri. *G15* —3H **43**
Invercanny Pl. *G15* —3A **44**
Invercargill. *E Kil* —4C **148**
Inverclyde Gdns. *Ruth* —4F **121**
Invercree Wlk. *Glenb* —3G **69**
(off Dinyra Pl.)
Inveresk Pl. *Coat* —3C **90**
Inveresk Quad. *G32* —5A **86**
Inveresk St. *G32* —5H **85**
Inverewe Av. *T'bnk* —5D **116**
Inverewe Dri. *T'bnk* —5D **116**
Inverewe Gdns. *T'bnk* —5D **116**
Inverewe Pl. *T'bnk* —4D **116**
Inverewe Way. *Newt M* —4B **132**
Invergarry Av. *T'bnk* —6D **116**
Invergarry Ct. *T'bnk* —6E **117**
Invergarry Dri. *T'bnk* —6D **116**
Invergarry Gdns. *T'bnk* —6D **116**
Invergarry Gro. *T'bnk* —5D **116**
Invergarry Pl. *T'bnk* —6D **116**
Invergarry Quad. *T'bnk* —5E **117**
Invergarry View. *T'bnk* —5E **117**
Inverglas Av. *Renf* —2H **79**
Invergordon Av. *G43* —6D **102**
Invergyle Dri. *G52* —6B **80**
Inverkar Dri. *Pais* —3E **97**
Inverlair Av. *G43* & *G44* —1D **118**
Inverleith St. *G32* —5F **85**
Inverlochy St. *G33* —2D **86**
Inverness St. *G51* —5D **80**
Invernia Sq. *Clyd* —5D **42**
Inveroran Dri. *Bear* —3H **45**
Inver Rd. *G33* —4E **87**
Invershiel Rd. *G23* —6B **46**
Invershin Dri. *G20* —4B **62**
Inverurie St. *G21* —6H **63**
Invervale Av. *Air* —5F **93**
Inzievar Ter. *G32* —4B **106**
Iona. *Air* —6D **92**

Iona Av. *E Kil* —5A **138**
Iona Ct. *G51* —4H **81**
Iona Cres. *Old K* —2G **41**
Iona Dri. *Pais* —6H **97**
Iona Gdns. *Old K* —2G **41**
Iona La. *Chry* —5E **53**
Iona Path. *Blan* —2A **140**
Iona Pl. *Coat* —2H **89**
Iona Pl. *Old K* —2G **41**
Iona Quad. *Wis* —4C **146**
Iona Ridge. *Ham* —2C **152**
Iona Rd. *Newm* —3D **146**
Iona Rd. *Renf* —2E **79**
Iona Rd. *Ruth* —4G **121**
Iona St. *G51* —4H **81**
Iona St. *Moth* —6C **127**
Iona Way. *G33* —5E **67**
Iona Way. *Kirk* —5G **31**
Iris Av. *G45* —4C **120**
Irongray St. *G31* —4E **85**
Irvine Cres. *Coat* —4E **91**
Irvine Dri. *Lin* —4F **75**
Irvine Gdns. *Milt C* —6B **8**
Irvine Pl. *Kils* —2F **11**
Irvine St. *G40* —2D **104**
Irvine St. *Glenm* —5H **71**
Irvine Ter. *Ham* —3H **153**
Irving Av. *Clyd* —1D **42**
Irving Ct. *Clyd* —1D **42**
Irving Quad. *Clyd* —1D **42**
Isabella Gdns. *Ham* —2D **154**
Iser La. *G41* —5C **102**
Isla Av. *Newm* —3D **146**
Island Rd. *Cumb* —5F **35**
Islay. *Air* —6E **93**
Islay Av. *Bear* —1F **61**
Islay Av. *Ruth* —4G **121**
Islay Ct. *Ham* —1D **152**
Islay Cres. *Old K* —2G **41**
Islay Cres. *Pais* —6H **97**
Islay Dri. *Newt M* —4B **132**
Islay Dri. *Old K* —2G **41**
Islay Gdns. *Carl* —5F **165**
Islay Gdns. *Lark* —2F **161**
Islay Quad. *Wis* —2E **157**
Islay Rd. *Kirk* —5H **31**
Ivanhoe. *E Kil* —5D **138**
Ivanhoe Ct. *Carl* —4D **164**
Ivanhoe Cres. *Wis* —6H **145**
Ivanhoe Dri. *Kirk* —5E **31**
Ivanhoe Rd. *G13* —1D **60**
Ivanhoe Rd. *Cumb* —6G **35**
Ivanhoe Rd. *Pais* —4D **96**
Ivanhoe Way. *Pais* —5D **96**
Ivybank Av. *Camb* —3C **122**
Ivy Gro. *Coat* —5D **90**
Ivy Pl. *Blan* —1A **140**
Ivy Pl. *Moth* —4A **128**
Ivy Rd. *Udd* —5G **109**
Ivy Ter. *Moth* —2A **128**

Jackson Ct. *Coat* —5D **90**
Jackson Pl. *Carl* —2E **165**
Jackson St. *Coat* —4D **90**
Jack St. *Ham* —3H **153**
Jack St. *Moth* —5B **144**
Jackton Rd. *E Kil* —4A **148**
Jacob's Ladder. *Wis* —5B **158**
Jacob's Ladder Way. *Wis* —4A **158**
Jade Ter. *Bell* —3C **126**
Jagger Gdns. *Bail* —1F **107**
Jamaica Dri. *E Kil* —2C **148**
Jamaica St. *G1* —5F **83** (6D **4**)
James Dempsey Ct. *Coat* —5B **90**
James Dempsey Gdns. *Coat*
—5B **90**
James Dunlop Gdns. *B'rig* —2D **64**
James Gray St. *G41* —5C **102**
James Hamilton Dri. *Bell* —2D **126**
James Healy Dri. *Ham* —4G **153**
James Leeson Ct. *Milt C* —6B **8**
James Morrison St. *G1* —5H **83**
James Nisbet St. *G21* —2B **84**
James St. *G40* —1A **104**
James St. *Carl* —4F **165**
James St. *Moth* —2F **143**
James St. *Rig I* —1A **126**
James View. *Moth* —4H **127**
James Watt Av. *E Kil* —3H **149**
James Watt La. *G2* —4E **83**
James Watt Pl. *E Kil* —6D **136**
James Watt Rd. *Miln* —2F **25**
James Watt St. *G2* —4E **83** (6B **4**)
Jamieson Ct. *G42* —3F **103**
Jamieson Ct. *Clyd* —6D **22**
Jamieson Dri. *E Kil* —1A **150**
Jamieson St. *G42* —3F **103**
(in two parts)
Janebank Av. *Camb* —3C **122**
Jane Ct. *Lark* —3E **161**
Janefield Av. *John* —3E **95**
Janefield Pl. *Blan* —3A **140**
Janefield Pl. *Len* —2F **7**
Janefield St. *G31* —6D **84**
Jane's Brae. *Cumb* —5H **35**
Jane's Brae Interchange. *Cumb*
—5H **35**
Janesmith St. *Wis* —5C **144**

Janetta St. *Clyd* —4C **42**
Jardine St. *G20* —6D **62**
Jardine Ter. *G'csh* —4D **68**
Jarvie Av. *Plain* —1G **93**
Jarvie Cres. *Kils* —4H **11**
Jarvie Way. *Pais* —5C **96**
Jasmine Pl. *Cumb* —6D **34**
Jasmine Way. *Carl* —5E **165**
Java St. *Moth* —6E **127**
Jean Armour Dri. *Clyd* —4E **43**
Jeanette Av. *Ham* —4H **153**
Jean Maclean Pl. *B'rig* —2D **48**
Jedburgh Av. *Ruth* —6D **104**
Jedburgh Dri. *Pais* —4E **97**
Jedburgh Gdns. *G20* —6D **62**
Jedburgh Pl. *Coat* —2B **110**
Jedburgh Pl. *E Kil* —1H **149**
Jedburgh Pl. *Blan* —2B **140**
Jedburgh St. *Wis* —4A **146**
Jedworth Av. *G15* —4B **44**
Jedworth Rd. *G15* —4B **44**
Jeffrey Pl. *Kils* —2G **11**
Jellicoe St. *Clyd* —4A **42**
Jennie Lee Dri. *Over* —4H **157**
Jennys Well Ct. *Pais* —3E **99**
Jennys Well Rd. *Pais* —3D **98**
Jervis Ter. *E Kil* —4D **148**
Jerviston Ct. *Moth* —6A **128**
Jerviston Rd. *G33* —1C **86**
Jerviston Rd. *Moth* —5A **128**
Jerviston St. *Moth* —1H **143**
Jerviston St. *New S* —4A **128**
(in two parts)
Jerviswood. *Moth* —6A **128**
Jessie St. *G42* —3H **103**
Jessiman Sq. *Renf* —2D **78**
Jimmy Sneddon Way. *Moth*
—5F **127**
Joanna Ter. *Blan* —1B **140**
John Bassy Dri. *Bank* —1D **14**
John Brannan Way. *Bell* —1H **125**
John Brown St. *Chry* —1A **68**
John Burnside Dri. *Clyd* —6E **23**
John Ewing Gdns. *Lark* —1E **161**
John Hendry Rd. *Udd* —3E **125**
John Jarvis Sq. *Kils* —2H **11**
John Knox La. *Ham* —5B **140**
John Knox St. *G4* —4A **84**
John Knox St. *Clyd* —1E **59**
John Lang St. *John* —2G **95**
John McEwan Way. *Torr* —5D **28**
John Murray Ct. *Moth* —6G **143**
Johnsburn Dri. *G53* —1B **116**
Johnsburn Rd. *G53* —1B **116**
Johnshaven. *Ersk* —5E **41**
Johnshaven St. *G43* —6A **102**
John Smith Ct. *Air* —3H **91**
John Smith Gdns. *Coat* —6F **91**
Johnson Dri. *Camb* —2A **122**
Johnston Av. *Clyd* —1F **59**
Johnston Av. *Kils* —4H **11**
Johnstone Av. *H'ton I* —5B **80**
Johnstone By-Pass. *How & John*
—6A **94**
Johnstone Dri. *Ruth* —6C **104**
Johnstone La. *Carl* —4H **165**
(off Kilcadzow Rd.)
Johnstone Rd. *Ham* —1A **154**
JOHNSTONE STATION. *John*
—3G **95**
Johnstone St. *Bell* —2E **127**
Johnstone Ter. *Kils* —2D **32**
Johnston Rd. *G'csh* —3D **68**
Johnston St. *Air* —3B **92**
Johnston St. *Pais* —1A **98**
John St. *G1* —4G **83** (5F **5**)
John St. *Barr* —4D **114**
John St. *Bell* —2C **126**
John St. *Blan* —2C **140**
John St. *Carl* —4F **165**
John St. *Ham* —6A **142**
John St. *Kirk* —4D **30**
John St. *Lark* —3E **161**
John St. *Wis* —5C **144**
John Wilson Dri. *Kils* —2F **11**
Jones Wynd. *Moth* —6E **129**
Jonquil Way. *Carl* —5F **165**
Joppa St. *G33* —4G **85**
Jordanhill Cres. *G13* —4D **60**
Jordanhill Dri. *G13* —4C **60**
Jordanhill La. *G13* —4E **61**
(off Munro Rd.)
JORDANHILL STATION. *G11*
—5F **61**
Jordan St. *G14* —1D **80**
Jordanvale Av. *G14* —1D **80**
Jowitt Av. *Clyd* —6F **43**
Joycelyn Sq. *G5* —5G **83**
Jubilee Bank. *Kirk* —4C **50**
Jubilee Gdns. *Bear* —3E **45**
Jubilee Ter. *John* —3D **94**
Julian Av. *G12* —5A **62**
Julian La. *G12* —5A **62**
Juniper Av. *E Kil* —5F **149**
Juniper Ct. *Kirk* —2D **50**
Juniper Dri. *Milt C* —1B **30**
Juniper Gro. *Ham* —1B **154**
Juniper Pl. *G32* —1E **107**
Juniper Pl. *John* —5G **95**
Juniper Pl. *Udd* —5H **109**
Juniper Rd. *Udd* —6H **109**

Juniper Ter. *G32* —1E **107**
Juniper Wynd. *Moth* —2B **128**
(off Dornoch Av.)
Juno St. *Moth* —6F **127**
Jupiter St. *Moth* —6F **127**
Jura. *E Kil* —4B **150**
Jura Av. *Renf* —2F **79**
Jura Ct. *G52* —6E **81**
Jura Dri. *Blan* —4A **124**
Jura Dri. *Kirk* —5G **31**
Jura Dri. *Newt M* —3B **132**
Jura Dri. *Old K* —2G **41**
Jura Gdns. *Carl* —5G **165**
Jura Gdns. *Ham* —1E **153**
Jura Gdns. *Lark* —2G **161**
Jura Gdns. *Old K* —2G **41**
Jura Pl. *Old K* —2G **41**
Jura Quad. *Wis* —2E **157**
Jura Rd. *Old K* —2G **41**
Jura Rd. *Pais* —6H **97**
Jura St. *G52* —6F **81**
Jura Wynd. *Glenb* —3G **69**

Kaim Dri. *G53* —1C **116**
Karadale Gdns. *Lark* —3E **161**
Karol Path. *G4* —1E **83**
Katewell Av. *G15* —3A **43**
Katherine St. *Air* —3E **93**
Kathkin Dri. *Clar* —1A **134**
Katrin Ct. *G20* —1E **83**
(off Cedar St.)
Katrine Av. *B'rig* —6D **48**
Katrine Av. *Rig I* —1H **125**
Katrine Cres. *Air* —2H **91**
Katrine Dri. *Newt M* —5H **133**
Katrine Dri. *Pais* —3D **96**
Katrine Pl. *Camb* —1A **122**
Katrine Pl. *Coat* —2H **89**
Katrine Wynd. *Moth* —2A **128**
(off Glencoe Dri.)
Katriona Path. *Lark* —4G **161**
(off Donaldson Rd.)
Kay Gdns. *Moth* —3D **142**
Kaystone Rd. *G15* —6A **44**
Kay St. *G21* —5B **64**
Keal Av. *G15* —1A **60**
Keal Cres. *G15* —1A **60**
Keal Dri. *G15* —1A **60**
Keal Pl. *G15* —1A **60**
Kearn Av. *G15* —6B **44**
Kearn Pl. *G15* —6B **44**
Keats Pk. *Both* —4F **125**
Keil Cres. *Dumb* —4D **16**
Keir Cres. *Wis* —5H **145**
Keir Dri. *B'rig* —5B **48**
Keir Hardie Av. *Moth* —2B **128**
Keir Hardie Ct. *B'rig* —6C **48**
Keir Hardie Dri. *Bell* —3B **126**
Keir Hardie Dri. *Kils* —4H **11**
Keir Hardie Pl. *Bell* —3B **126**
Keir Hardie Rd. *Lark* —4F **161**
Keir St. *G41* —2D **102**
Keir's Wlk. *Camb* —1A **122**
Keith Av. *Giff* —4B **118**
Keith Ct. *G11* —2A **82**
Keith Quad. *Wis* —4H **145**
Keith St. *G11* —1A **82**
Keith St. *Bell* —1C **126**
Keith St. *Ham* —5B **142**
Kelbourne Cres. *Bell* —2B **126**
Kelbourne St. *G20* —5C **62**
Kelburne Dri. *Pais* —6D **78**
Kelburne Gdns. *Bail* —2G **107**
Kelburne Gdns. *Pais* —6C **78**
Kelburne Oval. *Pais* —6C **78**
Kelburn St. *Barr* —6C **114**
Kelhead Av. *G52* —6H **79**
Kelhead Dri. *G52* —6H **79**
Kelhead Path. *G52* —6H **79**
Kelhead Pl. *G52* —6H **79**
Kellas St. *G51* —5G **81**
Kellock Av. *Coat* —1H **109**
Kellock Cres. *Coat* —1H **109**
Kells Pl. *G15* —3G **43**
Kelly's La. *Carl* —4H **165**
(off Kelso Dri.)
Kelso Av. *Bri W* —4F **73**
Kelso Av. *Pais* —4E **97**
Kelso Av. *Ruth* —6D **104**
Kelso Cres. *Wis* —3H **145**
Kelso Dri. *Carl* —4H **165**
Kelso Dri. *E Kil* —6A **138**
Kelso Gdns. *Mood* —4D **52**
Kelso Pl. *G14* —3G **59**
Kelso Quad. *Coat* —3B **90**
Kelso St. *G14 & G13* —3G **59**
Kelton St. *G32* —1B **106**
Kelvie Gro. *E Kil* —6F **137**
Kelvin Av. *H'ton I* —2H **79**
Kelvinbridge Roundabout. *B'rig*
—5D **28**
KELVINBRIDGE STATION. *G4*
—1C **82**
Kelvin Ct. *G12* —4G **61**
Kelvin Cres. *Bear* —5F **45**
Kelvindale. *Torr* —4E **29**
Kelvindale Bldgs. *G12* —4A **62**
Kelvindale Gdns. *G20* —3A **62**
Kelvindale Pl. *G20* —3B **62**
Kelvindale Rd. *G12 & G20* —4H **61**

Kelvin Dri. *G20* —5B **62**
Kelvin Dri. *Air* —2B **92**
Kelvin Dri. *Barr* —6F **115**
Kelvin Dri. *B'rig* —5C **48**
Kelvin Dri. *Chry* —5C **52**
Kelvin Dri. *E Kil* —4H **149**
Kelvin Dri. *Kirk* —5A **30**
Kelvin Gdns. *Ham* —5C **140**
Kelvin Gdns. *Kils* —4H **11**
Kelvingrove St. *G3* —3C **82**
KELVINHALL STATION. *G11* —1A **82**
Kelvinhaugh Pl. *G3* —3B **82**
Kelvinhaugh St. *G3* —3A **82**
Kelvinhead Rd. *Kils* —1G **13**
Kelvin Pk. S. *E Kil* —6A **150**
Kelvin Pl. *E Kil* —4A **150**
Kelvin Rd. *Bell* —6D **110**
Kelvin Rd. *Cumb* —5A **36**
Kelvin Rd. *E Kil* —4H **149**
Kelvin Rd. *Miln* —2E **25**
Kelvin Rd. *Udd* —6C **108**
Kelvin Rd. N. *Cumb* —5A **36**
Kelvinside Av. *G20* —5C **62**
Kelvinside Dri. *G20* —5D **62**
Kelvinside Gdns. *G20* —5C **62**
Kelvinside Gdns. E. *G20* —6D **62**
Kelvinside Gdns. La. *G20* —6C **62**
Kelvinside Ter. S. *G20* —6C **62**
Kelvinside Ter. W. *G20* —6C **62**
Kelvin S. Business Pk. *E Kil*
—6A **150**
Kelvin St. *Coat* —6E **91**
Kelvin Ter. *Kils* —3D **32**
Kelvinvale. *Kirk* —4D **30**
Kelvin View. *Torr* —5E **29**
Kelvin View. *Twe* —3D **32**
Kelvinview Av. *Bank* —1E **15**
Kelvin Way. *G3* —2B **82**
Kelvin Way. *Kils* —2G **11**
Kelvin Way. *Kirk* —5A **30**
Kemp Av. *Pais* —2C **78**
Kemp Ct. *Ham* —4A **142**
Kempock St. *G40* —1E **105**
Kempsthorn Cres. *G53* —4B **100**
Kempsthorn Path. *G53* —4B **100**
(off Kempsthorn Cres.)
Kempsthorn Rd. *G53* —4A **100**
Kemp St. *G21* —5A **64**
Kemp St. *Ham* —6H **141**
Kenbank Cres. *Bri W* —3F **73**
Kenbank Rd. *Bri W* —3F **73**
Kendal Av. *G12* —3G **61**
Kendal Av. *Giff* —4A **118**
Kendal Dri. *G12* —3G **61**
Kendal Rd. *E Kil* —5B **148**
Kendoon Av. *G15* —4G **43**
Kenilburn Av. *Air* —1B **92**
Kenilburn Cres. *Air* —1B **92**
Kenilworth. *E Kil* —5D **138**
Kenilworth Av. *G41* —5B **102**
Kenilworth Av. *Pais* —5D **96**
Kenilworth Av. *Wis* —6H **145**
Kenilworth Ct. *Carl* —4E **165**
Kenilworth Ct. *Moth* —2B **128**
(off Rowantree Av.)
Kenilworth Cres. *Bear* —1C **44**
Kenilworth Cres. *Bell* —1C **126**
Kenilworth Cres. *Ham* —5D **140**
Kenilworth Dri. *Air* —3C **92**
Kenilworth Rd. *Kirk* —5E **31**
Kenilworth Way. *Pais* —4D **96**
Kenmar Gdns. *Udd* —5C **108**
Kenmar Rd. *Ham* —4F **141**
Kenmar Ter. *Ham* —4F **141**
Kenmore Gdns. *Bear* —2H **45**
Kenmore Rd. *Cumb* —3B **36**
Kenmore St. *G32* —6A **86**
Kenmore Way. *Carl* —2F **165**
Kenmuiraid Pl. *Bell* —4B **126**
Kenmuir Av. *G32* —2E **107**
Kenmuirhill Rd. *G32* —3D **106**
Kenmuir Rd. *G32* —5C **106**
(in two parts)
Kenmuir St. *Coat* —1F **109**
Kenmure Av. *B'rig* —6A **48**
Kenmure Cres. *B'rig* —6B **48**
Kenmure Dri. *B'rig* —6B **48**
Kenmure Gdns. *B'rig* —6A **48**
Kenmure La. *B'rig* —6B **48**
Kenmure Rd. *Giff* —3H **133**
Kenmure St. *G41* —2D **102**
Kenmure Way. *Ruth* —4D **120**
Kennedar Dri. *G51* —3E **81**
Kennedy Ct. *Giff* —3A **118**
Kennedy Dri. *Air* —4G **91**
Kennedy Gdns. *Over* —4H **157**
Kennedy Path. *G4* —3H **83** (3G **5**)
Kennedy St. *G4* —3G **83** (3F **5**)
Kennedy St. *Wis* —6A **146**
Kennelburn Rd. *Chap* —4D **112**
Kenmore Rd. *Moth* —4E **143**
Kennihill. *Air* —1A **92**
Kennihill Sq. *Air* —1A **92**
Kennishead Av. *T'bnk* —2E **117**
Kennishead Path. *T'bnk* —2E **117**
(off Kennisholm Av.)
Kennishead Pl. *T'bnk* —2E **117**
Kennishead Rd. *G53* —3B **116**
Kennishead Rd. *T'bnk* —3F **117**
KENNISHEAD STATION. *T'bnk*
—2E **117**

Kennisholm Av. *Giff* —2E **117**
Kennisholm Path. *T'bnk* —2E **117**
(off Kennisholme Av.)
Kennisholm Pl. *T'bnk* —2E **117**
Kennoway Dri. *G11* —1F **81**
Kennoway La. *G11* —1F **81**
(off Thornwood Av.)
Kennyhill Sq. *G31* —3D **84**
Kenshaw Av. *Lark* —5E **161**
Kenshaw Pl. *Lark* —5E **161**
Kensington Dri. *Giff* —6B **118**
Kensington Ga. *G12* —5A **62**
Kensington Ga. La. *G12* —5A **62**
Kensington Rd. *G12* —5A **62**
Kentallen Rd. *G33* —5E **87**
Kent Dri. *Ruth* —2F **121**
Kentigern Ter. *B'rig* —1D **64**
Kentmere Clo. *E Kil* —5C **148**
Kentmere Dri. *E Kil* —5C **148**
Kentmere Pl. *E Kil* —5C **148**
Kent Pl. *E Kil* —5B **148**
Kent Rd. *G3* —3C **82**
Kent St. *G40* —5H **83**
Keppel Dri. *G44* —6A **104**
Keppochhill Rd. *G21* —6G **63**
Keppoch St. *G21* —6H **63**
Kerfield Pl. *G15* —3G **43**
Kerr Cres. *Ham* —2G **153**
Kerr Dri. *Moth* —3E **143**
Kerrera Pl. *G33* —5D **86**
Kerrera Rd. *G33* —5D **86**
Kerr Gdns. *Udd* —5E **109**
Ker Rd. *Miln* —2E **25**
Kerr Pl. *G40* —6B **84**
Kerr St. *G40* —6B **84**
Kerr St. *Barr* —5C **114**
Kerr St. *Blan* —1C **140**
Kerr St. *Kirk* —5C **30**
Kerr St. *Pais* —6H **77**
Kerrycroy Av. *G42* —6H **103**
Kerrycroy Pl. *G42* —6H **103**
Kerrycroy St. *G42* —5H **103**
Kerrydale St. *G40* —1D **104**
Kerrylamont Av. *G42* —6A **104**
Kerry Pl. *G15* —4G **43**
Kershaw St. *Wis* —4A **158**
Kersland Dri. *Miln* —3H **25**
Kersland La. *G12* —6B **62**
(off Kersland St.)
Kersland La. *Miln* —3H **25**
Kersland St. *G12* —6B **62**
Kessington Dri. *Bear* —3G **45**
Kessington Rd. *Bear* —4G **45**
Kessock Dri. *G22* —6F **63**
Kessock Pl. *G22* —6F **63**
Kestrel Ct. *Clyd* —2C **42**
Kestrel Pl. *John* —6D **94**
Kestrel Rd. *G13* —3C **60**
Keswick Rd. *E Kil* —5B **148**
Kethers La. *Moth* —2E **143**
Kethers St. *Moth* —2E **143**
Kew Gdns. *Udd* —6F **109**
Kew La. *G12* —6B **62**
Kew Ter. *G12* —6B **62**
Keynes Sq. *Bell* —3F **127**
Keystone Av. *Miln* —5G **25**
Keystone Quad. *Miln* —5F **25**
Keystone Rd. *Miln* —5G **25**
Kibbleston Rd. *Kilb* —2A **94**
Kidston St. *G5* —1G **103**
Kierhill. *Cumb* —3E **35**
Kilallan Av. *Bri W* —2F **73**
Kilbarchan Rd. *Bri W* —4G **73**
Kilbarchan Rd. *John* —4D **94**
Kilbarchan Rd. *Mill P* —3C **94**
Kilbarchan St. *G5* —6F **83**
Kilbeg Ter. *T'bnk* —4D **116**
Kilberry St. *G21* —2C **84**
Kilbirnie Pl. *G5* —1E **103**
Kilbirnie St. *G5* —1E **103**
Kilbowie Ct. *Clyd* —4D **42**
Kilbowie Rd. *Cumb* —4A **36**
Kilbowie Rd. *Hard* —2D **42**
Kilbreck Gdns. *Bear* —5C **24**
Kilbreck La. *Moth* —3C **128**
Kilbrennan Dri. *Moth* —2D **142**
Kilbrennan Rd. *Lin* —5H **75**
Kilbride. *G5* —3H **103**
Kilbride View. *Udd* —6E **109**
Kilburn Gro. *Blan* —6B **124**
Kilburn Pl. *G13* —3B **60**
Kilcadzow Rd. *Carl* —4H **165**
Kilchattan Dri. *G44* —6G **103**
Kilchoan Rd. *G33* —1C **86**
Kilcloy Av. *G15* —3A **44**
Kildale Way. *Ruth* —5B **104**
Kildary Av. *G44* —2E **119**
Kildary Rd. *G44* —2E **119**
Kildermorie Path. *G34* —3G **87**
Kildermorie Rd. *G34* —3F **87**
Kildonan Ct. *Newm* —2D **146**
Kildonan Dri. *G11* —1G **81**
Kildonan Pl. *Moth* —2D **143**
Kildonan St. *Coat* —4D **90**
Kildrostan St. *G41* —2D **102**
Kildrummy Pl. *E Kil* —6F **137**
Kildrum Rd. *Cumb* —2B **36**
Kildrum S. Interchange. *Cumb*
—4B **36**
Kildrum S. Roundabout. *Cumb*
—4B **36**

Kilearn Rd. *Pais* —4D **78**
Kilearn Sq. *Pais* —4D **78**
Kilearn Way. *Pais* —4D **78**
(in two parts)
Kilfinan St. *G22* —2F **63**
Kilgarth St. *Coat* —1F **109**
Kilgraston Rd. *Bri W* —5E **73**
Kilkerran Dri. *G33* —3H **65**
Killearn Dri. *Pais* —1H **99**
Killearn St. *G22* —5F **63**
Killermont Ct. *Bear* —4H **45**
Killermont Meadows. *Both* —5C **124**
Killermont Rd. *Bear* —4F **45**
Killermont St. *G2* —3G **83** (3E **5**)
Killermont View. *G20* —5G **45**
Killiegrew Rd. *G41* —3B **102**
Killin Ct. *Coat* —2D **110**
Killin Dri. *Lin* —6F **75**
Killin St. *G32* —2B **106**
Killoch Av. *Pais* —6E **77**
Killoch Dri. *G13* —2A **60**
Killoch Dri. *Barr* —6F **115**
Killoch Rd. *Pais* —6E **77**
Kilmacolm Rd. *Bri W* —1C **72**
Kilmacolm Rd. *Hous* —1B **74**
Kilmailing Rd. *G44* —2F **119**
Kilmair Pl. *G20* —4B **62**
Kilmaluag Ter. *T'bnk* —4D **116**
Kilmannan Gdns. *Miln* —2D **24**
Kilmany Dri. *G32* —6H **85**
Kilmany Gdns. *G32* —6H **85**
Kilmardinny Av. *Bear* —2F **45**
Kilmardinny Cres. *Bear* —1F **45**
Kilmardinny Dri. *Bear* —1F **45**
Kilmardinny Ga. *Bear* —2F **45**
Kilmardinny Gro. *Bear* —1F **45**
Kilmarnock Rd. *G43 & G41*
—2B **118**
Kilmartin La. *Carl* —2F **165**
Kilmartin Pl. *T'bnk* —3E **117**
Kilmartin Pl. *Udd* —4B **109**
Kilmaurs Dri. *Giff* —4C **118**
Kilmaurs St. *G51* —5F **81**
Kilmeny Cres. *Wis* —4A **146**
Kilmichael Av. *Newm* —3E **147**
Kilmorie Dri. *Ruth* —6A **104**
Kilmory Av. *Udd* —6E **109**
Kilmory Dri. *Newt M* —3E **133**
Kilmory Gdns. *Carl* —2F **165**
Kilmory Rd. *Carl* —5H **165**
Kilmuir Cres. *T'bnk* —3D **116**
Kilmuir Dri. *T'bnk* —3E **117**
(in two parts)
Kilmuir Rd. *T'bnk* —4D **116**
Kilmuir Rd. *Udd* —4D **108**
Kilmun St. *G20* —2A **62**
Kilnburn Rd. *Moth* —2E **143**
Kilncroft La. *Pais* —4A **98**
Kilnside Rd. *Pais* —6B **78**
Kilnwell Quad. *Moth* —2F **143**
Kiloran St. *T'bnk* —3F **117**
Kilpatrick Av. *Pais* —4F **97**
Kilpatrick Ct. *Old K* —1E **41**
Kilpatrick Cres. *Pais* —4H **97**
Kilpatrick Dri. *Bear* —5C **24**
Kilpatrick Dri. *Renf* —3D **78**
Kilpatrick Gdns. *Clar* —1H **133**
KILPATRICK STATION. *Old K*
—1F **41**
Kilpatrick View. *Dumb* —3H **17**
Kilpatrick Way. *Udd* —5E **109**
Kilsyth Rd. *Bank* —1C **14**
Kilsyth Rd. *Kirk* —4D **30**
Kilsyth Rd. *Queen* —5B **10**
Kiltarie Cres. *Air* —4F **93**
Kiltearn Rd. *G33* —4F **87**
Kiltongue Cotts. *Air* —3F **91**
(off Monkscourt Av.)
Kilvaxter Dri. *T'bnk* —3E **117**
Kilwinning Cres. *Ham* —2C **152**
Kilwynet Way. *Pais* —4C **78**
Kimberley Gdns. *E Kil* —3E **149**
Kimberley St. *Clyd* —2H **41**
Kimberley St. *Wis* —5C **144**
Kinalty Rd. *G44* —2E **119**
Kinarvie Cres. *G53* —6H **99**
Kinarvie Gdns. *G53* —6H **99**
Kinarvie Pl. *G53* —6H **99**
Kinarvie Rd. *G53* —6H **99**
Kinarvie Ter. *G53* —6H **99**
Kinbuck Pas. *G22* —5H **63**
Kinbuck St. *G22* —5H **63**
Kincaid Dri. *Len* —2E **7**
Kincaid Field. *Milt C* —6C **8**
Kincaid Gdns. *Camb* —1A **122**
Kincaid Way. *Milt C* —6B **8**
Kincardine Dri. *B'rig* —1D **64**
Kincardine Pl. *B'rig* —2E **65**
Kincardine Pl. *E Kil* —6C **138**
Kincardine Sq. *G33* —2D **86**
Kincath Av. *Ruth* —4F **121**
Kinclaven Av. *G15* —4A **44**
Kincraig St. *G51* —5D **80**
Kinellan Rd. *Bear* —6F **45**
Kinellar Dri. *G14* —3A **60**
Kinfauns Dri. *G15* —3H **43**
Kinfauns Dri. *Newt M* —4F **133**
Kingarth La. *G42* —3E **103**
Kingarth St. *Ham* —3H **153**
King Edward La. *G13* —4E **61**
(off Woodend Dri.)

King Edward Rd. *G13* —4F **61**
Kingfisher Dri. *G13* —2H **59**
Kinghorn Dri. *G44* —1G **119**
Kinghorn La. *G44* —6G **103**
Kinglas Rd. *Bear* —5C **44**
King Pl. *Bail* —6E **89**
Kingsacre Rd. *G44* —6G **103**
Kingsbarns Dri. *Ruth* —1A **120**
Kingsborough Gdns. *G12* —6H **61**
Kingsborough Ga. *G12* —6H **61**
Kingsborough La. *G12* —6H **61**
Kingsborough La. E. *G12* —6H **61**
Kingsbrae Av. *G44* —6G **103**
King's Bri. *G5* —1H **103**
Kingsbridge Cres. *G44* —1H **119**
Kingsbridge Dri. *G44* —1H **119**
Kingsbridge Dri. *Ruth* —1A **120**
Kingsburgh Dri. *Pais* —6D **78**
Kingsburn Dri. *Ruth* —1C **120**
Kingsburn Gro. *Ruth* —1B **120**
Kingscliffe Av. *G44* —1G **119**
Kingscourt Av. *G44* —6H **103**
Kings Cres. *Camb* —2B **122**
King's Cres. *Carl* —3G **165**
Kings Cres. *Eld* —2A **96**
Kingsdale Av. *G44* —6G **103**
King's Dri. *G40* —1A **104**
King's Dri. *Cumb* —5H **13**
Kings Dri. *Moth* —4B **127**
Kings Dri. *Newt M* —6F **133**
Kingsdyke Av. *G44* —6G **103**
Kingsford Av. *G44* —3C **118**
Kingsford Ct. *Newt M* —3B **132**
King's Gdns. *Newt M* —6G **133**
Kingsgate Retail Pk. *E Kil* —3H **137**
Kingsheath Av. *Ruth* —1A **120**
Kingshill Av. *Cumb* —4A **34**
Kingshill Dri. *G44* —1G **119**
Kingshill View. *Law* —1A **164**
Kingshouse Av. *G44* —6G **103**
Kingshurst Av. *G44* —6G **103**
King's Inch Rd. *Renf* —4F **59**
Kingsknowe Dri. *Ruth* —1A **120**
Kingsland Cres. *G52* —5B **80**
Kingsland Dri. *G52* —5B **80**
Kingsland La. *G52* —5C **80**
Kingslea Rd. *Hous* —1B **74**
Kingsley Av. *G42* —4F **103**
Kingsley Ct. *Udd* —6E **109**
Kingslynn Dri. *G44* —1H **119**
Kingsmuir Dri. *Ruth* —1A **120**
King's Pk. *Torr* —4E **29**
King's Pk. Av. *G44* —1F **119**
King's Pk. Av. *Ruth* —6F **103**
KING'S PK. STATION. *G44* —1G **119**
King's Pl. *G22* —1F **83**
King's Rd. *Eld* —3H **95**
Kingston Av. *Air* —4C **92**
Kingston Av. *Neil* —3D **130**
Kingston Av. *Udd* —5E **109**
Kingston Bri. *G5* —5D **82**
Kingston Flats. *Kils* —2H **11**
Kingston Gro. *B'ton* —4H **39**
Kingston Pl. *Clyd* —3H **41**
Kingston Rd. *B'ton* —5H **39**
(in two parts)
Kingston Rd. *Kils* —2H **11**
Kingston Rd. *Neil* —5C **130**
Kingston St. *G5* —5E **83**
King St. *G1* —5H **83**
King St. *Clyd* —1F **59**
King St. *Coat* —5A **90**
King St. *Ham* —4D **140**
King St. *Kils* —3H **11**
King St. *Lark* —2E **161**
King St. *Newm* —4D **146**
King St. *Pais* —6G **77**
King St. *Ruth* —5C **104**
King St. *Wis* —1H **157**
King St. La. *Kils* —3H **11**
(off King St.)
King St. La. *Ruth* —5C **104**
King's View. *Cumb* —5H **13**
Kingsway. *G14* —4A **60**
Kingsway. *Kirk* —4A **138**
Kingsway. *Kils* —2H **11**
Kingsway. *Kirk* —3H **31**
Kingsway Ct. *G14* —4A **60**
Kingswood Dri. *G44* —1G **119**
Kingswood Rd. *B'ton* —3F **39**
Kingussie Dri. *G44* —1G **119**
Kiniver Dri. *G15* —6A **44**
Kinloch Av. *Camb* —3B **122**
Kinloch Av. *Lin* —6G **75**
Kinloch Dri. *Moth* —5F **127**
Kinloch Rd. *Newt M* —3C **132**
Kinloch Rd. *Renf* —3D **78**
Kinloch St. *G40* —1E **105**
Kinloss Pl. *E Kil* —1H **149**
Kinmount Av. *G44* —6F **103**
Kinnaird Av. *Newt M* —4G **133**
Kinnaird Cres. *Bear* —3H **45**
Kinnaird Dri. *Lin* —5H **75**
Kinnaird Pl. *Bear* —2D **64**
Kinnear Dri. *G40* —2C **104**
Kinnell Ho. *Ham* —4A **142**
Kinnell Pl. *Ham* —1D **152**
Kinnell Av. *G52* —2C **100**

Kinnell Cres. *G52* —2C **100**
Kinnell Path. *G52* —2C **100**
Kinnell Pl. *G52* —2D **100**
Kinnell Sq. *G52* —2C **100**
Kinning Pk. Ind. Est. *G5* —6D **82**
KINNING PK. STATION. *G41*
　　　　　　　　　　—6B **82**
Kinning St. *G5* —6E **83**
Kinnoul Gdns. *Bear* —6D **24**
Kinnoull Pl. *Blan* —2B **140**
Kinpurnie Rd. *Pais* —6F **79**
Kinross Av. *G52* —1B **100**
Kinross Pk. *E Kil* —6D **138**
Kinsail Dri. *G52* —5H **79**
Kinstone Av. *G14* —4A **60**
Kintail Gdns. *Kirk* —4H **31**
Kintessack Pl. *B'rig* —5F **49**
Kintillo Dri. *G13* —3B **60**
Kintore Pk. *Ham* —4F **153**
Kintore Rd. *G43* —1D **118**
Kintore Tower. *Camb* —4G **121**
Kintra St. *G51* —5H **81**
(in two parts)
Kintyre Av. *Lin* —1G **95**
Kintyre Cres. *Newt M* —3C **132**
Kintyre Cres. *Plain* —1F **93**
Kintyre Gro. *Kirk* —4H **31**
Kintyre Rd. *Blan* —1A **140**
Kintyre St. *G21* —2C **84**
Kintyre Wynd. *Carl* —2F **165**
Kipland Wlk. *Coat* —6F **91**
Kippen Dri. *Clar* —4E **135**
Kippen St. *G22* —3H **63**
Kippen St. *Air* —5F **91**
Kipperoch Rd. *Dumb* —1B **16**
Kippford St. *G32* —1C **106**
Kipps Av. *Air* —3G **91**
Kippsbyre Ct. *Air* —4F **91**
(off Monkscourt Av.)
Kirkaig Av. *Renf* —1H **79**
Kirk Bean Av. *Ruth* —3C **120**
Kirkburn Av. *Camb* —3A **122**
Kirkcaldy Rd. *G41* —3B **102**
Kirkconnel Av. *G13* —3H **59**
Kirkconnel Av. *Cumb* —4A **34**
Kirkconnel Dri. *Ruth* —2B **120**
Kirk Cres. *Old K* —6E **21**
Kirkcudbright Pl. *E Kil* —6D **138**
Kirkdale Dri. *G52* —1E **101**
Kirkdene Av. *Newt M* —4H **133**
Kirkdene Bank. *Newt M* —4H **133**
Kirkdene Cres. *Newt M* —4H **133**
Kirkdene Gro. *Newt M* —5H **133**
Kirkdene Pl. *Newt M* —4H **133**
Kirkfieldbank Way. *Ham* —6E **141**
Kirkfield Rd. *Both* —4E **125**
Kirkford Rd. *Chry* —5C **52**
Kirk Glebe. *Neil* —2E **131**
Kirkhall Rd. *Moth* —3D **128**
Kirkhill Av. *Camb* —4A **122**
Kirkhill Cres. *Neil* —1E **131**
Kirkhill Dri. *G20* —4B **62**
Kirkhill Gdns. *Camb* —4A **122**
Kirkhill Ga. *Newt M* —5H **133**
Kirkhill Gro. *Camb* —4A **122**
Kirkhill Pl. *G20* —4B **62**
Kirkhill Pl. *Wis* —1C **156**
Kirkhill Rd. *G'csh* —4D **68**
Kirkhill Rd. *Newt M* —4H **133**
Kirkhill Rd. *Udd* —5C **108**
Kirkhill Rd. *Wis* —6H **145**
KIRKHILL STATION. *Camb* —2A **122**
Kirkhill St. *Wis* —2D **156**
Kirkhill Ter. *Camb* —4A **122**
Kirkhope Dri. *G15* —6B **44**
Kirkinner Rd. *G32* —2D **106**
Kirkintilloch Ind. Est. *Kirk* —3C **30**
Kirkintilloch Rd. *B'rig* —2B **64**
Kirkintilloch Rd. *Kils* —2H **29**
Kirkintilloch Rd. *Kirk* —2C **50**
Kirkland Gro. *John* —2F **95**
Kirklandneuk Cres. *Renf* —5C **58**
Kirklandneuk Rd. *Renf* —5C **58**
Kirklands Cres. *Both* —4E **125**
Kirklands Cres. *Kils* —4H **11**
Kirkland St. *G20* —6D **62**
Kirkland St. *Moth* —2F **143**
Kirk La. *G43* —6A **102**
Kirk La. *Bear* —2E **45**
Kirklea Av. *Pais* —6E **77**
Kirkle Dri. *Newt M* —4H **133**
Kirklee Cir. *G12* —5B **62**
Kirklee Gdns. *G12* —4B **62**
Kirklee Gdns. La. *G12* —4B **62**
Kirklee Pl. *G12* —5B **62**
Kirklee Quad. *G12* —5B **62**
Kirklee Quad. La. *G12* —5B **62**
Kirklee Rd. *G12* —5A **62**
Kirklee Rd. *Bell* —3F **127**
Kirklee Rd. *Moth* —6G **127**
Kirklee Ter. *G12* —5A **62**
Kirklee Ter. La. *G12* —5B **62**
Kirkliston St. *G32* —5H **85**
Kirkmichael Av. *G11* —6G **61**
Kirkmichael Gdns. *G11* —6G **61**
Kirkmuir Dri. *Ruth* —4D **120**
Kirkness St. *Air* —3A **92**
Kirknethan. *Wis* —2C **156**
Kirknewton St. *G32* —5B **86**
Kirkoswald. *E Kil* —6D **138**

Kirkoswald Dri. *Clyd* —4E **43**
Kirkoswald Rd. *G43* —1B **118**
Kirkoswald Rd. *Moth* —3E **129**
Kirkpatrick St. *G40* —6C **84**
Kirk Pl. *Bear* —2E **45**
Kirk Pl. *Cumb* —6C **34**
Kirk Pl. *Udd* —2C **124**
Kirk Rd. *Bear* —2E **45**
Kirk Rd. *Carl* —3E **165**
Kirk Rd. *Crmck* —2H **135**
Kirk Rd. *Dals* —3D **162**
Kirk Rd. *Hous* —1B **74**
Kirk Rd. *Moth* —6D **112**
Kirk Rd. *Wis* —6H **145**
Kirkshaws Av. *Coat* —2A **110**
Kirkshaws Pl. *Coat* —2B **110**
Kirkshaws Rd. *Coat* —2H **109**
Kirkstall Gdns. *B'rig* —3D **48**
Kirkstone. *Newt M* —4H **133**
Kirkstone Clo. *E Kil* —5B **148**
Kirk St. *Carl* —4E **165**
Kirk St. *Coat* —5B **90**
(in two parts)
Kirk St. *Miln* —3E **25**
Kirk St. *Moth* —2G **143**
Kirkstyle Av. *Carl* —4E **165**
Kirkstyle Cres. *Air* —1H **91**
Kirkstyle Cres. *Neil* —2D **130**
Kirkstyle La. *Barr* —2E **131**
Kirkstyle Pl. *Glenm* —5F **71**
Kirksyde Av. *Kirk* —6D **30**
Kirkton. *Ersk* —4E **41**
Kirkton. *Old K* —6E **21**
Kirkton Av. *G13* —3A **60**
Kirkton Av. *Barr* —5D **114**
Kirkton Av. *Blan* —4A **140**
Kirkton Av. *Carl* —3E **165**
Kirkton Cres. *G13* —3A **60**
Kirkton Cres. *Coat* —2F **111**
Kirkton Cres. *Milt C* —6C **8**
Kirktonfield Rd. *Neil* —2E **131**
Kirkton Ga. *E Kil* —1G **149**
Kirktonholme Cres. *E Kil* —1F **149**
Kirktonholme Rd. *E Kil* —1D **148**
Kirkton Ho. *Blan* —3B **140**
Kirkton Pk. *E Kil* —1H **149**
Kirkton Pl. *Blan* —3B **140**
Kirkton Pl. *Coat* —1F **111**
Kirkton Pl. *E Kil* —1H **149**
(in two parts)
Kirkton Rd. *Camb* —2B **122**
Kirkton Rd. *Dumb* —4D **16**
Kirkton Rd. *Neil* —3D **130**
Kirkton Side. *Barr* —6D **114**
Kirkton St. *Carl* —4F **165**
Kirkton Ter. *Camb* —1B **6**
Kirkvale Ct. *Newt M* —4H **133**
Kirkvale Cres. *Newt M* —4H **133**
Kirkvale Dri. *Newt M* —4H **133**
Kirkview. *Cumb* —1C **54**
Kirkview Ct. *Cumb* —1C **54**
Kirkview Cres. *Newt M* —6E **133**
Kirkview Gdns. *Udd* —5D **108**
Kirkwall. *Cumb* —6A **14**
Kirkwall Av. *Blan* —5A **124**
Kirkwell Rd. *G44* —2F **119**
Kirkwood Av. *Clyd* —6F **43**
Kirkwood Pl. *Coat* —6A **90**
Kirkwood Quad. *Clyd* —6F **43**
Kirkwood Rd. *Udd* —5D **108**
KIRKWOOD STATION. *Coat* —6H **89**
Kirkwood St. *G51* —6A **82**
Kirkwood St. *Coat* —5A **90**
Kirkwood St. *Ruth* —5C **104**
Kirn St. *G20* —1A **62**
Kirriemuir. *E Kil* —4D **138**
Kirriemuir Av. *G52* —2C **100**
Kirriemuir Gdns. *B'rig* —5E **49**
Kirriemuir Pl. *G52* —1C **100**
(off Bucklaw Gdns.)
Kirriemuir Rd. *B'rig* —6E **49**
Kirtle Dri. *Renf* —1G **79**
Kirtle Pl. *E Kil* —4A **148**
Kishorn Pl. *G33* —2C **86**
Kitchener St. *Wis* —6G **145**
Kittoch Pl. *E Kil* —1H **149**
Kittochside Rd. *Crmck* —2A **136**
Kittoch St. *E Kil* —1G **149**
Knapdale St. *G22* —2E **63**
Knightsbridge St. *G13* —2D **60**
Knightscliffe Av. *G13* —1D **60**
Knights Ga. *Both* —2C **124**
Knightswood Cross. *G13* —2D **60**
Knightswood Rd. *G13* —6C **44**
Knightswood Ter. *Blan* —6C **124**
Knivysbridge Pl. *Bell* —4B **126**
Knockburnie Rd. *Both* —3E **125**
Knockhall St. *G33* —1D **86**
Knockhill Dri. *G44* —6F **103**
Knockhill Rd. *Renf* —2D **78**
Knockside Av. *Pais* —6H **97**
Knock Way. *Pais* —4C **78**
Knollpark Dri. *Clar* —2B **134**
Knowe Cres. *Moth* —3D **128**
Knowehead Dri. *Udd* —1C **124**
Knowehead Gdns. *Udd* —2D **124**

Knowehead Rd. *Wis* —1A **158**
Knowe Rd. *Chry* —1A **68**
Knowe Rd. *Pais* —4D **78**
Knowes Av. *Newt M* —4E **133**
Knowes Rd. *Newt M* —4F **133**
Knowe St. *Miln* —3F **25**
Knowetap St. *G20* —2C **62**
Knowetop Av. *Moth* —4H **143**
Knowetop Cres. *Dumb* —2C **16**
Knowhead Gdns. *G41* —2C **102**
Knowhead Ter. *G41* —2C **102**
Knownoble St. *Moth* —5H **129**
Knox Av. *Bri W* —4E **73**
Knoxland Sq. *Dumb* —5G **17**
Knoxland St. *Dumb* —5G **17**
Knox Pl. *Newt M* —5B **132**
Knox St. *Air* —3B **92**
Knox St. *Pais* —1F **97**
Kronberg Way. *E Kil* —6F **149**
Kyleakin Gdns. *Blan* —5H **123**
Kyleakin Rd. *T'bnk* —4D **116**
Kyleakin Ter. *T'bnk* —4D **116**
Kyle Ct. *Camb* —1A **122**
Kyle Dri. *Giff* —4C **118**
Kyle Gro. *Moth* —4H **128**
Kylemore Cres. *Moth* —5F **127**
Kylepark Av. *Udd* —1B **124**
Kylepark Cres. *Udd* —6B **108**
Kylepark Dri. *Udd* —6B **108**
Kyle Quad. *Moth* —3C **128**
Kyle Quad. *Wis* —2E **157**
Kylerhea Rd. *T'bnk* —4D **116**
Kyle Rd. *Cumb* —2B **36**
Kyle Sq. *Ruth* —2B **120**
Kyle St. *G4* —2G **83** (2F **5**)
Kyle St. *Moth* —2D **142**
Kyle Ter. *Dumb* —2B **16**

La Belle Allee. *G3* —2C **82**
(off Claremont St.)
La Belle Pl. *G3* —2C **82**
Laburnam Cres. *Wis* —4H **145**
Laburnum Av. *E Kil* —5E **149**
Laburnum Ct. *E Kil* —5E **149**
Laburnum Gdns. *Kirk* —2D **50**
Laburnum Gro. *Coat* —6D **90**
Laburnum Rd. *Kirk* —2B **50**
Laburnum Lea. *Ham* —2A **154**
Laburnum Pl. *John* —5G **95**
Laburnum Rd. *G41* —1A **102**
Laburnum Rd. *Bank* —1E **15**
Laburnum Rd. *Cumb* —3D **36**
Laburnum Rd. *Udd* —4G **109**
Lachlan Cres. *Ersk* —6C **40**
La Crusse Ter. *G12* —6C **62**
Lacy St. *Pais* —6B **78**
Ladeside Clo. *Newt M* —3C **132**
Ladeside Dri. *John* —3D **94**
Ladeside Dri. *Kils* —2A **12**
Lade Ter. *G52* —1A **100**
Ladhope Pl. *G13* —1G **59**
Ladyacres. *Inch* —3H **57**
Ladyacres Way. *Inch* —3H **57**
Lady Ann Cres. *Air* —5C **92**
Lady Anne St. *G14* —3H **59**
Ladybank. *Cumb* —5H **13**
Ladybank Ct. *E Kil* —1G **149**
Ladybank Dri. *G52* —1E **101**
Ladybank Gdns. *E Kil* —1H **149**
Ladybank Pl. *E Kil* —1G **149**
Ladyburn St. *Pais* —1C **98**
Ladyhill Dri. *Bail* —1G **107**
Lady Isle Cres. *Udd* —1C **124**
Lady Jane Ga. *Both* —3B **124**
Ladykirk Cres. *G52* —5B **80**
Ladykirk Cres. *Pais* —2B **98**
Ladykirk Dri. *G52* —5B **80**
Lady La. *Pais* —1H **97**
Ladyloan Av. *G15* —3G **43**
Ladyloan Pl. *G15* —3G **43**
Lady Mary Wlk. *Ham* —2A **154**
Ladymuir Circ. *Ersk* —6D **40**
Ladymuir Cres. *G53* —3C **100**
Ladysmith Av. *Mill P* —3B **94**
Ladysmith St. *Wis* —5C **144**
Lady Watson Gdns. *Ham* —1E **153**
Ladywell Rd. *Moth* —3D **142**
Ladywell St. *G4* —4A **84**
Lady Wilson St. *Air* —5B **92**
Ladywood. *Miln* —3H **25**
Lagan Rd. *Carl* —4F **165**
Laggan Quad. *Air* —2G **91**
Laggan Rd. *G43* —2C **118**
Laggan Rd. *Air* —2H **91**
Laggan Rd. *B'rig* —6D **48**
Laggan Rd. *Newt M* —2D **132**
Laggan Ter. *Renf* —5D **58**
Laggan Way. *Newm* —2D **146**
Lagholm Dri. *Lin* —6A **76**
Laidlaw Av. *Moth* —4H **127**
Laidlaw Gdns. *Udd* —4D **108**
Laidlaw St. *G5* —6E **83**
(in three parts)
Laidon Rd. *Air* —2H **91**
Laidon Way. *Newm* —3D **146**
(off Murdostoun View)
Laighcartside St. *John* —2G **95**
Laighlands Rd. *Both* —5F **125**
Laighmuir St. *Udd* —2D **124**

Laighpark Av. *B'ton* —4H **39**
Laigh Rd. *Newt M* —4H **133**
Laighstonehall Rd. *Ham* —1F **153**
Laightoun Ct. *Cumb* —1C **54**
Laightoun Dri. *Cumb* —1C **54**
Laightoun Gdns. *Cumb* —1C **54**
Lainshaw Dri. *G45* —5E **119**
Laird Gro. *Udd* —5E **109**
Laird Pl. *G40* —1B **104**
Lairds Ga. *Udd* —2B **124**
Lairds Hill. *Cumb* —3G **35**
Laird's Hill Ct. *Kils* —3E **11**
Laird's Hill Pl. *Kils* —3E **11**
Laird St. *Coat* —4D **90**
Lairhills Rd. *E Kil* —4G **149**
Lamberton Dri. *G52* —5B **80**
Lambhill Quad. *G41* —6C **82**
LAMBHILL STATION. *G23* —2C **62**
Lambhill St. *G41* —6B **82**
Lambie Cres. *Newt M* —4C **132**
Lamb St. *G22* —3F **63**
Lamb St. *Ham* —6A **142**
Lamerton Rd. *Cumb* —3C **36**
Lamington Rd. *G52* —1B **100**
Lamlash Cres. *G33* —3B **86**
Lamlash Pl. *G33* —3B **86**
Lamlash Pl. *Moth* —2E **143**
Lamlash Sq. *G33* —3C **86**
Lammermoor. *E Kil* —5E **139**
Lammermoor Av. *G52* —1C **100**
Lammermoor Cres. *Kirk* —5F **31**
Lammermoor Gdns. *Kirk* —5F **31**
Lammermoor Rd. *Kirk* —5F **31**
Lammermoor Ter. *Wis* —6H **145**
Lammermuir Ct. *Pais* —5A **98**
Lammermuir Dri. *Pais* —5H **97**
Lammermuir Gdns. *Bear* —6C **24**
Lammermuir Pl. *Moth* —3B **128**
(off Cherry Pl.)
Lammer Wynd. *Lark* —4G **161**
(off Donaldson Rd.)
Lamont Av. *B'ton* —4A **40**
Lamont Rd. *G21* —3D **64**
Lanark Av. *Air* —1A **112**
Lanark Rd. *Carl* —4F **165**
Lanark Rd. *Lark* —4H **155**
Lanark Rd. End. *Lark* —4G **155**
Lanark St. *G1* —5H **83**
Lancaster Av. *Chap* —4D **112**
Lancaster Cres. *G12* —5A **62**
Lancaster Cres. La. *G12* —5A **62**
Lancaster Rd. *B'rig* —3D **48**
Lancaster Ter. *G12* —5A **62**
Lancaster Ter. La. *G12* —5A **62**
Lancaster Way. *Renf* —2E **79**
Lancefield Quay. *G3* —4C **82**
Lancefield St. *G3* —4D **82**
Landemer Dri. *Ruth* —1B **120**
Landressy Pl. *G40* —1B **104**
Landressy St. *G40* —6B **84**
Landsdowne Gdns. *Ham* —6B **142**
Landsdowne Rd. *Lark* —3G **161**
Lane Gdns. *G11* —6H **61**
(off Partickhill Av.)
Lane, The. *Dull* —5F **13**
Lanfine Rd. *Pais* —1D **98**
Langa Gro. *G20* —2C **62**
(off Lochburn Cres.)
Langa St. *G20* —2C **62**
Lang Av. *B'ton* —4A **40**
Lang Av. *Renf* —1E **79**
Langbank St. *G5* —6F **83**
Langbar Cres. *G33* —4D **86**
Langbar Path. *G33* —4D **86**
(off Langbar Cres.)
Langcraigs. *Dumb* —2G **17**
Langcraigs Ct. *Pais* —6G **97**
Langcraigs Dri. *Pais* —6G **97**
Langcraigs Ter. *Pais* —6G **97**
Langcroft Dri. *Camb* —3C **122**
Langcroft Pl. *G51* —4C **80**
Langcroft Rd. *G51* —4C **80**
Langcroft Ter. *G51* —4C **80**
Langdale. *E Kil* —6E **137**
Langdale. *Newt M* —4H **133**
Langdale Av. *G33* —6G **65**
Langdale Av. *Chry* —5D **52**
Langdale Rd. *Chry* —5D **52**
Langdales Av. *Cumb* —3F **35**
Langdale St. *G33* —6G **65**
Langfaulds Cres. *Clyd* —6F **23**
Langford Dri. *G53* —4A **116**
Langford Pl. *G53* —4B **116**
Langhill Dri. *Cumb* —2F **35**
Langholm. *E Kil* —6D **138**
Langholm Cres. *Wis* —3H **145**
Langholme. *E Kil* —5B **148**
Langholm Path. *Blan* —2A **140**
Langlands Av. *G51* —4D **80**
Langlands Av. *E Kil* —6H **149**
Langlands Ct. *G51* —3F **81**
Langlands Dri. *G51* —5D **80**
Langlands Dri. *E Kil* —6H **149**
Langlands Rd. *G51* —4D **80**
(in two parts)
Langlands-Seafar Interchange.
　　　　　　　　　Cumb —5H **35**
Langlands Ter. *Dumb* —1H **17**
Langlea Av. *Camb* —3F **121**
Langlea Ga. *Camb* —3F **121**
Langlees Av. *Newt M* —4H **133**

Langley Av. *G13* —1B **60**
Langley Gro. *Camb* —3G **121**
Langloan Cres. *Coat* —6A **90**
Langloan Pl. *Coat* —5A **90**
Langloan St. *Coat* —5A **90**
Langmuir Av. *Kirk* —4E **31**
Langmuirhead Rd. *Kirk* —1H **65**
Langmuir Rd. *Barg* —6E **89**
Langmuir Rd. *Kirk* —4F **31**
Langmuir Way. *Bail* —6E **89**
Langness Rd. *G33* —3B **86**
Langoreth Av. *Ham* —1D **152**
Langrig Rd. *G21* —4C **64**
Langrig Rd. *Newt M* —6C **132**
Langshaw Cres. *Carl* —3F **165**
Langshot St. *G51* —6B **82**
Langside Av. *G41* —4C **102**
Langside Av. *Udd* —1G **125**
Langside Ct. *Both* —6F **125**
Langside Dri. *G43* —3C **118**
Langside Dri. *Kilb* —3A **94**
Langside La. *G42* —4E **103**
Langside Pk. *Kilb* —3A **94**
Langside Pl. *G41* —5D **102**
Langside Pl. *G42* —5D **102**
Langside Rd. *Both* —6F **125**
LANGSIDE STATION. *G43* —1C **118**
Langside St. *Clyd* —1G **43**
Langstile Pl. *G52* —6H **79**
Langstile Rd. *G52* —6H **79**
Lang St. *Pais* —1C **98**
Langton Cres. *G53* —4C **100**
Langton Cres. *Barr* —5C **114**
Langton Gdns. *Bail* —1F **107**
Langton Ga. *Newt M* —4H **133**
Langton Pl. *Newt M* —4C **132**
Langton Rd. *G53* —4C **100**
Langtree Av. *Giff* —6G **117**
Lanrig Pl. *Chry* —1A **68**
Lanrig Rd. *Chry* —6A **52**
Lansbury Gdns. *Pais* —4H **77**
Lansbury Ter. *Ham* —1D **152**
Lansdowne Cres. *G20* —1D **82**
Lansdowne Cres. La. G20 —1D **82**
  (off Gt. Western Rd.)
Lansdowne Dri. *Cumb* —1H **13**
Lantana Gro. *Moth* —1F **143**
Lanton Dri. *G52* —1A **100**
Lanton Rd. *G43* —2C **118**
Lappin St. *Clyd* —1F **59**
Larbert St. *G4* —2F **83** (2D **4**)
Larch Av. *B'rig* —1D **64**
Larch Av. *Lenz* —1C **50**
Larch Ct. *Cumb* —1D **36**
Larch Ct. *Blan* —1A **140**
Larch Ct. *E Kil* —6D **148**
Larch Cres. *Kirk* —1C **50**
Larch Dri. *Bank* —1E **15**
Larch Dri. *E Kil* —6D **148**
Larches, The. *Mood* —3E **53**
Larchfield Av. *G14* —5B **60**
Larchfield Av. *Newt M* —5E **133**
Larchfield Av. *Newt M* —5D **132**
Larchfield Cres. *Wis* —3A **146**
Larchfield Dri. *Ruth* —3D **120**
Larchfield Gdns. *Wis* —3B **146**
Larchfield Pl. *G14* —5B **60**
Larchfield Pl. *Wis* —3B **146**
Larchfield Rd. *Bear* —6F **45**
Larch Gro. *Cumb* —1D **36**
Larch Gro. *Ham* —1A **154**
Larch Gro. *Milt C* —6B **8**
Larch Gro. *Moth* —2B **128**
Larchgrove Av. *G32* —5C **86**
Larchgrove Pl. *G32* —4C **86**
Larchgrove Rd. *G32* —4C **86**
Larch Pl. *E Kil* —6D **148**
Larch Pl. *John* —5G **95**
Larch Pl. *Udd* —5H **109**
Larch Rd. *G41* —1H **101**
Larch Rd. *Cumb* —1D **36**
Larchwood Ter. *Barr* —6F **115**
Larg Dri. *Blan* —5A **124**
Largie Rd. *G43* —2D **118**
Largo Pl. *G51* —4E **81**
Larkfield Ct. *Blan* —3A **140**
Larkfield Dri. *Blan* —3B **140**
Larkfield Rd. *Lenz* —1E **51**
Larkfield St. *G42* —2F **103**
Larkhall Ind. Est. *Lark* —5G **161**
Larkin Gdns. *Pais* —4H **77**
Larkin Way. *Bell* —6B **110**
Larksfield Dri. *Carl* —5G **165**
Larkspur Dri. *E Kil* —5E **137**
Larkspur Way. *Carl* —5F **165**
Lashley Gro. *Over* —4A **158**
Lasswade St. *G14* —3G **59**
Latherton Dri. *G20* —4B **62**
Latimer Gdns. *G52* —1A **100**
Latimer Path. G52 —1A **100**
  (off Hatton Gdns.)
Latta St. *Dumb* —3G **17**
Lauchlin Pl. *Kirk* —6H **31**
Lauchope Rd. *Moth* —6D **112**
Lauchope St. *Chap* —3E **113**
Lauder Cres. *Wis* —3H **145**
Lauderdale Dri. *Newt M* —6C **132**
Lauderdale Gdns. *G12* —6H **61**
Lauderdale La. *G12* —6H **61**
Lauder Dri. *Lin* —6H **75**

Lauder Dri. *Ruth* —1F **121**
Lauder Gdns. *Blan* —5A **124**
Lauder Gdns. *Coat* —2F **111**
Lauder Grn. *E Kil* —5B **138**
Lauder La. *Ham* —6C **140**
Lauder St. *G5* —1E **103**
Laughland Dri. *Moth* —4D **128**
Laundry La. *G33* —4C **66**
Lauranne Pl. *Bell* —2A **126**
Laurel Av. *Clyd* —3H **41**
Laurel Av. *Lenz* —1D **50**
Laurelbank. *Coat* —3C **90**
Laurel Bank. *Ham* —3G **153**
Laurelbank Rd. *G32* —5C **106**
Laurelbank Rd. *Chry* —2H **67**
Laurel Clo. *E Kil* —6F **149**
Laurel Dri. *E Kil* —6E **149**
Laurel Dri. *Lark* —3G **161**
Laurel Dri. *Wis* —5D **144**
Laurel Gdns. *Chap* —3E **113**
Laurel Gdns. *Udd* —5D **108**
Laurel La. Lark —4G **161**
  (off Donaldson Rd.)
Laurel Pl. *G11* —1G **81**
Laurel Sq. *Bank* —1E **15**
Laurels, The. *G11* —1G **81**
Laurel Wlk. *Ruth* —4E **121**
Laurel Way. *Barr* —4D **114**
Laurence Dri. *Bear* —1D **44**
Laurenstone Ter. E Kil —1B **150**
  (off Capelrig Dri.)
Lauren View. *Air* —4H **91**
Laurie Ct. *Udd* —6E **109**
Laurieston Rd. *G5* —1F **103**
Lauriston Way. *Ruth* —3D **120**
Lavelle Dri. *Coat* —4E **91**
Lavender Dri. *E Kil* —6F **149**
Lavender La. *Carl* —5E **165**
Laverock Av. *Ham* —1C **154**
Laverock Dri. *Air* —3A **92**
Laverockhall St. *G21* —6B **64**
Laverock Rd. *Air* —3A **92**
Laverock Ter. *Chry* —6D **52**
Law Dri. *Moth* —3C **128**
Lawers Dri. *Bear* —1C **44**
Lawers La. *Moth* —3C **128**
Lawers Rd. *G43* —2H **117**
Lawers Rd. *Renf* —2E **79**
Lawfield Av. *Newt M* —4H **133**
Lawhill Av. *G45* —3H **119**
Lawhill Rd. *Law* —6D **158**
Lawhope Mill Rd. *Chap* —2F **113**
Lawmarnock Cres. *Bri W* —4E **73**
Lawmarnock Rd. *Bri W* —5E **73**
Lawmoor Av. *Dix B* —3G **103**
Lawmoor Pl. *G5* —3G **103**
Lawmoor Rd. *G5* —2G **103**
Lawmoor St. *G5* —2G **103**
Lawmuir Cres. *Clyd* —6G **23**
Lawmuir Pl. *Bell* —4C **126**
Lawmuir Rd. *Bell* —4C **126**
Lawmuir Rd. *Law* —6D **158**
Lawn Pk. *Miln* —4A **26**
Lawn St. *Pais* —6B **78**
Law Pl. *E Kil* —5G **137**
Lawrence Av. *Giff* —6A **118**
Lawrence St. *G11* —1A **82**
Lawrie St. *Newm* —4D **146**
Lawrie Way. *Lark* —4G **161**
Law Roundabout. *E Kil* —5G **137**
Lawson Av. *Moth* —6G **143**
Law St. *G40* —6C **84**
Law View. *Wis* —5A **158**
Laxford Av. *G44* —3E **119**
Laxford Pl. *Coat* —1F **111**
Laxford Rd. *Ersk* —6C **40**
Laxford Way. *Moth* —3C **128**
Laxton Dri. *Lenz* —3E **51**
Lea Av. *Neil* —2D **130**
Leabank Av. *Pais* —5A **98**
Leadburn Rd. *G21* —5E **65**
Leadburn St. *G32* —4G **85**
Leader St. *G33* —2F **85**
Leaend Rd. *Air* —2G **91**
Leander Cres. *Bell* —2G **127**
Leander Cres. *Renf* —1G **79**
Learigg Rd. *Plain* —1H **93**
Learmouth Pl. *Miln* —3F **25**
Leathem Pl. *Wis* —2C **156**
Leathen Pl. *Ersk* —6C **40**
Leckie Dri. *Ham* —5G **141**
Leckie St. *G43* —5A **102**
Ledaig St. *G31* —4E **85**
Ledard Rd. *G42* —5D **102**
Ledcameroch Cres. *Bear* —3D **44**
Ledcameroch Pk. *Bear* —3D **44**
Ledcameroch Rd. *Bear* —3D **44**
Ledgate. *Kirk* —4D **30**
Ledgowan Pl. *G20* —1B **62**
Ledi Dri. *Bear* —6B **24**
Ledi Path. *Moth* —4C **128**
Ledi Rd. *G43* —2A **118**
Ledmore Dri. *G15* —3H **43**
Lednock Rd. *G52* —6A **80**
Lednock Rd. *Step* —4C **66**
Lee Av. *G33* —2G **85**

Leebank Dri. *G44* —6D **118**
Leeburn Av. *C'lee* —2C **74**
Leechlee St. *Ham* —6A **142**
Lee Cres. *B'rig* —1C **64**
Leefield Dri. *G44* —5D **118**
Leehill Rd. *G21* —2A **64**
Lee Pl. *Bell* —3F **127**
Leesburn Pl. *E Kil* —5H **137**
Leeside Rd. *G21* —2A **64**
Leesland. *Udd* —5E **109**
Leeward Circ. *E Kil* —2C **148**
Leewood Dri. *G44* —5E **119**
Le Froy Gdns. *E Kil* —3E **149**
Le Froy La. *E Kil* —3E **149**
Lefroy St. *Coat* —4A **90**
Legbrannock Av. *Moth* —6D **112**
Legbrannock Cres. *Moth* —3D **128**
Legbrannock Rd. *Moth* —1E **129**
Leicester Av. *G12* —4H **61**
Leighton St. *G20* —3C **62**
Leighton St. *Wis* —1H **157**
Leitchland Rd. *Eld & Pais* —5B **96**
Leithington Rd. *Giff* —2G **133**
Leithland Av. *G53* —4B **100**
Leithland Rd. *G53* —4B **100**
Leith St. *G33* —3F **85**
Leman Dri. *Hous* —3D **74**
Leman Gro. *Hous* —3D **74**
Lembert Dri. *Clar* —1B **134**
Lendale La. *B'rig* —3C **48**
Lendalfoot Gdns. *Ham* —1B **152**
Lendal Pl. *E Kil* —5A **148**
Lendel Pl. *G51* —5B **82**
Lenihall Dri. *G45* —5A **120**
Lenihall Ter. *G45* —5A **120**
Lennox Av. *G14* —6C **60**
Lennox Av. *B'ton* —4H **39**
Lennox Av. *Coat* —4A **90**
Lennox Av. *Miln* —4G **25**
Lennox Ct. Kirk —5E **31**
  (off Highfield Rd.)
Lennox Cres. *B'rig* —1B **64**
Lennox Dri. *Bear* —1F **45**
Lennox Dri. *Clyd* —6E **23**
Lennox Gdns. *G14* —5D **60**
Lennox La. W. G14 —5D **60**
  (off Norse La. N.)
Lennox Pl. *Clyd* —4A **42**
Lennox Rd. *Cumb* —3H **35**
Lennox Rd. *Dumb* —4H **17**
Lennox Rd. *Milt* —4E **19**
Lennox St. *G20* —2A **62**
Lennox St. *Dumb* —4G **17**
Lennox St. *Wis* —5C **146**
Lennox Ter. *Pais* —3C **78**
Lennox View. *Clyd* —4D **42**
Lentran St. *G34* —4A **88**
Leny St. *G20* —6D **62**
Lenziemill Rd. *Cumb* —6H **35**
Lenzie Pl. *G21* —3B **64**
Lenzie Rd. *Kirk* —6D **30**
Lenzie Rd. *Step* —2D **66**
LENZIE STATION. *Lenz* —3C **50**
Lenzie St. *G21* —4B **64**
Lenzie Ter. *G21* —3A **64**
Lesley Quad. *Bell* —5B **126**
Leslie Av. *B'ton* —4H **39**
Leslie Av. *Newt M* —2E **133**
Leslie Rd. *G41* —3C **102**
Leslie St. *G41* —2D **102**
Leslie St. *Moth* —2H **143**
Lesmuir Dri. *G14* —4H **59**
Lesmuir Pl. *G14* —4H **59**
Letham Ct. *G43* —2C **118**
Letham Dri. *G43* —2C **118**
Letham Dri. *B'rig* —1E **65**
Lethame Grange. *Cumb* —1H **35**
Lethamhill Cres. *G33* —2H **85**
Lethamhill Pl. *G33* —2G **85**
Lethamhill Rd. *G33* —2G **85**
Lethbridge Pl. *E Kil* —3E **149**
Letherby Dri. *G44* —6F **103**
Letheron Dri. *Wis* —4H **145**
Lethington Av. *G41* —5C **102**
Lethington Pl. *G41* —5D **102**
Letterfearn Dri. *G23* —6C **46**
Letterickhills Cres. *Camb* —4E **123**
Lettoch St. *G51* —5G **81**
Leven Av. *B'rig* —6D **48**
Leven Ct. *Barr* —2D **114**
Leven Ct. *Dumb* —3E **17**
Leven Dri. *Bear* —3F **45**
Leven Dri. *Ham* —3F **153**
Levenford Ter. *Dumb* —4E **17**
Levengrove Ct. *Dumb* —4E **17**
Levengrove Ter. *Dumb* —4E **17**
Leven Path. Moth —2A **128**
  (off Graham St.)
Leven Pl. *Ersk* —6C **40**
Leven Quad. *Air* —1H **91**
Leven Rd. *Coat* —2G **89**
Leven Sq. *Renf* —5D **58**
Leven St. *G41* —2D **102**
Leven St. *Dumb* —4G **17**
Leven St. *Moth* —4A **143**
Leven Ter. *Moth* —5C **128**
Leven Valley Enterprise Cen. *Dumb* —3D **16**
Leven View. *Clyd* —4D **42**

Leven Way. Cumb —3H **35**
  (off Cumbernauld Cen., The)
Leven Way. *E Kil* —6B **148**
Leven Way. *Pais* —4C **96**
Levern Cres. *Barr* —5D **114**
Leverndale Ind. Cen. *G53* —5H **99**
Levern Rd. *G53* —1G **115**
Levernside Av. *G53* —5C **100**
Levernside Av. *Barr* —5C **114**
Levernside Cres. *G53* —4B **100**
Levernside Rd. *G53* —4B **100**
Lewis Av. *Renf* —2F **79**
Lewis Av. *Wis* —4C **146**
Lewis Cres. *Mill P* —3C **94**
Lewis Cres. *Old K* —2G **41**
Lewis Dri. *Old K* —2F **41**
Lewis Gdns. *Bear* —1B **44**
Lewis Gdns. *Old K* —2G **41**
Lewis Gro. *Old K* —2G **41**
Lewis Pl. *Newt M* —3B **132**
Lewis Pl. *Old K* —2G **41**
Lewiston Dri. G23 —6B **46**
  (off Lewiston Rd.)
Lewiston Pl. G23 —6B **46**
  (off Lewiston Rd.)
Lewiston Rd. *G23* —6B **46**
Lexwell Av. *Eld* —2B **96**
Lexwell Rd. *Pais* —3D **96**
Leyden Ct. *G20* —4C **62**
Leyden Gdns. *G20* —4C **62**
Leyden St. *G20* —4C **62**
Leys Pk. *Ham* —5E **141**
Leys, The. *B'rig* —6C **48**
Libberton Way. *Ham* —6E **141**
Liberton St. *G33* —3F **85**
Liberty Av. *Bail* —6E **89**
Liberty Path. *Blan* —2B **140**
Liberty Rd. *Bell* —3C **126**
Libo Av. *G53* —4D **100**
Libo Pl. *Ersk* —5C **40**
Library La. *Giff* —4F **117**
Library Rd. *Wis* —6H **145**
Lickprivick Rd. *E Kil* —6D **148**
Liddel Ct. *E Kil* —4F **149**
Liddells Ct. *B'rig* —2C **64**
Liddell St. *G32* —4C **106**
Liddel Rd. *Cumb* —4G **35**
Liddel Rd. *Cumb* —4A **36**
  (Carbrain)
Liddesdale Pass. *G22* —2G **63**
Liddesdale Pl. *G22* —2A **64**
Liddesdale Rd. *G22* —2F **63**
Liddesdale Sq. *G22* —2H **63**
Liddesdale Ter. *G22* —2H **63**
Liddoch Way. *Ruth* —5B **104**
Liff Gdns. *B'rig* —1F **65**
Liff Pl. *G34* —2A **88**
Lightburn Pl. *G32* —4B **86**
Lightburn Rd. *G31* —5E **85**
Lightburn Rd. *Camb* —3D **122**
Lilac Av. *Clyd* —2H **41**
Lilac Av. *Cumb* —6E **15**
Lilac Ct. *Cumb* —6F **15**
Lilac Cres. *Cumb* —6F **15**
Lilac Gdns. *B'rig* —1D **64**
Lilac Hill. *Cumb* —6F **15**
Lilac Hill. *Ham* —1B **154**
Lilac Pl. *Cumb* —6F **15**
Lilac Way. *Moth* —2B **128**
Lillyburn Pl. *G15* —3G **43**
Lilybank Av. *Air* —5B **92**
Lilybank Av. *Camb* —3B **122**
Lilybank Av. *Muirh* —2A **68**
Lilybank Gdns. *G12* —1B **82**
Lilybank Gdns. La. G12 —1B **82**
  (off Lilybank Gdns.)
Lilybank La. G12 —1B **82**
  (off Lilybank Gdns.)
Lilybank St. *Ham* —5G **141**
Lilybank Ter. *G12* —1B **82**
Lilybank Ter. La. G12 —1B **82**
  (off Gt. George St.)
Lily St. *G40* —2D **104**
Limdores St. *G42* —5F **103**
Limecraigs Av. *Pais* —6G **97**
Limecraigs Cres. *Pais* —6G **97**
Limecraigs Rd. *Pais* —6F **97**
Lime Cres. *Air* —4C **92**
Lime Cres. *Cumb* —6E **15**
Lime Gro. *Blan* —6A **124**
Lime Gro. *Lenz* —2D **50**
Lime Gro. *Moth* —5G **143**
Limegrove St. *Bell* —6C **110**
Limekilns Rd. *Cumb* —6H **55**
Limekilns St. *Clyd* —6F **23**
Lime La. G14 —6D **60**
  (off Dumbarton Rd.)
Lime Loan. *Moth* —5B **128**
Lime Rd. *Broad I* —3F **17**
Limeside Av. *Ruth* —6D **104**
Limeside Gdns. *Ruth* —6E **105**
Limes, The. *G44* —3F **119**
Lime St. *G14* —6D **60**
Limetree Av. *Udd* —5F **109**
Limetree Ct. *Ham* —4E **141**
Limetree Cres. *Newt M* —5D **132**
Limetree Dri. *Clyd* —3C **42**
Limetree Quad. *Udd* —5G **109**
Limetree Wlk. *Milt C* —1B **30**
Limeview Av. *Pais* —6F **97**
Limeview Cres. *Pais* —6F **97**

Limeview Rd. *Pais* —6F **97**
Limeview Way. *Pais* —6F **97**
Linacre Dri. *G32* —6C **86**
Linacre Gdns. *G32* —6D **86**
Linburn Pl. *G52* —5A **80**
Linburn Rd. *G52* —4G **79**
Linburn Rd. *Ersk* —6C **40**
Linclive Interchange. *Lin* —6B **76**
Linclive Spur. *Lin* —6B **76**
Linclive Ter. *Lin* —6B **76**
Lincoln Av. *G13* —2C **60**
Lincoln Av. *Udd* —4D **108**
Lincuan Av. *Giff* —6A **118**
Lindams. *Udd* —2D **124**
Lindcres Av. *Ruth* —6D **104**
Linden Av. *Wis* —3A **146**
Linden Ct. *Clyd* —1C **42**
Linden Dri. *Bank* —1E **15**
Linden Dri. *Clyd* —1C **42**
Linden Lea. *Ham* —5F **141**
Linden Lea. *Milt C* —6B **8**
Linden Pl. *G13* —2F **61**
Linden St. *G13* —2F **61**
Linden Way. *G13* —2F **61**
Lindores Dri. *E Kil* —1D **148**
Lindores Pl. *E Kil* —2E **149**
Lindrick Dri. *G23* —6C **46**
Lindsaybeg Rd. *Chry* —5H **51**
Lindsaybeg Rd. *Lenz* —3D **50**
Lindsay Dri. *G12* —3H **61**
Lindsayfield Rd. *E Kil* —6D **148**
Lindsay Gro. *E Kil* —1H **149**
Lindsay Pl. *G12* —3H **61**
Lindsay Pl. *E Kil* —2A **150**
Lindsay Pl. John —2G **95**
  (off John Lang St.)
Lindsay Pl. *Lenz* —4D **50**
Lindsay Rd. *E Kil* —2H **149**
Lindsay Ter. *Len* —3G **7**
Lindum Cres. *Moth* —1D **142**
Lindum St. *Moth* —1D **142**
Linfern Rd. *G12* —6A **62**
Linghope Pl. *Wis* —3F **157**
Lingley Av. *Air* —5A **92**
Linhope Pl. *E Kil* —4A **148**
Links Rd. *G32* —2D **106**
Links Rd. *G44* —3F **119**
Links, The. *Cumb* —5B **14**
Links View. *Lark* —3G **161**
Linksview Rd. *Moth* —6B **128**
Linkwood Av. *G15* —4H **43**
Linkwood Cres. *G15* —4A **44**
Linkwood Dri. *G15* —4H **43**
Linkwood Pl. *G15* —4H **43**
Linlithgow Gdns. *G32* —6D **86**
Linn Cres. *Pais* —6G **97**
Linn Dri. *G44* —4D **118**
Linnet Av. *John* —6C **94**
Linnet Pl. *G13* —2H **59**
Linnet Rd. *Bell* —3D **126**
Linn Gdns. *Cumb* —3B **34**
Linn Glen. *Len* —3H **7**
Linnhead Dri. *G53* —1B **116**
Linnhead Pl. *G14* —5B **60**
Linnhe Av. *G44* —3E **119**
Linnhe Av. *B'rig* —6D **48**
Linnhe Av. *Ham* —2E **153**
Linnhe Cres. *Wis* —3E **157**
Linnhe Dri. *Barr* —2D **114**
Linnhe Pl. *Blan* —5A **124**
Linnhe Pl. *Ersk* —6C **40**
Linnpark Av. *G44* —5D **118**
Linnpark Ct. *G44* —5D **118**
Linn Pk. Gdns. *John* —3G **95**
Linnpark Ind. Est. *G45* —5F **119**
Linside Av. *Pais* —1C **98**
Lint Butts. *Blan* —2A **140**
Linthaugh Rd. *G53* —3A **100**
Linthaugh Ter. *G53* —4D **100**
Linthouse Rd. *G51* —2E **81**
Lintie Rd. *Moth* —3C **128**
Lintlaw. *Blan* —5B **124**
Lintlaw Dri. *G52* —5B **80**
Lintmill Ter. *Neil* —3C **130**
Linton St. *G33* —3G **85**
Lintwhite Cres. *Bri W* —3G **73**
Linwell Cres. *Pais* —6H **97**
Linwood Av. *Clar* —2D **134**
Linwood Av. *E Kil* —1B **148**
Linwood Ct. *G44* —2E **119**
Linwood Ind. Est. *Lin I* —1H **95**
Linwood Rd. *Lin* —6B **76**
Linwood Ter. *Ham* —5F **141**
Lion Bank. *Kirk* —4D **30**
Lismore. *E Kil* —3C **150**
Lismore Av. *Moth* —1D **142**
Lismore Av. *Renf* —2F **79**
Lismore Dri. *Lin* —6F **75**
Lismore Dri. *Pais* —6H **97**
Lismore Gdns. *Mill P* —3C **94**
Lismore Hill. *Ham* —6B **140**
Lismore Pl. *Chry* —4E **53**
Lismore Pl. *Newt M* —4B **132**
Lismore Rd. *G12* —4H **61**
Lister Gdns. *Clar* —4E **135**
Lister Pl. *H'ton I* —4A **80**
Lister Rd. *G52* —4H **79**
  (in two parts)
Lister St. *G4* —2H **83** (2H **5**)
Lister Tower. E Kil —3H **149**
  (off Sinclair Pl.)

Lister Wlk. Bell —6E 111
Lithgow Av. Kirk —6E 31
Lithgow Cres. Pais —3C 98
Lithgow Dri. Cle —6H 129
Lithgow Pl. E Kil —1D 148
Lit. Dovehill. G1 —5H 83
Lit. Drum Rd. Cumb —5F 33
Littlehill Av. Cumb —4A 34
Littlehill St. G5 —5C 64
Littleholm Pl. Clyd —3A 42
Lit. John Gdns. Newm —5D 146
Littlesdale Av. Pais —6B 96
Littleston Gdns. Ersk —6D 40
Little St. G3 —4D 82
Littleton Dri. G23 —6B 46
(off Littleton St.)
Littleton St. G23 —6B 46
Livingston Dri. Plain —1G 93
Livingstone Av. G52 —3A 80
Livingstone Boulevd. Ham —5B 140
Livingstone Clo. E Kil —4F 149
Livingstone Cres. Blan —6B 124
Livingstone Dri. E Kil —3F 149
Livingstone Gdns. Lark —2F 161
Livingstone Pk. Kils —1F 11
Livingstone Pl. Air —4B 92
Livingstone St. Clyd —6E 43
Livingstone St. Ham —5D 140
Lloyd Av. G32 —3A 106
Lloyd Dri. Moth —6A 128
Lloyds St. Coat —6C 90
Lloyd St. G31 —3C 84
Lloyd St. Moth —6A 128
Lloyd St. Ruth —4D 104
Loanbank Pl. G51 —4G 81
Loanbank Quad. G51 —4F 81
Loancroft Av. Bail —2A 108
Loancroft Gdns. Udd —2C 124
Loancroft Ga. Udd —2C 124
Loancroft Ho. Bail —2H 107
Loancroft Pl. Bail —2H 107
Loanend Cotts. Camb —6F 123
Loaning. Lark —4G 161
(off Donaldson Rd.)
Loaningdale Dri. Dumb —1H 17
Loaning, The. Bear —2E 45
Loaning, The. Giff —1G 133
Loaning, The. Kirk —6C 30
Loaning, The. Moth —2E 143
Loan Lea Cres. Lark —4F 161
Loan, The. Miln —1C 24
Lobnitz Av. Renf —5F 59
Lochaber Dri. Kils —5C 8
Lochaber Dri. Ruth —3F 121
Lochaber Pl. Blan —2B 140
Lochaber Pl. E Kil —6H 137
Lochaber Rd. Bear —5G 45
Lochaber Wlk. Milt C —4C 8
Lochachray Gdns. G32 —1C 106
Lochachray St. G32 —1C 106
Lochaline Av. Pais —3E 97
Lochaline Dri. G44 —3E 119
Lochalsh Cres. Milt C —5C 8
Lochalsh Pais —3E 97
Lochalsh Pl. Blan —5H 123
Lochar Cres. G53 —3D 100
Lochard Dri. Pais —4E 97
Lochar Pl. E Kil —4A 148
Lochart Pl. Wis —5C 146
Loch Assynt. E Kil —3B 150
Loch Awe. E Kil —3A 150
Loch Awe Pl. Coat —5B 90
Lochay St. G32 —1C 106
Lochbrae Dri. Ruth —3E 121
Lochbridge Rd. G34 —4G 87
Lochbroom Dri. Newt M —3F 133
Lochbroom Dri. Pais —3E 97
Loch Brora Cres. Coat —5A 90
Lochbuie La. Glenm —5G 71
Lochburn Cres. G20 —2C 62
Lochburn Gro. G20 —2C 62
(off Lochburn Cres.)
Lochburn Pas. G20 —2C 62
Lochburn Rd. G20 —3B 62
Lochdochart Path. G34 —4B 88
(off Lochdochart Rd.)
Lochdochart Rd. G34 —3A 88
Lochearn Cres. Air —1H 91
Lochearn Cres. Pais —3E 97
Lochearnhead Rd. G33 —4B 66
Lochend Av. G'csh —2C 68
Lochend Cres. Bear —4D 44
Lochend Dri. Bear —4D 44
Lochend Path. G34 —2H 87
Lochend Rd. G34 —2H 87
Lochend Rd. Bear —4E 45
Lochend Rd. G'csh —2D 68
Lochend St. Moth —3H 143
Locher Av. Hous —2E 75

Locherburn Av. Hous —4D 74
Locherburn Gro. Hous —3D 74
Locherburn Pl. Hous —3D 74
Locher Cres. Hous —3E 75
Locher Gdns. Hous —3E 75
Locher Rd. Kilb & Bri W —6H 73
Locher Way. Hous —2E 75
Lochfauld Rd. G23 —5E 47
Lochfield Cres. Pais —4B 98
Lochfield Dri. Pais —4A 98
Lochfield Rd. Pais —4A 98
Lochgilp St. G20 —2A 62
Loch Goil. E Kil —2A 150
Lochgoin Av. G15 —3G 43
Lochgreen Pl. Coat —1G 89
Lochgreen Pl. Ham —4F 153
Lochgreen St. G33 —6F 65
Lochhead Av. Lin —6H 75
Lochiel Ct. Air —4F 91
(off Monkscourt Av.)
Lochiel La. Ruth —3F 121
Lochiel Rd. T'bnk —3F 117
Lochinvar Rd. Cumb —6F 35
Lochinver Cres. Pais —3E 97
Lochinver Dri. G44 —3E 119
Lochinver Gro. Camb —2C 122
Loch Laidon Ct. G32 —1D 106
Loch Laidon St. G32 —1D 106
Loch Laxford. E Kil —3B 150
Lochlea. E Kil —5D 138
Loch Lea. Kirk —3F 31
Lochlea Av. Clyd —4E 43
Lochlea Loan. Lark —3G 161
(off Catrine St.)
Lochlea Rd. G43 —1B 118
Lochlea Rd. Clar —4C 134
Lochlea Rd. Cumb —2B 36
Lochlea Rd. Ruth —2B 120
Lochlea Rd. Ruth —2G 121
(Burnside)
Lochlea Way. Moth —3E 129
Lochlee Loan. Lark —4G 161
(off Donaldson Rd.)
Lochleven La. Bear —5E 45
Lochleven Rd. Bear —5E 45
Lochlibo Av. G13 —3H 59
Lochlibo Cres. Barr —6C 114
Lochlibo Rd. Barr —3A 130
Lochlibo Ter. Barr —6C 114
Loch Long. E Kil —3A 150
Loch Loyal. E Kil —3B 150
Lochmaben Rd. G52 —1H 99
Lochmaddy Av. G44 —3E 119
Loch Maree. E Kil —3B 150
Loch Meadie. E Kil —3B 150
Lochnagar Dri. Bear —6B 24
Lochnagar Way. Lark —4G 161
(off Donaldson Rd.)
Loch Naver. E Kil —3B 150
Lochore Av. Pais —4B 78
Loch Pk. Wis —6A 146
Loch Pk. Av. Carl —5E 165
Loch Pk. Pl. Lark —4E 161
Loch Pl. Bri W —3F 73
Loch Rd. G33 —4D 66
Loch Rd. Bri W —3F 73
Loch Rd. Chap —3D 112
Loch Rd. Kirk —6D 30
Loch Rd. Miln —2H 25
Loch Shin. E Kil —3B 150
Lochside. Bear —4F 45
Lochside St. G41 —4C 102
Loch St. C'bnk —3B 112
Loch Striven. E Kil —2A 150
Loch Torridon. E Kil —3B 150
Loch View. C'bnk —3B 112
Lochview Cotts. Bail —6C 68
Lochview Cres. G33 —6H 65
Lochview Dri. G33 —6H 65
Lochview Gdns. G33 —6H 65
Lochview Pl. G33 —6H 65
Lochview Quad. Bell —4B 126
Lochview Rd. Bear —4E 45
Lochview Rd. Coat —2G 89
Lochview Ter. G'csh —4D 68
Loch Voil St. G32 —1D 106
Lochwood Cotts. Bail —1C 88
Lochwood Loan. Mood —4E 53
Lochwood St. G33 —1G 85
Lochy Av. Renf —2H 79
Lochy Gdns. B'rig —6D 48
Lochy Pl. Ersk —6C 40
Lochy St. Wis —2G 157
Lockerbie Av. G43 —1D 118
Locket Yett View. Bell —2A 126
Lockhart Av. Camb —1D 122
Lockhart Dri. Camb —1D 122
Lockhart St. G21 —1D 84
Lockhart St. Carl —3F 165
Lockhart St. Ham —5G 153
Lockhart Ter. E Kil —1B 150
Locksley Av. G13 —1C 60
Locksley Av. Cumb —1G 55
Locksley Ct. Cumb —1G 55
Locksley Cres. Cumb —1G 55
Locksley Pl. Cumb —1G 55
Locksley Rd. Cumb —1G 55
Locksley Rd. Pais —4D 96
Locksley Way. Pais —4D 96
Locks St. Coat —5F 91

Lodge Tower. Moth —5A 144
(off Burnside Ct.)
Logan Av. Newt M —3C 132
Logandale Av. Newm —3D 146
Logan Dri. Cumb —2F 35
Logan Dri. Pais —5G 77
Logans Gdns. Cle —1H 145
Loganlea Dri. Moth —6A 128
Logans Rd. Moth —2D 142
Loganswell Dri. T'bnk —5E 117
Loganswell Gdns. T'bnk —5E 117
Loganswell Pl. T'bnk —5E 117
Loganswell Rd. T'bnk —5E 117
Logan Tower. Camb —3E 123
Logie Pk. E Kil —6A 138
Logie Sq. E Kil —6A 138
Lomax St. G33 —3F 85
Lomond. E Kil —6G 149
Lomond Av. Renf —2D 78
Lomond Ct. Barr —5E 115
Lomond Ct. Cumb —6E 35
Lomond Ct. Dumb —3E 17
Lomond Cres. Bri W —3E 73
Lomond Cres. Cumb —6E 35
Lomond Cres. Pais —5H 97
Lomond Dri. Air —1G 91
Lomond Dri. Barr —3D 114
Lomond Dri. Both —4F 125
Lomond Dri. Cumb —6D 34
Lomond Dri. Dumb —1H 17
Lomond Dri. Newt M —2D 132
Lomond Dri. Wis —1G 157
Lomond Gdns. Eld —3A 96
Lomond Gro. Cumb —6E 35
Lomond Pl. G33 —5D 66
Lomond Pl. Coat —2A 90
Lomond Pl. Cumb —6D 34
Lomond Pl. Ersk —6C 40
(in two parts)
Lomond Rd. Bear —5E 45
Lomond Rd. Coat —1G 89
Lomond Rd. Kirk —2D 50
Lomond Rd. Udd —4D 108
Lomondside Av. Clar —1A 134
Lomond St. G22 —4F 63
Lomond View. Clyd —4D 42
(off Church St.)
Lomond View. Cumb —6E 35
Lomond View. Ham —1D 152
Lomondview Ind. Est. John —1F 95
Lomond Wlk. Lark —1F 161
(off Duncan Graham St.)
Lomond Wlk. Moth —3C 128
Lomond Wlk. Moth —2A 128
(off Graham St.)
London Rd. G1 —5H 83
London Rd. G32 —4A 106
London Rd. G40 & G31 —1C 104
London St. Lark —1E 161
London St. Renf —4F 59
Lonend. Pais —1B 98
Longay Pl. G22 —1G 63
Longay St. G22 —1G 63
Long Calderwood Cotts. E Kil
—5C 138
Long Crags. Dumb —1H 17
Longcroft Dri. Renf —5E 59
Longden St. Clyd —1F 59
Long Dri. E Kil —4A 150
Longford St. G33 —3F 85
Longlee. Bail —1H 107
Longmeadow. John —4D 94
Long Row. Bail —5A 88
Longstone Pl. G33 —3B 86
Longstone Rd. G33 —3B 86
Longwill Ter. Cumb —1B 36
Lonsdale Av. Giff —4A 118
Loom Wlk. Kilb —2A 94
(in two parts)
Lora Dri. G52 —1E 101
Lord Way. Bail —6D 88
Loretto Pl. G33 —3H 85
Loretto St. G33 —3H 85
Lorimer Cres. E Kil —4F 149
Lorn Av. Chry —1B 68
Lorne Cres. B'rig —5F 49
Lorne Dri. Lin —6G 75
Lorne Dri. Moth —5F 127
Lorne Pl. Coat —6F 91
Lorne Rd. H'ton I —3H 79
Lorne St. G51 —5B 82
Lorne St. Ham —5G 141
Lorne Ter. Camb —4H 121
Lorn Pl. Kirk —4A 32
Lorraine Gdns. G12 —5A 62
Lorraine Gdns. La. G12 —5A 62
(off Lorraine Gdns.)
Lorraine Rd. G12 —5A 62
Loskin Dri. G22 —2F 63
Lossie Cres. Renf —1H 79
Lossie St. G33 —2F 85
Lothian Cres. Pais —4H 97
Lothian Dri. Clar —1B 134
Lothian Gdns. G20 —6C 62
Lothian St. G52 —3G 79
(in five parts)
Lothian Way. E Kil —6D 138

Louden St. Air —4A 92
Loudon. E Kil —6G 149
Loudon Gdns. John —2G 95
Loudonhill Av. Ham —3A 154
Loudon Rd. G33 —5B 66
Loudon St. Wis —3H 145
Loudon Ter. Bear —6D 24
(off Grampian Way)
Louise Gdns. Holy —2H 127
Louisville Av. Wis —4B 146
Lounsdale Cres. Pais —3E 97
Lounsdale Dri. Pais —3F 97
Lounsdale Ho. Pais —4E 97
Lounsdale Pl. G14 —5B 60
Lounsdale Rd. Pais —3F 97
Lourdes Av. G52 —1D 100
Lourdes Ct. G52 —1D 100
Lovat Av. Bear —6E 25
Lovat Dri. Kirk —5B 30
Lovat Path. Lark —4G 161
(off Donaldson Rd.)
Lovat Pl. G52 —4F 79
Lovat Pl. Ruth —3F 121
Love Av. Bri W —1A 72
Love St. Pais —5A 78
Low Barholm. Kilb —3B 94
Low Broadlie Rd. Neil —1D 130
Low Craigends. Kils —3A 12
Low Cres. Clyd —1G 59
Lwr. Admiralty Rd. Old K —2F 41
Lwr. Auchingramont Rd. Ham
—5A 142
Lwr. Bourtree Dri. Ruth —3E 121
Lwr. Hill Rd. Clar —3D 134
Lwr. Millgate. Udd —1D 124
Low Flender Rd. Clar —4B 134
Lowndes St. Barr —5E 115
Low Parksail. Ersk —2G 57
Low Patrick St. Ham —6B 142
Low Pleasance. Lark —2F 161
Low Rd. Cast —2G 97
Lowther Av. Bear —5C 24
Lowther Ter. G12 —5A 62
Low Waters Rd. Ham —3H 153
Loyal Av. Ersk —6E 40
Loyal Gdns. Bear —6B 24
Loyal Pl. Ersk —6D 40
Loyne Dri. Renf —1H 79
Luath St. G51 —3G 81
Lubas Av. G42 —6H 103
Lubas Pl. G42 —6H 103
Lubnaig Dri. Ersk —6D 40
Lubnaig Gdns. Bear —6C 24
Lubnaig Pl. Air —1G 91
Lubnaig Rd. G43 —2C 118
Lubnaig Wlk. Moth —2A 128
Luckiesfauld. Neil —3D 130
Luckingsford Av. Inch —2H 57
Luckingsford Dri. Inch —2G 57
Luckingsford Rd. Inch —2G 57
Lucy Brae. Udd —5C 108
Ludovic Sq. John —2F 95
Luffness Gdns. G32 —3B 106
Lugar Dri. G52 —1E 101
Lugar Pl. G44 —2A 120
Lugar St. Coat —3D 90
Luggiebank Pl. Bail —1E 109
Luggiebank Rd. Kirk —5D 30
(in two parts)
Luggie Rd. Carl —3D 164
Luggie View. Cumb —6C 34
Luing. Air —5E 93
Luing Rd. G52 —6E 81
Lumloch St. G21 —5C 64
Lumsden La. G3 —2B 82
(off Lumsden St.)
Lumsden St. G3 —3B 82
Lunan Dri. B'rig —1E 65
Lunan Pl. G51 —4E 81
Luncarty Pl. G32 —2A 106
Luncarty St. G32 —2A 106
Lunderston Dri. G53 —6A 100
Lundie Gdns. B'rig —1F 65
Lundie St. G32 —2G 105
Luss Brae. Ham —1C 152
Lusset Glen. Old K —1F 41
Lussett Rd. Old K —1F 41
Lusset View. Clyd —4D 42
Lusshill Ter. Udd —3H 107
Luss Rd. G51 —4F 81
Lybster Cres. Ruth —4F 121
Lye Brae. Cumb —3B 36
Lyell Gro. E Kil —6G 137
Lyell Pl. E Kil —6G 137
Lyle Pl. B'ton —3F 39
Lyle Pl. Pais —3B 98
Lyle Rd. Air —4F 93
Lyle's Land. Hous —1B 74
Lylesland Ct. Pais —3A 98
Lyle Sq. Miln —3E 25
Lyman Dri. Wis —2A 146
Lymburn St. G3 —3B 82
Lymekilns Rd. E Kil —1F 149
Lyndale Pl. G20 —1B 62
Lyndale Rd. G20 —1B 62
Lyndhurst Gdns. G20 —6D 62
Lyndhurst Gdns. La. G20 —6C 62
(off Lindsay Pl.)
Lyne Croft. B'rig —3C 48
Lynedoch Cres. G3 —2D 82
Lynedoch Pl. G3 —2D 82
Lynedoch St. G3 —2D 82

Lynedoch Ter. G3 —2D 82
Lyne St. Wis —4G 145
Lynnburn Av. Bell —1C 126
Lynn Dri. Miln —3A 26
Lynne Dri. G23 —6C 46
Lynnhurst. Udd —6D 108
Lynton Av. Giff —6G 117
Lynwood Rd. Newm —3G 147
Lyoncross Av. Barr —3F 115
Lyoncross Cres. Barr —4F 115
Lyoncross Rd. G53 —3B 100
Lyon Rd. Ersk —6C 40
Lyon Rd. Pais —4D 96
Lyons Quad. Wis —5D 144
Lysander Way. Renf —2F 79
Lysa Vale Pl. Bell —2A 126
Lytham Dri. G23 —6C 46
Lytham Meadows. Both —5C 124
Lyttelton. E Kil —5D 148

M8 Food Pk. G21 —1H 83
Mabel St. Moth —4G 143
Macadam Gdns. Bell —1C 126
Macadam Pl. E Kil —3G 149
McAllister Av. Air —3D 92
McAlpine St. G2 —4E 83 (6A 4)
McAlpine St. Wis —1H 157
McArdle Av. Moth —2D 142
Macarthur Av. Glenm —6F 71
Macarthur Ct. E Kil —6E 137
Macarthur Cres. E Kil —5E 137
Macarthur Dri. E Kil —6E 137
Macarthur Gdns. E Kil —6E 137
McArthur Pk. Kirk —6C 30
McArthur St. G43 —6A 102
McAslin Ct. G4 —3H 83 (3H 5)
McAslin St. G4 —3A 84
Macbeth. E Kil —4B 138
Macbeth Pl. G31 —1F 105
Macbeth St. G31 —1F 105
MacCabe Gdns. Len —4H 7
McCallum Av. Ruth —6D 104
McCallum Ct. E Kil —5D 136
McCallum Gdns. Bell —5B 126
McCallum Gro. E Kil —5D 136
McCallum Pl. E Kil —5D 136
McCallum Rd. Lark —4F 161
McCarrison Rd. Wis —3E 147
McCash Pl. Kirk —6C 30
McClue Av. Renf —6D 58
McClue Rd. Renf —5E 59
McClurg Ct. Moth —4G 143
McConnell Gdns. Kils —3A 12
McCormack Gdns. Moth —3E 129
McCracken Av. Renf —1D 78
McCracken Dri. Udd —5G 109
McCreery St. Clyd —1F 59
Maccrimmon Pk. E Kil —5D 136
McCulloch Av. Udd —1G 125
McCulloch St. Pais —1D 102
Macdairmid Dri. Ham —4F 153
Macdonald Av. E Kil —5C 136
McDonald Av. John —4E 95
McDonald Cres. Clyd —1F 59
Macdonald Cres. Twe —2D 32
MacDonald Gro. Bell —5B 126
McDonald Pl. Barr —2E 131
Macdonald St. Moth —2A 128
Macdonald St. Moth —4H 143
Macdonald St. Ruth —6C 104
Macdougal Quad. Bell —5B 126
Macdougall St. G43 —6A 102
Macdowall St. John —2F 95
Macdowall St. Pais —5H 77
Macduff. Ersk —5E 41
Macduff Pl. G31 —1F 105
Macduff St. G31 —1F 105
Mace Rd. G13 —6C 44
McEwan Gdns. E Kil —5C 136
Macfarlane Rd. Bear —4G 45
McFarlane St. G4 —5A 84
McFarlane St. Pais —4G 77
Macfie Pl. E Kil —5D 136
McGarvey Pl. Kirk —5E 31
McGhee St. Clyd —3D 42
McGowan Pl. Ham —4E 141
McGown St. Pais —5H 77
McGregor Av. Air —3D 92
McGregor Av. Renf —1D 78
McGregor Dri. Dumb —1C 18
McGregor Path. Glenb —3G 69
McGregor Rd. Cumb —4G 35
McGregor St. G51 —5F 81
McGregor St. Clyd —1F 59
McGregor St. Wis —5D 144
McGrigor Rd. Miln —2F 25
Machan Av. Lark —2E 161
Machanhill. Lark —2F 161
Machanhill View. Lark —3F 161
Machan Rd. Lark —3E 161
Machrie Dri. G45 —3B 120
Machrie Dri. Newt M —3E 133
Machrie Rd. G45 —3A 120
Machrie Rd. Moth —2D 142
Machrie St. G45 —4A 120
McInnes Ct. Wis —1H 157
McInnes Pl. Wis —4H 157
McIntosh Pl. G31 —1F 105
Macintosh Pl. E Kil —4E 149

McIntosh Quad. *Bell* —5B **126**
McIntosh St. *G31* —4B **84**
McIntosh Way. *Moth* —4E **143**
McIntyre Pl. *Pais* —3A **98**
McIntyre St. *G3* —4D **82**
McIntyre Ter. *Camb* —1A **122**
McIver St. *Camb* —1D **122**
Macivor Cres. *E Kil* —5C **136**
McKay Cres. *John* —3G **95**
McKay Gro. *Bell* —2B **126**
McKay Pl. *E Kil* —5C **136**
MacKean St. *Pais* —5G **77**
McKechnie St. *G51* —3G **81**
MacKeith St. *G40* —1B **104**
McKenna Dri. *Air* —4G **91**
McKenzie Av. *Clyd* —3D **42**
Mackenzie Dri. *Mill P* —4B **94**
McKenzie Gdns. *E Kil* —5C **136**
McKenzie St. *Pais* —6G **77**
McKerrell St. *Pais* —6C **78**
Mackie's Mill Rd. *Eld* —5B **96**
Mackinlay St. *G5* —1F **103**
McKinley Pl. *Newt M* —5D **132**
Mack St. *Air* —3A **92**
McLaren Ct. *Giff* —6H **117**
McLaren Gro. *E Kil* —5C **136**
McLaren Pl. *E Kil* —5D **118**
McLaurin Cres. *John* —4D **94**
Maclay Av. *Kilb* —3A **94**
McLean Av. *Renf* —2E **79**
Maclean Ct. *E Kil* —5D **136**
McLean Dri. *Bell* —5B **126**
Maclean Gro. *E Kil* —5D **136**
Maclean Pl. Cumb —6C **34**
(off Airdrie Rd.)
McLean Pl. *Pais* —4A **77**
Maclean Rd. *Barr* —3E **131**
Maclean Rd. *E Kil* —5D **136**
Maclean Sq. *G51* —5B **82**
Maclean St. *G51* —5B **82**
Mclean St. G1 —1G **59**
(off Wood Quad.)
McLees La. *Moth* —2D **142**
Maclehose Rd. *Cumb* —2C **36**
McLelland Dri. *Plain* —1H **93**
Maclellan St. *G41* —6B **82**
McLennan St. *G42* —5F **103**
Macleod St. *E Kil* —6B **138**
Macleod St. *G4* —4A **84**
McMahon Rd. *Newm* —3E **147**
Macmillan Gdns. *Udd* —5E **109**
McMillan Rd. *Wis* —1D **156**
Macmillan St. *Lark* —3D **160**
McMillan Way. *Law* —6D **158**
McNair St. *G32* —6A **86**
McNeil Av. *Clyd* —6G **43**
McNeil Dri. *Moth* —6G **111**
McNeil Gdns. *G5* —1H **103**
Macneill Dri. *E Kil* —5D **136**
Macneill Gdns. *E Kil* —5D **136**
Macneill St. *Lark* —2D **160**
McNeil Pl. *Over* —4A **158**
McNeil St. *G5* —1H **103**
Macneish Way. *E Kil* —5D **136**
Macnicol Ct. *E Kil* —5C **136**
Macnicol Pk. *E Kil* —5C **136**
Macnicol Pl. *E Kil* —5C **136**
McPhail St. *G40* —1A **104**
McPhater St. *G4* —2F **83** (2D **4**)
McPherson Cres. *Chap* —4E **113**
McPherson Dri. *Both* —4F **125**
Macpherson Pk. *E Kil* —6E **137**
McPherson St. *Bell* —2F **127**
Macphie Rd. *Dumb* —1C **18**
Macquisten Bri. *G41* —6B **102**
*Macrae Ct. John —4E **95***
(off Tannahill Cres.)
Macrae Gdns. *E Kil* —6E **137**
Macrimmon Pl. *E Kil* —3G **149**
McSparran Rd. *Kils* —1B **34**
MacTaggart Rd. *Cumb* —5G **35**
Madison Av. *G44* —2F **119**
Madison Pl. *Blan* —2B **140**
Madras Pl. *G40* —2B **104**
Madras Pl. *Neil* —2E **131**
Madras St. *G40* —2B **104**
Mafeking St. *G51* —5H **81**
Mafeking St. *Wis* —5D **144**
Mafeking Ter. *Neil* —2C **130**
Magdalen Way. *Pais* —6B **96**
Magna St. *Moth* —1D **142**
Magnolia Gdns. *Moth* —4C **128**
Magnolia Pl. *Udd* —5G **109**
Magnolia St. *Wis* —4H **145**
Magnus Cres. *G44* —3F **119**
Magnus Rd. *Hous* —3C **74**
Mahon Ct. *Mood* —6D **52**
Maidens. *E Kil* —6F **137**
Maidens Av. *Newt M* —4G **133**
Maidland Rd. *G53* —5C **100**
Mailerbeg Gdns. *Chry* —4D **52**
Mailie Wlk. *Moth* —4C **128**
Mailing Av. *B'rig* —5D **48**
Mainhead Ter. *Cumb* —6B **14**
Mainhill Av. *Bail* —6B **88**
Mainhill Dri. *Bail* —6A **88**
Mainhill Pl. *Bail* —5B **88**
Mainhill Rd. *Bail* —6D **89**
Main Rd. *Cast* —1H **97**

Main Rd. *Cumb* —2B **54**
Main Rd. *Eld & Milla* —3H **95**
Mains Av. *Giff* —6H **117**
Mainscroft. *Ersk* —6G **41**
Mains Dri. *Ersk* —6G **41**
Mains Hill. *Ersk* —6F **41**
Mainshill Av. *Ersk* —6F **41**
Mainshill Gdns. *Ersk* —6F **41**
Mains Pl. *Bell* —4C **126**
Mains River. *Ersk* —6G **41**
Mains Rd. *E Kil* —6G **137**
Mains Rd. *E Kil* —4G **137**
(Nerston)
Main St. *G40* —2B **104**
Main St. *Bail* —1H **107**
Main St. *Barr* —5D **114**
Main St. *Bell* —2B **126**
Main St. *Blan* —3A **140**
Main St. *Bog* —6E **147**
Main St. *Both* —5E **125**
Main St. *Bri W* —3F **73**
Main St. *C'bnk* —2C **112**
Main St. *Camb* —1A **122**
Main St. *Chap* —2E **113**
Main St. *Chry* —1A **68**
Main St. *Clar* —3D **134**
Main St. *Cle* —1H **145**
Main St. *Coat* —4C **90**
(in two parts)
Main St. *Cumb* —6B **14**
Main St. *E Kil* —1H **149**
Main St. *Glenb* —3H **69**
Main St. *Holy* —2A **128**
Main St. *Hous* —1A **74**
Main St. *Kils* —2H **11**
Main St. *Len* —3F **7**
Main St. *Miln* —4G **25**
(in two parts)
Main St. *Neil* —2D **130**
Main St. *Over* —4A **158**
Main St. *Plain* —1G **93**
Main St. *Ruth* —5C **104**
Main St. *T'bnk* —4F **117**
Main St. *Torr* —5D **28**
Main St. *Twe* —1D **32**
Main St. *Udd* —1D **124**
Main St. *Wis* —5F **145**
Mains Wood. *Ersk* —6H **41**
Mair St. *G51* —5C **82**
Maitland Bank. *Lark* —2G **161**
Maitland Dri. *Torr* —4D **28**
Maitland Pl. *Renf* —1D **78**
Maitland St. *G4* —2F **83** (1D **4**)
Malcolm Gdns. *E Kil* —1E **149**
Malcolm St. *Moth* —3E **143**
Mal Fleming's Brae. *Kils* —4B **12**
Malin Pl. *G33* —3H **85**
Mallaig Pl. *G51* —4D **80**
Mallaig Rd. *G51* —4D **80**
Mallard Cres. *E Kil* —6C **148**
Mallard Pl. *E Kil* —6C **148**
Mallard Rd. *Clyd* —2D **42**
Mallard Ter. *E Kil* —6C **148**
Malleable Gdns. *Moth* —5E **127**
Malloch Cres. *Eld* —3H **95**
Malloch Pl. *E Kil* —1B **150**
Malloch St. *G20* —4C **62**
Malov Ct. *E Kil* —6G **149**
Maltbarns St. *G20* —6E **63**
Malvern Ct. *G31* —5C **84**
Malvern Way. *Pais* —3H **77**
Mambeg Dri. *G51* —3E **81**
Mamore Pl. *G43* —1A **118**
Mamore St. *G43* —1A **118**
Manchester Dri. *G12* —3G **61**
Mandora St. *Carl* —4H **165**
Manitoba Cres. *E Kil* —2D **148**
Mannering. *E Kil* —5D **138**
Mannering Ct. *G41* —5A **102**
Mannering Rd. *G41* —5A **102**
Mannering Rd. *Pais* —6C **96**
Mannering Way. *Pais* —5C **96**
Mannofield. *Bear* —3D **44**
Manor Dri. *Air* —3G **91**
Manor Pk. *Ham* —1H **153**
Manor Rd. *G14* —5E **61**
Manor Rd. *Drum* —6H **43**
Manor Rd. *G'csh* —4D **68**
Manor Rd. *Pais* —4D **96**
Manor View. *C'bnk* —3B **112**
Manor View. *Lark* —3G **161**
Manor Way. *Ruth* —3E **121**
Manot Ga. *Newt M* —6F **133**
Manresa Pl. *G4* —1F **83**
Manse Av. *Bear* —2F **45**
Manse Av. *Both* —5E **125**
Manse Av. *Coat* —1H **109**
Manse Brae. *Lark* —6D **162**
Manse Bri. *Carl* —4G **165**
Manse Ct. *Barr* —4F **115**
Manse Ct. *Kils* —4H **11**
Manse Ct. *Law* —1A **164**
Manse Cres. *Hous* —1B **74**
Mansefield Av. *Camb* —3A **122**
Mansefield Cres. *Clar* —3B **134**
Mansefield Cres. *Old K* —6E **21**
Mansefield Dri. *Udd* —1D **124**

Mansfield Rd. *Clar* —3B **134**
Mansfield Rd. *Ham* —5H **153**
Mansel St. *G21* —4B **64**
Manse Pl. *Air* —4A **92**
Manse Rd. *G32* —1D **106**
Manse Rd. *Barg* —5C **88**
Manse Rd. *Bear* —2E **45**
Manse Rd. *Bowl* —5B **20**
Manse Rd. *Crmck* —2H **135**
Manse Rd. *Kils* —4H **11**
Manse Rd. *Moth* —1G **155**
Manse Rd. *Neil* —2D **130**
Manse Rd. *Newm* —5D **146**
Manse St. *Coat* —5B **90**
Manse St. *Renf* —5F **59**
Manse View. *Lark* —3F **161**
Manse View. *Moth* —3F **129**
Mansewood Dri. *Dumb* —2H **17**
Mansewood Rd. *G43* —1H **117**
Mansfield Rd. *G52* —4H **79**
Mansfield Rd. *Bell* —3B **126**
Mansfield St. *G11* —1A **82**
Mansion Ct. *Camb* —1A **122**
Mansionhouse Av. *G32* —5C **106**
Mansionhouse Dri. *G32* —5C **86**
Mansionhouse Gdns. *G41* —6G **102**
Mansionhouse Gro. *Mt V* —2E **107**
Mansionhouse Rd. *G41* —6G **102**
Mansionhouse Rd. *Mt V* —1E **107**
Mansionhouse Rd. *Pais* —6C **78**
Mansion St. *G22* —4G **63**
Mansion St. *Camb* —1A **122**
Manson Pl. *E Kil* —6B **150**
Maple Av. *Dumb* —2B **16**
Maple Av. *Milt C* —6B **8**
Maple Av. *Newt M* —5D **132**
Maple Bank. *Ham* —1B **154**
*Maple Ct. Coat —1B **110***
(off Ailsa Rd.)
Maple Ct. *Cumb* —6F **15**
Maple Dri. *Barr* —6F **115**
Maple Dri. *Clyd* —2B **42**
Maple Dri. *John* —5F **95**
Maple Dri. *Kirk* —2A **50**
Maple Dri. *Lark* —6A **156**
Maple Gro. *E Kil* —6D **148**
Maple Pl. *Bank* —1E **15**
Maple Pl. *E Kil* —5D **148**
Maple Pl. *Udd* —5H **109**
Maple Quad. *Air* —5D **92**
Maple Rd. *G41* —1H **101**
Maple Rd. *Cumb* —6F **15**
Maple Rd. *Moth* —2B **128**
Maple Ter. *E Kil* —5D **148**
Maple Way. *Blan* —2A **140**
Maple Way. *Milt C* —6B **8**
Mar Av. *B'ton* —4H **39**
Marchbank Gdns. *Pais* —1F **99**
Marchfield. *B'rig* —4A **48**
Marchfield Av. *Pais* —3H **77**
Marchglen Pl. *G51* —4D **80**
Marchmont Gdns. *B'rig* —4B **48**
*Marchmont Ter. G12 —6A **62***
(off Observatory Rd.)
March St. *G41* —3D **102**
Mardale. *E Kil* —6E **137**
Mar Dri. *Bear* —6F **25**
Maree Dri. *G52* —1E **101**
Maree Dri. *Cumb* —6G **15**
Maree Gdns. *B'rig* —6D **48**
Maree Rd. *Pais* —3E **97**
*Maree Wlk. Newm —3D **146***
(off Banavie Rd.)
Maree Way Houses. *Blan* —1B **140**
Marfield St. *G32* —4G **85**
Mar Gdns. *Ruth* —3F **121**
Margaret Av. *Hag* —1G **15**
Margaret Pl. *Bell* —2A **126**
Margaret Rd. *Ham* —3F **141**
Margaret's Pl. *Lark* —2E **161**
Margaret St. *Coat* —1C **110**
Margaretvale Dri. *Lark* —3E **161**
Marguerite Av. *Lenz* —1C **50**
Marguerite Dri. *Kirk* —1C **50**
Marguerite Gdns. *Both* —5F **125**
Marguerite Gdns. *Kirk* —1C **50**
Marguerite Gro. *Kirk* —1C **50**
Marguerite Pl. *Milt C* —5B **8**
Marian Dri. *Moth* —5C **128**
Maric La. *Plain* —1G **93**
Marigold Av. *Moth* —1G **143**
Marigold Way. *Carl* —5F **165**
Marine Cres. *G51* —5C **82**
Marine Gdns. *G51* —5C **82**
Mariner Ct. *Clyd* —5C **42**
Mariscat Rd. *G41* —3C **102**
Marjory Dri. *Pais* —4C **78**
Marjory Rd. *Renf* —2C **78**
*Market Clo. Kils —3H **11***
(off Market St.)
*Market Ct. Kils —3H **11***
(off Market St.)
Markethill Rd. *E Kil* —3F **137**
Markethill Roundabout. *E Kil*
—6G **137**
Market Pl. *Carl* —3F **165**
Market Pl. *Kils* —3H **11**
Market Rd. *Udd* —6G **109**
Market Rd. *Carl* —3F **165**
Market Rd. *Kirk* —6G **31**
Market Rd. *Udd* —6G **109**

Market Sq. *Kils* —3H **11**
Market St. *Air* —3A **92**
Market St. *Kils* —3H **11**
Market St. *Udd* —6G **109**
Marlborough Av. *G11* —6F **61**
*Marlborough La. S. G11 —6F **61***
(off Broomhill Dri.)
Marlborough Pk. *E Kil* —4C **148**
Marldon La. *G11* —6F **61**
Marley Way. *Milt C* —5B **8**
Marlfield Gdns. *Bell* —6C **110**
Marlinford Rd. *G51* —6A **60**
Marlow St. *G41* —1C **102**
Marlow Ter. *G41* —1C **102**
Marmion Ct. *Pais* —5D **96**
Marmion Cres. *Moth* —5F **127**
Marmion Dri. *Kirk* —5F **31**
Marmion Pl. *Cumb* —6G **35**
Marmion Rd. *Cumb* —6G **35**
Marmion Rd. *Pais* —5C **96**
Marne St. *G31* —4D **84**
Marnoch Dri. *Glenb* —3H **69**
Marnock Ter. *Pais* —2C **98**
Marrswood Grn. *Ham* —5E **141**
Marrwood Av. *Kirk* —1H **51**
Marshall Gro. *Ham* —6F **141**
Marshall La. *Wis* —6G **145**
Marshall's La. *Pais* —1A **98**
Marshall St. *Coat* —1H **109**
Marshall St. *Lark* —2E **161**
Marshall St. *Wis* —6F **145**
Martha Pl. *Lark* —3F **161**
Martha St. *G1* —3G **83** (4F **5**)
Martin Ct. *Ham* —6G **141**
Martin Cres. *Bail* —6A **88**
Martin Pl. *Moth* —4C **128**
Martinside. *E Kil* —6G **149**
Martin St. *G40* —2B **104**
Martin St. *Coat* —4F **91**
Martlet Dri. *John* —6C **94**
Mart St. *G1* —5G **83**
Martyn St. *Air* —4G **91**
Martyrs Pl. *B'rig* —1C **64**
Marwick St. *G31* —4D **84**
Mary Dri. *Bell* —4A **126**
Mary Glen. *Wis* —4B **146**
Maryhill Rd. *G20* —3B **62**
Maryhill Rd. *Bear* —5F **45**
Maryhill Shopping Cen. *G20*
—4C **62**
MARYHILL STATION. *G20* —1A **62**
Maryknowe Rd. *Moth* —5C **128**
Maryland Dri. *G52* —6E **81**
Maryland Gdns. *G52* —6E **81**
Maryland Rd. *Dumb* —1H **17**
Mary Rae Rd. *Bell* —4A **126**
Mary Sq. *Bail* —6D **88**
Maryston St. *G33* —1F **85**
Mary St. *Ham* —1G **153**
Mary St. *John* —2G **95**
Mary St. *Pais* —3A **98**
Maryville Av. *Giff* —5A **118**
Maryville La. *Udd* —5B **108**
Maryville View. *Udd* —4B **108**
Marywood Sq. *G41* —3D **102**
Mary Young Pl. *Clar* —3D **134**
Masonfield Av. *Cumb* —3F **35**
Mason La. *Moth* —3G **143**
(in two parts)
Mason St. *Lark* —2E **161**
Mason St. *Moth* —3G **143**
Masterton St. *G21* —6G **63**
Matherton Av. *Newt M* —4H **133**
Mathieson Rd. *Ruth* —4E **105**
Mathieson St. *Pais* —6D **78**
Matilda Rd. *G41* —2C **102**
Matthew McWhirter Pl. *Lark*
—1F **161**
Mauchline. *E Kil* —6D **138**
Mauchline Av. *Kirk* —3G **31**
Mauchline Ct. *Ham* —1B **152**
Mauchline Ct. *Kirk* —3G **31**
Mauchline St. *G5* —1E **103**
Maudslie St. *Bell* —3C **126**
Maudslie St. *Coat* —6C **90**
Maukinfauld Ct. *G32* —2F **105**
Maukinfauld Rd. *G32* —2G **105**
Mauldslie Pl. *Ashg* —5B **162**
Mauldslie Rd. *Carl* —2F **163**
Mauldslie Rd. *Udd* —1D **104**
Mauldslie St. *Bell* —3C **126**
Maule Dri. *G11* —1G **81**
Mavis Bank. *B'rig* —1B **64**
*Mavis Bank. Blan —2A **140***
(off Moorfield Rd.)
Mavisbank Gdns. *G51* —5C **82**
Mavisbank Gdns. *Bell* —1C **126**
Mavisbank Rd. *G51* —4B **82**
Mavisbank St. *Air* —3G **91**
Mavisbank St. *Newm* —4G **147**
Mavisbank Ter. *John* —3F **95**
Mavisbank Ter. *Pais* —2B **98**
Mavis Valley Rd. *B'rig* —3A **48**
Mavor Av. *E Kil* —5H **137**
Mavor Roundabout. *E Kil* —6H **137**

Maxwell Av. *Bear* —4E **45**
Maxwell Av. *Bail* —1H **107**
Maxwell Ct. *G41* —1C **102**
Maxwell Cres. *Blan* —3B **140**
Maxwell Dri. *G41* —1A **102**
Maxwell Dri. *Bail* —6F **87**
Maxwell Dri. *E Kil* —1H **149**
Maxwell Dri. *Ersk* —4D **40**
Maxwell Gdns. *G41* —1B **102**
Maxwell Gro. *G41* —1B **102**
Maxwell Oval. *G41* —1B **102**
MAXWELL PK. STATION. *G41*
—3B **102**
*Maxwell Path. Lark —4G **161***
(off Donaldson Rd.)
Maxwell Pl. *G41* —2E **103**
Maxwell Pl. *Coat* —5B **90**
Maxwell Pl. *Kils* —2H **11**
Maxwell Rd. *G41* —1D **102**
Maxwell Rd. *B'ton* —4H **39**
Maxwell St. *G1* —5G **83**
Maxwell St. *Bail* —1H **107**
Maxwell St. *Clyd* —3B **42**
Maxwell St. *Pais* —6A **78**
Maxwell Ter. *G41* —1D **102**
Maxwellton Av. *E Kil* —1A **150**
Maxwellton Ct. *Pais* —1G **97**
Maxwellton Pl. *E Kil* —6B **138**
Maxwellton Rd. *E Kil* —6B **138**
Maxwellton Rd. *Pais* —1F **97**
Maxwellton St. *Pais* —1G **97**
Maxwellton Rd. *G33* —1F **85**
Maybank La. *G42* —4E **103**
Maybank St. *G42* —4E **103**
Mayberry Cres. *G32* —6D **86**
Mayberry Gdns. *G32* —6D **86**
Mayberry Gro. *G32* —6D **86**
Mayberry Pl. *Blan* —1B **140**
Maybole Cres. *Newt M* —5G **133**
Maybole Gdns. *Ham* —1B **152**
Maybole Gro. *Newt M* —5G **133**
Maybole Pl. *Coat* —2F **111**
Maybole St. *G53* —1H **115**
Mayfield Av. *Clar* —2C **134**
Mayfield Gdns. *Carl* —6G **165**
Mayfield Pl. *Carl* —6G **165**
Mayfield Rd. *Ham* —5D **140**
Mayfield St. *G20* —4D **62**
May Gdns. *Ham* —4G **141**
May Rd. *Pais* —6A **98**
May St. *Ham* —4H **141**
May Ter. *G42* —5F **103**
May Ter. *Giff* —4A **118**
Meadow Av. *Blan* —3B **140**
Meadowbank La. *Udd* —1C **124**
Meadowbank Pl. *Newt M* —4D **132**
Meadowbank St. *Dumb* —3E **17**
Meadowburn. *B'rig* —3C **48**
Meadowburn Av. *Lenz* —2E **51**
Meadowburn Rd. *Wis* —6A **146**
Meadow Ct. *Dumb* —2F **17**
Meadowfield Pl. *Newm* —3G **147**
Meadowhead Av. *Chry* —5D **52**
Meadowhead Rd. *Plain* —1F **93**
Meadowhead Rd. *Wis* —5C **144**
Meadowhill. *Newt M* —4D **132**
Meadowhill St. *Lark* —2F **161**
Meadow La. *Both* —5F **125**
Meadow La. *Renf* —4F **59**
Meadowpark St. *G31* —4D **84**
(in two parts)
Meadow Path. *Chap* —4D **112**
Meadow Rd. *G11* —1G **81**
Meadow Rd. *Dumb* —3F **17**
Meadow Rd. *Moth* —4H **143**
Meadows Av. *Lark* —2F **161**
Meadow Side. *Ham* —5H **153**
Meadowside Av. *Eld* —3B **96**
Meadowside Gdns. *Air* —4D **92**
Meadowside Ind. Est. *Renf* —3F **59**
Meadowside Pl. *Air* —4D **92**
Meadowside Rd. *Kils* —3C **10**
Meadowside St. *G11* —2G **81**
Meadowside St. *Renf* —4F **59**
Meadows, The. *Hous* —2D **74**
Meadow View. *Coat* —1D **110**
Meadow View. *Cumb* —1C **36**
Meadow View. *Plain* —1G **93**
Meadow Wlk. *Coat* —5D **90**
Meadow Way. *Newt M* —4D **132**
Meadowwell St. *G32* —6B **86**
Meadside Av. *Kilb* —1A **94**
Meadside Rd. *Kilb* —1A **94**
Mealkirk St. *Clyd* —6E **23**
Mearns Ct. *Ham* —4A **154**
Mearnscroft Gdns. *Newt M* —6F **133**
Mearnscroft Rd. *Newt M* —6F **133**
Mearns Rd. *Moth* —1E **143**
Mearns Rd. *Newt M* —6E **133**
Mearns Way. *B'rig* —5F **49**
Medlar Rd. *Cumb* —3D **36**
Medrox Gdns. *Cumb* —2B **54**
Medwin Ct. *E Kil* —4A **148**
Medwin Gdns. *E Kil* —4A **148**
Medwin St. *Camb* —2D **122**
Medwyn St. *G14* —6D **60**
(in two parts)
Meek Pl. *Camb* —2B **122**
Meetinghouse La. *Pais* —6A **78**
Megan Ga. *G40* —1B **104**
Megan St. *G40* —1B **104**

Meikle Av. *Renf* —1E **79**
Meikle Bin Brae. *Len* —3G **7**
Meikle Cres. *Ham* —4G **153**
Meikle Earnock Rd. *Ham* —5D **152**
Meiklehill Ct. *Kirk* —4E **31**
(in two parts)
Meiklehill Rd. *Kirk* —4E **31**
Meiklerig Cres. *G53* —3B **100**
Meikleriggs Dri. *Pais* —4E **97**
Meikle Rd. *G53* —5C **100**
Meiklewood Rd. *G51* —5D **80**
Melbourne Av. *Clyd* —2H **41**
Melbourne Av. *E Kil* —4E **149**
Melbourne Ct. *Giff* —4B **118**
Melbourne Grn. *E Kil* —3E **149**
Melbourne St. *G31* —5B **84**
Meldon Pl. *G51* —4D **80**
Meldrum Gdns. *G41* —3B **102**
Meldrum Mains. *Glenm* —5G **71**
Meldrum St. *Clyd* —1F **59**
Melford Av. *Giff* —5B **118**
Melford Av. *Kirk* —5B **30**
Melford Gdns. *Mill P* —4C **94**
Melford Rd. *Rig I* —1H **125**
Melford Way. *Pais* —3D **78**
Melfort Av. *G41* —1H **101**
Melfort Av. *Clyd* —4D **42**
Melfort Path. *Newm* —2D **146**
(off Kildonan Ct.)
Melfort Quad. *Moth* —4D **128**
(off Glenmore Rd.)
Melfort Rd. *Ham* —6C **140**
Mellerstain Rd. *G14* —3G **59**
Melness Pl. *G51* —4D **80**
Melrose Av. *Chap* —3D **112**
Melrose Av. *Lin* —6H **75**
Melrose Av. *Moth* —1B **128**
Melrose Av. *Pais* —4E **97**
Melrose Av. *Ruth* —6D **104**
Melrose Ct. *Ruth* —6D **104**
(off Dunard Rd.)
Melrose Cres. *Wis* —4G **145**
Melrose Gdns. *G20* —6D **62**
Melrose Gdns. *Kils* —1C **32**
(off Glen Shirva Rd.)
Melrose Gdns. *Udd* —4D **108**
Melrose Pl. *Blan* —6A **124**
Melrose Pl. *Coat* —4B **90**
Melrose Pl. *Lark* —4E **161**
Melrose Rd. *Cumb* —6G **35**
Melrose St. *G4* —1E **83**
Melrose St. *Ham* —4E **141**
Melrose Ter. *E Kil* —6H **137**
Melrose Ter. *Ham* —3F **141**
Melvaig Pl. *G20* —4B **62**
Melvick Pl. *G51* —4D **80**
Melville Dri. *Moth* —3G **143**
Melville Gdns. *B'rig* —5C **48**
Melville Pk. *E Kil* —6B **138**
Melville Pl. *Carl* —3E **165**
Melville St. *G41* —2D **102**
Memel St. *G21* —4A **64**
Memus Av. *G52* —1C **100**
Mennock Ct. *Ham* —1C **152**
Mennock Dri. *B'rig* —3C **48**
Mennock St. *Cle* —5H **129**
Menock Rd. *G44* —1F **119**
Menteith Av. *B'rig* —6D **48**
Menteith Gdns. *Bear* —5C **24**
Menteith Loan. *Moth* —2A **128**
Menteith Pl. *Ruth* —5F **121**
Menteith Rd. *Moth* —3G **143**
Menzies Dri. *G21* —4C **64**
Menzies Pl. *G21* —4C **64**
Menzies Rd. *G21* —4C **64**
Merchant La. *G1* —5G **83**
Merchants Clo. *Kilb* —2A **94**
Merchiston Av. *Lin* —6F **75**
Merchiston Dri. *Brkfld* —6D **74**
Merchiston St. *G32* —4G **85**
Merkins Av. *Dumb* —1H **17**
Merkland Ct. *G11* —2H **81**
Merkland Rd. *Kirk* —4G **31**
Merkland Rd. *Coat* —6G **89**
Merkland St. *G11* —1H **81**
Merksworth Way. *Pais* —4H **77**
(off Mosslands Rd.)
Merlewood Av. *Both* —3F **125**
Merlin Av. *Bell* —6C **110**
Merlinford Av. *Renf* —6G **59**
Merlinford Cres. *Renf* —6G **59**
Merlinford Dri. *Renf* —6G **59**
Merlinford Way. *Renf* —6G **59**
Merlin Way. *Pais* —4D **78**
Merrick Av. *Air* —1B **92**
Merrick Gdns. *G51* —6H **81**
Merrick Gdns. *Bear* —6C **24**
Merrick Path. *G51* —6H **81**
(off Merrick Gdns.)
Merrick Ter. *Udd* —6F **109**
Merrick Way. *Ruth* —4D **120**
Merryburn Av. *Giff* —2B **118**
Merrycrest Av. *Giff* —3A **118**
Merrycroft Av. *Giff* —3B **118**
Merryflats. *Twe* —1D **32**
Merryland Pl. *G51* —4A **82**
Merryland St. *G51* —4H **81**
(in two parts)

Merrylee Cres. *Giff* —2A **118**
Merrylee Pk. Av. *Giff* —3A **118**
Merrylee Pk. M. *Giff* —2A **118**
Merrylee Rd. *G43 & G44* —2B **118**
Merrylees Rd. *Blan* —2A **140**
Merryston Ct. *Coat* —5A **90**
Merrystone St. *Coat* —4A **90**
Merry St. *Moth* —2G **143**
(in two parts)
Merryton Av. *G15* —4B **44**
Merryton Av. *Giff* —3A **118**
Merryton Rd. *Lark* —5H **155**
Merryton St. *Lark* —6H **155**
Merryton Tower. *Moth* —1B **156**
Merryvale Av. *Giff* —2B **118**
Merryvale Pl. *Giff* —2A **118**
Merton Dri. *G52* —6A **80**
Meryon Gdns. *G32* —3D **106**
Meryon Rd. *G32* —2D **106**
Methil St. *G14* —6C **60**
Methlan Pk. *Dumb* —5D **16**
Methlick Av. *Air* —1G **111**
Methuen Rd. *Pais* —2B **78**
Methven Av. *Bear* —2H **45**
Methven Pl. *E Kil* —1E **149**
Methven Rd. *Giff* —3G **133**
Methven St. *G31* —2F **105**
Methven St. *Clyd* —3B **42**
Metropole La. *G1* —5G **83**
Mews La. *Pais* —4B **78**
Michael McParland Dri. *Torr*
—5D **28**
Michael Ter. *Chap* —4D **112**
Micklehouse Oval. *Bail* —5H **87**
Micklehouse Pl. *Bail* —5H **87**
Micklehouse Rd. *Bail* —5H **87**
Micklehouse Wynd. *Bail* —5H **87**
Midas Pl. *Bell* —2G **127**
Mid Barrwood Rd. *Kils* —4A **12**
Mid Carbarns. *Wis* —2D **156**
Midcroft. *B'rig* —4A **48**
Midcroft Av. *G44* —2H **119**
Middlefield. *E Kil* —6G **149**
Middlehouse Ct. *Carl* —3D **164**
Middlemuir Av. *Kirk* —2D **50**
Middlemuir Rd. *Lenz* —1D **50**
Middle Pk. *Pais* —3H **97**
Middlerigg Rd. *Cumb* —3F **35**
Middlesex St. *G41* —6D **82**
Middleton Av. *Stru I* —5F **161**
Middleton Cres. *Pais* —5F **77**
Middleton Rd. *Lin* —5A **76**
Middleton Rd. *Pais* —5F **77**
Middleton St. *G51* —5A **82**
Middleward St. *Clyd* —6F **23**
Midland St. *G1* —4F **83** (6C **4**)
Midlem Dri. *G52* —6C **80**
Midlem Oval. *G52* —6C **80**
Midlock St. *G51* —6A **82**
Midlothian Dri. *G41* —4B **102**
Mid Park. *E Kil* —3G **149**
Mid Rd. *Cumb* —1H **55**
Midton Av. *How* —6B **94**
Midton St. *G21* —6B **64**
Mid Wharf St. *G4* —1G **83**
Migvie Pl. *G20* —4B **62**
Milford. *E Kil* —4D **148**
Milford St. *G33* —3A **86**
Millands Av. *Blan* —6A **124**
Millarbank St. *G21* —5A **64**
Millars Pl. *Lenz* —3D **50**
Millarston Av. *Pais* —1E **97**
Millarston Ct. *Pais* —1F **97**
Millarston Dri. *Pais* —1E **97**
Millarston Ind. Est. *Pais* —2E **97**
Millar St. *Pais* —6B **78**
Millar Ter. *Ruth* —4D **104**
Millbank Av. *Bell* —4D **126**
Millbank Rd. *Wis* —2F **157**
Millbeg Cres. *G33* —5E **87**
Millbeg Pl. *G33* —6E **87**
Mill Brae. *Bri W* —3F **73**
Millbrae Av. *Chry* —1B **68**
Millbrae Ct. *G42* —6D **102**
Millbrae Ct. *Coat* —6H **89**
Millbrae Cres. *G42* —6C **102**
Millbrae Cres. *Clyd* —2F **59**
Millbrae Gdns. *G42* —6D **102**
Millbrae Rd. *G43 & G42* —6C **102**
Millbrix Av. *G14* —4A **60**
Millbrook. *E Kil* —1D **148**
Millburn Av. *Clyd* —1G **59**
Millburn Av. *Renf* —6F **59**
Millburn Av. *Ruth* —1C **120**
Millburn Ct. *E Kil* —4A **148**
Millburn Cres. *Dumb* —4H **17**
Millburn Dri. *Renf* —6G **59**
Millburn Gdns. *E Kil* —4A **148**
Millburn La. *Lark* —3G **161**
Millburn Pl. *Lark* —5F **161**
Millburn Rd. *Ashg* —4B **162**
Millburn Rd. *Dumb* —4H **17**
Millburn Rd. *Renf* —6F **59**
Millburn St. *G21* —2C **84**
Millburn St. *Len* —3F **7**
Millburn St. *Moth* —2G **143**
Millburn Way. *E Kil* —4A **148**
Millburn Way. *Renf* —6G **59**
Mill Ct. *Ham* —1G **153**

Merrylee Cres. *Giff* —2A **118**
Mill Ct. *Ruth* —5C **104**
Mill Cres. *Torr* —4E **29**
Millcroft Rd. *Cumb* —3G **55**
Millcroft Rd. *Cumb* —4B **36**
(Carbrain)
Millcroft Rd. *Ruth* —4B **104**
Milldam Rd. *Clyd* —6E **23**
Miller Ct. *Dumb* —3H **17**
Millerfield Pl. *G40* —2D **104**
Millerfield Pl. *Ham* —6B **142**
Millerfield Rd. *G40* —2D **104**
Millersneuk Av. *Lenz* —3D **50**
Millersneuk Ct. *Lenz* —3D **50**
Millersneuk Cres. *G33* —4A **66**
Millersneuk Dri. *Lenz* —3D **50**
Millersneuk Rd. *Lenz* —3D **50**
Miller's Pl. *Air* —4B **92**
Millerston St. *G40* —5C **84**
Miller St. *G1* —4G **83** (6E **5**)
Miller St. *Bail* —1H **107**
Miller St. *Carl* —3F **165**
Miller St. *Clyd* —6D **42**
Miller St. *Coat* —6D **90**
Miller St. *Dumb* —3H **17**
Miller St. *Ham* —6B **142**
Miller St. *John* —2H **95**
Miller St. *Lark* —3E **161**
Miller St. *Wis* —6G **145**
Millfield Av. *Ersk* —6D **40**
Millfield Av. *Moth* —1H **143**
Millfield Cres. *Ersk* —6E **41**
Millfield Dri. *Ersk* —6E **41**
(East Craigend)
Millfield Gdns. *Ersk* —6E **41**
(West Craigend)
Millfield Hill. *Ersk* —6D **40**
Millfield La. *Ersk* —6D **40**
Millfield Pl. *Ersk* —6D **40**
Millfield View. *Ersk* —6D **40**
Millfield Wlk. *Ersk* —1E **57**
Millfield Wynd. *Ersk* —6D **40**
Milford Dri. *Lin* —6H **75**
Millgate. *Udd* —5D **108**
Millgate Av. *Udd* —5D **108**
Millgate Ct. *Udd* —6D **108**
Millgate Rd. *Ham* —2G **153**
Mill Gro. *Ham* —1G **153**
Millheugh. *Lark* —3C **160**
Millheugh Brae. *Lark* —3C **160**
Millheugh Pl. *Blan* —3A **140**
Millheugh Rd. *Ham* —6C **160**
Millheugh Rd. *Lark* —3C **160**
Millholm Rd. *G44* —3F **119**
Millhouse Cres. *G20* —2A **62**
Millhouse Dri. *G20* —2H **61**
Millichen Rd. *G23* —3B **46**
Milliken Dri. *Mill P* —3G **94**
Milliken Pk. Rd. *Mill P* —4C **94**
MILLIKENPARK STATION. *John*
—5C **94**
Milliken Rd. *Mill P* —3C **94**
Mill Loan. *Air* —3A **92**
Mill of Gryffe Rd. *Bri W* —3F **73**
Mill Pk. *Ham* —1G **153**
Mill Pl. *Lin* —5G **75**
Millport Av. *G44* —6G **103**
Millrig. *E Kil* —6F **149**
Mill Rise. *Lenz* —3D **50**
Mill Rd. *Air* —2G **92**
Mill Rd. *Both* —6E **125**
Mill Rd. *Camb* —1C **122**
Mill Rd. *Carl* —4E **165**
Mill Rd. *Clyd* —2F **59**
Mill Rd. *Moth* —2H **143**
Mill Rd. *Queen* —4C **10**
Mill Rd. *Wis* —6G **147**
Millroad Dri. *G40* —5A **84**
Millroad Gdns. *G40* —5B **84**
(off Millroad Dri.)
Millroad St. *G40* —5A **84**
(in two parts)
Millstream Ct. *Pais* —1B **98**
Mill St. *G40* —2B **104**
Mill St. *Pais* —1B **98**
Mill St. *Ruth* —5C **104**
(in two parts)
Millview. *Barr* —4F **115**
Millview Meadows. *Neil* —2C **130**
Millview Pl. *G53* —3B **116**
Millview Ter. *Neil* —2C **130**
Mill Way. *Kirk* —6G **31**
Millwood St. *G41* —5C **102**
Milnbank St. *G31* —3C **84**
Milncroft Pl. *G33* —2A **86**
Milncroft Rd. *G33* —2A **86**
Milner La. *G13* —4E **61**
Milner Rd. *G13* —4E **61**
Milngavie Rd. *Bear* —4F **45**
MILNGAVIE STATION. *Miln* —4H **25**
Milnpark Gdns. *G41* —6B **82**
Milnpark St. *G41* —6C **82**
Milnwood Dri. *Bell* —3E **127**
Milnwood Dri. *Moth* —5E **127**
Milovaig Av. *G23* —6B **46**
Milovaig St. *G23* —6B **46**
Milrig Rd. *Ruth* —6B **104**
Milroy Gdns. *Bell* —5C **110**
Milton Av. *Camb* —2G **121**
Milton Brae. *Milt* —1F **19**

Milton Ct. *Air* —3A **92**
Milton Ct. Kirk —5E **31**
(off Highfield Rd.)
Milton St. *Milt* —3F **19**
Milton Cres. *Bear* —1C **44**
Milton Cres. *Carl* —4F **165**
Milton Douglas Rd. *Clyd* —2C **42**
Milton Dri. *B'rig* —2B **64**
Milton Gdns. *Udd* —5C **108**
Milton Hill. *Milt* —4F **19**
Milton Mains Rd. *Dun* —2C **42**
Milton Rd. *Carl* —5B **164**
Milton Rd. *E Kil* —1C **148**
Milton Rd. *Kirk* —3C **30**
Milton Rd. *Len* —4G **7**
Milton St. *G4* —2F **83** (2D **4**)
Milton St. *Air* —3A **92**
Milton St. *Carl* —3E **165**
Milton St. *Ham* —5E **141**
Milton St. *Moth* —1G **143**
Milton Ter. *Ham* —4E **141**
Milverton Av. *Bear* —1C **44**
Milverton Rd. *Giff* —6G **117**
Mimosa Rd. *Bri W* —3F **73**
Minard Rd. *G41* —4C **102**
Minard Way. *Udd* —6E **109**
Mincher Cres. *Moth* —5G **143**
Minch Way. *Air* —6G **93**
Minella Gdns. *Bell* —5C **110**
Minerva Ct. *G3* —3C **82**
(off Houldsworth St.)
Minerva St. *G3* —3C **82**
Minerva Way. *G3* —3B **82**
Mingarry La. *G20* —5C **62**
Mingarry St. *G20* —5C **62**
Minguay Cres. *G22* —1H **63**
Minguay Pl. *G22* —1A **64**
Minguay St. *G22* —1H **63**
Minister's Pk. *E Kil* —5B **136**
Minmoir Rd. *G53* —6H **99**
Minster Wlk. *Bail* —6D **88**
Minstrel Rd. *G13* —6D **44**
Minto Av. *Ruth* —3F **121**
Minto Cres. *G52* —6F **81**
Minto Pk. *Wis* —3A **146**
Minto St. *G52* —6F **81**
Mireton St. *G22* —4F **63**
Mirren Dri. *Clyd* —6B **22**
Mirrlees Dri. *G12* —5A **62**
Mirrlees La. *G12* —5A **62**
Mitchell Arc. *Ruth* —5D **104**
Mitchell Av. *Camb* —1E **123**
Mitchell Av. *Renf* —1D **78**
Mitchell Ct. *E Kil* —1E **149**
Mitchell Dri. *Miln* —4A **26**
Mitchell Dri. *Ruth* —1D **120**
Mitchell Gro. *E Kil* —1E **149**
Mitchell Hill Rd. *G45* —5B **120**
Mitchell La. *G1* —4F **83** (5D **4**)
Mitchell Rd. *Cumb* —3A **36**
Mitchell St. *G1* —4F **83** (6D **4**)
Mitchell St. *Air* —3H **91**
Mitchell St. *Coat* —1F **109**
Mitchison Rd. *Cumb* —2A **36**
Mitre Ct. *G11* —5F **61**
Mitre La. *G14* —5E **61**
Mitre La. W. *G14* —5D **60**
Mitre Rd. *G11* —5F **61**
Mitre Rd. *G14* —5D **60**
Moat Av. *G13* —2C **60**
Mochrum Rd. *G43* —1C **118**
Moffat Ct. *E Kil* —4A **148**
Moffat Gdns. *E Kil* —4A **148**
Moffathill. *Air* —6E **93**
Moffat Pl. *Air* —6E **93**
Moffat Pl. *Blan* —6B **124**
Moffat Pl. *Coat* —1F **111**
Moffat Pl. *E Kil* —4A **148**
Moffat Rd. *Air* —4F **93**
Moffat St. *G5* —1H **103**
Moffat View. *Plain* —1G **93**
Mogarth Av. *Pais* —5D **96**
Moidart Av. *Renf* —5D **58**
Moidart Ct. *Barr* —3D **114**
Moidart Cres. *G52* —6F **81**
Moidart Gdns. *Newt M* —3E **133**
Moidart Gdns. *Kirk* —4H **31**
Moidart Pl. *G52* —6F **81**
Moidart Rd. *G52* —6F **81**
Moir St. *G1* —5H **83**
Molendinar St. *G1* —5H **83**
Moléndinar Ter. *Neil* —3C **130**
Mollinsburn Rd. *Cumb* —3A **54**
Mollinsburn Rd. *Glenb* —6B **54**
Mollinsburn St. *G21* —6A **64**
Mollins Ct. *Cumb* —2H **53**
Mollins Rd. *Cumb* —1G **53**
Mollins Roundabout. *Cumb* —3H **53**
Monach Rd. *G33* —3C **86**
Monar Dri. *G22* —6F **63**
Monar Pl. *G22* —6F **63**
Monar St. *G22* —6F **63**
Monart Pl. *G20* —5D **62**
Moncrieff Av. *Lenz* —2C **50**
Moncrieff Rd. *Chap* —1D **112**
Moncrieff St. *Pais* —6A **78**
Moncur St. *G40* —5A **84**
(in two parts)
Moness Dri. *G52* —1E **101**
Money Gro. *Moth* —5B **144**

Moniebrugh Cres. *Kils* —2A **12**
Moniebrugh Rd. *Kils* —2A **12**
Monifieth Av. *G52* —2D **100**
Monkcastle Dri. *Camb* —1A **122**
Monkie Gdns. *B'rig* —6F **49**
Monkland Av. *Kirk* —6D **30**
Monkland La. *Coat* —1A **110**
Monklands Ind. Est. *Coat* —3B **110**
Monkland St. *Air* —4B **92**
Monkland Ter. *Glenb* —3H **69**
Monkland View. *C'bnk* —3B **112**
Monkland View. *Udd* —4B **109**
Monkland View Cres. *Barg* —1D **108**
Monksbridge Av. *G13* —6C **44**
Monkscourt Av. *Air* —3G **91**
Monkscroft Av. *G11* —6G **61**
Monkscroft Ct. *G11* —1G **81**
Monkscroft Gdns. *G11* —6G **61**
Monks Rd. *Air* —1C **112**
Monkton Dri. *G15* —5B **44**
Monkton Gdns. *Newt M* —5G **133**
Monmouth Av. *G12* —3G **61**
Monreith Av. *Bear* —5D **44**
Monreith Rd. *G43* —1B **118**
Monreith Rd. E. *G44* —2E **119**
Monroe Dri. *Udd* —4D **108**
Monroe Pl. *Udd* —4D **108**
Montague La. *G12* —5H **61**
Montague St. *G4* —1D **82**
Montalto Av. *Moth* —6A **128**
Montclair Pl. *Lin* —5H **75**
Montego Grn. *E Kil* —2C **148**
Monteith Dri. *Clar* —1D **134**
Monteith Gdns. *Clar* —1D **134**
Monteith Pl. *G40* —6A **84**
Monteith Pl. *Blan* —1C **140**
Monteith Row. *G40* —5H **83**
Montford Av. *G44* —6H **103**
Montford Av. *Ruth* —6A **104**
Montgomery Av. *Coat* —4B **90**
Montgomery Av. *Pais* —4D **78**
Montgomery Cres. *Wis* —2E **157**
Montgomery Dri. *Giff* —6A **118**
Montgomery Dri. *Kilb* —1A **94**
Montgomery Pl. *E Kil* —1H **149**
Montgomery Pl. *Lark* —3F **161**
Montgomery Rd. *Pais* —3C **78**
Montgomery St. *Camb* —2D **122**
Montgomery St. *E Kil* —1H **149**
Montgomery St. *Lark* —1E **161**
Montgomery Ter. *G40* —1C **104**
Montgomery Ter. *Milt C* —6B **8**
Montraive St. *Ruth* —4E **105**
Montrave St. *G52* —1D **100**
Montreal Pk. *E Kil* —2E **149**
Montrose Av. *G32* —4B **106**
Montrose Av. *G52* —3G **79**
Montrose Ct. *Pais* —5D **96**
Montrose Cres. *Ham* —5G **141**
Montrose Dri. *Bear* —6E **25**
Montrose Gdns. *Blan* —5A **124**
Montrose Gdns. *Kils* —2G **11**
Montrose Gdns. *Miln* —2H **25**
Montrose Pl. *Lin* —5G **75**
Montrose Rd. *Pais* —5D **96**
Montrose St. *G1* —4H **83** (5G **5**)
Montrose St. *Clyd* —5D **42**
Montrose St. *Moth* —6F **127**
Montrose Ter. *B'rig* —2E **65**
Montrose Ter. *Bri W* —4F **73**
Montrose Way. *Pais* —5D **96**
Monymusk Gdns. *B'rig* —5F **49**
Monymusk Pl. *G15* —2G **43**
Moodiesburn St. *G33* —1F **85**
Moorburn Av. *Giff* —4H **117**
Moorburn Pl. *Lin* —5E **75**
Moorcroft Dri. *Air* —4E **93**
Moorcroft Rd. *Newt M* —6C **132**
Moore Dri. *Bear* —4F **45**
Moore Gdns. *Ham* —4A **154**
Moore St. *G40* —5B **84**
Moore St. *Moth* —4A **128**
Moorfield Rd. *Blan* —3A **140**
Moorfoot. *B'rig* —5E **49**
Moorfoot Av. *Pais* —4H **97**
Moorfoot Av. *T'bnk* —4G **117**
Moorfoot Dri. *Wis* —6F **145**
Moorfoot Path. *Pais* —5H **97**
Moorfoot St. *G32* —5G **85**
Moorfoot Way. *Bear* —5B **24**
Moorhill Cres. *Newt M* —5E **133**
Moorhill Rd. *Newt M* —5C **132**
Moorhouse Av. *G13* —3H **59**
Moorhouse Av. *Pais* —3F **97**
Moorhouse St. *Barr* —5E **115**
Moorings, The. *Pais* —2F **97**
Moorland Dri. *Air* —4F **93**
Moorpark Av. *G52* —5H **79**
Moorpark Av. *Air* —4E **93**
Moorpark Av. *Muirh* —2A **68**
Moorpark Sq. *Renf* —1D **78**
Moor Rd. *Miln* —3H **25**
Moorside St. *Carl* —3G **165**
Morag Av. *Blan* —6A **124**
Moraine Av. *G15* —6A **44**
Moraine Cir. *G15* —6A **44**
Moraine Dri. *G15* —6A **44**
Moraine Dri. *Clar* —1B **134**
Moraine Pl. *G15* —6A **44**
Morar Av. *Clyd* —3D **42**
Morar Ct. *Clyd* —3D **42**

Morar Ct. *Cumb* —5D **34**
Morar Ct. *Ham* —2E **153**
Morar Cres. *Air* —1G **91**
Morar Cres. *B'rig* —5B **48**
Morar Cres. *B'ton* —5A **40**
Morar Cres. *Clyd* —3D **42**
Morar Cres. *Coat* —2H **89**
Morar Dri. *Bear* —4H **45**
Morar Dri. *Clyd* —3D **42**
Morar Dri. *Coat* —6D **43**
Morar Dri. *Lin* —6G **75**
Morar Dri. *Pais* —3D **96**
Morar Dri. *Ruth* —4D **120**
Morar Pl. *E Kil* —6H **137**
Morar Pl. *Newt M* —2D **132**
Morar Pl. *Renf* —5D **58**
Morar Rd. *G52* —6E **81**
Morar Rd. *Clyd* —3D **42**
Morar St. *Wis* —2G **157**
Morar Ter. *Ruth* —4F **121**
Morar Ter. *Udd* —6F **109**
Moravia Av. *Both* —4E **125**
Moray Av. *Air* —6A **92**
Moray Dri. *Clar* —2D **134**
Moray Dri. *Torr* —4D **28**
Moray Gdns. *Clar* —1D **134**
Moray Gdns. *Cumb* —6H **13**
Moray Gdns. *Udd* —5D **108**
Moray Ga. *Both* —3D **124**
Moray Pl. *G41* —3C **102**
Moray Pl. *B'rig* —6E **49**
Moray Pl. *Blan* —3A **140**
Moray Pl. *Chry* —1B **68**
Moray Pl. *Kirk* —4G **31**
Moray Pl. *Lin* —5G **75**
Moray Quad. *Bell* —2C **126**
Moray Way. *Moth* —2A **128**
Mordaunt St. *G40* —2C **104**
Moredun Cres. *G32* —4C **86**
Moredun Dri. *Pais* —4F **97**
Moredun Rd. *Pais* —4F **97**
Moredun St. *G32* —4C **86**
Morefield Rd. *G51* —4D **80**
Morgan M. *G42* —2F **103**
Morgan St. *Ham* —1H **153**
Morgan St. *Lark* —2D **160**
Morina Gdns. *G53* —4C **116**
Morion Rd. *G13* —1D **60**
Morison Ho. *Cumb* —3A **36**
  (off Burns Rd.)
Moriston Ct. *Newm* —3D **146**
Morland. *E Kil* —4D **138**
Morley St. *G42* —6E **103**
Morna La. *G14* —1E **81**
  (off Glendore St.)
Morningside Rd. *Newm* —4E **147**
Morningside St. *G33* —3F **85**
Morrin Path. *G21* —6A **64**
Morrin St. *G21* —5A **64**
Morrishall Rd. *E Kil* —5C **138**
Morrison Dri. *Len* —4G **7**
Morrison Gdns. *Torr* —5E **29**
Morrison Quad. *Clyd* —6G **43**
Morrison St. *G5* —5E **83**
Morrison St. *Clyd* —1B **42**
Morris St. *Ham* —2H **153**
Morris St. *Lark* —4G **161**
Morriston Cres. *Renf* —2H **79**
Morriston Pk. Dri. *Camb* —6A **106**
Morriston St. *Camb* —1A **122**
Morton Gdns. *G41* —4A **102**
Morton St. *Moth* —1G **143**
Morvan St. *G52* —6E **81**
Morven Av. *B'rig* —6E **49**
Morven Av. *Blan* —6A **124**
Morven Av. *Pais* —5H **97**
Morven Ct. *Air* —1B **92**
Morven Dri. *Clar* —1B **134**
Morven Dri. *Lin* —6G **75**
Morven Gait. *Ersk* —1A **58**
Morven Gdns. *Udd* —5D **108**
Morven La. *Blan* —6A **124**
Morven Rd. *Bear* —1E **45**
Morven Rd. *Camb* —4H **121**
Morven St. *Coat* —3C **90**
Morven Way. *Both* —4F **125**
Mosesfield St. *G21* —4B **64**
Mossacre Rd. *Wis* —5A **146**
Moss Av. *Lin* —5H **75**
Mossbank. *Blan* —3B **140**
Mossbank. *E Kil* —3B **148**
Mossbank Av. *G33* —5H **65**
Mossbank Cres. *Moth* —3F **129**
Mossbank Dri. *G33* —5H **65**
Mossbank Rd. *Wis* —5A **146**
Mossbell Rd. *Bell* I —1A **126**
Mossblown St. *Lark* —2D **160**
Mossburn Rd. *Wis* —6B **146**
Mossburn St. *Wis* —2B **158**
Mosscastle Rd. *G33* —1C **86**
Mossdale. *E Kil* —6E **137**
Mossdale Ct. *Bell* —2F **127**
Mossdale Gdns. *Ham* —1C **152**
Moss Dri. *Barr* —2C **114**
Moss Dri. *Ersk* —2F **57**
Mossedge Ind. Est. *Lin* —5A **76**
Mossend La. *G33* —3D **86**
Mossend St. *G33* —3D **86**

Mossgeil Ter. *Blan* —5A **124**
Mossgeil. *E Kil* —4D **148**
Mossgiel Av. *Ruth* —2C **120**
Mossgiel Cres. *Clar* —4D **134**
Mossgiel Dri. *Clyd* —4E **43**
Mossgiel Gdns. *Kirk* —4F **31**
Mossgiel Gdns. *Udd* —5C **108**
Mossgiel La. *Lark* —4G **161**
  (off Donaldson Rd.)
Mossgiel Rd. *G43* —1B **118**
  (in two parts)
Mossgiel Rd. *Cumb* —2B **36**
  (in two parts)
Mossgiel Way. *Moth* —3C **128**
Mosshall Gro. *Moth* —3F **129**
Mosshall Rd. *Moth* —6D **112**
Mosshall St. *Moth* —3F **129**
Mosshead Rd. *Bear* —6F **25**
Moss Heights Av. *G52* —6D **80**
Mosshill Rd. *Bell* —5D **110**
Moss Knowe. *Cumb* —3C **36**
Mossland Dri. *Wis* —5A **146**
Mossland Rd. *G52* —3F **79**
Mossland Rd. *Renf* —2H **79**
Mosslands Rd. *Pais* —3H **77**
Mosslingal. *E Kil* —6G **149**
Mossmulloch. *E Kil* —6G **149**
Mossneuk Av. *E Kil* —4A **148**
Mossneuk Cres. *Wis* —5B **146**
Mossneuk Dri. *E Kil* —4B **148**
Mossneuk Dri. *Pais* —5G **97**
Mossneuk Dri. *Wis* —5A **146**
Mossneuk Pk. *Wis* —5A **146**
Mossneuk Rd. *E Kil* —3B **148**
Mossneuk St. *Coat* —2B **110**
Mosspark Av. *G52* —2F **101**
Mosspark Av. *Miln* —2G **25**
Mosspark Boulevd. *G52* —1E **101**
Mosspark Dri. *G52* —1C **100**
Mosspark La. *G52* —2E **101**
Mosspark Oval. *G52* —2E **101**
Mosspark Rd. *Coat* —3H **89**
Mosspark Rd. *Miln* —2G **25**
Mosspark Sq. *G52* —2E **101**
MOSSPARK STATION. *G52*
  —2C **100**
Moss Path. *Bail* —2F **107**
Moss Rd. *G51* —3D **80**
Moss Rd. *Air* —5A **92**
Moss Rd. *Bail* —2A **88**
Moss Rd. *Bri W* —3G **73**
Moss Rd. *Cumb* —2E **37**
Moss Rd. *Hous & Lin* —6A **56**
Moss Rd. *Kirk* —1B **50**
Moss Rd. *Waters* —6H **31**
Moss Rd. *Wis* —6C **146**
Moss Side Av. *Air* —3D **91**
Moss Side Av. *Carl* —3D **164**
Mossside Rd. *Carl* —4B **102**
Moss St. *Pais* —6A **78**
Mossvale Cres. *G33* —1C **86**
Mossvale La. *Pais* —5H **77**
Mossvale Path. *G33* —6C **66**
Mossvale Rd. *G33* —6B **66**
Mossvale Sq. *G33* —1B **86**
Mossvale Sq. *Pais* —5H **77**
Mossvale St. *Pais* —4H **77**
Mossvale Ter. *Bail* —4E **53**
Mossvale Wlk. *G33* —1C **86**
Mossvale Way. *G33* —1C **86**
Mossview Cres. *Air* —5A **92**
Mossview La. *G52* —6C **80**
Mossview Quad. *G52* —6D **80**
Mossview Rd. *G33* —4E **67**
Mosswell Rd. *Miln* —2H **25**
Mosswood Ct. *Cumb* —6B **34**
Mosswood Pl. *Cumb* —6B **34**
Mosswood Rd. *Cumb* —6B **34**
Mote Hill. *Ham* —4A **142**
Mote Hill Rd. *Pais* —5C **78**
Motherwell Bus. Cen. *Moth*
  —2H **143**
Motherwell Food Pk. *Bell* —1B **126**
Motherwell Rd. *Bell* —2C **126**
Motherwell Rd. *Carf* —6C **128**
Motherwell Rd. *Ham* —5B **142**
Motherwell Rd. *Moth* —2G **129**
MOTHERWELL STATION. *Moth*
  —2G **143**
Motherwell St. *Air* —2C **92**
Moulin Cir. *G52* —1A **100**
Moulin Pl. *G52* —1A **100**
Moulin Rd. *G52* —1A **100**
Moulin Ter. *G52* —1A **100**
Mountainblue St. *G31* —6D **84**
Mt. Annan Dri. *G44* —6F **103**
Mountblow Rd. *Clyd* —1H **41**
Mt. Cameron Dri. N. *E Kil* —3A **150**
Mt. Cameron Dri. S. *E Kil* —3A **150**
MT. FLORIDA STATION. *G42*
  —5E **103**
Mountgarrie Rd. *G51* —4D **80**
Mt. Harriet Av. *Step* —3E **67**
Mt. Harriet Dri. *Step* —3D **66**
Mt. Pleasant Cres. *Milt C* —5B **8**
Mt. Pleasant Pl. *Old K* —1F **41**
  (off Mt. Pleasant Rd.)
Mt. Pleasant Rd. *Old K* —6F **21**
Mt. Stewart St. *Carl* —3E **165**
Mount St. *G20* —6D **62**

Mt. Stuart St. *G41* —5C **102**
Mount, The. *Moth* —3F **143**
Mt. Vernon Av. *G32* —3E **107**
Mt. Vernon Av. *Coat* —4A **90**
MOUNT VERNON STATION. *Udd*
  —3F **107**
Mournian Way. *Ham* —2H **153**
Mowbray. *E Kil* —5C **138**
Mowbray Av. *G'csh* —4D **68**
Moyne Rd. *G53* —3A **100**
Moy Path. *Newm* —3D **146**
  (off Murdostoun View)
Muckcroft Rd. *Bail* —3H **51**
Mugdock Rd. *Miln* —3G **25**
Muirbank Av. *Ruth* —6B **104**
Muirbank Gdns. *Ruth* —6B **104**
Muirbrae Rd. *Ruth* —3D **120**
Muirbrae Way. *Ruth* —3D **120**
Muirburn Av. *G44* —3C **118**
Muir Ct. *G44* —5D **118**
Muircroft Dri. *Cle* —5H **129**
Muirdrum Av. *G52* —2D **100**
Muirdyke Rd. *Coat* —3H **89**
Muirdyke Rd. *Glenb* —5B **70**
Muirdykes Av. *G52* —6A **80**
Muirdykes Cres. *Pais* —5F **77**
Muirdykes Rd. *G52* —6A **80**
Muirdykes Rd. *Pais* —4F **77**
Muiredge Ct. *Udd* —1D **124**
Muiredge Ter. *Bail* —1H **107**
Muirend Av. *G44* —3D **118**
Muirend Rd. *G44* —3C **118**
MUIREND STATION. *G44* —3D **118**
Muirfield Ct. *G44* —3D **118**
Muirfield Cres. *G23* —6C **46**
Muirfield Meadows. *Both* —5C **124**
Muirfield Rd. *Cumb* —6A **14**
Muirhead-Braehead Interchange.
  Cumb —2A **36**
Muirhead Ct. *Bail* —1A **108**
Muirhead Dri. *Lin* —6G **75**
Muirhead Dri. *Moth* —3F **129**
Muirhead Gdns. *Bail* —1A **108**
Muirhead Ga. *Udd* —5F **109**
Muirhead Gro. *Bail* —1A **108**
Muirhead Rd. *Bail* —2H **107**
Muirhead Rd. *Neil* —4A **130**
Muirhead Roundabout. *Cumb*
  —2B **36**
Muirhead St. *Kirk* —6C **30**
Muirhead Ter. *Moth* —5G **143**
Muirhead Way. *B'rig* —6F **49**
Muirhill Av. *G44* —3C **118**
Muirhill Cres. *G13* —2A **60**
Muirhouse Av. *Moth* —6B **144**
Muirhouse Av. *Newm* —3F **147**
Muirhouse Dri. *Moth* —1C **156**
Muirhouse La. *E Kil* —3H **149**
Muirhouse Pk. *Bear* —5D **24**
Muirhouse Rd. *Moth* —1B **156**
Muirhouse St. *G41* —2E **103**
Muirhouse Tower. *Moth* —6B **144**
Muirkirk Dri. *G13* —2F **61**
Muirkirk Dri. *Ham* —1B **152**
Muirlee Rd. *Carl* —4H **165**
Muirlees Cres. *Miln* —3E **25**
Muirmadkin Rd. *Bell* —2D **126**
Muirpark Av. *Renf* —1E **79**
Muirpark Dri. *G52* —5A **80**
Muirpark Dri. *B'rig* —1C **64**
Muirpark St. *G11* —1H **81**
Muirpark Ter. *B'rig* —1B **64**
Muir Rd. *Dumb* —1H **17**
Muirshiel Av. *G53* —1C **116**
Muirshill Cres. *G53* —1C **116**
Muirshot Rd. *Lark* —1F **161**
Muirside Av. *G32* —2E **107**
Muirside Av. *Kirk* —5G **31**
Muirside Pl. *Wis* —3D **146**
Muirside Rd. *Bail* —1H **107**
Muirside Rd. *Pais* —4F **77**
Muirside St. *Bail* —1H **107**
Muirskeith Cres. *G43* —1D **118**
Muirskeith Pl. *G43* —1D **118**
Muirskeith Rd. *G43* —1D **118**
Muir St. *B'rig* —6C **48**
Muir St. *Blan* —3B **140**
Muir St. *Coat* —4A **90**
Muir St. *Ham* —5H **141**
Muir St. *Lark* —2E **161**
Muir St. *Law* —5D **158**
Muir St. *Moth* —1F **143**
Muir St. *Renf* —5F **59**
Muir Ter. *Pais* —4C **78**
Muirton Dri. *B'rig* —4B **48**
Muiryfauld Dri. *G31* —1G **105**
Muiryhall St. *Coat* —4C **90**
Muiryhall St. E. *Coat* —4D **90**
Mulben Cres. *G53* —6H **99**
Mulben Pl. *G53* —6H **99**
Mulben Ter. *G53* —6H **99**
Mulberry Dri. *E Kil* —6E **149**
Mulberry Rd. *G43* —2B **118**
Mulberry Rd. *Udd* —4G **109**
Mulberry Way. *E Kil* —6E **149**
Mull. *Air* —6D **92**
Mull. *E Kil* —3C **150**
Mullardoch St. *G23* —6B **46**
  (off Rothes Dri.)
Mull Av. *Pais* —6A **98**
Mull Av. *Renf* —2E **79**

Mull Quad. *Wis* —4C **146**
Mull St. *G21* —1D **84**
Mulvey Cres. *Air* —4G **91**
Mungo Pk. *E Kil* —3F **149**
Munlochy Rd. *G51* —4D **80**
Munro Ct. *Clyd* —1B **42**
Munro Dri. *Milt C* —6B **8**
Munro La. *G13* —4E **61**
Munro La. E. *G13* —4E **61**
Munro Pl. *G13* —2E **61**
Munro Pl. *E Kil* —6B **138**
Munro Rd. *G13* —4E **61**
Murano St. *G20* —4D **62**
Murchison Dri. *E Kil* —4D **148**
Murchison Rd. *C'lee* —2C **74**
Murdoch Ct. *John* —4E **95**
  (off Tannahill Cres.)
Murdoch Dri. *Miln* —5B **26**
Murdoch Pl. *Moth* —4H **127**
Murdoch Sq. *Bell* —6E **111**
Murdock Rd. *E Kil* —3G **149**
Murdostoun Gdns. *Wis* —4H **145**
Murdostoun Rd. *Wis* —1G **147**
Murdostoun View. *Newm* —3D **146**
Muriel La. *Barr* —4E **115**
Muriel St. *Barr* —4E **115**
Murray Av. *Kils* —4H **11**
Murrayfield. *B'rig* —4C **48**
Murrayfield Dri. *Bear* —6E **45**
Murrayfield St. *G32* —4G **85**
Murray Gdns. *Milt C* —5C **8**
Murray Gro. *Bear* —5B **24**
Murrayhill. *E Kil* —3F **149**
Murray Path. *Udd* —1C **124**
Murray Pl. *Barr* —3F **115**
Murray Pl. *Dumb* —1C **18**
Murray Pl. *Rig I* —6A **110**
Murray Rd. *Both* —4E **125**
Murray Rd. *Law* —1H **163**
Murray Rd., The. *E Kil* —3E **149**
Murray Roundabout, The. *E Kil*
  —3H **149**
Murray Sq., The. *E Kil* —4G **149**
Murray St. *Pais* —5G **77**
Murray St. *Renf* —6E **59**
Murray Ter. *Moth* —2D **142**
Murrin Av. *B'rig* —6E **49**
Murroch Av. *Dumb* —1H **17**
Murroes Rd. *G51* —4D **80**
Murtonhole Rd. *Ham* —3H **151**
Musgrove Pl. *E Kil* —3E **149**
Muslin St. *G40* —1B **104**
Muttonhole Rd. *Ham* —3H **151**
Mybster Pl. *G51* —4D **80**
Myers Cres. *Udd* —2E **125**
Myreside Pl. *G32* —5F **85**
Myreside St. *G32* —5F **85**
Myres Rd. *G53* —5D **100**
Myrie Gdns. *B'rig* —5D **48**
Myroch Pl. *G34* —2A **88**
Myrtle Av. *Lenz* —2C **50**
Myrtle Dri. *Moth* —2B **128**
Myrtle Dri. *Wis* —5D **144**
Myrtle Hill La. *G42* —5G **103**
Myrtle La. *Lark* —4F **161**
Myrtle Pk. *G42* —4F **103**
Myrtle Pl. *G42* —4G **103**
Myrtle Rd. *Clyd* —3H **41**
Myrtle Rd. *Udd* —5F **109**
Myrtle Sq. *B'rig* —1C **64**
Myrtle St. *Blan* —6B **124**
Myrtle View Rd. *G42* —5G **103**
Myrtle Wlk. *Camb* —1H **121**
Myvot Av. *Cumb* —1D **54**
Myvot Rd. *Cumb* —1D **54**
  (Condorrat)
Myvot Rd. *Cumb* —3A **54**
  (Mollinsburn)

Nairn Av. *Bell* —1C **126**
Nairn Av. *Blan* —5A **124**
Nairn Cres. *Air* —6A **92**
Nairn Pl. *Clyd* —4B **42**
Nairn Pl. *E Kil* —6C **138**
Nairn Quad. *Wis* —4H **145**
Nairnside Rd. *G21* —2E **65**
Nairn St. *G3* —2B **82**
Nairn St. *Blan* —3A **140**
Nairn St. *Clyd* —4B **42**
Nairn St. *Lark* —3D **160**
Nairn Way. *Cumb* —6A **14**
Naismith St. *G32* —5C **106**
Naismith Wlk. *Bell* —6E **111**
Nansen St. *G20* —6E **63**
Napier Ct. *Old K* —2G **41**
Napier Ct. *Ward N* —3D **14**
Napier Cres. *Dumb* —3C **16**
Napier Dri. *G51* —3H **81**
Napier Gdns. *Lin* —5A **76**
Napier Hill. *E Kil* —3G **149**
Napier La. *E Kil* —3G **149**
Napier Pk. *Ward N* —4C **14**
Napier Pl. *G51* —3H **81**
Napier Pl. *Old K* —2G **41**
Napier Rd. *G51* —3H **81**
Napier Rd. *H'ton* —2H **79**
Napier Rd. *Ward N* —4C **14**
Napiershall La. *G20* —1D **82**
  (off Napiershall St.)

Napiershall Pl. *G20* —1D **82**
Napiershall St. *G20* —1D **82**
Napier Sq. *Bell* —6D **110**
Napier St. *G51* —3H **81**
Napier St. *Clyd* —2E **59**
Napier St. *John* —2E **95**
Napier St. *Lin* —5A **76**
Napier Ter. *G51* —3H **81**
Napier Way. *Ward N* —4C **14**
Naproch Pl. *Newt M* —4A **134**
Naseby Av. *G11* —6F **61**
Naseby La. *G11* —6F **61**
Nasmyth Av. *Bear* —5B **24**
Nasmyth Av. *E Kil* —4H **149**
Nasmyth Bank. *E Kil* —4H **149**
Nasmyth Rd. *H'ton* I —4A **80**
Nasmyth Rd. N. *H'ton* I —4A **80**
  (in two parts)
Nasmyth Rd. S. *H'ton* I —4A **80**
Nassau Pl. *E Kil* —2C **148**
National Bank La. *G1*
  —4F **83** (5D **4**)
Navar Pl. *Pais* —3C **98**
Naver St. *G33* —2G **85**
Naylor La. *Air* —3B **92**
Needle Grn. *Carl* —3F **165**
Neidpath. *Bail* —1G **107**
Neidpath Av. *Coat* —2D **110**
Neidpath E. *E Kil* —1F **149**
Neidpath Pl. *Coat* —2D **110**
Neidpath Rd. *Carl* —2E **165**
Neidpath Rd. E. *Giff* —3G **133**
Neidpath Rd. W. *Giff* —2G **133**
Neidpath W. *E Kil* —1F **149**
Neilsland Dri. *Ham* —4G **153**
Neilsland Dri. *Moth* —3D **142**
Neilsland Oval. *G53* —5D **100**
Neilsland Rd. *Ham* —2F **153**
Neilsland Sq. *G53* —4D **100**
Neilsland Sq. *Ham* —2G **153**
Neilsland St. *Ham* —2G **153**
Neilson St. *Bell* —2C **126**
Neilston Av. *G53* —2C **116**
  (in two parts)
Neilston Pl. *Kils* —2F **11**
Neilston Rd. *Barr* —1E **131**
Neilston Rd. *Pais* —2A **98**
NEILSTON STATION. *Neil* —2D **130**
Neilston Wlk. *Kils* —2G **11**
Neil St. *Renf* —4F **59**
Neilvaig Dri. *Ruth* —4D **120**
Nelson Av. *Coat* —1A **110**
Nelson Cres. *Moth* —5B **144**
Nelson Mandela Pl. *G2*
  —3G **83** (4E **5**)
Nelson Pl. *Bail* —1H **107**
Nelson St. *G5* —5E **83**
Nelson St. *Bail* —1H **107**
Nelson Ter. *E Kil* —3A **150**
Neptune St. *G51* —4H **81**
Neptune Way. *Bell* —2G **127**
Nerston Rd. *E Kil* —3G **137**
Ness Av. *John* —5C **94**
Ness Dri. *Blan* —6C **124**
Ness Dri. *E Kil* —2B **150**
Ness Gdns. *B'rig* —6D **48**
Ness Gdns. *Lark* —5E **161**
Ness Rd. *Renf* —5D **58**
Ness St. *G33* —2G **85**
Ness St. *Wis* —3H **157**
Ness Ter. *Ham* —2E **153**
Ness Way. *Moth* —2A **128**
Nethan Av. *Wis* —1C **156**
Nethan Ga. *Ham* —6G **141**
Nethan Path. *Lark* —5C **160**
Nethan Pl. *Ham* —5H **153**
Nethan St. *G51* —3G **81**
Nethan St. *Moth* —5E **127**
Nether Auldhouse Rd. *G43*
  —1H **11**
Netherbank Rd. *Wis* —1D **156**
Netherbog Av. *Dumb* —3H **17**
Netherbog Rd. *Dumb* —3H **17**
Netherburn Av. *G44* —5D **118**
Netherburn Av. *Hous* —3E **75**
Netherburn Gdns. *Hous* —3E **75**
Netherby Dri. *G41* —1B **102**
Nethercairn Pl. *Newt M* —4H **134**
Nethercairn Rd. *G43* —3A **118**
Nethercliffe Av. *G44* —5D **118**
Nethercommon Ind. Est. *Pais*
  —3A **78**
Nethercraigs Ct. *Pais* —6F **97**
Nethercraigs Dri. *Pais* —5G **97**
Nethercraigs Rd. *Pais* —6F **97**
Nethercroy Rd. *Kils* —6A **12**
Netherdale. *Newt M* —4H **133**
Netherdale Cres. *Wis* —1C **156**
Netherdale Dri. *Pais* —1H **99**
Netherdale Rd. *Wis* —1E **157**
Nethergreen Wynd. *Renf* —6D **58**
Netherhall Rd. *Wis* —1D **156**
Netherhill Av. *G44* —6D **118**
Netherhill Cotts. *Pais* —4C **78**
  (off Netherhill Rd.)
Netherhill Cres. *Pais* —5C **78**
Netherhill Rd. *Chry* —6D **52**
Netherhill Rd. *Pais* —5B **78**
Netherhill Way. *Pais* —4D **78**
Netherhouse Av. *Coat* —2B **110**

Netherhouse Av. Lenz —3E **51**
Netherhouse Pl. G34 —3C **88**
Netherhouse Rd. Bail & G34 —4B **88**
Netherlee Rd. G44 —2E **119**
Nethermains Rd. Miln —5G **25**
Netherpark Av. G44 —6D **118**
Netherplace Cres. G53 —5B **100**
Netherplace Cres. Newt M —5C **132**
Netherplace Rd. G53 —5B **100**
Netherplace Rd. Newt M —5A **132**
Netherton Ct. Newt M —3F **133**
Netherton Dri. Pais —5F **115**
Netherton Hill. Len —3C **6**
Netherton Ind. Est. Wis —1E **157**
Netherton Oval. Len —3D **6**
Netherton Rd. G13 —1E **61**
Netherton Rd. E Kil —5E **149**
Netherton Rd. E Kil —6C **148**
(Greenhills)
Netherton Rd. Newt M —3F **133**
Netherton Rd. Wis —1C **156**
Netherton St. G13 —1F **61**
Nethervale Av. G44 —6D **118**
Netherview Rd. G44 —6E **119**
Netherway. G44 —6D **118**
Netherwood Av. Cumb —5C **34**
Netherwood Ct. Cumb —5C **34**
Netherwood Gro. Cumb —5C **34**
Netherwood Pl. Cumb —5B **34**
Netherwood Rd. Cumb —5B **34**
Netherwood Rd. Moth —6A **144**
Netherwood Tower. Moth —1B **156**
Netherwood Way. Cumb —5C **34**
Nethy Way. Renf —2H **79**
Neuk Av. Hous —2C **74**
Neuk Av. Muirh —2A **68**
Neuk Cres. Hous —1C **74**
Neuk, The. Wis —6E **145**
Neuk Way. G32 —5C **106**
Neville. E Kil —4C **138**
Nevis Av. Ham —1E **153**
Nevis Ct. Coat —2E **111**
Nevis Rd. G43 —2H **117**
Nevis Rd. Bear —6B **24**
Nevis Rd. Renf —2D **78**
Nevis Way. Glas A —2A **78**
Newall Rd. Pais —3B **78**
Newark Dri. G41 —2B **102**
Newark Dri. Pais —5G **97**
Newark Dri. Wis —3A **146**
Newark Pl. Wis —3B **146**
Newarthill Rd. Moth —5C **128**
Newbarns St. Carl —2F **165**
Newbattle Av. C'bnk —3B **112**
Newbattle Ct. G32 —3B **106**
Newbattle Gdns. G32 —3B **106**
Newbattle Pl. G32 —3B **106**
Newbattle Rd. G32 —3A **106**
Newbold Av. G21 —2A **64**
Newburgh. Ersk —4E **41**
Newburgh St. G43 —6B **102**
Newcastleton Dri. G23 —6C **46**
New City Rd. G4 —1E **83** (1A **4**)
(in two parts)
Newcroft Dri. G44 —2H **119**
Newdyke Rd. Kirk —5E **31**
Newdyke Rd. Kirk —5E **31**
New Edinburgh Rd. Udd —6C **108**
Newfield Cres. Ham —5F **141**
Newfield La. Both —4F **125**
Newfield Pl. Ruth —6A **104**
Newfield Pl. T'bnk —5F **117**
Newfield Sq. G53 —1A **116**
Newhall St. G40 —2B **104**
Newhaven Rd. G33 —3B **86**
Newhaven St. G32 —4A **86**
Newhills Rd. G33 —4E **87**
Newhouse Ind. Est. Moth —6C **112**
Newhousemill Rd. E Kil —4C **150**
Newhousemill Rd. Ham —3H **151**
Newhut Rd. Moth —1F **143**
New Inchinnan Rd. Pais —4A **78**
Newington St. G32 —5H **85**
New Kirk Rd. Bear —2E **45**
New Lairdsland Rd. Kirk —4C **30**
Newlands Dri. Ham —3H **153**
Newlandsfield Rd. G43 —6B **102**
Newlands Gdns. Eld —4A **96**
Newlandsmuir Rd. E Kil —5B **148**
Newlands Pl. E Kil —2G **149**
Newlands Rd. G43 & G44 —6B **102**
Newlands Rd. E Kil —6A **148**
Newlands Rd. Udd —5D **108**
Newlands St. Coat —1C **110**
Newlands Ter. Carl —3F **165**
Newlands Ter. Milt C —5C **8**
New La. C'bnk —3B **112**
New Luce Dri. G32 —2D **106**
Newmains Av. Inch —4G **57**
Newmains Rd. Renf —1D **78**
Newmill Rd. G21 —4E **65**
Newnham Rd. Pais —1G **99**
Newpark Cres. Camb —6A **106**
New Pk. St. Ham —4G **141**
New Plymouth. E Kil —4C **148**
New Rd. Camb —3E **123**

Newrose Av. Bell —6D **110**
Newshot Ct. Clyd —2F **59**
(off Clydeholm Ter.)
Newshot Dri. Ersk —5F **41**
New Sneddon St. Pais —5A **78**
(in two parts)
Newstead Gdns. G23 —6C **46**
New Stevenston Rd. Moth —5B **128**
New St. Blan —2A **140**
New St. Clyd —1C **42**
New St. Kilb —2A **94**
New St. Pais —1A **98**
Newton Av. Barr —6F **115**
Newton Av. Camb —1D **122**
Newton Av. Eld —2C **96**
Newton Av. Pais —4D **78**
Newton Brae. Camb —1F **123**
Newton Ct. Newt M —6D **132**
Newton Dri. Eld —2C **96**
Newton Dri. Udd —6E **109**
Newton Farm Rd. Camb —6F **107**
Newtongrange Av. G32 —2B **106**
Newtongrange Gdns. G32 —3B **106**
Newton Gro. Newt M —6D **132**
Newtonlea Av. Newt M —5E **133**
Newton Pl. G3 —2D **82**
Newton Pl. Newt M —6E **133**
Newton Rd. B'ton —4F **39**
Newton Rd. Lenz —3E **51**
NEWTON STATION. Camb —2E **123**
Newton Sta. Rd. Camb —3E **123**
Newton St. G3 —3E **83** (3A **4**)
Newton St. Coat —1A **110**
Newton St. Pais —1G **97**
Newton Ter. G3 —3D **82**
(off Sauchiehall St.)
Newton Ter. Pais —2D **96**
Newton Ter. La. G3 —3D **82**
(off Elderslie St.)
Newton Way. Pais —4D **78**
Newtown St. Kils —3H **11**
Newtyle Pl. B'rig —6F **49**
Newtyle Rd. Pais —1D **98**
New View Cres. Bell —4C **126**
New View Dri. Bell —4C **126**
New View Pl. Bell —4C **126**
New Wynd. G1 —5G **83**
Nicholas St. G1 —4H **83** (5H **5**)
Nicholson St. G5 —6F **83**
(in two parts)
Nicklaus Way. Moth —6E **113**
Nicolson St. Step —4D **66**
Nicol St. Air —2C **92**
Niddrie Rd. G42 —3D **102**
Niddrie Sq. G42 —3D **102**
Niddry St. Pais —6B **78**
Nigel Gdns. G41 —4B **102**
Nigel St. Moth —3F **143**
Nigg Pl. G34 —3G **87**
Nightingale Pl. John —6D **94**
Nikitas Av. Lark —6F **161**
Nimmo Dri. G51 —4E **81**
Nimmo Pl. Carl —2E **165**
Nimmo Pl. Wis —6A **146**
Ninian Av. Hous —3C **74**
Ninian Rd. Air —6B **92**
Ninian's Rise. Kirk —6F **31**
Nisbet St. G31 —6F **85**
Nisbet Pl. Chap —2E **113**
Nisbett St. Chap —3E **113**
Nith Av. Pais —3D **96**
Nith Dri. Ham —3E **153**
Nith Dri. Renf —1G **79**
Nith La. Newm —3D **146**
(off King St.)
Nith Path. Cle —5H **129**
Nith Pl. John —5C **94**
Nith Quad. Moth —1C **144**
Nithsdale. E Kil —6D **138**
Nithsdale Cres. Bear —1C **44**
Nithsdale Dri. G41 —3D **102**
Nithsdale Pl. G41 —2D **102**
Nithsdale Rd. G41 —1H **101**
Nithsdale St. G41 —3D **102**
Nith St. G33 —2F **85**
Nith Way. Renf —1G **79**
Nitshill Rd. G53 & G46 —1H **115**
NITSHILL STATION. G53 —2A **116**
Niven St. G20 —3A **62**
Noble Rd. Bell —2C **126**
Nobles Pl. Bell —3B **126**
Nobles View. Bell —3B **126**
Noldrum Av. G32 —5C **106**
Noldrum Gdns. G32 —5C **106**
Norbreck Dri. Giff —3A **118**
Norby Rd. G11 —6F **61**
Noremac Way. Bell l —6B **110**
Norfolk Ct. G5 —6F **83**
Norfolk Cres. B'rig —4A **48**
Norfolk St. G5 —6F **83**
Norham St. G41 —4C **102**
Norman St. G40 —2B **104**
Norse La. N. G14 —5C **60**
Norse La. S. G14 —5C **60**
Norse Rd. G14 —5C **60**
Nortfield Dri. G44 —6F **103**
Northall Quad. Moth —6A **128**
Northampton Dri. G12 —3H **61**
Northampton La. G12 —3H **61**
(off Northampton Dri.)

North Av. Camb —1H **121**
North Av. Carl —3D **164**
North Av. Clyd B —4C **42**
North Av. Moth —5A **128**
Northbank Av. Camb —1D **122**
Northbank Av. Kirk —5C **30**
Northbank Rd. Kirk —5C **30**
Northbank St. Camb —1D **122**
N. Bank Pl. Clyd —1E **59**
N. Bank St. Clyd —1E **59**
N. Barr Av. Ersk —4E **41**
N. Berwick Av. Cumb —6H **13**
N. Berwick Cres. E Kil —5C **148**
N. Berwick Gdns. Cumb —6H **13**
N. Biggar Rd. Air —3B **92**
N. Birbiston Rd. Len —3F **7**
Northbrae Pl. G13 —3B **60**
North Bri. St. Air —3H **91**
N. British Rd. Udd —1D **124**
Northburn Av. Air —2B **92**
Northburn Pl. Air —1B **92**
Northburn Rd. Coat —2E **94**
Northburn St. Plain —1H **93**
N. Bute St. Coat —1D **110**
N. Caldeen Rd. Coat —6E **91**
N. Calder Dri. Air —5D **92**
N. Calder Rd. Udd —4G **109**
N. Campbell Av. Miln —4F **25**
N. Canal Bank St. G4 —1G **83**
N. Carbrain Rd. Cumb —5G **35**
N. Claremont La. Miln —3G **25**
N. Claremont St. G3 —2C **82**
N. Corsebar Rd. Pais —3G **97**
North Ct. G1 —4G **83** (5E **5**)
North Ct. La. G1 —4G **83** (5E **5**)
Northcroft Rd. Chry —5C **52**
N. Croft St. Pais —6B **78**
N. Dean Pk. Av. Both —4E **125**
N. Douglas St. Clyd —1E **59**
North Dri. Lin —5H **75**
N. Dryburgh Rd. Wis —4G **145**
N. Dumgoyne Av. Miln —2F **25**
N.E.L. Technology Pk. E Kil
—4A **150**
N. Elgin Pl. Clyd —2E **59**
N. Elgin St. Clyd —1E **59**
N. Erskine Pk. Bear —2D **44**
Northfield. E Kil —4B **148**
Northfield Rd. Kils —2F **11**
Northfield St. Moth —1G **143**
N. Frederick St. G1 —4G **83** (5F **5**)
N. Gardinar St. G11 —6H **61**
Northgate Quad. G21 —2E **65**
Northgate Rd. G21 —2E **65**
N. Gower St. G51 —6A **82**
N. Grange Rd. Bear —1E **45**
N. Hanover St. G1 —3G **83** (5F **5**)
Northinch St. G14 —1D **80**
N. Iverton Pk. Rd. John —2G **95**
N. Kilmeny Cres. Wis —3A **146**
Northland Av. G14 —4C **60**
Northland Dri. G14 —4C **60**
Northland Gdns. G14 —4C **60**
Northland La. G14 —5C **60**
(off Northland Dri.)
North La. Lin —5A **76**
N. Lodge Av. Moth —5G **143**
N. Lodge Rd. Renf —5E **59**
N. Moraine La. G15 —5C **44**
Northmuir Dri. Wis —5B **146**
Northmuir Rd. G15 —3B **44**
N. Orchard St. Moth —2F **143**
North Pk. Av. T'bnk —3F **117**
Northpark St. G20 —5D **62**
N. Portland St. G1 —4H **83** (5G **5**)
North Rd. Bell —2C **126**
North Rd. Cumb —5C **34**
North Rd. John —3E **95**
North & South Rd. Moth —6G **113**
North & South Rd. Newm —1C **146**
North Sq. Coat —3A **90**
North St. G3 —2D **82**
North St. Hous —1B **74**
North St. Lark —1E **161**
North St. Moth —1H **143**
North St. Pais —5A **78**
Northumberland St. G20 —5C **62**
North View. Bear —5D **44**
N. View Rd. Bri W —5H **73**
N. Wallace St. G4 —2H **83** (2G **5**)
Northway. Blan —6A **124**
Northwood Dri. Newm —3E **147**
N. Woodside Rd. G20 —6D **62**
Norval St. G11 —1G **81**
Norwich Dri. G12 —4H **61**
Norwood Av. Kirk —5B **30**
Norwood Dri. Giff —6G **117**
Norwood Pk. Bear —4F **45**
Norwood Ter. Udd —6E **109**
Nottingham Av. G12 —3H **61**
Nottingham La. G12 —3H **61**
(off Northampton Dri.)
Novar Dri. G12 —5G **61**
Novar Gdns. B'rig —5A **48**
Novar St. Ham —1H **153**
Nuneaton St. G40 —2C **104**
Nuneaton St. Ind. Est. G40
—2C **104**
Nurseries Rd. Bail —5D **87**
Nursery Av. Ersk —3C **40**
Nursery Ct. Carl —2E **165**

Nursery Dri. Ashg —5C **162**
Nursery La. G41 —3D **102**
Nursery Pl. Blan —3B **140**
Nursery St. G41 —2E **103**
Nutberry Ct. G42 —4F **103**

O

Oak Av. Bear —6F **25**
Oak Av. E Kil —5D **148**
Oakbank Av. Wis —2E **157**
Oakbank Dri. Barr —6F **115**
Oakbank Ind. Est. G20 —6F **63**
Oakbank St. Air —4D **92**
Oakburn Av. Miln —4F **25**
Oakburn Cres. Miln —3F **25**
Oak Cres. Bail —1G **107**
Oakdene Av. Bell —6C **110**
Oakdene Av. Udd —6D **109**
Oakdene Cres. N'hill —4C **128**
Oak Dri. Camb —3C **122**
Oak Fern Dri. E Kil —5F **137**
Oak Fern Gro. E Kil —5F **137**
Oakfield Av. G12 —1C **82**
Oakfield Dri. Moth —3G **143**
Oakfield La. G12 —1C **82**
(off Gibson St.)
Oakfield Rd. Moth —3G **143**
Oakfield Tower. Moth —4G **143**
Oakhill Av. Bail —2F **107**
Oak Lea. Ham —1B **154**
Oaklea Cres. Blan —1A **140**
Oakley Dri. G44 —4D **118**
Oakley Ter. G31 —4B **84**
Oak Pk. B'rig —6D **48**
Oak Pk. Moth —5F **143**
Oak Pl. Coat —6E **91**
Oak Pl. E Kil —5D **148**
Oak Pl. Udd —6G **109**
Oak Rd. Clyd —2B **42**
Oak Rd. Cumb —1E **37**
Oak Rd. Pais —4C **98**
Oakshaw Brae. Pais —6H **77**
Oakshaw La. W. Pais —6H **77**
Oakshaw St. E. Pais —6H **77**
Oakside Pl. Ham —4H **153**
Oaks, The. G44 —4D **118**
Oaks, The. John —3E **95**
Oakwood Dri. Newt M —5F **133**
Oakwood View. Moth —2B **128**
Oates Gdns. Moth —5B **144**
Oatfield St. G21 —5D **64**
Oban Ct. G20 —5C **62**
Oban Dri. G20 —5C **62**
Oban La. G20 —5C **62**
Observatory La. G12 —6B **62**
Observatory Rd. G12 —6A **62**
Ochil Dri. Barr —6E **115**
Ochil Dri. Pais —5H **97**
Ochil Pl. G32 —1A **106**
Ochil Rd. Bear —6B **24**
Ochil Rd. B'rig —6E **49**
Ochil Rd. Renf —2D **78**
Ochil St. G32 —1A **106**
Ochil St. Wis —5F **145**
Ochiltree Av. G13 —2F **61**
Ochiltree Dri. Ham —2C **152**
Ochil View. Udd —5E **109**
Odence Ct. E Kil —5G **149**
Ogilvie St. Air —3E **93**
(off Katherine St.)
Ogilvie Pl. G31 —1F **105**
Ogilvie St. G31 —1F **105**
Old Aisle Rd. Kirk —6F **31**
Old Avon Rd. Ham —1C **154**
Old Bore Rd. Air —3E **93**
Old Bothwell Rd. Both —6F **125**
Old Bridgend. Carl —4F **165**
Old Bridge of Weir Rd. Hous
—1A **74**
Old Castle Rd. G44 —3F **119**
Old Castle St. Carl —1E **119**
Old Church Gdns. Barg —6E **89**
Old Coach Rd. E Kil —5E **137**
Old Dalmarnock Rd. G40 —1B **104**
Old Dalnottar Rd. Old K —2F **41**
Old Dumbarton Rd. G3 —2A **82**
Old Edinburgh Rd. Udd —4B **108**
Old Ferry Rd. Ersk —3D **40**
Old Gartloch Rd. G'csh —5C **68**
Old Glasgow Rd. Cumb —1H **35**
Old Glasgow Rd. Udd —6B **108**
(in two parts)
Old Govan Rd. Renf —6H **59**
Old Greenock Rd. B'ton & Ersk
—2A **38**
Old Greenock Rd. Inch —1F **57**
Oldhall Rd. Pais —6E **79**
Old Humbie Rd. Newt M —6E **133**
Old Inns Interchange. Cumb
—6C **14**
Old Inns Roundabout. Cumb
—5B **14**
Old Lanark Rd. Carl —4F **165**
(in two parts)
Old Manse Rd. G32 —1D **106**
Old Manse Rd. Wis —5F **157**
Old Mill Pk. Ind. Est. Kirk —4C **30**
Old Mill Rd. Both —6E **125**

Old Mill Rd. Clyd —1C **42**
Old Mill Rd. E Kil —1H **149**
Old Mill Rd. Udd —2D **124**
(in two parts)
Old Mill View. Croy —1B **34**
Old Monkland Rd. Coat —2H **109**
Old Moor Rd. Bail —2F **107**
Old Playfield Rd. Crmck —1H **135**
Old Quarry Rd. Cumb —2H **53**
Old Renfrew Rd. G51 —1A **80**
Old Rd. Eld —2H **95**
Old Rutherglen Rd. G5 —6G **83**
Old Schoolhouse La. Hous —1B **74**
Old Shettleston Rd. G32 —6H **85**
Old Sneddon St. Pais —6A **78**
Old Stable Row. Coat —4D **90**
Old St. Clyd —1B **42**
Old Union St. Air —4B **92**
Old Vic Ct. E Kil —5B **138**
(off Bosworth Rd.)
Old Wishaw Rd. Carl —2E **165**
Old Wishaw Rd. Law —5F **159**
Old Wood Rd. Bail —2G **107**
Old Wynd. G1 —5G **83**
Olifard Av. Both —4F **125**
Oliphant Ct. Pais —5D **96**
Oliphant Cres. Clar —4C **134**
Oliphant Cres. Pais —5D **96**
Oliphant Oval. Pais —5C **96**
Olive Bank. Udd —4G **109**
Olive Ct. Moth —2B **128**
(off Elm Rd.)
Olive St. G33 —5F **65**
Olympia. E Kil —2H **149**
Olympia Arc. E Kil —3H **149**
(off Olympia Ct.)
Olympia Ct. E Kil —2H **149**
Olympia St. G40 —6B **84**
Olympia, The. E Kil —3H **149**
(off Olympia Ct.)
Omoa Rd. Cle —6G **129**
O'Neill Av. B'rig —1D **64**
Onslow. E Kil —4E **149**
Onslow Dri. G31 —4C **84**
Onslow Rd. Clyd —5E **43**
Onslow Sq. G31 —4C **84**
Ontario Pk. E Kil —2D **148**
Ontario Pl. E Kil —2D **148**
Onyx St. Bell —3C **126**
Oran Gdns. G20 —4C **62**
Oran Ga. G20 —4C **62**
Oran Pl. G20 —5C **62**
Oran St. G20 —4C **62**
Orbiston Ct. Moth —4A **144**
Orbiston Dri. Bell —4G **126**
Orbiston Dri. Clyd —6F **23**
Orbiston Gdns. G32 —6A **86**
Orbiston Pl. Clyd —6F **23**
Orbiston Rd. Bell —5D **126**
(Community Rd.)
Orbiston Rd. Bell —3B **126**
(Hamilton Rd.)
Orbiston Sq. Bell —4B **126**
Orbiston St. Moth —3H **143**
Orb Ter. Neil —3C **130**
Orcades Dri. G44 —3F **119**
Orchard Av. Both —6F **125**
Orchard Brae. Kirk —3E **51**
Orchard Ct. G32 —5B **106**
Orchard Ct. T'bnk —4G **117**
Orchard Dri. Blan —1A **140**
Orchard Dri. Giff —4H **117**
Orchard Dri. Ruth —6B **104**
Orchard Field. Lenz —3E **51**
Orchard Ga. Lark —3E **161**
Orchard Grn. E Kil —5B **138**
Orchard Gro. Coat —5D **90**
Orchard Gro. Giff —3H **117**
Orchard Pk. Giff —4A **118**
Orchard Pk. Av. T'bnk —3G **117**
Orchard Pk. Trad. Est. Giff —5A **118**
Orchard Pl. Bell —4B **126**
Orchard Pl. Ham —6H **141**
Orchard Pl. Kirk —6G **31**
Orchard St. Bail —2F **107**
Orchard St. Carl —4F **165**
Orchard St. Ham —4A **142**
Orchard St. Moth —2F **143**
Orchard St. Pais —1A **98**
Orchard St. Renf —5F **59**
Orchard St. Wis —5H **157**
Orchardton Rd. Cumb —2H **53**
(Mollinsburn)
Orchardton Rd. Cumb —1G **53**
(Westfield Ind. Area)
Orchardton Woods Ind. Pk. Cumb
—5G **33**
Orchy Av. Clar —6D **118**
Orchy Ct. Clyd —2E **43**
Orchy Cres. Air —6C **92**
Orchy Cres. Bear —5D **44**
Orchy Cres. Pais —4D **96**
Orchy Dri. Clar —6D **118**
Orchy Gdns. Clar —6D **118**
Orchy St. G44 —1E **119**
Orchy Ter. E Kil —2B **150**
Orefield Pl. E Kil —6G **137**
Oregon Pl. G5 —1G **103**
Orion Pl. Bell —2G **127**
Orion Way. Camb —1A **122**
Orion Way. Carl —3D **164**

Orkney Pl. *G51* —4H **81**
Orkney Quad. *Wis* —5B **146**
Orkney St. *G51* —4H **81**
Orlando. *E Kil* —4C **138**
Orleans Av. *G14* —6E **61**
Orleans La. *G14* —6E **61**
(off Victoria Pk. Dri. N.)
Orlington Ct. *Coat* —3B **90**
Ormiston Av. *G14* —5C **60**
Ormiston Dri. *Ham* —3G **153**
Ormiston La. *G14* —5C **60**
(off Earlbank Av.)
Ormiston La. N. *G14* —5C **60**
(off Norse La. N.)
Ormonde Av. *G44* —4D **118**
Ormonde Ct. *G44* —4D **118**
Ormonde Cres. *G44* —4D **118**
Ormonde Dri. *G44* —4D **118**
Ornsay St. *G22* —2H **63**
Oronsay Ct. *Old K* —1G **41**
Oronsay Cres. *Bear* —4H **45**
Oronsay Cres. *Old K* —1G **41**
Oronsay Gdns. *Old K* —1G **41**
Oronsay Pl. *Old K* —1G **41**
Oronsay Sq. *Old K* —1G **41**
Orr Sq. *Pais* —6A **78**
Orr St. *G40* —6B **84**
(in two parts)
Orr St. *Pais* —2A **98**
(Neilston Rd.)
Orr St. *Pais* —6A **78**
(Oakshaw St.)
Orton St. *G51* —5G **81**
Osborne Cres. *T'hall* —6F **135**
Osborne St. *G1* —5G **83**
Osborne St. *Clyd* —4C **42**
Osprey Dri. *Udd* —6E **109**
Ossian Av. *Pais* —6H **79**
Ossian Rd. *G43* —1C **118**
Oswald St. *G1* —5F **83** (6C **4**)
Oswald Wlk. *Miln* —5A **26**
Otago La. *G12* —1C **82**
Otago La. N. *G12* —1C **82**
(off Otago St.)
Otago Pk. *E Kil* —2C **148**
Otago St. *G12* —1C **82**
Othello. *E Kil* —4B **138**
Ottawa Cres. *Clyd* —3H **41**
Otterburn Dri. *Giff* —6A **118**
Otterswick Pl. *G33* —1C **86**
Oudenarde Ct. *Carl* —4H **165**
Oval, The. *Clar* —6D **118**
Oval, The. *Glenb* —3G **69**
Overbrae Pl. *G15* —2H **43**
Overburn Av. *Dumb* —3F **17**
Overburn Cres. *Dumb* —2F **17**
Overburn Ter. *Dumb* —2G **17**
Overcroy Rd. *Kils* —1B **34**
Overdale Av. *G42* —5D **102**
Overdale Gdns. *G42* —5D **102**
Overdale Pl. *Wis* —5A **158**
Overdale St. *G42* —5D **102**
Overjohnstone Dri. *Wis* —5D **144**
Overlea Av. *Ruth* —1F **121**
Overlee Rd. *Clar* —2D **134**
Overnewton Pl. *G3* —3B **82**
Overnewton Sq. *G3* —2B **82**
Overnewton St. *G3* —2B **82**
Overton Cres. *John* —2H **95**
Overton Rd. *Camb* —3D **122**
Overton Rd. *John* —3G **95**
Overton St. *Camb* —3D **122**
Overtoun Av. *Dumb* —4H **17**
Overtoun Dri. *Clyd* —3B **42**
Overtoun Dri. *Ruth* —6C **104**
Overtoun Rd. *Clyd* —3A **42**
Overtown Av. *G53* —1A **116**
Overtown Ct. *Clyd* —4A **42**
Overtown St. *G40* —6C **84**
Overtown Rd. *Water!* —4B **158**
Overwood Dri. *G44* —1G **119**
Overwood Dri. *Dumb* —3H **17**
Overwood Gro. *Dumb* —3H **17**
Owen Av. *E Kil* —4E **149**
Owendale Av. *Bell* —6D **110**
Owen Pl. *E Kil* —4F **149**
Owen St. *Moth* —1G **143**
O'Wood Av. *Moth* —1B **128**
Oxford Dri. *Lin* —5H **75**
Oxford La. *G5* —6F **83**
Oxford Rd. *Renf* —6E **59**
Oxford St. *G5* —5F **83**
Oxford St. *Coat* —5B **90**
Oxford St. *Kirk* —5C **30**
Oxgang Pl. *Kirk* —6E **31**
Oxhill Pl. *Dumb* —4D **16**
Oxhill Rd. *Dumb* —3D **16**
Oxton Dri. *G52* —6B **80**

Paddock St. *Coat* —1F **111**
Paddock, The. *Clar* —4E **135**
Paidmyre Cres. *Newt M* —6D **132**
Paidmyre Rd. *Newt M* —6C **132**
PAISLEY CANAL STATION. *Pais* —2A **98**
Paisley Cen., The. *Pais* —1A **98**
PAISLEY GILMOUR ST. STATION. *Pais* —6A **78**
Paisley Rd. *G51* —5D **82**
Paisley Rd. *Barr* —2D **114**

Paisley Rd. *Renf* —3C **78**
Paisley Rd. W. *G51* —6G **81**
Paisley Rd. W. *G52 & G5* —1H **99**
PAISLEY ST JAMES STATION. *Pais* —5G **77**
Palacecraig St. *Coat* —2C **110**
Paladin Av. *G13* —1B **60**
Paldmyre Gdns. *Newt M* —6D **132**
Palermo St. *G21* —5A **64**
Palladium Pl. *White* —6D **60**
Palmer Av. *G1* —4G **83** (6F **5**)
Palmer Av. *G13* —6D **44**
Palmerston. *E Kil* —4C **148**
Palmerston Pl. *G3* —3B **82**
Palmerston Pl. *John* —5C **94**
Palm Pl. *Udd* —4F **109**
Pandora Way. *Udd* —6E **109**
Pankhurst Pl. *E Kil* —1H **149**
Panmure St. *G20* —5E **63**
Parkandarroch Cres. *Carl* —4G **165**
Park Av. *G3* —1D **82**
Park Av. *Barr* —6D **114**
Park Av. *B'rig* —4C **48**
Park Av. *Carl* —2F **165**
Park Av. *Dumb* —4H **17**
Park Av. *Eld* —3A **96**
Park Av. *Kils* —1D **32**
Park Av. *Kirk* —5C **30**
Park Av. *Miln* —4G **25**
Park Av. *Moth* —2A **128**
Park Av. *Pais* —4G **97**
Park Bank. *Ersk* —6F **41**
Park Brae. *Ersk* —1G **57**
Parkburn Av. *Kirk* —1C **50**
Park Burn Ind. Est. *Ham* —3D **140**
Parkburn Rd. *Kils* —2H **11**
Park Cir. *G3* —2C **82**
Park Cir. *Carl* —2F **165**
Park Cir. La. *G3* —2C **82**
Park Cir. Pl. *G3* —2D **82**
Park Ct. *B'rig* —4D **48**
Park Ct. *Clyd* —3A **42**
Park Ct. *Giff* —4H **117**
Park Cres. *Air* —3G **91**
Park Cres. *Bear* —2B **44**
Park Cres. *B'rig* —5C **48**
Park Cres. *Blan* —3A **140**
Park Cres. *Dumb* —2F **17**
Park Cres. *Inch* —2G **57**
Park Cres. *Torr* —4E **29**
Park Dri. *G3* —1C **82**
Park Dri. *Ersk* —1G **57**
Park Dri. *Ham* —2E **155**
Park Dri. *Newm* —4E **147**
Park Dri. *Ruth* —6C **104**
Park Dri. *T'hall* —6G **135**
Parker Pl. *Kils* —3H **11**
Parker Pl. *Lark* —2F **161**
Parkfield. *E Kil* —6G **149**
Parkfoot St. *Kils* —2H **11**
Park Gdns. *G3* —2C **82**
Park Gdns. *Kilb* —1B **94**
Park Gdns. La. *G3* —2C **82**
(off Clifton St.)
Park Ga. *G3* —2C **82**
Park Ga. *Ersk* —1F **57**
Park Ga. Pl. *Bell* —2B **126**
Park Glade. *Ersk* —1F **57**
Park Grn. *Ersk* —1F **57**
Park Gro. *Ersk* —1G **57**
Parkgrove Av. *Giff* —3B **118**
Parkgrove Ter. *G3* —2C **82**
Parkgrove Ter. La. *G3* —2C **82**
(off Derby St.)
Parkhall Rd. *Clyd* —3B **42**
Parkhall St. *E Kil* —1H **149**
Parkhall Ter. *Clyd* —2B **42**
Parkhead Cross. *G31* —6F **85**
Parkhead La. *Air* —3A **92**
Parkhead St. *Air* —3A **92**
Parkhead St. *Moth* —4H **143**
Park Hill. *Ersk* —6F **41**
Parkhill Dri. *Ruth* —6C **104**
Parkhill Rd. *G43* —5B **102**
Parkholm La. *G51* —5D **82**
Park Ho. *Ham* —4H **141**
Parkhouse Path. *G53* —3B **116**
Parkhouse Rd. *Barr & G53* —3H **115**
Parkinch. *Ersk* —1G **57**
Parklands Rd. *G44* —4D **118**
Park La. *G40* —6B **84**
Park La. *Blan* —1B **140**
Park La. *Carl* —4E **165**
Park La. *Kils* —3H **11**
Parklea. *B'rig* —4A **48**
Parklee Dri. *Crmck* —2A **136**
Parkneuk Rd. *G43* —3H **117**
Parkneuk Rd. *Blan* —1G **151**
Parkneuk St. *Moth* —1F **143**
Parknook Way. *Lark* —1F **161**
(off Muirshot Rd.)
Park Pl. *Bell* —4A **126**
Park Pl. *Coat* —1F **111**
Park Pl. *John* —3F **95**
Park Pl. *T'hall* —6G **135**
Park Quad. *G3* —2C **82**
Park Quad. *Wis* —2E **157**
Park Ridge. *Ersk* —1F **57**

Park Rd. *G2* —1C **82**
Park Rd. *Bail* —6D **88**
Park Rd. *Bell* —3C **126**
Park Rd. *B'rig* —5C **48**
Park Rd. *Bri W* —2F **73**
Park Rd. *C'bnk* —3B **112**
Park Rd. *Carf* —4A **128**
Park Rd. *Carm* —5C **106**
Park Rd. *Chry* —1A **68**
Park Rd. *Clyd* —4B **42**
Park Rd. *Giff* —5A **118**
Park Rd. *Ham* —6H **141**
Park Rd. *Inch* —2H **57**
Park Rd. *John* —3F **95**
Park Rd. *Mill P* —4C **94**
Park Rd. *Miln* —4G **25**
Park Rd. *Pais* —5H **97**
Parksail. *Ersk* —2G **57**
Parksail Dri. *Ersk* —1G **57**
Parkside Rd. *Moth* —3D **142**
Park St. *Air* —3G **91**
Park St. *Carl* —4F **165**
Park St. *Cle* —4H **129**
Park St. *Coat* —3D **90**
Park St. *Dumb* —4G **17**
Park St. *Kirk* —6H **31**
Park St. *Moth* —2G **143**
Park St. *New S* —4A **128**
Park St. S. *G3* —2C **82**
Parks View. *Ham* —5H **153**
Park Ter. *G3* —2C **82**
Park Ter. *E Kil* —2G **149**
Park Ter. La. *G3* —2C **82**
Park Ter. La. E. *G3* —2D **82**
Park Top. *Ersk* —6G **41**
Parkvale Cres. *Ersk* —1H **57**
Parkvale Dri. *Ersk* —1H **57**
Parkvale Gdns. *Ersk* —1H **57**
Parkvale Pl. *Ersk* —1H **57**
Parkvale Way. *Ersk* —1H **57**
Park View. *Kilb* —1A **94**
Park View. *Lark* —3F **161**
Park View. *Pais* —3H **97**
Parkview Av. *Kirk* —6D **30**
Parkview Ct. *Kirk* —6D **30**
Parkview Cres. *Newm* —5E **147**
Parkview Dri. *Coat* —4A **90**
Parkview Dri. *Step* —3E **67**
Parkville Dri. *Blan* —3C **140**
(in two parts)
Parkville Rd. *Bell* —6E **111**
Parkway. *G32* —5C **106**
Park Way. *Cumb* —1B **36**
Parkway Ct. *Coat* —5A **90**
Parkway Pl. *Coat* —6A **90**
Park Winding. *Ersk* —1G **57**
Park Wood. *Ersk* —6G **41**
Parnell St. *Air* —6H **91**
Parnie St. *G1* —5G **83**
Parrish Dri. *Kils* —3G **7**
Parry Ter. *E Kil* —2D **148**
Parsonage Row. *G1* —4H **83** (6H **5**)
Parsonage Sq. *G1* —4H **83** (6H **5**)
Parson St. *G4* —3A **84**
Partick Bri. St. *G11* —2A **82**
Partickhill Av. *G11* —6H **61**
Partickhill Ct. *G11* —6H **61**
Partickhill Rd. *G11* —6H **61**
PARTICK STATION. *G11* —1H **81**
Partick St. *Coat* —6E **91**
Patchy Pk. *Lark* —5E **161**
Paterson Pl. *Bear* —5C **24**
Paterson St. *G5* —6E **83**
(in three parts)
Paterson St. *Moth* —2G **143**
Paterson Ter. *E Kil* —4F **149**
Pather St. *Wis* —1H **157**
Pathhead Gdns. *G33* —3H **65**
Pathhead Rd. *Crmck* —2H **135**
Patna Ct. *Ham* —2C **152**
Patna St. *G40* —2D **104**
Paton St. *G31* —4D **84**
Patrick St. *Pais* —2B **98**
Patterson Dri. *Law* —5E **159**
Patterton Dri. *Barr* —6F **115**
PATTERTON STATION. *Newt M* —1D **132**
Pattison St. *Clyd* —4A **42**
Payne St. *G4* —1G **83**
Peace Av. *Bri W* —1B **72**
Peacock Av. *Pais* —3D **96**
Peacock Cross. *Ham* —5G **141**
Peacock Cross Ind. Est. *Ham* —5G **141**
Peacock Dri. *Ham* —5G **141**
Peacock Dri. *Pais* —3D **96**
Peacock Loan. *Carl* —2F **165**
(off Carranbute Rd.)
Peacock M. *Miln* —4G **25**
Pearce La. *G51* —3G **81**
Pearl St. *Bell* —4D **126**
Pearson Dri. *Renf* —1F **79**
Pearson Pl. *Lin* —6H **75**
Peathill Av. *Chry* —6H **51**
Peathill St. *G21* —6G **63**
Peat Pl. *G53* —2A **116**
Peat Rd. *G53* —2A **116**
Peat Rd. *Bri W* —4G **73**
Pedmyre La. *Crmck* —2G **135**
Peebles Dri. *Ruth* —6F **105**
Peebles Path. *Coat* —2F **111**

Peel Brae. *Kirk* —4C **30**
Peel Ct. *Camb* —1A **122**
Peel Glen Rd. *G15* —3A **44**
Peel La. *G11* —1G **81**
Peel Pk. Ind. Est. *E Kil* —1A **148**
Peel Pk. Pl. *E Kil* —2B **148**
Peel Pl. *Both* —4E **125**
Peel Pl. *Coat* —6H **89**
Peel Rd. *T'hall* —6F **135**
Peel St. *G11* —1H **81**
Peel View. *Clyd* —4F **43**
Pegasus Av. *Carl* —3E **165**
Pegasus Rd. *Bell* —2G **127**
Pembroke. *E Kil* —5D **138**
Pembroke St. *G3* —3D **82**
Pencaitland Dri. *G32* —2A **106**
Pencaitland Gdns. *G32* —3A **106**
Pencaitland Pl. *G23* —6C **46**
Pendeen Cres. *G33* —6E **87**
Pendeen Pl. *G33* —5F **87**
Pendeen Rd. *G33* —6E **87**
Pendicle Cres. *Bear* —4D **44**
Pendicle Rd. *Bear* —4D **44**
Penfold Cres. *E Kil* —3F **149**
Penicuik St. *G32* —5H **85**
Penilee Rd. *H'ton I & Pais* —3F **79**
Penilee Ter. *G52* —4G **79**
Peninver Dri. *G51* —3E **81**
Penman Av. *Ruth* —5B **104**
Pennan. *Ersk* —5E **41**
Pennan Pl. *G14* —4A **60**
Penneld Rd. *G52* —6H **79**
Penniecroft Av. *Dumb* —2H **17**
Pennyroyal Ct. *E Kil* —5F **137**
Penrith Av. *Giff* —4A **118**
Penrith Dri. *G12* —3G **61**
Penrith Pl. *E Kil* —5B **148**
Penryn Gdns. *G32* —2D **106**
Penston Rd. *G33* —3D **86**
Pentland Av. *Lin* —6G **75**
Pentland Ct. *Air* —1B **92**
Pentland Ct. *Barr* —6D **114**
Pentland Ct. *Coat* —2E **111**
Pentland Cres. *Pais* —5H **97**
Pentland Dri. *Barr* —6D **114**
Pentland Dri. *B'rig* —5F **49**
Pentland Dri. *Renf* —3D **78**
Pentland Pl. *Bear* —6B **24**
Pentland Rd. *G43* —2A **118**
Pentland Rd. *Chry* —1B **68**
Pentland Rd. *Wis* —5E **145**
Penzance Way. *Chry* —4C **52**
Peockland Gdns. *John* —2G **95**
Peockland Pl. *John* —2G **95**
Peploe Dri. *E Kil* —4D **138**
Percy Dri. *Giff* —6A **118**
Percy Rd. *Renf* —3C **78**
Percy St. *G51* —6B **82**
Percy St. *Lark* —1E **161**
Perran Gdns. *Chry* —5C **52**
Perray Av. *Dumb* —2B **16**
Perrays Dri. *Dumb* —3A **16**
Perth Av. *Air* —1A **112**
Perth Cres. *Clyd* —2H **41**
Perth St. *G3* —4D **82**
Peter Coats Building. *Pais* —2A **98**
Petersburn Pl. *Air* —5D **92**
Petersburn Rd. *Air* —6C **92**
Petershill Ct. *G21* —6D **64**
Petershill Dri. *G21* —5D **64**
Petershill Pl. *G21* —5D **64**
Petershill Rd. *G21* —6B **64**
Peterson Dri. *G13* —1G **59**
Peterson Gdns. *G13* —1G **59**
Petition Pl. *Udd* —2E **125**
Pettigrew St. *G32* —6A **86**
Peveril Av. *G41* —4B **102**
Peveril Av. *Ruth* —2E **121**
Peveril Ct. *Ruth* —3E **121**
Pharonhill St. *G31* —6F **85**
Philip Murray Rd. *Bell* —1H **125**
Philipshill Ga. *Clar* —6A **136**
Philipshill Rd. *Clar* —6A **136**
Phipp La. *Dumb* —1D **18**
Phoenix Cres. *Stra B* —5A **110**
Phoenix Ind. Est. *Pais* —3H **77**
Phoenix Pl. *Eld* —2B **96**
Phoenix Pl. *Moth* —4A **128**
Phoenix Retail Pk., The. *Lin* —6C **76**
Phoenix Rd. *Bell* —2G **127**
Piazza Shopping Cen. *Pais* —6B **78**
Picadilly St. *G3* —4D **82**
Pickerston Hill. *Moth* —3E **129**
Picketlaw Dri. *Crmck* —2H **135**
Picketlaw Farm Rd. *Clar* —2G **135**
Piershill St. *G32* —4H **85**
Pikeman Rd. *G13* —3C **60**
Pilmuir Av. *G44* —3D **118**
Pilrig St. *G32* —4G **85**
Pilton Rd. *G15* —3A **44**
Pine Clo. *Cumb* —1E **37**
Pine Ct. *Coat* —1A **110**
(off Ailsa Rd.)
Pine Ct. *Cumb* —1E **37**
Pine Ct. *E Kil* —6D **148**
Pine Cres. *Cumb* —1E **37**
Pine Cres. *E Kil* —6D **148**
Pine Cres. *John* —4G **95**
Pine Gro. *C'bnk* —3B **112**
Pine Gro. *Cumb* —1E **37**

Pine Gro. *Moth* —2B **128**
Pine Gro. *Udd* —5F **109**
Pinelands. *B'rig* —3C **48**
Pine Lawn. *Wis* —4B **146**
Pine Pk. *Ham* —2A **154**
Pine Pl. *G5* —1G **103**
Pine Pl. *Cumb* —1E **37**
Pine Rd. *Clyd* —3H **41**
Pine Rd. *Cumb* —6E **15**
Pine Rd. *Dumb* —3F **17**
Pines, The. *G44* —3F **119**
Pine St. *Air* —4D **92**
Pine St. *Len* —3G **7**
Pine St. *Pais* —3C **98**
Pinewood Av. *Kirk* —2A **50**
Pinewood Ct. *Dumb* —2H **17**
Pinewood Ct. *Kirk* —2A **50**
Pinewood Pl. *Kirk* —2A **50**
Pinewood Sq. *G15* —4B **44**
Pinkerton Av. *Ruth* —5A **104**
Pinkston Dri. *G21* —1H **83** (1H **5**)
Pinkston Rd. *G21 & G4* —6H **63** (1H **5**)
Pinmore Pl. *G53* —2H **115**
Pinmore St. *G53* —2H **115**
Pinwherry Dri. *G33* —3H **65**
Pinwherry Pl. *Both* —4E **125**
Piper Av. *Hous* —3C **74**
Piper Rd. *Air* —6C **92**
Piper Rd. *Hous* —3C **74**
Pirnie Pl. *Kils* —3H **11**
Pirnmill Av. *Moth* —2D **142**
Pitcairn Cres. *E Kil* —3B **148**
Pitcairn Gro. *E Kil* —3C **148**
Pitcairn Pl. *E Kil* —3B **148**
Pitcairn St. *G31* —1F **105**
Pitcairn Ter. *Ham* —5E **141**
Pitcaple Dri. *G43* —1H **117**
Pitlochry Dri. *G52* —1B **100**
Pitlochry Dri. *Lark* —4G **161**
Pitmedden Rd. *B'rig* —5F **49**
Pitmilly Rd. *G15* —3C **44**
Pitreavie Ct. *Ham* —3F **153**
Pitreavie Pl. *G33* —2C **86**
Pit Rd. *Bell I* —1B **126**
Pit Rd. *Kirk* —6A **32**
Pitt St. *G2* —4E **83** (5B **4**)
Pladda Rd. *Renf* —2F **79**
Pladda St. *Moth* —2D **142**
Plaintrees Ct. *Pais* —4A **98**
Plane Pl. *Udd* —4G **109**
Planetree Pl. *John* —4G **95**
Planetree Rd. *Clyd* —2C **42**
Plantation Av. *Moth* —1B **128**
Plantation Pk. Gdns. *G51* —6B **82**
Plantation Sq. *G51* —6C **82**
Plant St. *G31* —5E **85**
Platthorn Dri. *E Kil* —2H **149**
Platthorn Rd. *E Kil* —2H **149**
Playfair St. *G40* —2C **104**
Plaza, The. *E Kil* —2G **149**
Pleaknowe Cres. *Chry* —5C **52**
Pleamuir Pl. *Cumb* —4E **35**
Plean St. *G14* —4A **60**
Pleasance La. *G43* —6A **102**
Pleasance St. *G43* —6A **102**
Plotcock Rd. *Ham* —5A **160**
Plover Dri. *E Kil* —6C **148**
Plover Pl. *John* —6C **94**
Plusgarten Loan. *Newm* —2D **146**
Poet's View. *Kirk* —6F **31**
Poindfauld Ter. *Dumb* —3G **17**
Pointhouse Rd. *G3* —4A **82**
Pollock Gdns. *B'rig* —5A **48**
Pollock Rd. *Bear* —4G **45**
Pollock St. *Bell* —2E **127**
Pollokshields Sq. *G41* —3C **102**
Pollock St. *Moth* —2G **143**
Pollok Av. *G43* —5H **101**
Pollok La. *E Kil* —6B **138**
Pollok Pl. *E Kil* —6B **138**
POLLOKSHAWS EAST STATION. *G43* —6H **101**
Pollokshaws Rd. *G41* —4C **102**
Pollokshaws Rd. *G43* —6H **101**
POLLOKSHAWS WEST STATION. *G43* —6H **101**
POLLOKSHIELDS EAST STATION. *G41* —2E **103**
POLLOKSHIELDS WEST STATION. *G41* —3D **103**
Pollok Township Cen. *G53* —6C **101**
Polmadie Av. *G5* —3H **103**
Polmadie Ind. Est. *G5* —3A **104**
Polmadie Rd. *G42* —4G **103**
Polmadie St. *G42* —4G **103**
Polnoon Av. *G13* —3A **60**
Polson Dri. *John* —3E **95**
Polsons Cres. *Pais* —3A **98**
Polwarth La. *G12* —6H **61**
Polwarth St. *G12* —6H **61**
Pomona La. *Ham* —1D **152**
Poplar Av. *G11* —5H **61**
Poplar Av. *B'ton* —5H **39**
Poplar Av. *John* —4G **95**
Poplar Av. *Newt M* —6D **132**
Poplar Cres. *Coat* —1A **110**
Poplar Cres. *B'ton* —5H **39**
Poplar Dri. *Clyd* —2B **42**

Poplar Dri. *Kirk* —2A **50**
Poplar Dri. *Milt C* —6C **8**
Poplar Gdns. *E Kil* —6E **149**
Poplar Pl. *Blan* —6A **124**
Poplar Pl. *Moth* —3B **128**
Poplar Pl. *Udd* —5H **109**
Poplar Rd. *Dumb* —3F **17**
Poplars, The. *Bear* —5D **24**
Poplar St. *Air* —4D **92**
Poplin St. *G40* —2B **104**
Porchester St. *G33* —1D **86**
Port Dundas Ind. Est. *G4* —1G **83**
Port Dundas Pl. *G2* —3G **83** (3E **5**)
Port Dundas Rd. *G4* —2F **83** (1D **4**)
Porterfield Rd. *Renf* —6C **58**
Porters La. *Chap* —3D **112**
Porter St. *G51* —6A **82**
Porters Well. *Udd* —2C **124**
Portessie. *Ersk* —5E **41**
Portland Pk. *Ham* —1A **154**
Portland Pl. *Ham* —1A **154**
Portland Rd. *Cumb* —6H **13**
Portland Sq. *Ham* —1A **154**
Portland St. *Coat* —3D **90**
*Portland Wynd. Lark —1F **161***
  (off Muirshot Rd.)
Portlethen. *Ersk* —5E **41**
Portman St. *G41* —6C **82**
Portmarnock Dri. *G23* —1C **62**
Porton Pl. *B'ton* —4G **39**
Portpatrick Rd. *Old K* —6D **20**
Portreath Rd. *Chry* —4D **52**
Portsoy. *Ersk* —5E **41**
Portsoy Av. *G13* —1H **59**
Portsoy Pl. *G13* —1G **59**
Port St. *G3* —4D **82**
Portugal St. *G5* —6F **83**
Portwell. *Ham* —5A **142**
POSSILPARK & PARKHOUSE
  STATION. *G22* —3F **63**
Possil Pk. Trading Cen. *G22*
  —4G **63**
Possil Rd. *G4* —1F **83**
Postgate. *Ham* —5A **142**
Potassels Rd. *Muirh* —2A **68**
Potrail Pl. *Ham* —6E **141**
Potter Clo. *G32* —2G **105**
Potter Gro. *G32* —2G **105**
Potterhill Av. *Pais* —5A **98**
Potterhill Rd. *G53* —3A **100**
Potter Path. *G32* —2G **105**
Potter Pl. *G32* —2G **105**
Potter St. *G32* —2G **105**
Potts Way. *Moth* —6E **127**
Powbrone. *E Kil* —6G **149**
Powburn Cres. *Udd* —6B **108**
Powfoot St. *G31* —6E **85**
Powforth Clo. *Lark* —2C **160**
Powrie St. *G33* —6C **66**
Prentice La. *Udd* —5E **109**
Prentice Rd. *Moth* —4D **142**
Prestonfield. *Miln* —4E **25**
Preston Pl. *G42* —3F **103**
Prestwick Ct. *Cumb* —1H **35**
Prestwick Pl. *Newt M* —5G **133**
Prestwick St. *G53* —1A **116**
Priestfield Ind. Est. *Blan* —4B **140**
Priestfield St. *Blan* —3A **140**
Priesthill Av. *G53* —1C **116**
Priesthill Cres. *G53* —1C **116**
PRIESTHILL & DARNLEY STATION.
  G53 —2C **116**
Priesthill Rd. *G53* —1B **116**
Priestknowe Roundabout. *E Kil*
  —2H **149**
Prieston Rd. *Bri W* —4E **73**
Primrose Av. *Bell* —6C **110**
Primrose Av. *Lark* —6E **161**
Primrose Ct. *G14* —6D **60**
Primrose Cres. *Moth* —4G **143**
Primrose Pl. *Cumb* —6D **34**
Primrose Pl. *Udd* —5G **109**
Primrose St. *G14* —6C **60**
Primrose Way. *Carl* —5E **165**
Prince Albert Rd. *G12* —6H **61**
Prince Edward St. *G42* —3E **103**
Prince of Wales Gdns. *G20* —1A **62**
Prince Pl. *Wis* —3E **147**
*Prince's Gdns. G12 —6H **61***
Princes Ga. *Both* —3D **124**
Princes Ga. *Ruth* —5C **104**
Princes Mall. *E Kil* —2G **149**
Princes Pk. *B'ton* —3C **40**
*Prince's Pl. G12 —6A **62***
*Princess Anne Quad. Moth —2H **127***
  (off Sherry Av.)
Princess Cres. *Pais* —6D **78**
Princess Dri. *Bail* —6E **89**
*Princes Sq. E Kil —2G **149***
  (off Cornwall St.)
Princes Sq. Shopping Cen. G1
  —4G **83** (6E **5**)
  (off Buchanan Sq.)
Princess Rd. *Moth* —3H **127**
Princess Sq. *Barr* —4F **115**
Princess Sq. *E Kil* —2G **149**
Princess Sq. *Newm* —4D **146**
Princes St. *G14* —1G **143**
Princes St. *Ruth* —5C **104**

Prince's Ter. *G12* —6A **62**
Printers Land. *Clar* —3E **135**
Priory Av. *Pais* —4C **78**
Priory Dri. *Udd* —6B **108**
Priory Ga. *Over* —4H **157**
Priory Pl. *G13* —2D **60**
Priory Pl. *Cumb* —4A **34**
Priory Rd. *G13* —2D **60**
Priory St. *Blan* —1B **140**
Priory Ter. *Wis* —1C **156**
Procession Rd. *Pais* —1A **114**
Professors Sq. *G12* —1B **82**
Prosen St. *G32* —2G **105**
Prospect Av. *Camb* —1H **121**
Prospect Av. *Udd* —1C **124**
Prospect Ct. *Blan* —4B **140**
Prospect Dri. *Ashg* —5B **162**
Prospecthill Cir. *G42* —4H **103**
Prospecthill Cres. *G42* —5A **104**
Prospect Hill Dri. *G42* —5G **103**
Prospecthill Pl. *G42* —5A **104**
Prospecthill Rd. *G42* —5E **103**
Prospecthill Sq. *G42* —4H **103**
Prospect Rd. *G43* —5B **102**
Prospect Rd. *Dull* —5E **13**
Provanhall Cres. *Bail* —2H **107**
Provanhill St. *G21* —2B **84**
Provanmill Pl. *G33* —6F **65**
Provanmill Rd. *G33* —6F **65**
Provan Rd. *G33* —2E **85**
Provost Clo. *John* —2F **95**
Provost Ga. *Lark* —2E **161**
Purdie. *E Kil* —4D **138**
Purdie St. *Ham* —4E **141**
Purdon St. *G11* —1H **81**
Pyatshaw Rd. *Lark* —4F **161**

Quadrant Rd. *G43* —1C **118**
Quadrant Shopping Cen. *Coat*
  —4C **90**
Quadrant, The. *Clar* —1C **134**
Quarrelton Rd. *John* —3E **95**
Quarreton Gro. *John* —4F **95**
Quarry Av. *Camb* —4D **122**
Quarrybank. *Mill P* —3C **94**
Quarrybrae Av. *Clar* —2B **134**
Quarrybrae Gdns. *Udd* —1G **125**
Quarrybrae St. *G31* —6G **85**
Quarry Dri. *Kirk* —5F **31**
Quarry Knowe. *Dumb* —2D **16**
Quarry Knowe Pl. *Bell* —4B **126**
Quarryknowe St. *G31* —6G **85**
Quarryknowe St. *Clyd* —6F **23**
Quarry La. *Dumb* —4E **17**
Quarry La. *Len* —2F **7**
Quarry Pk. *E Kil* —3G **149**
Quarry Pl. *Camb* —1G **121**
Quarry Pl. *Dumb* —2D **16**
Quarry Pl. *Ham* —6A **142**
Quarry Pl. *Wis* —3H **147**
Quarry Rd. *Air* —2H **91**
Quarry Rd. *Barr* —3D **114**
Quarry Rd. *E Kil* —6F **149**
Quarry Rd. *Lark* —3E **161**
Quarry Rd. *Law* —3H **163**
Quarry Rd. *Pais* —4B **98**
Quarryside St. *Glenm* —5G **71**
Quarry St. *Coat* —5F **91**
Quarry St. *Ham* —6A **142**
Quarry St. *John* —2F **95**
Quarry St. *Lark* —4F **161**
Quarry St. *Moth* —3A **128**
Quarry St. *Wis* —6G **145**
Quarrywood Av. *G21* —5E **65**
Quarrywood Rd. *G21* —5E **65**
Quay Pend. *Dumb* —4E **17**
Quay Rd. *Ruth* —4C **104**
Quay Rd. N. *Ruth* —4C **104**
Quay St. *Dumb* —4F **17**
Quebec Dri. *E Kil* —3E **149**
Quebec Grn. *E Kil* —2E **149**
Quebec Wynd. *G32* —5C **106**
Queen Elizabeth Av. *H'ton I* —4G **79**
Queen Elizabeth Ct. *Moth* —2F **143**
Queen Elizabeth Sq. *G5* —1G **103**
Queen Margaret Dri. *G20* —5C **62**
  (off Fergus Dri.)
Queen Margaret Dri. *G12 & G20*
  —6B **62**
Queen Margaret Rd. *G20* —5C **62**
Queen Mary Av. *G42* —4E **103**
Queen Mary Av. *Clyd* —5F **43**
Queen Mary St. *G40* —1C **104**
Queen's Av. *Camb* —1B **122**
Queensbank Av. *G'csh* —2C **68**
Queensberry Av. *Bear* —6E **25**
Queensberry Av. *Clar* —2C **134**
Queensborough Gdns. *G12* —5G **61**
Queensby Av. *Bail* —6H **87**
Queensby Dri. *Bail* —5H **87**
Queensby Pl. *Bail* —5H **87**
Queensby Rd. *Bail* —5A **88**
Queen's Ct. *Miln* —5G **25**
Queen's Cres. *G4* —1D **82** (1A **4**)
Queen's Cres. *Bail* —6D **88**
Queen's Cres. *Bell* —3B **126**
Queen's Cres. *Carl* —3G **165**
Queen's Cres. *Chap* —2D **112**
Queens Cres. *Moth* —4H **127**

Queensdale Av. *Lark* —5F **161**
Queensdale Rd. *Lark* —5F **161**
Queens Dri. *B'ton* —4H **39**
Queens Dri. *Cumb* —5H **13**
Queens Dri. *Ham* —5H **153**
Queen's Dri. *G42* —3D **102**
Queen's Dri. La. *G42* —4E **103**
Queensferry St. *G5* —3A **104**
Queen's Gdns. *G12* —6A **62**
Queen's Ga. *Clar* —1C **134**
Queenside Cres. *Ersk* —6D **40**
Queensland Ct. *G52* —5C **80**
Queensland Dri. *G52* —5C **80**
Queensland Gdns. *G52* —5C **80**
Queensland La. E. *G52* —5C **80**
Queensland La. W. *G52* —5C **80**
Queenslie Ind. Est. *G33* —3D **86**
Queenslie St. *G33* —1F **85**
Queen's Pk. Av. *G42* —4F **103**
QUEEN'S PK. STATION. *G42*
  —3E **103**
Queens Pl. *G12* —6A **62**
Queen Sq. *G41* —3D **102**
Queen's Rd. *Eld* —3A **96**
Queen's St. *Moth* —5H **129**
Queen St. *G1* —4G **83** (6E **5**)
Queen St. *Ham* —4E **141**
Queen St. *Kirk* —5C **30**
Queen St. *Moth* —2G **143**
Queen St. *Newm* —3D **146**
Queen St. *Pais* —1G **97**
Queen St. *Renf* —6F **59**
Queen St. *Ruth* —5C **104**
QUEEN ST. STATION. *G1*
  —3G **83** (4E **5**)
Queens Way. *B'rig* —5D **28**
Queensway. *E Kil* —6B **136**
Queen Victoria Dri. *G14 & G13*
  —5C **60**
Queen Victoria Ga. *G13* —4C **60**
Queen Victoria St. *Air* —4H **91**
Queenzieburn Ind. Est. *Kils* —3D **10**
Quendale Dri. *G32* —2H **105**
Quentin St. *G41* —4C **102**
Quinton Gdns. *Bail* —6G **87**

Raasay Cres. *Air* —5E **93**
Raasay Dri. *Pais* —6H **97**
Raasay Gdns. *Newt M* —4B **132**
Raasay Pl. *G22* —1G **63**
Raasay St. *G22* —1G **63**
Racecourse View. *Ham* —4A **142**
Rachan St. *G34* —2B **88**
Radnor St. *G3* —2B **82**
Radnor St. *Clyd* —4C **42**
  (in two parts)
Raeberry St. *G20* —6D **62**
Raebog Cres. *Air* —1H **91**
Raebog Rd. *Glenm* —5G **71**
Raeburn Av. *E Kil* —5B **138**
Raeburn Cres. *Ham* —6C **140**
Raeburn Pl. *E Kil* —5B **138**
Raeburn Wlk. *Bell* —6D **110**
Raeside Av. *Newt M* —6D **132**
Raes Rd. *Carl* —5B **164**
Raeswood Dri. *G53* —5H **99**
Raeswood Gdns. *G53* —5H **99**
Raeswood Pl. *G53* —5H **99**
Raeswood Rd. *G53* —5H **99**
Raewell Cres. *Bell* —4B **126**
Rafford St. *G51* —4G **81**
Raglan St. *G4* —1E **83**
Railway Rd. *Air* —5F **91**
Raith Av. *G45* —3H **119**
Raithburn Av. *G45* —3G **119**
Raithburn Rd. *G45* —4G **119**
Raith Dri. *Bell* —3D **126**
Ralston Av. *Pais & G52* —2H **99**
Ralston Ct. *G52* —1H **99**
Ralston Dri. *G52* —1H **99**
Ralston Path. *G52* —1H **99**
Ralston Pl. *G52* —1H **99**
Ralston Rd. *Barr* —5E **115**
Ralston Rd. *Bear* —2E **45**
Ralston St. *Air* —4G **91**
Ramage Rd. *Carl* —5H **165**
Ramillies Ct. *Carl* —4G **165**
Rampart Av. *G13* —1A **60**
Ramsay Av. *John* —4E **95**
Ramsay Ct. *Newt M* —6E **133**
Ramsay Cres. *Mill P* —3B **94**
Ramsay Hill. *E Kil* —6A **138**
Ramsay Ind. Est. *Kirk* —4B **30**
Ramsay Pl. *Coat* —6G **89**
Ramsay Pl. *John* —4E **95**
Ramsay St. *Clyd* —4B **42**
Ramsey Wynd. *Bell* —6D **110**
Ram St. *G32* —6H **85**
Ranaldard Gdns. *Ruth* —4F **121**
Randolph Av. *Clar* —6E **119**
Randolph Dri. *Clar* —6D **118**
Randolph Gdns. *Clar* —6D **118**
Randolph La. *G11* —6F **61**
Randolph Rd. *G11* —5F **61**
Ranfurly Ct. *Bri W* —4F **73**
Ranfurly Pl. *Bri W* —4F **73**
Ranfurly Rd. *G52* —6H **79**
Ranfurly Rd. *Bri W* —5F **73**
Range Av. *Moth* —5A **144**
Range Pl. *Ham* —2A **154**

Rangerhouse Rd. *E Kil* —6H **149**
Range Rd. *Moth* —5B **144**
Range Rd. Ind. Est. *Moth* —5B **144**
Range St. *Moth* —5B **144**
Rankin Dri. *Newt M* —3C **132**
Rankine Av. *E Kil* —4A **150**
Rankine Pl. *John* —2F **95**
Rankine St. *John* —2F **95**
Rankin Rd. *Wis* —5C **146**
Rankin St. *Carl* —3F **165**
Rannoch Av. *B'rig* —6D **48**
Rannoch Av. *Coat* —2H **89**
Rannoch Av. *Ham* —2E **153**
Rannoch Av. *Newt M* —2D **132**
Rannoch Ct. *Blan* —4D **140**
Rannoch Ct. *Cumb* —1D **54**
Rannoch Ct. *Cumb* —1D **54**
Rannoch Dri. *Bear* —2H **45**
Rannoch Dri. *Cumb* —1D **54**
Rannoch Dri. *Kirk* —4H **31**
Rannoch Dri. *Renf* —5E **59**
Rannoch Dri. *Wis* —2H **157**
Rannoch Gdns. *B'rig* —6E **49**
Rannoch Grn. *E Kil* —6H **137**
Rannoch Pl. *Pais* —2C **98**
Rannoch Rd. *Air* —2D **91**
Rannoch Rd. *John* —4E **95**
Rannoch Rd. *Udd* —4C **108**
Rannoch St. *G44* —1E **119**
Rannoch Ter. *Lark* —4G **161**
Rannoch La. *Chry* —5E **53**
Ranson Way. *B'rig* —6E **49**
Raploch Av. *G14* —5B **60**
Raploch Cres. *Clyd* —6F **23**
Raploch La. *G14* —5B **60**
Raploch Rd. *Lark* —2D **160**
Raploch St. *Lark* —2D **160**
Rashieburn. *Ersk* —5E **41**
Rashiegreen. *Ersk* —5E **41**
Rashiehill. *Ersk* —5E **41**
Rashielee Rd. *Ersk* —5E **41**
Rashiewood. *Ersk* —5F **41**
Rashilee Av. *Ersk* —5F **41**
Rathlin St. *G51* —3G **81**
Rathlin Ter. *Dumb* —2C **16**
Ratho Dri. *G21* —5A **64**
Ratho Pk. *Ham* —4F **153**
Rattray. *Ersk* —4E **41**
Rattray St. *G32* —2G **105**
Ravelston Rd. *Bear* —5E **45**
Ravelston St. *G32* —5F **85**
Ravel Wynd. *Udd* —5F **109**
Ravenscliffe Dri. *Giff* —4H **117**
Ravens Ct. *B'rig* —1B **64**
Ravenscourt. *T'hall* —6G **135**
Ravenscraig Av. *Pais* —4G **97**
Ravenscraig Ct. *Bell* —2D **126**
Ravenscraig Dri. *G53* —1B **116**
Ravenscraig Ter. *G53* —2C **116**
Ravenshall Rd. *G41* —5A **102**
Ravenshill Dri. *Cle* —6H **129**
Ravenstone Dri. *Giff* —2A **118**
Ravenswood Av. *Pais* —6C **96**
Ravenswood Dri. *G41* —4B **102**
Ravenswood Rd. *Bail* —6A **88**
Raven Wynd. *Wis* —5H **145**
Rawyards Av. *Air* —1B **92**
Raymond Pl. *E Kil* —2E **149**
Rayne Pl. *G15* —3B **44**
Ream Av. *Air* —5F **93**
Reay Av. *E Kil* —1D **148**
Reay Gdns. *E Kil* —1D **148**
Redan St. *G40* —6B **84**
Redbrae Rd. *Kirk* —4D **30**
Red Bri. Ct. *Coat* —3C **90**
Redburn Av. *Giff* —1H **133**
Redburn Ct. *Cumb* —5F **15**
Redburn Pl. *Cumb* —5F **15**
Redburn Rd. *Cumb* —5F **15**
Redcastle Sq. *G33* —2D **86**
Redcliffe Dri. *E Kil* —3D **148**
Reddeer Rd. *E Kil* —3E **149**
Rederech Cres. *Ham* —1D **152**
Redford St. *G33* —3F **85**
Redgate Pl. *G14* —5A **60**
Redgrave. *E Kil* —4C **138**
Redhill Rd. *Cumb* —2F **35**
Redhills View. *Len* —4G **7**
*Redholme. Lark —4F **161***
  (off Keir Hardie Rd.)
Redhouse La. *Carl* —2F **165**
Redhurst Cres. *Pais* —6F **97**
Redhurst La. *Pais* —6F **97**
Redhurst Way. *Pais* —6F **97**
*Redlands La. G12 —5A **62***
  (off Kirklee Rd.)
Redlands Rd. *G12* —5A **62**
Redlands Ter. *G12* —5A **62**
Redlands Ter. La. *G12* —5A **62**
Redlawood Pl. *Camb* —1G **123**
Redlawood Rd. *Camb* —1G **123**
Redmoss Rd. *Clyd* —1B **42**
Redmoss Rd. *Kils* —6B **8**
Redmoss St. *G22* —4F **63**
Rednock St. *G22* —5G **63**
Redpath Dri. *G52* —5B **80**
Red Rd. *G21* —5D **64**
Red Rd. Ct. *G21* —6D **64**
Redwing Gdns. *Wis* —2F **157**
Redwood Av. *E Kil* —6A **148**
Redwood Ct. *E Kil* —3A **148**
Redwood Cres. *B'ton* —4A **40**

Redwood Cres. *E Kil* —6A **136**
Redwood Cres. *Udd* —5G **109**
Redwood Dri. *G21* —6C **64**
Redwood Dri. *T'hall* —3A **148**
Redwood Gro. *Coat* —5D **90**
Redwood Pl. *E Kil* —1A **148**
Redwood Pl. *Kirk* —2B **50**
Redwood Pl. *Udd* —5G **109**
Redwood Rd. *Cumb* —3D **36**
Redwood Rd. *Moth* —2C **128**
Reelick Av. *G13* —1G **59**
Reelick Quad. *G13* —1G **59**
Reema Rd. *Bell* —1D **126**
Reen Pl. *Both* —3F **125**
Regency Way. *Ham* —1C **154**
Regency Way. *Moth* —3H **127**
Regent Moray St. *G3* —2B **82**
Regent Pk. Sq. *G41* —3D **102**
Regent Pl. *Clyd* —3A **42**
Regents Ga. *Both* —3B **124**
Regent Shopping Cen. *Kirk* —5C **30**
Regent Sq. *Lenz* —3C **50**
Regent St. *Clyd* —3A **42**
Regent St. *Kirk* —5C **30**
Regent St. *Pais* —6D **78**
Regent Way. *Ham* —4A **142**
Register Av. *Bell* —4C **126**
Register Rd. *Kils* —3A **12**
Regwood St. *G41* —5B **102**
Reid Av. *Bear* —1G **45**
Reid Av. *Lin* —6H **75**
Reid Gro. *Moth* —5B **144**
Reid Pl. *G40* —1B **104**
Reid St. *G40* —2B **104**
Reid St. *Air* —2B **92**
Reid St. *Coat* —3C **90**
Reid St. *Ham* —4D **140**
Reid St. *Ruth* —5D **104**
Reidvale St. *G31* —5B **84**
Reilly Rd. *Hous* —6B **38**
Reith Dri. *E Kil* —4F **149**
Remus Pl. *Bell* —2G **127**
Renfield La. *G2* —4F **83** (5D **4**)
Renfield St. *G2* —4F **83** (5D **4**)
Renfield St. *Renf* —5F **59**
Renfrew Ct. *G2* —3G **83** (3E **5**)
Renfrew La. *G2* —3F **83** (3D **4**)
Renfrew Pl. *Coat* —1G **109**
Renfrew Rd. *G51* —3B **80**
Renfrew Rd. *Pais* —6B **78**
Renfrew Rd. *Renf* —1A **80**
Renfrew St. *G3 & G2*
  —2E **83** (2A **4**)
Renfrew St. *Coat* —1G **109**
Rennie Pl. *E Kil* —6C **136**
Rennie Rd. *Kils* —2F **11**
Renshaw Dri. *G52* —5B **80**
Renshaw Rd. *B'ton* —4H **39**
Renshaw Rd. *Eld* —4A **96**
Renton Rd. *Dumb* —1D **16**
Renton St. *G4* —2G **83** (1E **5**)
Resipol Rd. *G33* —4E **67**
Reston Dri. *G52* —5B **80**
Reuther Av. *Ruth* —6D **104**
Revoch Dri. *G13* —2A **60**
Reynolds Av. *E Kil* —4A **150**
Reynolds Path. *Wis* —2B **158**
Rhannan Rd. *G44* —2E **119**
Rhannan Ter. *G44* —2E **119**
Rhindhouse Pl. *Bail* —6B **88**
Rhindhouse Rd. *Bail* —6B **88**
Rhindmuir Av. *Bail* —6A **88**
Rhindmuir Ct. *Bail* —5A **88**
Rhindmuir Cres. *Bail* —5A **88**
Rhindmuir Dri. *Bail* —5A **88**
Rhindmuir Gdns. *Bail* —5A **88**
Rhindmuir Gro. *Bail* —5B **88**
Rhindmuir Path. *Bail* —5B **88**
Rhindmuir Pl. *Bail* —5A **88**
Rhindmuir Rd. *Bail* —6A **88**
Rhindmuir View. *Bail* —5B **88**
Rhindmuir Wynd. *Bail* —5B **88**
Rhinds St. *Coat* —1F **109**
Rhinsdale Cres. *Bail* —6A **88**
Rhumor. *Mill P* —3C **94**
Rhu Quad. *Wis* —5A **158**
Rhymer St. *G21* —2A **84**
Rhymie Rd. *G32* —2D **106**
Rhynie Dri. *G51* —6H **81**
Riach Gdns. *Moth* —6E **127**
Ribblesdale. *E Kil* —6E **137**
Riccarton. *E Kil* —4D **148**
Riccarton St. *G42* —3G **103**
Riccartsbar Av. *Pais* —2G **97**
Rice Way. *Moth* —5B **144**
Richmond Av. *Clar* —2C **134**
Richmond Ct. *Ruth* —5E **105**
Richmond Dri. *B'rig* —3D **48**
Richmond Dri. *Camb* —2G **121**
Richmond Dri. *Lin* —4G **75**
Richmond Dri. *Ruth* —6E **105**
Richmond Gdns. *Chry* —6H **51**
Richmond Gro. *Ruth* —6E **105**
Richmond Pl. *Ruth* —5E **105**
Richmond Rd. *Ruth* —6F **105**
Richmond St. *G1* —4H **83** (5G **5**)
Richmond St. *Clyd* —6E **43**
Riddell St. *Clyd* —4E **43**
Riddell St. *Coat* —4E **91**
Riddon Av. *G13* —1G **59**
Riddon Pl. *G13* —1G **59**

Riddrie Cres. *G33* —3G **85**
Riddrie Knowes. *G33* —3G **85**
Riddrievale Ct. *G33* —2G **85**
Riddrievale St. *G33* —2G **85**
Rigby St. *G32* —6G **85**
Rigghead Av. *Cumb* —6B **14**
Rigg Pl. *G33* —4E **87**
Riggside Rd. *G33* —1C **86**
Riggs, The. *Miln* —2G **25**
Righead Ga. *E Kil* —2G **149**
Righead Ind. Est. *Bell* —6A **110**
Righead Roundabout. *E Kil*
—2F **149**
Riglands Way. *Renf* —6E **59**
Riglaw Pl. *G13* —2A **60**
Rigmuir Rd. *G51* —4C **80**
Rimsdale St. *G40* —6C **84**
Ringford St. *G21* —6B **64**
Ripon Dri. *G12* —3G **61**
Risk St. *Clyd* —3B **42**
Risk St. *Dumb* —4E **17**
Ristol Rd. *G13* —4B **60**
Ritchie Cres. *Eld* —2A **96**
Ritchie Pk. *John* —2H **95**
Ritchie St. *G5* —1E **103**
Ritchie St. *Wis* —6D **144**
Riverbank Dri. *Bell* —4E **127**
Riverbank St. *G43* —6A **102**
Riverdale Gdns. *Ham* —2A **154**
Riverdale La. *G14* —5A **60**
Riverford Rd. *G43* —6A **102**
Riverford Rd. *Ruth* —4E **105**
River Rd. *G32* —6B **106**
Riverside. *Hous* —2D **74**
Riverside. *Miln* —3G **25**
Riverside Ct. *G44* —5D **118**
Riverside Gdns. *Clar* —4D **134**
Riverside La. *Dumb* —4E **17**
Riverside Pk. *G44* —5E **119**
Riverside Pl. *Camb* —1E **123**
Riverside Rd. *G43* —6C **102**
Riverside Rd. *Lark* —5E **161**
Riverside Ter. *Clar* —4D **134**
Riverside Wlk. *Moth* —1H **143**
Riverton Dri. *E Kil* —3D **148**
(off Tasman Dri.)
Riverview Dri. *G5* —5E **83**
Riverview Gdns. *G5* —5E **83**
Riverview Pl. *G5* —5E **83**
Roaden Av. *Pais* —6D **96**
Roaden Rd. *Pais* —6D **96**
Roadside. *Cumb* —6A **14**
Robb Ter. *Kirk* —1G **51**
Robert Burns Av. *Clyd* —4E **43**
Robert Burns Av. *Moth* —3E **129**
Robert Burns Quad. *Bell* —2B **126**
Roberton St. *Chap* —2E **113**
Robert Smillie Cres. *Lark* —4E **161**
Robertson Av. *G41* —3A **102**
Robertson Cres. *Neil* —2D **130**
Robertson Dri. *Bell* —3D **126**
Robertson Dri. *E Kil* —1B **150**
Robertson La. *G2* —4F **83** (6B 4)
Robertson St. *G2* —5F **83** (6C 4)
Robertson St. *Air* —4G **91**
Robertson St. *Barr* —5D **114**
Robertson St. *Ham* —4D **140**
Robertson Ter. *Bail* —6A **88**
Roberts Quad. *Bell* —4D **126**
Roberts St. *Clyd* —4A **42**
Roberts St. *Wis* —6G **145**
Robert St. *G51* —4H **81**
Robert Templeton Dri. *Camb*
—2B **122**
Robet Gilson Gdns. *Coat* —6D **90**
Robin Pl. *Wis* —6H **145**
Robin Way. *G32* —5C **106**
Robroyston Av. *G33* —6G **65**
Robroyston Rd. *G33* —5F **65**
Robroyston Rd. *B'rig* —6H **49**
Robshill Ct. *Newt M* —5D **132**
Robslee Dri. *Giff* —4H **117**
Robslee Rd. *T'bnk* —5G **117**
Robson Gro. *G42* —2F **103**
Rochdale Pl. *Kirk* —5C **30**
(off New Lairdsland Rd.)
Rochsoles Dri. *Air* —1H **91**
Rochsolloch Farm Cotts. *Air*
—4G **91**
Rochsolloch Rd. *Air* —5F **91**
Rockall Dri. *G44* —3F **119**
Rockbank Pl. *G40* —6C **84**
Rockbank Pl. *Clyd* —1E **43**
Rockbank St. *G40* —6C **84**
Rockburn Cres. *Bell* —6C **110**
Rockburn Dri. *Clar* —1A **134**
Rockcliffe St. *G40* —2B **104**
Rock Dri. *Kilb* —3B **94**
Rockfield Pl. *G21* —4E **65**
Rockfield Rd. *G21* —4E **65**
Rockhampton Av. *E Kil* —4D **148**
Rockmount Av. *Barr* —6F **115**
Rockmount Av. *T'bnk* —3G **117**
Rock St. *G4* —6F **63**
Rockwell Av. *Pais* —5G **97**
Roddinghead Rd. *Giff* —3G **133**
Rodger Av. *Newt M* —4C **132**
Rodger Dri. *Ruth* —1C **120**
Rodger Pl. *Ruth* —1C **120**
Rodil Av. *G44* —3G **119**
Rodney St. *G4* —1F **83**

Roebank Dri. *Barr* —6E **115**
Roebank St. *G31* —3D **84**
Roffey Pk. Rd. *Pais* —6F **79**
Rogart St. *G40* —6B **84**
(in two parts)
Rogerfield Rd. *Bail* —4A **88**
Roland Cres. *Newt M* —6F **133**
Roman Av. *G15* —6A **44**
Roman Av. *Bear* —2F **45**
Roman Ct. *Bear* —2F **45**
Roman Cres. *Old K* —6D **20**
Roman Dri. *Bear* —2F **45**
Roman Dri. *Bell* —3D **126**
Roman Gdns. *Bear* —2F **45**
Roman Hill Rd. *Clyd* —6D **22**
Roman Pl. *Bell* —4A **126**
Roman Rd. *Bear* —2F **45**
Roman Rd. *Clyd* —1C **42**
Roman Rd. *Kirk* —5B **30**
Roman Rd. *Moth* —1F **143**
(in two parts)
Roman Way. *Udd* —1G **125**
Romney Av. *G44* —2G **119**
Ronaldsay Dri. *B'rig* —5F **49**
Ronaldsay Pass. *G22* —2H **63**
Ronaldsay Pl. *Cumb* —5F **35**
Ronaldsay St. *G22* —2G **63**
Rona St. *G21* —1D **84**
Rona Ter. *Camb* —4H **121**
Ronay St. *G22* —2H **63**
Ronay St. *Wis* —4C **146**
Rooksdell Av. *Pais* —4G **97**
Ropework La. *G1* —5G **83**
Rorison Pl. *Ashg* —4B **162**
Rosa Burn Av. *E Kil* —6D **148**
Rosebank Av. *Blan* —6C **124**
Rosebank Av. *Kirk* —4E **31**
Rosebank Dri. *Camb* —3C **122**
Rosebank Dri. *Udd* —6G **109**
Rosebank Pl. *Udd* —6G **109**
Rosebank Rd. *Bell* —5D **110**
Rosebank Rd. *Wis* —5A **158**
Rosebank St. *Air* —3E **93**
Rosebank Ter. *Bail* —1D **108**
Roseberry La. *Chap* —2E **113**
Roseberry Pl. *Ham* —5E **141**
Roseberry Rd. *Chap* —1D **112**
Roseberry St. *G5* —2A **104**
Roseburn Ct. *Cumb* —5F **15**
Rose Cres. *Ham* —5D **140**
Rose Dale. *B'rig* —1D **64**
Rosedale. *E Kil* —6E **137**
Rosedale Av. *Pais* —6B **96**
Rosedale Dri. *Bail* —1G **107**
Rosedale Gdns. *G20* —1A **62**
Rosedene Ter. *Bell* —1C **126**
Rosefield Gdns. *Udd* —6C **108**
Rosegreen Cres. *Bell* —5C **110**
Rosehall Av. *Coat* —1D **110**
Rosehall Ind. Est. *Coat* —2C **110**
Rosehall Rd. *Bell I* —1B **126**
Rosehall Ter. *Wis* —2E **157**
Rosehill Dri. *Cumb* —1C **54**
Rosehill Pl. *Cumb* —1C **54**
Rosehill Rd. *Torr* —5D **28**
Rose Knowe Rd. *G42* —5H **103**
Roselea Dri. *Miln* —2H **25**
Roselea Gdns. *G13* —2F **61**
Roselea Pl. *Blan* —6A **124**
Roselea Rd. *Udd* —5C **108**
Roselea St. *Lark* —1F **161**
Rosemary Cres. *E Kil* —5F **137**
Rosemary Pl. *E Kil* —5F **137**
Rosemount. *Cumb* —6H **13**
Rose Mt. Ct. *Air* —3C **92**
Rosemount La. *Bri W* —5D **72**
Rosemount La. *Lark* —4G **161**
(off Donaldson Rd.)
Rosemount Meadows. *Both*
—5D **124**
Rosemount St. *G21* —2B **84**
Rosendale Way. *Blan* —2C **140**
Roseneath Ga. *E Kil* —1E **149**
Rosepark Av. *Udd* —1G **125**
Rosepark Cotts. *Coat* —2B **110**
Rose St. *G3* —3F **83** (3C 4)
Rose St. *Cumb* —6D **34**
Rose St. *Kirk* —5D **30**
Rose St. *Moth* —4A **144**
Rosevale Cres. *Bell* —3E **127**
Rosevale Gdns. *Ham* —1F **153**
Rosevale Rd. *Bear* —3E **45**
Rosevale St. *G11* —1G **81**
Rosewood Av. *Bell* —6D **110**
Rosewood Av. *Pais* —4F **97**
Rosewood Path. *Bell* —2A **126**
Rosewood St. *G13* —2E **61**
Roslea Dri. *G31* —4C **84**
Roslin Tower. *Camb* —4G **121**
Roslyn Dri. *Bail* —6D **88**
Rosneath St. *G51* —3G **81**
Ross Av. *Kirk* —5F **31**
Ross Av. *Renf* —2C **78**
Ross Cres. *Moth* —4E **143**
Ross Dri. *Air* —1G **111**
Ross Dri. *Moth* —4E **143**
Ross Dri. *Udd* —4G **109**
Rossendale Ct. *G43* —2A **102**
Rossendale Rd. *G43 & G41*
—5A **102**
Ross Gdns. *Moth* —4E **143**

Rosshall Av. *Pais* —1E **99**
Ross Hall Pl. *Renf* —6F **59**
Rosshill Av. *G52* —6H **79**
Rosshill Rd. *G52* —6H **79**
Rossie Cres. *B'rig* —1E **65**
Rossland Cres. *B'ton* —4G **39**
Rossland Pl. *B'ton* —5H **39**
Rosslea Dri. *Giff* —5A **118**
Rosslee Cres. *Giff* —4G **117**
Rosslyn Av. *E Kil* —6H **137**
Rosslyn Av. *Ruth* —6D **104**
Rosslyn Ct. *Ham* —5E **141**
Rosslyn Rd. *Ashg* —5B **162**
Rosslyn Rd. *Bear* —1B **44**
Rosslyn Ter. *G12* —6B **62**
Ross Pl. *E Kil* —6C **138**
Ross Pl. *Ruth* —3F **121**
Ross St. *G40* —5H **83**
Ross St. *Coat* —4C **90**
Ross St. *Pais* —2C **98**
Ross Ter. *Ham* —2E **155**
Rostan Rd. *G43* —2A **118**
Rosyth Rd. *G5* —3A **104**
Rosyth St. *G5* —3A **104**
Rotherwick Dri. *Pais* —1G **99**
Rotherwood Av. *G13* —6C **44**
Rotherwood Av. *Pais* —5D **96**
Rotherwood Pl. *G13* —1D **60**
Rotherwood Way. *Pais* —5D **96**
Rothesay Cres. *Coat* —1D **110**
Rothesay Pl. *Coat* —1D **110**
Rothesay Pl. *E Kil* —2G **149**
Rothesay St. *E Kil* —2G **149**
Rothes Dri. *G23* —6A **46**
Rothes Pl. *G23* —6A **46**
Rottenrow. *G1* —3H **83** (4G **5**)
Rottenrow. *G4* —4A **84**
Rottenrow E. *G4* —4H **83** (5H **5**)
Roughcraig St. *Air* —1A **92**
Roughrigg Rd. *Air* —5G **93**
Roukenburn St. *T'bnk* —3E **117**
Rouken Glen Rd. *T'bnk* —5F **117**
Roundel, The. *Wis* —1A **158**
Roundhill Dri. *Eld* —2C **96**
Roundknowe Rd. *Udd* —4A **108**
Round Riding Rd. *Dumb* —3G **17**
Rowallan Gdns. *G11* —6G **61**
Rowallan La. *G11* —6F **61**
Rowallan La. *Clar* —2C **134**
Rowallan Rd. *T'bnk* —5F **117**
Rowallan Ter. *G33* —5B **66**
Rowan Av. *Milt C* —6B **8**
Rowan Av. *Renf* —5E **59**
Rowanbank Pl. *Air* —3F **91**
Rowan Ct. *Pais* —3A **98**
Rowan Ct. *Wis* —1D **156**
Rowan Cres. *Lenz* —2C **50**
Rowandale Av. *Bail* —1G **107**
Rowand Av. *Giff* —4A **118**
Rowanden Av. *Bell* —1C **126**
Rowan Dri. *Bank* —1E **15**
Rowan Dri. *Bear* —6F **25**
Rowan Dri. *Clyd* —3B **42**
Rowan Dri. *Dumb* —3A **16**
Rowan Gdns. *G41* —1H **101**
Rowan Ga. *Pais* —3B **98**
Rowan La. *Moth* —5A **128**
Rowanlea. *John* —3E **95**
Rowanlea Av. *Pais* —6B **96**
Rowanlea Dri. *Giff* —3B **118**
Rowanpark Dri. *Barr* —2C **114**
Rowan Pl. *Blan* —1B **140**
Rowan Pl. *Camb* —1C **122**
Rowan Pl. *Coat* —1A **110**
Rowan Rise. *Ham* —1A **154**
Rowan Rd. *G41* —1H **101**
Rowan Rd. *Cumb* —2D **36**
Rowan Rd. *Lin* —4F **75**
Rowans Gdns. *Both* —3F **125**
Rowans, The. *B'rig* —5B **48**
Rowan St. *Pais* —3A **98**
Rowan St. *Wis* —4H **145**
Rowantree Av. *N'hse* —6C **112**
Rowantree Av. *Ruth* —2C **120**
Rowantree Av. *Udd* —6G **109**
Rowantree Gdns. *Ruth* —2C **120**
Rowantree Pl. *John* —4F **95**
(off Rowantree Rd.)
Rowan Tree Pl. *Lark* —3H **161**
Rowantree Pl. *Len* —4G **7**
Rowantree Rd. *John* —4F **95**
Rowantree Ter. *Moth* —2B **128**
Rowena Av. *G13* —6D **44**
Roxburgh Dri. *Bear* —6E **25**
Roxburgh Dri. *Coat* —1F **111**
Roxburgh Pk. *E Kil* —2H **149**
Roxburgh Rd. *Pais* —6B **96**
Roxburgh St. *G12* —6B **62**
Royal Bank Pl. *G1* —4G **83** (5E **5**)
(off Buchanan St.)
Royal Cres. *G3* —3C **82**
Royal Dri. *Ham* —1C **154**
Royal Exchange Ct. *G1*
(off Buchanan St.) —4G **83** (6E **5**)
Royal Exchange Sq. *G1*
—4G **83** (5E **5**)
Royal Inch Ter. *Renf* —4F **59**
Royal Ter. *G3* —2C **82**
Royal Ter. *Wis* —3A **146**
Royal Ter. La. *G3* —2C **82**
Royellen Av. *Ham* —1D **152**

Roystonhill. *G21* —2B **84**
Royston Rd. *G21 & G33* —2A **84**
Royston Sq. *G21* —2A **84**
Roy St. *G21* —6H **63**
Rozelle Av. *G15* —4B **44**
Rubislaw Dri. *Bear* —4E **45**
Ruby St. *G40* —1C **104**
Ruchazie Pl. *G33* —3H **85**
Ruchazie Rd. *G32 & G33* —2H **85**
Ruchill Pl. *G20* —4D **62**
Ruchill St. *G20* —4C **62**
Ruel St. *G44* —6E **103**
Rufflees Av. *Barr* —3F **115**
Rugby Av. *G13* —1B **60**
Rullion Pl. *G33* —3H **85**
Rumford St. *G40* —2B **104**
Runciman Pl. *E Kil* —5B **138**
Rundell Dri. *Milt C* —6C **8**
Rupert St. *G4* —1D **82**
Rushyhill St. *G21* —5C **64**
Ruskin La. *G12* —6C **62**
Ruskin Pl. *G12* —6C **62**
Ruskin Pl. *Kils* —3H **11**
Ruskin Sq. *B'rig* —6C **48**
Ruskin Ter. *G12* —6C **62**
Rusling Pl. *Cumb* —1E **37**
Russell Colt St. *Coat* —3C **90**
Russell Dri. *Bear* —1E **45**
Russell Gdns. *Newt M* —5C **132**
Russell Gdns. *Udd* —5E **109**
Russell La. *Wis* —1G **157**
Russell Pl. *Clar* —4E **135**
Russell Pl. *E Kil* —4E **149**
Russell Pl. *Lin* —5F **75**
Russell Rd. *Clyd* —6A **22**
Russell St. *Bell* —2F **127**
Russell St. *Chap* —3E **113**
Russell St. *Ham* —4D **140**
Russell St. *John* —2G **95**
Russell St. *Pais* —4H **77**
Russell St. *Wis* —1G **157**
Rutherford Av. *Bear* —5B **24**
Rutherford Av. *Kirk* —1H **51**
Rutherford Ct. *Clyd* —5C **42**
Rutherford La. *E Kil* —3H **149**
Rutherford Sq. *E Kil* —3G **149**
Rutherglen Bri. *G5* —2B **104**
Rutherglen Ind. Est. *Ruth* —4C **104**
RUTHERGLEN STATION. *Ruth*
—5D **104**
Ruthven Av. *Giff* —6B **118**
Ruthven La. *G12* —6B **62**
Ruthven La. *Glenb* —3G **69**
Ruthven Pl. *B'rig* —1E **65**
Ruthven St. *G12* —6B **62**
Rutland Cres. *G51* —5C **82**
Rutland Pl. *G51* —5C **82**
Ryan Rd. *B'rig* —6D **48**
Ryan Way. *Ruth* —4E **121**
Ryat Dri. *Newt M* —3C **132**
Ryat Grn. *Newt M* —3C **132**
(in two parts)
Ryatt Linn. *Ersk* —6D **40**
Rydal Gro. *E Kil* —5B **148**
Rydal Pl. *E Kil* —5B **148**
Ryden Mains Rd. *Glenm* —5F **71**
Ryde Rd. *Wis* —6A **146**
Ryebank Rd. *G21* —4E **65**
Rye Cres. *G21* —4D **64**
Ryecroft Dri. *Bail* —6H **87**
Ryedale Pl. *G15* —3A **44**
Ryefield Av. *Coat* —4H **89**
Ryefield Av. *John* —4D **94**
Ryefield Pl. *John* —4D **94**
Ryefield Rd. *G21* —4D **64**
Ryehill Pl. *G21* —4E **65**
Ryehill Rd. *G21* —4E **65**
Ryemount Rd. *G21* —4E **65**
Rye Rd. *G21* —4D **64**
Ryeside Rd. *G21* —4D **64**
Rye Way. *Pais* —4C **96**
Rylands Dri. *G32* —1D **106**
Rylands Gdns. *G32* —1E **107**
Rylees Cres. *G52* —5G **79**
Rylees Pl. *G52* —5G **79**
Rylees Rd. *G52* —5G **79**
Rysland Av. *Newt M* —4E **133**
Rysland Cres. *Newt M* —4E **133**
Ryvra Rd. *G13* —3D **60**

Sachelcourt Av. *B'ton* —5H **39**
Sackville Av. *G13* —4F **61**
Sackville La. *G13* —4F **61**
Saddell Rd. *G15* —3B **44**
Sadlers Wells Ct. *E Kil* —5B **138**
(off Bosworth Rd.)
Saffronhall Cres. *Ham* —5H **141**
Saffronhall La. *Ham* —5H **141**
St Abb's Dri. *Pais* —4E **97**
St Andrew's Av. *B'rig* —5A **48**
St Andrews Av. *Both* —6E **125**
St Andrew's Brae. *Dumb* —1H **17**
St Andrews Ct. *Carl* —3E **165**
St Andrew's Ct. *E Kil* —5E **149**
St Andrews Ct. *Moth* —1A **128**
St Andrew's Cres. *G41* —1C **102**
St Andrew's Cres. *Dumb* —2H **17**
St Andrew's Cres. *Pais* —2G **77**
St Andrew's Dri. *G41* —3A **102**
St Andrew's Dri. *Abb* —3H **77**

St Andrew's Dri. *Bri W* —4E **73**
St Andrew's Dri. *Cumb* —5B **14**
St Andrew's Dri. *Ham* —5B **140**
St Andrew's Dri. W. *Glas A* —2G **77**
St Andrew's Gdns. *Air* —3B **92**
St Andrew's Ga. *Bell* —2B **126**
St Andrew's Path. *Lark* —4G **161**
(off Donaldson Rd.)
St Andrews Pl. *Kils* —2G **11**
St Andrew's Rd. *G41* —1D **102**
St Andrew's Rd. *Renf* —6E **59**
St Andrew's Sq. *G1* —5H **83**
St Andrew's St. *G1* —5H **83**
St Andrews St. *Moth* —2A **128**
St Ann's Dri. *Giff* —5A **118**
St Blanes Dri. *Ruth* —1A **120**
St Boswell's Cres. *Pais* —4E **97**
St Boswells Dri. *Coat* —1F **111**
St Bride's Av. *Udd* —6G **109**
St Bride's Rd. *G43* —6B **102**
St Brides Way. *Both* —3E **125**
St Bryde St. *E Kil* —1H **149**
St Catherine's Rd. *Giff* —5A **118**
St Clair Av. *Giff* —4A **118**
St Clair St. *G20* —1D **82**
St Columba Dri. *Kirk* —6E **31**
St Cyrus Gdns. *B'rig* —6E **49**
St Cyrus Rd. *B'rig* —6E **49**
St Davids Dri. *Air* —1C **112**
St David's Pl. *Lark* —2E **161**
St Denis Way. *Coat* —3B **90**
St Edmunds Gro. *Miln* —2G **25**
St Enoch Av. *Udd* —5G **109**
St Enoch Pl. *G1* —5F **83** (6D **4**)
St Enoch Shopping Cen. *G1* —5G **83**
St Enoch Sq. *G1* —5F **83**
ST ENOCH ST. STATION. *G1*
—4F **83**
St Fillans Dri. *Hous* —1A **74**
St Fillans Rd. *G33* —4C **66**
St Flanan Rd. *Kirk* —4B **32**
ST GEORGES CROSS STATION. *G2*
—1E **83**
St George's Pl. *G2* —1E **83**
(off St George's Rd.)
St George's Rd. *G3* —2D **82** (1A **4**)
St Germains. *Bear* —3E **45**
St Giles Pk. *Ham* —1F **153**
St Giles Way. *Ham* —1F **153**
St Helena Cres. *Clyd* —1E **43**
St Ives Rd. *Mood* —4D **52**
St James Av. *Pais* —4F **77**
St James Ct. *Coat* —1A **110**
St James Rd. *G4* —3H **83** (3G **5**)
St James' St. *Pais* —6A **78**
St James Way. *Coat* —2A **110**
St John's Ct. *G41* —1C **102**
St John's Quad. *G41* —1C **102**
St John's Rd. *G41* —2C **102**
St John St. *Coat* —4C **90**
St Kenneth Dri. *G51* —3D **80**
St Kilda Dri. *G14* —5E **61**
St Kilda Way. *Wis* —4C **146**
St Lawrence Pk. *E Kil* —2E **149**
St Leonard's Dri. *Giff* —4A **118**
St Leonards Rd. *E Kil* —1B **150**
St Leonards Sq. *E Kil* —2C **150**
St Leonards Wlk. *Coat* —2E **111**
St Lukes's Av. *Carl* —5E **165**
St Machan's Way. *Len* —2F **7**
St Machars Rd. *Bri W* —4G **73**
St Margaret's Av. *Bant* —1G **13**
St Margarets Dri. *Wis* —2E **157**
St Margaret's Pl. *G1* —5G **83**
(off Bridgegate)
St Mark Gdns. *G32* —6H **85**
St Mark St. *G32* —6G **85**
(in two parts)
St Marnock St. *G40* —6C **84**
St Mary's Ct. *Wis* —1H **157**
St Mary's Cres. *Barr* —5E **115**
St Mary's Gdns. *Barr* —5F **115**
St Mary's Rd. *Bell* —2A **126**
St Mary's Rd. *B'rig* —5A **48**
St Mary's Way. *Dumb* —4F **17**
St Maurice's Roundabout. *Cumb*
—4C **34**
St Michael Rd. *Wis* —2C **156**
St Mirren's Rd. *Kils* —3H **11**
St Mirren St. *Pais* —1A **98**
St Monance St. *G21* —4B **64**
St Mungo Av. *G4* —3G **83** (3F **5**)
St Mungo Dri. *Bri W* —2G **73**
St Mungo Pl. *G4* —3H **83** (3H **5**)
St Mungo Pl. *Ham* —5B **140**
St Mungo's Rd. *Cumb* —4H **35**
St Mungo St. *B'rig* —1B **64**
St Mungo's Wlk. *Cumb* —3H **35**
(off Cumbernauld Cen., The)
St Ninian's Cres. *Pais* —3B **98**
St Ninian's Pl. *Ham* —6D **140**
St Ninian's Rd. *Ham* —6D **140**
St Ninian's Rd. *Pais* —3B **98**
St Ninians Ter. *G5* —6G **83**
St Ninian St. *G5* —6G **83**
St Peters La. *G2* —4E **83**
St Peter's Path. *G4* —1E **83**
St Peter's St. *G4* —1E **83** (1B **4**)
St Rollox Brae. *G21* —1A **84**
St Rollox Bus. & Retail Pk. *G21*
—1B **84**

St Ronan's Dri. *G41* —4B **102**
St Ronan's Dri. *Ham* —3G **153**
St Ronans Dri. *Ruth* —1E **121**
St Stephen's Av. *Ruth* —4F **121**
St Stephen's Cres. *Ruth* —4F **121**
St Vigean's Av. *Newt M* —6B **132**
St Vincent Cres. *G3* —3B **82**
St Vincent Cres. La. *G3* —3B **82**
St Vincent La. *G2* —3E **83** (4B **4**)
St Vincent Pl. *G1* —4G **83** (5E **5**)
St Vincent Pl. *E Kil* —3C **148**
St Vincent Pl. *Moth* —2A **143**
St Vincent St. *G2* —3E **83** (4B **4**)
St Vincent St. *G3* —3D **82**
St Vincent Ter. *G3* —3D **82**
St Winifred's Way. *Wis* —5G **145**
Salamanca St. *G31* —6F **85**
Saline St. *Air* —5F **91**
Salisbury. *E Kil* —5D **138**
Salisbury Cres. *Moth* —1D **142**
Salisbury La. *G41* —1F **103**
Salisbury Pl. *Clyd* —2H **41**
Salisbury St. *G5* —1E **103**
Salkeld St. *G5* —1E **103**
Salmona St. *G22* —5F **63**
Saltaire Av. *Udd* —2E **125**
Salterland Rd. *G53* —2G **115**
Saltire Cres. *Lark* —3G **161**
Saltmarket. *G1* —5G **83**
Saltmarket Pl. *G1* —5G **83**
Saltoun La. *G12* —6B **62**
Saltoun St. *G12* —6A **62**
Salvia St. *Camb* —1H **121**
Sandale Path. *Blan* —3A **140**
Sandaig Rd. *G33* —6E **87**
Sandalwood Av. *E Kil* —5F **137**
Sandalwood Ct. *E Kil* —5F **137**
Sanda St. *G20* —5C **62**
Sandbank Av. *G20* —2B **62**
Sandbank Cres. *G20* —3B **62**
Sandbank Dri. *G20* —2B **62**
Sandbank St. *G20* —1B **62**
Sandbank Ter. *G20* —2B **62**
Sandend. *Ersk* —4E **41**
Sanderling Pl. *John* —6D **94**
Sanderling Rd. *Pais* —3H **77**
Sanderson Av. *Udd* —1H **125**
Sandfield Av. *Miln* —2G **25**
Sandford Gdns. *Bail* —6H **87**
Sandgate Av. *G32* —2D **106**
Sandhaven Pl. *G53* —6A **100**
Sandhaven Rd. *G53* —6A **100**
Sandhead Cres. *Chap* —4E **113**
Sandholes Rd. *Brkfld & Hous*
—6C **74**
Sandholes St. *Pais* —1G **97**
Sandholm Pl. *G14* —4H **59**
Sandholm Ter. *G14* —4H **59**
Sandiefield Rd. *G5* —1G **103**
Sandielands Av. *Ersk* —2H **57**
Sandilands Cres. *Moth* —4D **142**
Sandilands St. *G32* —6B **86**
Sandmill St. *G21* —2C **84**
Sandpiper Dri. *E Kil* —6C **148**
Sandpiper Pl. *E Kil* —6C **148**
Sandra Rd. *B'rig* —5E **49**
Sandringham Av. *Newt M* —3G **133**
Sandringham Ct. *Newt M* —4G **133**
Sandringham Dri. *Eld* —4H **95**
Sandwood Cres. *G52* —6A **80**
Sandwood Path. *G52* —6A **80**
Sandwood Rd. *G52* —1A **100**
Sandyfaulds Sq. *G5* —1G **103**
Sandyfaulds St. *G5* —1H **103**
Sandyford Av. *Moth* —5D **112**
Sandyford Pl. La. *G3* —3C **82**
(off Claremont St.)
Sandyford Pl. *Moth* —6D **112**
Sandyford Pl. La. *G3* —3C **82**
Sandyford Rd. *G3* —3A **82**
Sandyford Rd. *Moth* —6D **112**
Sandyford Rd. *Pais* —3C **78**
Sandyhills Cres. *G32* —2B **106**
Sandyhills Dri. *G32* —2B **106**
Sandyhills Gro. *G32* —3B **106**
Sandyhills Pl. *G32* —2B **106**
Sandyhills Rd. *G32* —2B **106**
Sandyknowes Rd. *Cumb* —5A **36**
Sandy Rd. *G11* —1G **81**
Sandy Rd. *Carl* —3F **165**
Sandy Rd. *Renf* —2E **79**
Sannox Dri. *Moth* —2D **142**
Sannox Gdns. *G31* —3D **84**
Sanquhar Gdns. *Blan* —5H **123**
Sapphire Rd. *Bell* —4C **126**
Saracen La. *G12* —6B **62**
Sardinia La. *G12* —6B **62**
Saskatoon Pl. *E Kil* —2D **148**
Saucel Hill Ter. *Pais* —2A **98**
Saucel St. *Pais* —1A **98**
Sauchiehall La. *G2* —3E **83** (3D **4**)
Sauchiehall St. *G3 & G2*
—2B **82** (3A **4**)
Sauchiehall St. Shopping Cen. *G2*
—3F **83** (3C **4**)
Sauchiemuir Rd. *Carl* —5G **165**
Saughs Av. *G33* —3H **65**

Saughs Dri. *G33* —3H **65**
Saughs Ga. *G33* —3H **65**
Saughs Pl. *G33* —3H **65**
Saughs Rd. *G33* —4G **65**
Saughton St. *G32* —4G **85**
Saunders Ct. *Barr* —4D **114**
Savoy St. *G40* —1B **104**
Sawmillfield St. *G4* —1F **83**
Sawmill Rd. *G11* —1F **81**
Saxon Rd. *G13* —2D **60**
Scadlock Rd. *Pais* —5F **77**
Scalpay. *E Kil* —2C **150**
Scalpay Pass. *G22* —2H **63**
Scalpay Pl. *G22* —2H **63**
Scalpay St. *G22* —2G **63**
Scapa St. *G23* —1C **62**
Scaraway Dri. *G22* —1H **63**
Scaraway Pl. *G22* —1H **63**
Scaraway St. *G22* —1G **63**
Scaraway Ter. *G22* —1H **63**
Scarba Dri. *G43* —2H **117**
Scarba Quad. *Wis* —2E **157**
Scarffe Av. *Lin* —6F **75**
Scarhill Av. *Air* —6A **92**
Scarhill La. *Air* —6A **92**
Scarhill St. *Cle* —5H **129**
Scarhill St. *Coat* —2B **110**
Scarrel Dri. *G45* —3C **120**
Scarrel Gdns. *G45* —3C **120**
Scarrel Rd. *G45* —3C **120**
Scarrel Ter. *G45* —3C **120**
Schaw Ct. *Bear* —1E **45**
Schaw Dri. *Bear* —1D **44**
Schaw Dri. *Clyd* —6G **23**
Schaw Rd. *Pais* —5C **78**
Scholar's Ga. *E Kil* —5F **149**
School Av. *Camb* —2B **122**
Schoolhouse La. *Blan* —3A **140**
School La. *Carl* —4E **165**
School La. *Dumb* —3D **16**
School La. *Len* —3F **7**
School Quad. *Air* —1H **91**
School Rd. *Morn* —5F **147**
School Rd. *Newm* —5E **147**
School Rd. *Newt M* —5D **132**
School Rd. *Pais* —6G **79**
School Rd. *Step* —3E **67**
School Rd. *Torr* —4E **29**
School St. *Chap* —3D **112**
School St. *Coat* —1C **110**
School St. *Ham* —2H **153**
School Wynd. *Pais* —6A **78**
Scioncroft Av. *Ruth* —6E **105**
Scone Pl. *E Kil* —6F **137**
Scone St. *G21* —6G **63**
Scone Wlk. *Bail* —2G **107**
Sconser St. *G23* —6C **46**
Scorton Gdns. *Bail* —1F **107**
Scotia Cres. *Lark* —4E **161**
Scotia Gdns. *Ham* —4G **153**
Scotia St. *Moth* —2E **143**
Scotland St. *G5* —6D **82**
Scotland St. W. *G41* —6B **82**
Scotsblair Av. *Kirk* —1C **50**
Scotsburn Rd. *G21* —5E **65**

SCOTSTOUNHILL STATION. *G14*
—4B **60**
Scotstoun St. *G14* —6C **60**
Scot St. *G3* —3E **83**
Scott Av. *Bowl* —5B **20**
Scott Av. *John* —5E **95**
Scott Av. *Milt C* —5C **8**
Scott Cres. *Cumb* —6F **35**
Scott Dri. *Bear* —1C **44**
Scott Dri. *Cumb* —6F **35**
Scott Hill. *E Kil* —6A **138**
Scott Gro. *Ham* —1H **153**
Scott Ho. *Cumb* —2A **36**
Scott Pl. *Bell* —6D **110**
Scott Pl. *John* —5E **95**
Scott Rd. *G52* —3H **79**
Scott's Pl. *Air* —3B **92**
Scott's Rd. *Pais* —2D **98**
Scott St. *Bail* —1H **107**
Scott St. *Clyd* —3A **42**
Scott St. *Ham* —2H **153**
Scott St. *Lark* —3F **161**
Scott St. *Moth* —2G **143**
Seafar Rd. *Cumb* —5G **35**
Seafar Roundabout. *Cumb* —5G **35**
Seafield Av. *Bear* —6F **25**
Seafield Cres. *Cumb* —4A **34**
Seaford Dri. *Ruth* —4F **121**
Seaforth Cres. *Barr* —2D **114**
Seaforth La. *Chry* —5E **53**
Seaforth Pl. *Bell* —4B **126**
Seaforth Rd. *Clyd* —6D **42**
Seaforth Rd. N. *H'ton I* —4A **80**
Seaforth Rd. S. *G52* —4A **80**
Seagrove St. *G32* —5F **85**
Seamill Gdns. *E Kil* —1F **149**
Seamill Path. *G53* —2H **115**
Seamill St. *G53* —2H **115**
Seamore St. *G20* —1D **82**
Seath Av. *Air* —4G **91**
Seath Rd. *Ruth* —4C **104**
Seath St. *G42* —3G **103**
Seaton Ter. *Ham* —5E **141**
Seaward St. *G41* —6C **82**
(in two parts)

Second Av. *G44* —1F **119**
Second Av. *Bear* —4F **45**
Second Av. *Clyd* —4B **42**
Second Av. *Dumb* —3C **18**
Second Av. *Kirk* —6C **50**
Second Av. *Renf* —2E **79**
Second Av. *Step* —3B **66**
Second Av. *Udd* —5D **108**
Second Gdns. *G41* —1G **101**
Second Rd. *Blan* —4C **140**
Second St. *Udd* —5D **108**
Seedhill. *Pais* —1B **98**
Seedhill Rd. *Pais* —1B **98**
Seggielea La. *G13* —3D **60**
(off Helensburgh Dri.)
Seggielea Rd. *G13* —3D **60**
Seil Dri. *G44* —3F **119**
Selborne Pl. La. *G13* —4E **61**
Selborne Rd. *G13* —4E **61**
Selby Gdns. *G32* —6D **86**
Selby Pl. *Coat* —1H **89**
Selby St. *Coat* —1H **89**
Selkirk Av. *G52* —1C **100**
Selkirk Av. *Pais* —4E **97**
Selkirk Dri. *Ruth* —6E **105**
Selkirk Pl. *E Kil* —6D **138**
Selkirk Pl. *Ham* —1A **154**
Selkirk St. *Blan* —2B **140**
Selkirk St. *Ham* —1A **154**
Selkirk St. *Wis* —4A **146**
Selkirk Way. *Bell* —6D **110**
Selkirk Way. *Coat* —2G **111**
Sella Rd. *B'rig* —5F **49**
Selvieland Rd. *G52* —6H **79**
Semphill Gdns. *E Kil* —1B **150**
Sempill Av. *Ersk* —5D **40**
Semple Av. *B'ton* —4H **39**
Semple Pl. *Lin* —4H **75**
Senga Cres. *Bell* —6C **110**
Seres Rd. *Clar* —1B **134**
Sergeantlaw Rd. *Pais* —6E **97**
Service St. *Len* —2E **7**
Seton Ter. *G31* —4B **84**
Settle Gdns. *Bail* —1F **107**
Seven Sisters. *Kirk* —2E **51**
Seventh Av. *Udd* —5D **108**
Seventh Rd. *Blan* —4C **140**
Severn Rd. *E Kil* —4B **148**
Seymour Grn. *E Kil* —3D **148**
Seyton Av. *Giff* —6A **118**
Seyton La. *E Kil* —6G **137**
Shaftesbury Av. *Clyd* —5B **42**
Shaftesbury Cres. *Moth* —4D **128**
Shaftesbury St. *G3* —3D **82**
Shafton Pl. *G13* —1E **61**
Shafton Rd. *G13* —1E **61**
Shakespeare Av. *Clyd* —3B **42**
Shakespeare St. *G20* —4C **62**
Shamrock St. *G4* —2E **83** (1B **4**)
Shamrock St. *Kirk* —5D **30**
Shandon Cres. *Bell* —6C **110**
Shandon Ter. *Ham* —6D **140**
Shand Pl. *Carl* —2F **165**
Shand St. *Wis* —6H **145**
Shandwick St. *G34* —3G **87**
Shanks Av. *Barr* —5E **115**
Shanks Cres. *John* —3E **95**
Shanks St. *G20* —4C **62**
Shanks St. *Air* —2A **92**
Shannon St. *G20* —4D **62**
Shapinsay St. *G22* —1H **63**
Sharp Av. *Coat* —1G **109**
Sharp St. *Moth* —2D **142**
Shaw Av. *B'ton* —4A **40**
Shawbridge Arc. *G43* —5A **102**
Shawbridge Ind. Est. *G43* —6A **102**
Shawbridge St. *G43* —6H **101**
Shawburn Cres. *Ham* —5F **141**
Shawburn St. *Ham* —5F **141**
Shaw Ct. *Ersk* —4D **40**
Shawfield Cres. *Law* —6D **158**
Shawfield Dri. *G5* —3A **104**
Shawfield Ind. Est. *Ruth* —3B **104**
Shawfield Rd. *Ruth* —3B **104**
Shawgill Ct. *Law* —1H **163**
Shawhead Av. *Coat* —1D **110**
Shawhead Cotts. *Coat* —2E **111**
Shawhead Ind. Est. *Coat* —2E **111**
Shawhill Cres. *Newt M* —6E **133**
Shawhill Rd. *G43 & G41* —5A **102**
Shawholm Cres. *G43* —6H **101**
(in two parts)
Shawlands Arc. *G41* —5B **102**

SHAWLANDS STATION. *G41*
—5B **102**
Shawmoss Rd. *G41* —4A **102**
Shawpark St. *G20* —3C **62**
Shawrigg Rd. *Lark* —3G **161**
Shaw Rd. *Miln* —5G **25**
Shaw Rd. *Newt M* —5E **133**
Shaws Rd. *Lark* —6F **161**
Shaw St. *G51* —3G **81**
Shaw St. *Lark* —5F **161**
Shawwood Cres. *Newt M* —6E **133**
Shearer Dri. *Ham* —4G **153**
Sheddens Pl. *G32* —6G **85**
Sheepburn Rd. *Udd* —6C **108**
Sheila St. *G33* —5G **65**
Sheldaig Rd. *G22* —1F **63**
Sheldrake Pl. *John* —6D **94**

Shelley Ct. *G12* —4G **61**
Shelley Dri. *Both* —4F **125**
Shelley Dri. *Clyd* —3C **42**
Shelley Rd. *G12* —4F **61**
Shells Rd. *Kirk* —4E **31**
Sherbrooke Av. *G41* —2A **102**
Sherbrooke Dri. *G41* —1A **102**
Sherbrooke Gdns. *G41* —2A **102**
Sherbrooke Pl. *E Kil* —2E **149**
Sherburn Rd. *Bail* —2F **107**
Sherdale Av. *Chap* —3D **112**
Sheriff Pk. Av. *Ruth* —6C **104**
Sherry Av. *Moth* —2H **127**
Sherry Dri. *Ham* —2E **153**
Sherwood Av. *Pais* —5C **78**
Sherwood Av. *Udd* —2E **125**
Sherwood Dri. *T'bnk* —4G **117**
Sherwood Pl. *G15* —4B **44**
Shetland Dri. *G44* —3F **119**
Shettleston Rd. *G31 & G32* —5E **85**

SHETTLESTON STATION. *G32*
—6B **86**
Shiel Av. *E Kil* —6H **137**
Shielbridge Gdns. *G23* —6C **46**
Shiel Ct. *Barr* —2D **114**
Shieldaig Dri. *Ruth* —3D **120**
Shieldburn Rd. *G51* —4C **80**
Shieldhall Gdns. *G51* —4C **80**
Shieldhall Rd. *G51* —3B **80**
Shieldhill. *E Kil* —4H **149**
Shieldmuir St. *Carl* —5E **165**

SHIELDMUIR STATION. *Moth*
—5C **144**
Shieldmuir St. *Wis* —5C **144**
Shields Dri. *Moth* —6B **144**
Shields Rd. *G41* —3C **102**
Shields Rd. *E Kil* —6E **149**
Shields Rd. *Moth* —5A **144**

SHIELDS RD. STATION. *G5* —6D **82**
Shields Tower. *Moth* —6B **144**
Shiel Pl. *Coat* —6F **91**
Shiel Pl. *E Kil* —6H **137**
Shiel Rd. *B'rig* —6D **48**
Shiel Ter. *Newm* —3D **146**
Shilford Av. *G13* —2A **60**
Shillay St. *G22* —1A **64**
Shillingworth Pl. *Bri W* —5F **73**
Shilton Dri. *G53* —2C **116**
Shilton La. *B'ton* —3C **40**
Shinwell Av. *Clyd* —6F **43**
Shira Ter. *E Kil* —2B **150**
Shirley Quad. *Moth* —6F **143**
Shirrel Av. *Bell* —6C **110**
Shirrel Rd. *Moth* —3A **128**
Shirva Lea. *Twe* —1D **32**
Shiskine Dri. *G20* —1A **62**
Shiskine Pl. *G20* —1A **62**
Sholto Cres. *Bell* —6H **109**
Shore St. *G40* —3B **104**
Shortroods Av. *Pais* —4H **77**
Shortroods Cres. *Pais* —4H **77**
Shortroods Rd. *Pais* —4H **77**
Shotts St. *G33* —3B **86**
Shuna Pl. *G20* —4C **62**
Shuna Pl. *Newt M* —3B **132**
Shuna St. *G20* —3C **62**
Shuttle St. *G1* —4H **83** (6G **5**)
Shuttle St. *Kilb* —1A **94**
Shuttle St. *Kils* —3H **11**
Shuttle St. *Pais* —1A **98**
Sidland Rd. *G21* —4E **65**
Sidlaw Av. *Barr* —6E **115**
Sidlaw Av. *Ham* —1D **152**
Sidlaw Ct. *Coat* —2E **111**
Sidlaw Dri. *Wis* —6F **145**
Sidlaw Rd. *Bear* —1B **44**
Sielga Pl. *G34* —3G **87**
Siemens Pl. *G21* —1D **84**
Siemens St. *G21* —1D **84**
Sievewright St. *Ruth* —4E **105**
Sighthill Loan. *Lark* —1F **161**
(off Muirshot Rd.)
Sikeside Pl. *Coat* —6F **91**
Sikeside St. *Coat* —6F **91**
Silkin Av. *Clyd* —6F **43**
Silk St. *Pais* —6B **78**
Silvan Pl. *Clar* —4E **135**
Silverburn Cres. *Moth* —4D **128**
Silverburn St. *G33* —3G **85**
Silverdale. *E Kil* —6E **137**
Silverdale St. *G40* —1E **105**
Silverfir Ct. *G5* —1H **103**
Silver Firs. *Moth* —4C **128**
Silverfir St. *G5* —2H **103**
Silvergrove St. *G40* —6A **84**
Silverton Av. *Dumb* —4H **17**
Silvertonhill Av. *Ham* —3A **154**
Silvertonhill Pl. *Ham* —4H **153**
Silverwells Cres. *Both* —6E **125**
Silverwood Ct. *Both* —6F **125**
Simons Cres. *Renf* —4F **59**
Simpson Ct. *Clyd* —5D **42**
Simpson Ct. *Udd* —1D **124**
Simpson Dri. *E Kil* —4F **149**
Simpson Pl. *E Kil* —4F **149**
Simpson St. *G20* —6D **62**
Simpson Way. *Bell* —6F **111**
Simshill Rd. *G44* —4F **119**
Sinclair Av. *Bear* —1E **45**
Sinclair Dri. *G42* —6D **102**

Sinclair Dri. *Coat* —4H **89**
Sinclair Gdns. *B'rig* —1D **64**
Sinclair Gro. *Bell* —5B **126**
Sinclair Pk. *E Kil* —3H **149**
Sinclair Pl. *E Kil* —3H **149**
Sinclair St. *Clyd* —1F **59**
Sinclair St. *Miln* —3G **25**
Singer Rd. *Clyd* —4B **42**
Singer Rd. *E Kil* —5H **149**
Singer St. *Clyd* —4D **42**
Sir Michael Pl. *Pais* —1H **97**
Sixth Av. *Renf* —2E **79**
Sixth St. *Udd* —4C **108**
Skaethorn Rd. *G20* —2H **61**
Skara Wlk. *Newm* —2D **146**
(off Kildonan Ct.)
Skaterigg Dri. *G13* —4F **61**
Skaterigg Gdns. *G13* —4F **61**
Skaterigg La. *G13* —4E **61**
(off Chamberlain Rd.)
Skelbo Path. *G34* —2B **88**
Skelbo Pl. *G34* —2B **88**
Skellyton Cres. *Lark* —3F **161**
Skene Rd. *G51* —6H **81**
Skerne Gro. *E Kil* —5B **148**
Skerray Quad. *G22* —1G **63**
Skerray St. *G22* —1G **63**
Skerryvore Pl. *G33* —3B **86**
Skerryvore Rd. *G33* —3B **86**
Skibo La. *Giff* —4E **117**
Skipness Av. *Carl* —5G **165**
Skipness Dri. *G51* —4D **80**
Skirsa Ct. *G23* —1E **63**
Skirsa Pl. *G23* —2D **62**
Skirsa Sq. *G23* —2E **63**
Skirsa St. *G23* —1D **62**
Skirving St. *G41* —5C **102**
Skovlunde Way. *E Kil* —5G **149**
Skye. *E Kil* —2C **150**
Skye Av. *Renf* —2E **79**
Skye Ct. *Cumb* —5F **35**
Skye Cres. *Old K* —2G **41**
Skye Cres. *Pais* —6H **97**
Skye Dri. *Cumb* —5F **35**
Skye Dri. *Old K* —2G **41**
Skye Gdns. *Bear* —1B **44**
Skye Pl. *Cumb* —5F **35**
Skye Quad. *Wis* —4C **146**
Skye Rd. *Cumb* —5F **35**
Skye Rd. *Ruth* —4F **121**
Slakiewood Av. *G'csh* —2C **68**
Slatefield. *Len* —3F **7**
Slatefield St. *G31* —5C **84**
(off Slatefield St.)
Slatefield St. *G31* —5C **84**
Sleaford Av. *Moth* —5F **143**
Slenavon Av. *Ruth* —4F **121**
Slessor Dri. *E Kil* —4G **149**
Slioch Sq. *Moth* —3C **128**
Sloy St. *G22* —5H **63**
Sloy St. *Wis* —2G **157**
Small Cres. *Blan* —2B **140**
Smeaton Av. *Torr* —5D **28**
Smeaton St. *G20* —3D **62**
Smith Av. *Wis* —4G **157**
Smith Cres. *Clyd* —2D **42**
Smithhills St. *Pais* —6A **78**
Smith Quad. *Coat* —4E **91**
Smith's La. *Pais* —5A **78**
Smithstone Cres. *Kils* —6A **12**
Smith St. *G14* —1E **81**
(in two parts)
Smith Ter. *Ruth* —4D **104**
Smithview. *Over* —4A **158**
Smith Wlk. *G14* —3G **59**
Smithycroft. *Ham* —1C **154**
Smithycroft Rd. *G33* —3F **85**
Smithyends. *Cumb* —6B **14**
Smollett Rd. *Dumb* —4H **17**
Snaefell Av. *Ruth* —3E **121**
Snaefell Cres. *Ruth* —2E **121**
Sneddon Av. *Wis* —2A **158**
Sneddon St. *Ham* —3D **140**
Sneddon Ter. *Ham* —3D **140**
Snowdon Pl. *G5* —1H **103**
Snowdon St. *G5* —1H **103**
Snuff Mill Rd. *G44* —2E **119**
Society St. *G31* —6D **84**
Solar Ct. *Lark* —5F **161**
Sollas Pl. *G13* —1G **59**
Solway Ct. *Ham* —3F **153**
Solway Pl. *Chry* —6B **52**
Solway Rd. *B'rig* —5F **49**
Solway St. *G40* —3B **104**
Somerford Rd. *Bear* —6F **45**
Somerled Av. *Pais* —2B **78**
Somerset Av. *Ham* —5F **141**
Somerset Pl. *G3* —2D **82**
Somerset Pl. Meuse. *G3* —2D **82**
(off Elderslie St.)
Somervell St. *Camb* —1H **121**
Somerville Dri. *G42* —5F **103**
Somerville Dri. *E Kil* —4H **149**
Somerville La. *E Kil* —4H **149**
Sommerville Ter. *E Kil* —4G **149**
Sorby St. *G31* —6F **85**
Sorley St. *G11* —1H **81**
Sorn St. *G40* —2D **104**
Souterhouse Path. *Coat* —6B **90**
Souterhouse Rd. *Coat* —6B **90**

Southampton Dri. *G12* —3H **61**
Southampton La. *G12* —3H **61**
(off Burlington Av.)
S. Annandale St. *G42* —3F **103**
South Av. *Blan* —4B **140**
South Av. *Carl* —4E **165**
South Av. *Clyd B* —5C **42**
South Av. *Pais* —5B **98**
South Av. *Renf* —6F **59**
Southbank Dri. *Kirk* —6C **30**
Southbank Rd. *Kirk* —6B **30**
Southbank St. *G31* —6F **85**
Southbar Av. *G13* —2A **60**
Southbar Rd. *Inch* —3E **57**
S. Barrwood Rd. *Kils* —4A **12**
S. Biggar Rd. *Air* —4B **92**
South Brae. *Kils* —5E **7**
Southbrae Av. *Bri W* —4D **72**
Southbrae Dri. *G13* —4C **60**
Southbrae La. *G13* —4E **61**
(off Selborne Rd.)
South Bri. St. *Air* —3A **92**
S. Burn Rd. *Air* —4F **91**
S. Caldeen Rd. *Coat* —6D **90**
S. Campbell St. *Pais* —2A **98**
S. Carbrain Rd. *Cumb* —5H **35**
S. Chester St. *G32* —6A **86**
S. Circular Rd. *Coat* —4C **90**
S. Claremont La. *Miln* —4G **25**
S. Commonhead Av. *Air* —2H **91**
Southcroft Rd. *Ruth* —4A **104**
Southcroft St. *G51* —4H **81**
S. Crosshill Rd. *B'rig* —6C **48**
S. Dean Pk. Av. *Both* —5E **125**
Southdeen Av. *G15* —4A **44**
Southdeen Rd. *G15* —4A **44**
S. Douglas St. *Clyd* —1E **59**
South Dri. *Lin* —5H **75**
S. Dumbreck Rd. *Kils* —3F **11**
S. Elgin Pl. *Clyd* —2E **59**
S. Elgin St. *Clyd* —2E **59**
Southend Pl. *Bell* —3B **126**
Southend Rd. *Clyd* —2D **42**
Southern Av. *Ruth* —2D **120**
Southerness Dri. *Cumb* —6A **14**
S. Erskine Pk. *Bear* —2D **44**
Southesk Av. *B'rig* —4B **48**
Southesk Gdns. *B'rig* —4B **48**
S. Exchange Ct. *G1* —4G **83** (6E **5**)
(off Buchanan St.)
Southfield Av. *Pais* —5A **98**
Southfield Cres. *G53* —5C **100**
Southfield Cres. *Coat* —6E **91**
Southfield Rd. *Cumb* —4E **35**
S. Frederick St. *G1* —4G **83** (5F **5**)
Southgate. *E Kil* —2G **149**
S. Glassford St. *Miln* —4H **25**
Southhill Av. *Ruth* —1E **121**
Southinch Av. *G14* —3G **59**
Southlea Av. *T'bnk* —4G **117**
South Loan. *Chry* —1B **68**
Southloch Gdns. *G21* —6B **64**
Southloch St. *G21* —6B **64**
S. Mains Rd. *Miln* —4F **25**
S. Medrox St. *Glenb* —2G **69**
S. Moraine La. *G15* —5C **44**
S. Mound. *Hous* —1A **74**
S. Muirhead Rd. *Cumb* —3A **36**
Southmuir Pl. *G20* —4B **62**
S. Nimmo St. *Air* —4B **92**
South Pk. *Ham* —1H **153**
Southpark Av. *G12* —1B **82**
South Pk. Dri. *Pais* —3A **98**
South Pk. Gro. *Ham* —6H **141**
South Pk. La. *G12* —1C **82**
South Pk. Ter. *G12* —1C **82**
South Pl. *Bell* —3B **126**
S. Portland St. *G5* —6F **83**
(in two parts)
South Rd. *Clar* —4E **135**
S. Robertson St. *Air* —4G **91**
S. Scott St. *Bail* —1H **107**
S. Spiers Wharf. *G4* —1F **83**
South St. *G14 & G11* —5A **60**
South St. *Hous* —1A **74**
South St. *Inch* —5F **57**
S. Vesalius St. *G32* —6A **86**
Southview. *Bear* —2C **44**
South View. *Bell* —3A **126**
South View. *Blan* —1A **140**
South View. *Clyd* —4B **42**
Southview Av. *Clar* —4D **134**
Southview Ct. *B'rig* —2B **64**
Southview Cres. *Bri W* —2F **73**
Southview Pl. *G'csh* —3C **68**
Southview Ter. *B'rig* —2B **64**
S. William St. *John* —3F **95**
Southwold Rd. *Pais* —6G **79**
Southwood Dri. *G44* —2G **119**
S. Woodside Rd. *G4* —1C **82**
S. Woodside Rd. *G20* —6D **62**
Soutra Pl. *G33* —3B **86**
Spaehouse Av. *Carl* —4H **165**
Spalehall Dri. *Moth* —4F **129**
Spateston Rd. *John* —6C **94**
Spean Av. *E Kil* —2B **150**
Spean St. *G44* —6E **103**
Speirsfield Gdns. *Pais* —2A **98**
Speirsfield Clo. *G14* —4H **59**
Speirshall Ter. *G14* —3G **59**

Speirs Rd. *Bear* —4G **45**
Speirs Rd. *John* —2H **95**
Spencer Dri. *Pais* —5B **96**
Spencerfield Gdns. *Ham* —6B **142**
Spencer St. *G13* —2F **61**
Spencer St. *Clyd* —4C **42**
Spence St. *G20* —1A **62**
Spey Av. *Pais* —5C **96**
Spey Ct. *Air* —6C **92**
Spey Ct. *Newm* —3D **146**
Spey Dri. *Renf* —1G **79**
Spey Gdns. *Ham* —3F **153**
Spey Gro. *E Kil* —4A **148**
Spey Pl. *John* —5C **94**
Spey Rd. *Bear* —5C **44**
Spey St. *G33* —3H **85**
Spey Ter. *E Kil* —4B **148**
Spey Wlk. *Cumb* —3H **35**
(off Cumbernauld Cen., The)
Spey Wlk. *Moth* —1C **128**
Spey Wynd. *Lark* —5A **161**
Spiersbridge Av. *T'bnk* —5E **117**
(in two parts)
Spiersbridge La. *Giff* —4E **117**
Spiersbridge Rd. *T'bnk* —5F **117**
Spiersbridge Ter. *T'bnk* —4E **117**
Spiers Gro. *T'bnk* —4F **117**
Spiers Pl. *Lin* —4A **76**
Spiers Rd. *Bear* —4H **45**
Spiers Rd. *Hous* —1B **74**
Spindlehowe Rd. *Udd* —2D **124**
Spindlehowe Rd. *Udd* —6E **109**
(Tannochside)
Spinners Gdns. *Pais* —2F **97**
Spinners La. *Clyd* —6D **22**
Spittal Rd. *Ruth* —3B **120**
Spoutmouth. *G1* —5H **83**
Springbank Rd. *Pais* —4H **77**
Springbank St. *G20* —5D **62**
Springbank Ter. *Pais* —4H **77**
Springboig Av. *G32* —5C **86**
Springboig Rd. *G32* —4C **86**
Springburn Pl. *E Kil* —6C **136**
Springburn Rd. *G21* —4A **64**
Springburn Shopping Cen. *G21*
—5B **64**
SPRINGBURN STATION. *G21*
—5B **64**
Springburn Way. *G21* —5A **64**
Springcroft Av. *Bail* —5H **87**
Springcroft Cres. *Bail* —5H **87**
Springcroft Dri. *Bail* —5G **87**
Springcroft Gdns. *Bail* —5A **88**
Springcroft Gro. *Bail* —5H **87**
Springcroft Rd. *Bail* —5G **87**
Springcroft Wynd. *Bail* —5H **87**
Springfield Av. *B'rig* —1C **64**
Springfield Av. *Pais* —1D **98**
Springfield Av. *Udd* —2D **124**
Springfield Ct. *G1* —4G **83** (6E **5**)
Springfield Ct. *B'rig* —6D **48**
Springfield Cres. *B'rig* —1C **64**
Springfield Cres. *Blan* —2A **140**
Springfield Cres. *Carl* —5F **165**
Springfield Cres. *Udd* —2D **124**
Springfield Dri. *Barr* —6G **115**
Springfield Pk. *John* —3G **95**
Springfield Pk. Rd. *Ruth* —1E **121**
Springfield Quay. *G51* —5D **82**
Springfield Rd. *G31* —1E **105**
Springfield Rd. *G40* —2C **104**
Springfield Rd. *Air* —3E **93**
Springfield Rd. *Barr* —2F **131**
Springfield Rd. *B'rig* —6C **48**
Springfield Rd. *Cumb* —1A **36**
Springfield Sq. *B'rig* —1C **64**
Springfield Woods. *John* —3G **95**
Springhall Ct. *Ruth* —4F **121**
(off Slenavon Av.)
Springhill Av. *Air* —3B **92**
Springhill Av. *Coat* —1G **109**
Springhill Gdns. *G41* —4C **102**
Springhill Pl. *Coat* —1G **109**
Springhill Rd. *Bail* —6F **87**
Springhill Rd. *Barr* —5D **114**
Springhill Rd. *Clar* —2D **134**
Springholm Dri. *Air* —1H **91**
Springkell Av. *G41* —2H **101**
Springkell Dri. *G41* —3H **101**
Springkell Gdns. *G41* —3B **102**
Springkell Ga. *G41* —3B **102**
Springside Pl. *G15* —3A **44**
Springvale Ter. *G21* —5A **64**
Springwell Cres. *Blan* —2D **140**
Springwells Av. *Air* —3C **92**
Springwells Cres. *Air* —3C **92**
Spruce Av. *Blan* —1A **140**
Spruce Av. *Ham* —1A **154**
Spruce Av. *John* —4G **95**
Spruce Ct. *Coat* —1B **110**
Spruce Ct. *Ham* —2A **154**
Spruce Dri. *Kirk* —2A **50**
Spruce Rd. *Cumb* —1D **36**
Spruce Rd. *Udd* —4G **109**
Spruce St. *G22* —4H **63**
Spruce Way. *Moth* —3B **128**
Spynie Pl. *B'rig* —5F **49**
Spynie Way. *Newm* —3D **146**
(off Iona Rd.)
Squire St. *G14* —1D **80**
Stable Pl. *Miln* —2F **25**

Stable Rd. *Miln* —2F **25**
Staffa. *E Kil* —3C **150**
Staffa Av. *Renf* —2E **79**
Staffa Dri. *Air* —4F **93**
Staffa Dri. *Kirk* —5H **31**
Staffa Dri. *Pais* —6A **98**
Staffa Rd. *Camb* —4H **121**
Staffa St. *G31* —3D **84**
Staffin Dri. *G23* —6B **46**
Staffin Path. *G23* —6C **46**
(off Staffin St.)
Staffin St. *G23* —6C **46**
Stafford St. *G4* —2G **83** (2G **5**)
Stafford St. *Bell* —3B **126**
Stag Ct. *Udd* —1G **125**
Stag St. *G51* —4H **81**
Staig Wynd. *Moth* —5A **144**
Staineybraes Pl. *Air* —1H **91**
Stalker St. *Wis* —5C **144**
Stamford St. *G40 & G31* —6D **84**
Stamperland Av. *Clar* —2D **134**
Stamperland Cres. *Clar* —1C **134**
Stamperland Gdns. *Clar* —6D **118**
Stamperland Hill. *Clar* —1C **134**
Stanalane St. *T'bnk* —3F **117**
Standburn Rd. *G21* —2F **65**
Staneacre Pk. *Ham* —6B **142**
Stanecraigs Pl. *Newm* —3D **146**
Stanefield Dri. *Moth* —3E **129**
Stanely Av. *Pais* —5F **97**
Stanely Ct. *Pais* —5F **97**
Stanely Cres. *Pais* —5F **97**
Stanely Dri. *Pais* —4G **97**
Stanely Rd. *Pais* —4G **97**
Stanford St. *Clyd* —6E **43**
Stanhope Dri. *Ruth* —2F **121**
Stanhope Pl. *Wis* —4G **157**
Stanistone Rd. *Carl* —3G **165**
Stanka Av. *Pais* —2G **97**
Stanley Dri. *Bell* —1C **126**
Stanley Dri. *B'rig* —5D **48**
Stanley Dri. *Brkfld* —6C **74**
Stanley La. *Brkfld* —6C **74**
Stanley Pk. *Air* —3B **92**
Stanley Pl. *Blan* —6B **124**
Stanley St. *G41* —6C **82**
Stanley St. *Ham* —5D **140**
Stanley St. La. *G41* —6C **82**
Stanmore Rd. *G42* —5F **103**
Stanrigg St. *Plain* —1G **93**
Stark Av. *Clyd* —1A **42**
Starling Way. *Stra B* —5A **110**
Startpoint St. *G33* —3A **86**
Stathers Yd. *C'23* —5A **62**
Station Brae. *Neil* —1C **130**
Station Cres. *Renf* —5F **59**
Station Pl. *Law* —5E **159**
Station Rd. *G20* —1A **62**
Station Rd. *Air* —3E **93**
Station Rd. *Bail* —1A **108**
Station Rd. *Bard* —6E **27**
Station Rd. *Bear* —3C **44**
Station Rd. *B'ton* —5H **39**
Station Rd. *Blan* —1C **140**
Station Rd. *Both* —5E **125**
Station Rd. *Carl* —4E **165**
Station Rd. *Clar* —4E **135**
Station Rd. *Cle* —6H **129**
Station Rd. *Dumb* —3E **17**
Station Rd. *Giff* —4A **118**
Station Rd. *Ham* —6A **142**
Station Rd. *Kilb* —3A **94**
Station Rd. *Kils* —2H **11**
Station Rd. *Lark* —1F **161**
Station Rd. *Law* —6D **158**
Station Rd. *Len* —3F **7**
Station Rd. *Mille* —4A **66**
Station Rd. *Miln* —4G **25**
Station Rd. *Moth* —4B **128**
Station Rd. *Muirh* —2A **68**
Station Rd. *Neil* —2D **130**
Station Rd. *Old K* —1F **41**
Station Rd. *Pais* —2E **97**
Station Rd. *Plain* —1H **93**
Station Rd. *Renf* —5F **59**
Station Rd. *Step* —4D **66**
Station Rd. *Udd* —1C **124**
Station Rd. *Wis* —1G **157**
Station Row. *Law* —5E **159**
Station Way. *Udd* —1D **124**
Station Wynd. *Kilb* —3B **94**
Steading, The. *Wis* —4H **145**
Steel St. *G1* —5H **83**
Steel St. *Wis* —1H **157**
Steeple Sq. *Kilb* —2A **94**
Steeple St. *Kilb* —2A **94**
Stemac La. *Plain* —1G **93**
Stenhouse Av. *Muirh* —2A **68**
Stenton Cres. *Wis* —2D **156**
Stenton Pl. *Wis* —2D **156**
Stenton St. *G32* —4G **85**
Stepends Rd. *Air* —5H **93**
Stepford Path. *G33* —4G **87**
Stepford Pl. *G33* —4F **87**
Stepford Rd. *G33* —4F **87**
Stephen Cres. *Bail* —6F **87**
Stephenson Pl. *E Kil* —3F **149**
Stephenson Sq. *E Kil* —3F **149**
Stephenson St. *H'ton I* —3G **79**
Stephenson Ter. *E Kil* —3F **149**

Steppshill Ter. *G33* —4C **66**
Stepps Rd. *G33* —2B **86**
Stepps Rd. *Kirk* —5E **51**
STEPPS STATION. *Step* —4E **67**
Stevens La. *Moth* —4A **128**
Stevenson Pl. *Bell* —6D **110**
Stevenson St. *G40* —5A **84**
(in two parts)
Stevenson St. *Carl* —3E **165**
Stevenson St. *Clyd* —3B **42**
Stevenson St. *Pais* —2A **98**
Stevenson St. *Moth* —3A **128**
Stevens Pas. *Pais* —6A **78**
Stevenston Ct. *New S* —3A **128**
Stevenston St. *Moth* —3A **128**
Stewart Av. *Blan* —2A **140**
Stewart Av. *Newt M* —3E **133**
Stewart Av. *Renf* —2D **78**
Stewart Ct. *Barr* —3E **115**
Stewart Ct. *Coat* —5E **91**
(off Clifton Pl.)
Stewart Ct. *Ruth* —6E **105**
Stewart Cres. *Newm* —3E **147**
Stewart Dri. *Bail* —5B **89**
Stewart Dri. *Clar* —1B **134**
Stewart Dri. *Clyd* —1D **42**
Stewartfield Rd. *E Kil* —6E **137**
Stewartfield Way. *E Kil* —6A **136**
Stewart Gill Pl. *Ashg* —4B **162**
Stewarton Dri. *Camb* —2G **121**
Stewarton Rd. *T'bnk* —6E **117**
Stewarton St. *Wis* —1H **157**
Stewarton Ter. *Wis* —1H **157**
Stewart Pl. *Barr* —3F **115**
Stewart Pl. *Carl* —3F **165**
Stewart Quad. *Holy* —1B **128**
Stewart Rd. *Pais* —5B **98**
Stewarts La. *Wis* —6A **146**
Stewart St. *G4* —2F **83** (1D **4**)
Stewart St. *Barr* —3F **115**
Stewart St. *Bell* —2E **127**
Stewart St. *Carl* —2E **165**
Stewart St. *Clyd* —4A **42**
Stewart St. *Coat* —3C **90**
Stewart St. *Ham* —4E **141**
(in two parts)
Stewart St. *Miln* —4G **25**
Stewartville St. *G11* —1H **81**
Stirling Av. *Bear* —5E **45**
Stirling Dri. *Bear* —1D **44**
Stirling Dri. *B'rig* —4A **48**
Stirling Dri. *E Kil* —6A **138**
Stirling Dri. *Ham* —5C **140**
Stirling Dri. *John* —3D **94**
Stirling Dri. *Lin* —6F **75**
Stirling Dri. *Ruth* —2D **120**
Stirlingfauld Pl. *G5* —6F **83**
Stirling Gdns. *B'rig* —4A **48**
Stirling Pl. *Len* —3G **7**
Stirling Rd. *G4* —3H **83** (4H **5**)
Stirling Rd. *Air* —1B **92**
Stirling Rd. *Carl* —1E **165**
Stirling Rd. *Chap* —1D **112**
Stirling Rd. *Dumb* —1G **17**
Stirling Rd. *Kils* —2A **12**
Stirling Rd. *Kirk* —4D **30**
Stirling Rd. Ind. Est. *Air* —1B **92**
Stirling St. *Air* —4H **91**
Stirling St. *Coat* —1H **109**
Stirling St. *Cumb* —1B **36**
Stirling St. *Moth* —5B **144**
Stirling Way. *Bail* —1G **107**
Stirling Way. *Renf* —2F **79**
Stirrat St. *G20* —3A **62**
Stirrat St. *Pais* —4F **77**
Stobcross Rd. *G3* —3A **82**
Stobcross Rd. *G3* —4C **82**
Stobcross St. *Coat* —5C **90**
Stobhill Rd. *G21* —2B **64**
Stobo. *E Kil* —5C **138**
Stobo Ct. *E Kil* —5C **138**
Stobo St. *Wis* —4A **146**
Stobs Dri. *Barr* —2D **114**
Stobs Pl. *G34* —2A **88**
Stock Av. *Pais* —2A **98**
Stockholm Cres. *Pais* —2A **98**
Stockiemuir Av. *Bear* —6D **24**
Stockiemuir Ct. *Bear* —6E **25**
Stockiemuir Rd. *Bear* —1D **44**
Stockiemuir Rd. *Miln* —3C **24**
Stocks Rd. *Moth* —1D **146**
Stock St. *Pais* —3A **98**
Stockwell Pl. *G1* —5G **83**
Stockwell St. *G1* —5G **83**
Stoddard Sq. *Eld* —2B **96**
Stonebyres Ct. *Ham* —6E **141**
Stonecraig Rd. *Wis* —1H **157**
Stonedyke Rd. *Carl* —2G **165**
Stonefield Av. *G12* —3A **62**
Stonefield Av. *Pais* —4B **98**
Stonefield Cres. *Blan* —3A **140**
Stonefield Cres. *Clar* —1A **134**
Stonefield Cres. *Pais* —4B **98**
Stonefield Dri. *Pais* —4B **98**
Stonefield Gdns. *Carl* —2F **165**
Stonefield Gdns. *Pais* —4B **98**
Stonefield Grn. *Pais* —4A **98**
Stonefield Pk. *Pais* —5A **98**
Stonefield Pk. Gdns. *Blan* —1C **140**
Stonefield Pl. *Blan* —3H **139**
Stonefield Rd. *Blan* —2A **140**
Stonefield St. *Air* —2A **92**

Stonehall Av. *Ham* —1F **153**
Stonelaw Dri. *Ruth* —6D **104**
Stonelaw Rd. *Ruth* —6D **104**
Stonelaw Towers. *Ruth* —1E **121**
Stoneside Dri. *G43* —1G **117**
Stoneside Sq. *G43* —1G **117**
Stoney Brae. *Pais* —5A **98**
(in two parts)
Stoneydyke Cres. *Carl* —2G **165**
Stoneyetts Rd. *Chry* —4D **52**
Stoneymeadow Rd. *E Kil* —5B **138**
Stony Brae. *Pais* —6A **78**
Stonyflatt Av. *Dumb* —2H **17**
Stonyflatt Rd. *Dumb* —2H **17**
Stonyhurst St. *G22* —5F **63**
(in two parts)
Stonylee Rd. *Cumb* —4A **36**
Storie St. *Pais* —1A **98**
Stormyland Way. *Barr* —5E **115**
Stornaway St. *G22* —1G **63**
Stornoway Rd. *Wis* —4C **146**
Stow Brae. *Pais* —1A **98**
Stow St. *Pais* —1A **98**
Strachan St. *Bell* —3C **126**
Strachur St. *G22* —2E **63**
Strain Cres. *Air* —5B **92**
Straiton Dri. *Ham* —1B **152**
Straiton St. *G32* —4G **85**
Stranraer Dri. *G15* —5C **44**
Stratford. *E Kil* —4D **138**
Stratford St. *G20* —4B **62**
Strathallan Gdns. *Kirk* —5D **30**
(off Willowbank Gdns.)
Strathallon Pl. *Ruth* —4F **121**
(off St Stephen's Av.)
Strathaven Rd. *E Kil* —3A **150**
Strathaven Rd. *Ham* —6G **153**
Strathavon Cres. *Air* —1A **92**
Strathblane Cres. *Air* —6H **71**
Strathblane Rd. *Kils* —1A **6**
Strathblane Rd. *Miln* —3H **25**
Strathbran St. *G31* —1F **105**
Strathcairn Cres. *Air* —6H **71**
Strath Carron. *Law* —6E **159**
Strathcarron Pl. *G20* —3B **62**
Strathcarron Rd. *Pais* —5D **98**
Strathclyde Bus. Pk. *Bell* —5B **110**
Strathclyde Dri. *Ruth* —6C **104**
Strathclyde Path. *Udd* —1C **124**
Strathclyde Rd. *Dumb* —2G **17**
Strathclyde Rd. *Moth* —3D **142**
Strathclyde St. *G40* —3C **104**
Strathclyde View. *Both* —6F **125**
Strathcona Dri. *G13* —2F **61**
Strathcona Gdns. *G13* —2G **61**
Strathcona La. *E Kil* —4G **149**
Strathcona Pl. *E Kil* —4G **149**
Strathcona Pl. *Ruth* —3F **121**
Strathcona St. *G13* —2F **61**
Strathconon Gdns. *E Kil* —2A **148**
(off Strathnairn Dri.)
Strath Dearn. *Law* —6E **159**
Strathdearn Gro. *E Kil* —3A **148**
Strathdee Av. *Clyd* —2D **42**
Strathdee Rd. *G44* —5C **118**
Strathdon Av. *G44* —5C **118**
Strathdon Av. *Pais* —3G **97**
Strathdon Dri. *G44* —5C **118**
Strathdon Pl. *E Kil* —3A **148**
(off Strathnairn Dri.)
Strathearn Gro. *Kirk* —4H **31**
Strathearn Rd. *Clar* —3C **134**
Strath Elgin. *Law* —6D **158**
Strathendrick Dri. *G44* —3C **118**
Strathfillan Rd. *E Kil* —1F **149**
Strath Halladale. *Law* —6E **159**
Strathkelvin La. *B'rig* —2B **64**
Strathkelvin Retail Pk. *B'rig* —3E **49**
Strathlachan Av. *Carl* —4G **165**
Strathleven Pl. *Dumb* —4F **17**
Strathmore Av. *Blan* —6A **124**
Strathmore Av. *Pais* —1F **99**
Strathmore Cres. *Air* —1A **92**
Strathmore Gdns. *Ruth* —3F **121**
Strathmore Pl. *Coat* —6F **91**
Strathmore Rd. *G22* —2F **63**
Strathmore Rd. *Ham* —6A **142**
Strathmore Wlk. *Coat* —6F **91**
Strathmungo Cres. *Air* —1H **91**
Strath Nairn. *Law* —6E **159**
Strathnairn Av. *E Kil* —3A **148**
Strathnairn Ct. *E Kil* —3A **148**
Strathnairn Dri. *E Kil* —3A **148**
Strathnairn Way. *E Kil* —3A **148**
Strath Naver. *Law* —6E **159**
Strathnaver Gdns. *E Kil* —3A **148**
Strathord Pl. *Chry* —3E **53**
Strathord St. *G32* —2A **106**
Strath Peffer. *Law* —6D **158**
Strathpeffer Cres. *Air* —1A **92**
Strathpeffer Dri. *E Kil* —2A **148**
(off Strathnairn Dri.)
Strathspey Cres. *Air* —6H **71**
Strathtay Av. *G44* —5C **118**
Strathtummel Cres. *Air* —6H **71**
Strathview Gro. *G44* —5C **118**
Strathview Pk. *G44* —5C **118**
Strathview Rd. *Bell* —4A **126**
Strathy Pl. *G20* —3B **62**
Strathyre Gdns. *Bear* —2H **45**
Strathyre Gdns. *Chry* —4E **53**

Strathyre Gdns. *Glenm* —4H **71**
Strathyre Rd. *Blan* —3D **140**
Strathyre St. *G41* —5C **102**
Stratton Dri. *Giff* —5H **117**
Strauss Av. *Clyd* —6G **43**
Stravaig Path. *Pais* —6E **97**
Stravaig Wlk. *Pais* —6E **97**
Stravanan Rd. *G45* —6H **119**
Stravannan St. *G45* —5H **119**
Stravenhouse Rd. *Law* —1G **163**
Strawberry Field Rd. *C'lee* —2B **74**
Strawhill Rd. *Clar* —2C **134**
Strenabey Av. *Ruth* —3F **121**
Striven Ct. *Coat* —2D **110**
Striven Cres. *Wis* —2G **157**
Striven Gdns. *G20* —6D **62**
Striven Ter. *Ham* —2E **153**
Stroma St. *G21* —1D **84**
Stromness St. *G5* —1E **103**
Strone Gdns. *Kils* —3F **11**
Strone Path. *Glenb* —3G **69**
Strone Rd. *G33* —4B **86**
Stronend St. *G22* —4F **63**
Stronsay Pl. *B'rig* —5F **49**
Stronsay St. *G21* —1D **84**
Stronvar Dri. *G14* —5B **60**
Stroud Rd. *E Kil* —6E **149**
Strowan Cres. *G32* —1B **106**
Strowan's Rd. *Dumb* —2C **18**
Strowan St. *G32* —1B **106**
Strowan's Well Rd. *Dumb* —2C **18**
Struan Av. *Giff* —4A **118**
Struan Gdns. *G44* —2E **119**
Struan Rd. *G44* —2E **119**
Struie St. *G34* —3G **87**
Struma Dri. *Clar* —1A **134**
Strutherhill Ind. Est. *Lark* —5G **161**
Struthers Cres. *E Kil* —5B **138**
Struther St. *Lark* —5F **161**
Struther & Swinhill Rd. *Lark*
    —6G **161**
Stuart Av. *Old K* —2F **41**
Stuart Av. *Ruth* —2D **120**
Stuart Dri. *B'rig* —1A **64**
Stuart Dri. *Lark* —4G **161**
Stuart Ho. *Cumb* —2B **36**
Stuarton Pk. *E Kil* —1G **149**
Stuart Quad. *Wis* —2E **157**
Stuart Rd. *Crmck* —1H **135**
Stuart Rd. *B'ton* —3H **39**
Stuart Rd. *Dumb* —1C **18**
Stuart St. *E Kil* —1H **149**
Stuart St. *Old K* —2F **41**
Succoth St. *G13* —2F **61**
Sudbury Cres. *E Kil* —2D **148**
Sugworth Av. *Bail* —6H **87**
Sumburgh St. *G33* —4B **86**
Summerfield Rd. *Cumb* —1C **54**
Summerfield St. *G40* —2D **104**
Summerhill Av. *Lark* —3E **161**
Summerhill & Garngibbock Rd.
    Cumb —4E **55**
Summerhill Rd. *G15* —3A **44**
Summerhill Rd. *Clar* —2D **134**
Summerhill Way. *Bell* —3B **126**
Summerlea Rd. *T'bnk* —3F **117**
Summerlee Cotts. *Coat* —4B **90**
Summerlee Rd. *Lark* —6H **155**
Summerlee Rd. *Wis* —5C **144**
Summerlee St. *G33* —3C **86**
Summerlee St. *Coat* —4B **90**
SUMMERSTON STATION. *G23*
    —1B **62**
Summertown Rd. *G51* —4H **81**
Sunart Av. *Renf* —5D **58**
Sunart Ct. *Ham* —2E **153**
Sunart Gdns. *B'rig* —6E **49**
Sunart Rd. *G52* —6E **81**
Sunart Rd. *B'rig* —6E **49**
Sunart St. *Wis* —2G **157**
Sunbury Av. *Clar* —2A **134**
Sundale Av. *Clar* —3B **134**
Sunderland Av. *Dumb* —3C **16**
Sunflower Gdns. *Moth* —1F **143**
Sunningdale Av. *Newt M* —4F **133**
Sunningdale Dri. *Bri W* —5E **73**
Sunningdale Rd. *G23* —1B **62**
Sunningdale Wynd. *Both* —4C **124**
Sunnybank Dri. *Clar* —3B **134**
Sunnybank Gro. *Clar* —3B **134**
Sunnybank St. *G40* —2D **104**
Sunnyhill. *Twe* —2D **32**
Sunnylaw Dri. *Pais* —3F **97**
Sunnylaw St. *G22* —5F **63**
Sunnyside Av. *Moth* —2B **128**
Sunnyside Av. *Udd* —2D **124**
Sunnyside Cres. *Moth* —2A **128**
Sunnyside Dri. *G15* —6A **44**
Sunnyside Dri. *Bail* —6D **88**
Sunnyside Dri. *Clar* —1B **134**
Sunnyside Pl. *G15* —6A **44**
Sunnyside Pl. *Barr* —5D **114**
Sunnyside Pl. *Moth* —2A **128**
Sunnyside Rd. *Cle* —1H **145**
Sunnyside Rd. *Coat* —4C **90**
Sunnyside Rd. *Ham & Lark*
    —3A **160**
Sunnyside Rd. *Pais* —4H **97**
Sunnyside St. *Lark* —1D **160**
Sunnyside Ter. *Moth* —2A **128**

Surrey St. *G5* —1F **103**
Sussex St. *G41* —6C **82**
Sutcliffe Ct. *G13* —2E **61**
Sutcliffe Rd. *G13* —2E **61**
Sutherland Av. *G41* —2H **101**
Sutherland Av. *Bear* —6E **25**
Sutherland Dri. *Air* —6G **91**
Sutherland Dri. *Dumb* —2C **18**
Sutherland Dri. *Giff* —6B **118**
Sutherland La. *G12* —1B **82**
Sutherland Pl. *Bell* —5B **126**
Sutherland Rd. *Clyd* —5D **42**
Sutherland St. *Blan* —4A **140**
Sutherland St. *Pais* —6H **77**
Sutherland Way. *E Kil* —6C **138**
Swaledale. *E Kil* —6E **137**
Swallow Gdns. *G13* —2H **59**
Swallow Rd. *Clyd* —6F **23**
Swallow Rd. *Wis* —6H **145**
Swan Pl. *John* —6C **94**
Swanston St. *G40* —3C **104**
Swan St. *G4* —2G **83** (1F **5**)
Swan St. *Clyd* —4B **42**
Swan Way. *Law* —1H **163**
Sween Av. *G44* —3E **119**
Sween Dri. *Ham* —2E **153**
Sween Path. *Bell* —4E **127**
    (off Millbank Av.)
Sweethill Ter. *Coat* —2F **111**
Sweethill Wlk. *Bell* —6E **111**
Sweethope Gdns. *Both* —5F **125**
Sweethope Pl. *Both* —4E **125**
Swift Bank. *Ham* —2C **152**
Swift Cres. *G13* —1H **59**
Swift Pl. *E Kil* —5A **148**
Swift Pl. *John* —6D **94**
Swindon St. *Clyd* —4A **42**
Swinstie Rd. *Cle* —1A **146**
Swinton Av. *Bail* —6A **88**
Swinton Cres. *Bail* —6A **88**
Swinton Cres. *Coat* —1F **109**
Swinton Dri. *G52* —6B **80**
Swinton Gdns. *Bail* —6B **88**
Swinton Path. *Bail* —6B **88**
Swinton Pl. *G52* —6B **80**
Swinton Pl. *Coat* —1F **109**
    (off Swinton Cres.)
Swinton Rd. *Bail* —6A **88**
Swinton View. *Bail* —6B **88**
Swisscot Av. *Ham* —3F **153**
Swisscot Wlk. *Ham* —3F **153**
Switchback Rd. *Bear* —5F **45**
Swordale Path. *G34* —3G **87**
    (off Kildermorie Rd.)
Swordale Pl. *G34* —3G **87**
Sword St. *G31* —5C **84**
Sword St. *Air* —4H **91**
Sycamore Av. *John* —4G **95**
Sycamore Av. *Lenz* —2C **50**
Sycamore Av. *Udd* —6G **109**
Sycamore Ct. *Coat* —1B **110**
    (off Ailsa Rd.)
Sycamore Ct. *E Kil* —5F **149**
Sycamore Cres. *Air* —5D **92**
Sycamore Cres. *E Kil* —5E **149**
Sycamore Dri. *Air* —5D **92**
Sycamore Dri. *Clyd* —3C **42**
Sycamore Dri. *Ham* —1B **154**
Sycamore Gro. *Blan* —1A **140**
Sycamore Pl. *E Kil* —5F **149**
Sycamore Pl. *Moth* —4C **128**
Sycamore Way. *Clar* —2H **135**
Sycamore Way. *Milt C* —6C **8**
Sydenham Ct. *G12* —5A **62**
    (off Westbourne Gdns. La.)
Sydenham La. *G12* —6H **61**
Sydenham Rd. *G12* —6A **62**
Sydes Brae. *Blan* —5H **139**
Sydney Dri. *E Kil* —4E **149**
Sydney Pl. *E Kil* —3E **149**
Sydney St. *G31* —5A **84**
Sydney St. *Clyd* —3H **41**
Sykehead Av. *Bell* —2D **126**
Sykeside Rd. *Coat* —1G **111**
Sykes Ter. *Neil* —2F **131**
Sylvania Way. *Clyd* —5D **42**
Sylvania Way S. *Clyd* —6D **42**
Symington Dri. *Clyd* —5C **42**
Symington Sq. *E Kil* —3H **149**
Syrett Cotts. *Coat* —5B **90**
Syriam Pl. *G21* —5B **64**
Syriam St. *G21* —4B **64**

Tabard Pl. *G13* —1C **60**
Tabard Rd. *G13* —1C **60**
Tabernacle La. *Camb* —2A **122**
Tabernacle St. *Camb* —2A **122**
Taggart Rd. *Kils* —2B **34**
Taig Rd. *Kirk* —6H **31**
Tait Av. *Barr* —3F **115**
Takmadoon Rd. *Kils* —2A **12**
Talbot. *E Kil* —5C **138**
Talbot Dri. *G13* —4B **60**
Talbot Pl. *G13* —4B **60**
Talbot St. *G13* —4B **60**
Talbot Ter. *Udd* —5C **108**
Talisman Av. *Dumb* —3C **16**
Talisman Cres. *Moth* —5F **127**
Talisman Rd. *G13* —3C **60**

Talisman Rd. *Pais* —6C **96**
Tallant Rd. *G15* —4B **44**
Tallant Ter. *G15* —4C **44**
Talla Rd. *G52* —5A **80**
Tamarack Cres. *Udd* —4G **109**
Tamar Dri. *E Kil* —5B **148**
Tambowie Av. *Miln* —3F **25**
Tambowie Cres. *Miln* —3F **25**
Tambowie St. *G13* —1E **61**
Tamshill St. *G20* —3D **62**
Tanar Av. *Renf* —2G **79**
Tanar Way. *Renf* —1G **79**
Tandlehill Rd. *Mill P* —4A **94**
Tanera Av. *G44* —2G **119**
Tanfield Pl. *G32* —4C **86**
Tanfield St. *G32* —4C **86**
Tankerland Rd. *G44* —1E **119**
Tannadice. *G52* —2C **100**
    (off Tannadice Av.)
Tannadice Av. *G52* —2C **100**
Tanna Dri. *G52* —2F **101**
Tannahill Cen. *Pais* —5E **77**
Tannahill Cres. *John* —4E **95**
    (in two parts)
Tannahill Dri. *E Kil* —6C **138**
Tannahill Rd. *G43* —1D **118**
Tannahill Rd. *Pais* —5F **77**
Tannahill Ter. *Pais* —5F **77**
Tannoch Dri. *Cumb* —6H **35**
Tannoch Dri. *Miln* —2G **25**
Tannoch Pl. *Cumb* —6H **35**
Tannochside Dri. *Udd* —4E **109**
Tannochside Pk. *Udd* —4F **109**
Tannock St. *G22* —5F **63**
Tantallon Ct. *Carl* —2E **165**
Tantallon Dri. *Coat* —2G **89**
Tantallon Dri. *Pais* —4E **97**
Tantallon Pk. *E Kil* —1F **149**
Tantallon Rd. *G41* —5C **102**
Tantallon Rd. *Bail* —2G **107**
Tanzieknowe Av. *Camb* —4B **122**
Tanzieknowe Dri. *Camb* —4B **122**
Tanzieknowe Pl. *Camb* —4A **122**
Tanzieknowe Rd. *Camb* —4A **122**
Taransay St. *G51* —3G **81**
Tarbert Av. *Blan* —5A **124**
Tarbert Av. *Wis* —2G **157**
Tarbert Ct. *Ham* —2E **153**
Tarbet Pl. *Carl* —4G **165**
Tarbolton. *E Kil* —6D **138**
Tarbolton Dri. *Clyd* —4E **43**
Tarbolton Pl. *Lark* —2D **160**
Tarbolton Rd. *G43* —1B **118**
Tarbolton Rd. *Cumb* —3B **36**
Tarbolton Sq. *Clyd* —4E **43**
Tarbrax Way. *Ham* —6E **141**
Tarfside Av. *G52* —1C **100**
Tarfside Gdns. *G52* —1D **100**
Tarfside Oval. *G52* —1D **100**
Target Rd. *Air* —5B **92**
Tarland St. *G51* —5F **81**
Tarras Dri. *Renf* —2G **79**
Tarras Pl. *Camb* —2D **122**
Tasman Dri. *E Kil* —4D **148**
Tasmania Quad. *Wis* —6C **146**
Tassie Pl. *E Kil* —1A **150**
Tassie St. *G41* —5B **102**
Tattershall Rd. *G33* —1C **86**
Tavistock Dri. *G43* —2B **118**
Tay Av. *Pais* —4D **96**
Tay Av. *Renf* —6G **59**
Tay Ct. *E Kil* —4A **148**
Tay Cres. *G33* —2G **85**
Tay Cres. *B'rig* —6D **48**
Tay Gdns. *Ham* —3F **153**
Tay Gro. *E Kil* —4A **148**
Tayinloan Dri. *Carl* —5H **165**
Tay La. *Newm* —4E **147**
Tay Loan. *Moth* —2A **128**
    (off Windsor Rd.)
Taylor Av. *Kilb* —2A **94**
Taylor Av. *Moth* —5D **128**
Taylor Pl. *G4* —3H **83** (3H **5**)
Taylor St. *G4* —3H **83** (4H **5**)
    (in two parts)
Taylor St. *Clyd* —1E **59**
Taymouth St. *G32* —2B **106**
Taynish Dri. *G44* —3F **119**
Tay Pl. *Dumb* —1H **17**
Tay Pl. *E Kil* —4A **148**
Tay Pl. *John* —6C **94**
Tay Pl. *Lark* —5E **161**
Tay Rd. *Bear* —5D **44**
Tay Rd. *B'rig* —6D **48**
Tayside. *Air* —2H **91**
Tay St. *Coat* —2G **89**
Tay Ter. *E Kil* —3A **148**
Tay Wlk. *Cumb* —3H **35**
    (off Cumbernauld Cen., The)
Teak Pl. *Udd* —4H **109**
Teal Ct. *Stra B* —5A **110**
Teal Cres. *E Kil* —6B **148**
Teal Dri. *G13* —2A **60**
Tealing Av. *G52* —1C **100**
Tealing Cres. *G52* —1C **100**
Teasel Av. *G53* —4B **116**
Teawell Rd. *Newt M* —4D **132**
Teesdale. *E Kil* —6E **137**
Teign Gro. *E Kil* —5B **148**
Teith Av. *Renf* —1H **79**
Teith Dri. *Bear* —4D **44**

Teith Pl. *Camb* —2D **122**
Teith St. *G33* —2G **85**
Telephone La. *G12* —1A **82**
    (off Highburgh Rd.)
Telford Ct. *Clyd* —5C **42**
Telford Pl. *Cumb* —5A **36**
Telford Rd. *Cumb* —5A **36**
Telford Rd. *E Kil* —3F **149**
Telford St. *Bell* —1C **126**
Telford Ter. *E Kil* —3H **149**
    (off Telford Rd.)
Teme Pl. *E Kil* —4B **148**
Templar Av. *G13* —6D **44**
Temple Gdns. *G13* —2F **61**
Templeland Av. *G53* —3C **100**
Templeland Rd. *G53* —3C **100**
Temple Rd. *G13* —2G **61**
Templeton Bus. Cen. *G40* —6A **84**
Templeton St. *G40* —6A **84**
Tennant Av. *E Kil* —1C **148**
Tennant Rd. *Pais* —5F **77**
Tennant St. *Renf* —5F **59**
Tennent St. *Coat* —6D **90**
Tennyson Dri. *G31* —1G **105**
Tern Pl. *John* —6D **94**
Terregles Av. *G41* —3H **101**
Terregles Cres. *G41* —3A **102**
Terregles Dri. *G41* —3A **102**
Teviot Av. *B'rig* —4C **48**
Teviot Av. *Pais* —5C **96**
Teviot Cres. *Bear* —5D **44**
Teviotdale. *E Kil* —1F **149**
    (off Strathfillan Rd.)
Teviotdale. *Newt M* —4H **133**
Teviot Dri. *B'ton* —5A **40**
Teviot Path. *Blan* —2A **140**
Teviot Pl. *Camb* —2C **123**
Teviot Sq. *Cumb* —3H **35**
    (off Cumbernauld Cen., The)
Teviot St. *G3* —3A **82**
Teviot St. *Coat* —1H **89**
Teviot Ter. *John* —5C **94**
Teviot Wlk. *Cumb* —3H **35**
    (off Cumbernauld Cen., The)
Tewkesbury Rd. *E Kil* —4D **138**
Thane Rd. *G13* —3C **60**
Thanes Ga. *Udd* —2C **124**
Thankerton Av. *Moth* —2H **127**
Thankerton Rd. *Lark* —4F **161**
Tharsis St. *G21* —2B **84**
Third Av. *G44* —6F **103**
Third Av. *Blan* —4C **140**
Third Av. *Dumb* —3C **18**
Third Av. *Kirk* —5D **50**
Third Av. *Mille* —4B **46**
Third Av. *Renf* —1E **79**
Third Gdns. *G41* —1G **101**
Thirdpart Cres. *G13* —2G **59**
Third St. *Udd* —5D **108**
Thirlmere. *E Kil* —6B **148**
Thistle Bank. *Lenz* —3D **50**
Thistle Cres. *Lark* —3F **161**
Thistle Gdns. *Moth* —6H **129**
Thistledown Gro. *Coat* —5E **91**
Thistle Neuk. *Old K* —6E **21**
Thistle Pl. *E Kil* —6G **137**
Thistle Quad. *Air* —3A **92**
Thistle Rd. *Moth* —4A **128**
Thistle St. *G5* —1F **103**
    (in two parts)
Thistle St. *Air* —2B **92**
Thistle St. *Kirk* —5D **30**
Thistle St. *Moth* —6H **129**
Thistle St. *Pais* —3G **97**
Thomas Muir Av. *B'rig* —1C **64**
Thomas St. *Pais* —1F **97**
Thompson Av. *Kirk* —5E **31**
Thompson Dri. *Air* —5H **91**
Thompson Pl. *Clyd* —1E **43**
Thompson St. *Renf* —1E **79**
Thomson Av. *John* —2E **95**
Thomson Av. *Wis* —2D **156**
Thomson Dri. *Bell* —1F **145**
Thomson Dri. *Bell* —2H **125**
Thomson Gro. *Camb* —6A **106**
Thomson St. *G31* —5C **84**
Thomson St. *Carl* —3F **165**
Thomson St. *John* —3E **95**
Thorn Av. *T'hall* —6G **135**
Thornbank St. *G3* —3A **82**
Thornbridge Av. *G12* —4A **62**
Thornbridge Av. *Bail* —6G **87**
Thornbridge Gdns. *Bail* —6G **87**
Thornbridge Rd. *Bail* —6G **87**
Thorncliffe Gdns. *G41* —3C **102**
Thorncroft Dri. *G44* —3H **119**
Thorndale Gdns. *Alla* —1H **15**
Thorndean Av. *Bell* —3D **126**
Thorndean Cres. *Bell* —3D **126**
Thorndene. *Eld* —2H **95**
Thorndene Av. *Moth* —5C **128**
Thornden La. *G14* —5A **60**
Thorn Dri. *Bear* —1D **44**
Thorn Dri. *Ruth* —3E **121**
Thorndyke. *E Kil* —4C **138**
Thorne Brae. *John* —2G **95**
Thornhill. *John* —3H **95**
Thornhill Av. *Blan* —1B **140**
Thornhill Av. *Eld* —3H **95**

Thornhill Dri. *Eld* —3H **95**
Thornhill Gdns. *John* —2G **95**
Thornhill Path. *G31* —6F **85**
Thornhill Rd. *Ham* —5C **140**
Thornhill Way. *Coat* —2F **111**
Thorniecroft Dri. *Cumb* —1E **55**
Thorniecroft Pl. *Cumb* —1E **55**
Thornielee. *E Kil* —1B **150**
Thorniewood Gdns. *Udd* —6E **109**
Thorniewood Rd. *Udd* —5D **108**
Thornkip Pl. *Coat* —6F **91**
Thornlea Dri. *Giff* —3B **118**
Thornlea St. *Carl* —5G **165**
Thornley Av. *G13* —3B **60**
Thornliebank Ind. Est. *T'bnk*
    —4E **117**
Thornliebank Rd. *G43 & G46*
    —1H **117**
Thornliebank Rd. *Newt M* —2C **132**
THORNLIEBANK STATION. *T'bnk*
    —3G **117**
Thornlie Gill. *Wis* —1H **157**
Thornly Pk. Av. *Pais* —5B **98**
Thornly Pk. Dri. *Pais* —5B **98**
Thornly Pk. Gdns. *Pais* —4B **98**
Thornly Pk. Rd. *Pais* —5B **98**
Thorn Rd. *Bear* —2C **44**
Thorn Rd. *Bell* —2D **126**
Thornside Rd. *John* —2G **95**
THORNTONHALL STATION. *E Kil*
    —6F **135**
Thornton La. *G20* —2C **62**
Thornton Rd. *Ham* —5H **153**
Thornton Rd. *T'hall* —6G **135**
Thornton St. *G20* —2B **62**
Thornton St. *Coat* —1H **89**
Thorntree Av. *Ham* —4D **140**
Thorntree Way. *Both* —4F **125**
Thornwood Av. *G11* —1G **81**
Thornwood Av. *Kirk* —2A **50**
Thornwood Cres. *G11* —6F **61**
Thornwood Dri. *G11* —1F **81**
Thornwood Dri. *Bri W* —4D **72**
Thornwood Dri. *Pais* —3F **97**
Thornwood Gdns. *G11* —1F **81**
Thornwood Pl. *G11* —6G **61**
Thornwood Rd. *G11* —1F **81**
Thornwood Ter. *G11* —1F **81**
Thornyburn Dri. *Bail* —1B **108**
Thornyburn Pl. *Bail* —1A **108**
Thorp Ct. *John* —3G **95**
Thrashbush Av. *Wis* —5B **146**
Thrashbush Cres. *Wis* —5B **146**
Thrashbush Rd. *Wis* —5B **146**
Threave Ct. *Carl* —2E **165**
Three Queens Sq. *Clyd* —6D **42**
Three Rivers Wlk. *E Kil* —3D **148**
Threestonehead Av. *G32* —5B **86**
Threshold Pk. *E Kil* —1A **150**
Threshold Rd. *E Kil* —1A **150**
Thriplee Rd. *Bri W* —3E **73**
Thrums. *E Kil* —4D **138**
Thrums Av. *B'rig* —6E **49**
Thrums Gdns. *B'rig* —6E **49**
Thrushbush La. *Air* —1B **92**
Thrushbush Quad. *Air* —1A **92**
Thrushbush Rd. *Air* —1A **92**
Thrushcraig Cres. *Pais* —3B **98**
Thrush Pl. *John* —6D **94**
Thurso St. *G11* —2A **82**
Thurston Rd. *G52* —6A **80**
Thyme Sq. *Moth* —1G **143**
Tibbermore Rd. *G11* —6G **61**
Tighnasheen Way. *Blan* —1B **140**
Tillanburn Rd. *Moth* —4F **129**
Tillet Oval. *Pais* —4H **77**
Tillie St. *G20* —6D **62**
Till St. *Wis* —3H **145**
Tillycairn Av. *G33* —1D **86**
Tillycairn Dri. *G33* —1D **86**
Tillycairn Pl. *G33* —1E **87**
Tillycairn Rd. *G33* —1E **87**
Tillycairn St. *G33* —1E **87**
Tilt Rd. *Newm* —3D **146**
Tilt St. *G33* —1G **85**
Timmons Ter. *Chap* —4D **112**
Tinker's La. *Moth* —3B **143**
Tintagel Gdns. *Chry* —4D **52**
Tintock Dri. *Kirk* —4F **31**
Tintock Ct. *Kirk* —3H **31**
Tinto Ct. *Coat* —2E **111**
Tinto Cres. *Wis* —1A **158**
Tinto Dri. *Barr* —6D **114**
Tinto Rd. *G43* —2A **118**
Tinto Rd. *Air* —5B **92**
Tinto Rd. *Bear* —1B **44**
Tinto Rd. *B'rig* —6F **49**
Tinto Sq. *Renf* —2D **78**
Tinto St. *Wis* —1A **158**
Tinto View. *Ham* —3A **154**
Tinto Way. *Cle* —5H **129**
Tinto Way. *E Kil* —6D **148**
Tinwald Path. *G52* —6A **80**
Tiree. *E Kil* —4C **150**
Tiree Av. *Pais* —6H **97**
Tiree Av. *Renf* —3E **79**
Tiree Ct. *Cumb* —5F **35**
Tiree Cres. *Newm* —2D **146**
Tiree Dri. *Cumb* —5F **35**
Tiree Gdns. *Bear* —1B **44**
Tiree Gdns. *Glenm* —4H **71**

Tiree Gdns. *Old K* —1G **41**
Tiree Pl. *Newt M* —4B **132**
Tiree Pl. *Old K* —1G **41**
Tiree Rd. *Cumb* —5F **35**
Tiree St. *G21* —1E **85**
Tirry Av. *Renf* —1H **79**
Tirry Way. *Renf* —1H **79**
Titwood Rd. *G41* —3A **102**
(in two parts)
Tiverton Av. *G32* —2D **106**
Tivoli Ct. *E Kil* —5G **149**
Tobago Pl. *G40* —6B **84**
Tobago Pl. *E Kil* —2C **148**
Tobago St. *G40* —6A **84**
Tobermory Rd. *Ruth* —4F **121**
Todburn Dri. *Pais* —6B **98**
Todd St. *G31* —3B **84**
Todhills. *E Kil* —3H **149**
Todhills N. *E Kil* —3H **149**
Todhills S. *E Kil* —3H **149**
Todholm Cres. *Pais* —3D **98**
Todholm Rd. *Pais* —3D **98**
Todholm Ter. *Pais* —3D **98**
Tofthill Av. *B'rig* —5B **48**
Tofthill Gdns. *B'rig* —5B **48**
Tollbrae Av. *Air* —4B **92**
Tollcross Rd. *G31 & G32* —6F **85**
Tollhouse Gdns. *Bell* —4E **127**
Toll La. *G51* —5C **82**
Tollpark Cres. *Newm* —4E **147**
Tollpark Pl. *Ward E* —3E **15**
Tollpark Rd. *Ward E* —3D **14**
Toll St. *Moth* —4H **143**
Toll, The. *Clar* —1C **134**
Toll Wynd. *Ham* —4G **153**
Tolsta St. *G23* —6C **46**
Tomtain Brae. *Cumb* —6B **34**
Tomtain Ct. *Cumb* —6B **34**
Toner Gdns. *Wis* —4H **157**
Tonge Pl. *Air* —1B **92**
Tontine La. *G1* —5H **83**
Tontine Pl. *Ruth* —3G **121**
Topaz Ter. *Bell* —4C **126**
Toppersfield. *Mill P* —3C **94**
Torbreck St. *G52* —6F **81**
Torbrex Rd. *Cumb* —4A **36**
Torburn Av. *Giff* —3H **117**
Tordene Path. *Newt M* —4D **132**
Tormore St. *G51* —5D **80**
Tormusk Dri. *G45* —3C **120**
Tormusk Gdns. *G45* —3C **120**
Tormusk Rd. *G45* —3B **120**
Torness St. *G11* —1A **82**
Torogay Pl. *G22* —1A **64**
Torogay St. *G22* —1G **63**
Torogay Ter. *G22* —1G **63**
Toronto Wlk. *G32* —5C **106**
Torphin Cres. *G32* —5A **86**
Torphin Wlk. *G32* —5B **86**
Torrance Av. *Air* —4D **92**
Torrance Av. *E Kil* —1G **149**
Torrance Rd. *Torr* —1C **28**
Torrance Roundabout. *E Kil*
—6B **150**
Torran Rd. *G33* —4F **87**
Torranyard Ter. *Ham* —2C **152**
Torr Av. *Quar N* —1A **72**
Torr Gdns. *Bear* —6D **24**
Torriden Pl. *Coat* —6A **90**
Torriden St. *Coat* —6A **90**
Torridon Av. *G41* —2G **101**
Torridon Av. *Moth* —4D **128**
Torridon Ct. *G20* —1E **83**
(off Cedar St.)
Torridon Ct. *Coat* —6H **89**
Torridon Gdns. *Newt M* —5H **133**
Torridon Gdns. *G41* —2G **101**
(off Dumbreck Pl.)
Torrington Av. *Giff* —1G **133**
Torrington Cres. *G32* —2D **106**
Torrin Rd. *G23* —6B **46**
Torrisdale Pl. *Coat* —4A **90**
Torrisdale St. *G42* —3D **102**
Torrisdale St. *Coat* —4A **90**
Torr Av. *Bri W* —1A **72**
Torr Rd. *B'rig* —6F **49**
Torr Rd. *Bri W* —2C **72**
Torr St. *G22* —5H **63**
Torryburn Rd. *G21* —5E **65**
Torwood Brae. *Ham* —1D **152**
Torwood La. *Chry* —5E **53**
Toryglen Rd. *Ruth* —5B **104**
Toryglen St. *G5* —3H **103**
Tourmaline Ter. *Bell* —4D **126**
Tournai Path. *Blan* —2B **140**
Toward Ct. *Blan* —6C **124**
Toward Rd. *G33* —4C **86**
Tower Av. *Barr* —3F **115**
Tower Cres. *Renf* —1D **78**
Tower Dri. *Renf* —1D **78**
Towerhill Rd. *G13* —6C **44**
Tower Pl. *G20* —3B **62**
Tower Pl. *John* —4G **95**
Tower Pl. *Miln* —3H **25**
Tower Pl. *B'rig* —2G **27**
Tower Rd. *Cumb* —1H **55**
Tower Rd. *John* —4F **95**
Towerside Cres. *G53* —3A **100**
Towerside Rd. *G53* —3A **100**

Towers Pl. *Air* —4F **93**
Towers Rd. *Air* —3E **93**
Tower St. *G41* —6C **82**
Tower Ter. *Pais* —1H **97**
Towie Pl. *Udd* —1D **124**
Townend Rd. *Dumb* —3F **17**
Townhead. *Kirk* —5D **30**
Townhead Dri. *Moth* —4F **129**
Townhead Pl. *Udd* —5E **109**
Townhead Rd. *Coat* —1E **89**
Townhead Rd. *Newt M* —5D **132**
Townhead St. *Ham* —6B **142**
Townhead St. *Kils* —3H **11**
Townhead Ter. *Pais* —1H **97**
Townhill Rd. *Ham* —6B **140**
Townhill Ter. *Ham* —6C **140**
Townmill Rd. *G31* —3B **84**
Townsend Rd. *G4* —1G **83** (1E **5**)
Tradeston Ind. Est. *G5* —1E **103**
Tradeston St. *G5* —6E **83**
Trafalgar St. *G40* —2B **104**
Trafalgar St. *Clyd* —5B **42**
Trainard Av. *G32* —1H **105**
Tranent Path. *Moth* —5H **129**
Tranent Pl. *G33* —3G **85**
Tranent Pl. *Cle* —5H **129**
Traquair Av. *Pais* —5C **96**
Traquair Av. *Wis* —4A **146**
Traquair Dri. *G52* —1B **100**
Traquair Wynd. *Blan* —2B **140**
Treeburn Av. *Giff* —4H **117**
Treemain Rd. *Giff* —1G **133**
Trees Pk. Av. *Barr* —3D **114**
Trefoil Av. *G41* —5B **102**
Trent Pl. *E Kil* —5A **148**
Trent St. *Coat* —1H **89**
Tresta Rd. *G23* —1C **62**
Triangle, The. *B'rig* —6C **48**
Tribboch St. *Lark* —2D **160**
Trident Way. *Renf* —2E **79**
Trigg St. *Pais* —2E **97**
Trinidad Grn. *E Kil* —2C **148**
Trinidad Way. *E Kil* —2C **148**
Trinity Av. *G52* —1C **100**
Trinity Dri. *Camb* —4C **122**
Trinity Way. *Lark* —4G **161**
Trinley Rd. *G13* —6D **44**
Triton Pl. *Bell* —2H **127**
Tronda Path. *G34* —3F **87**
Trondra Pl. *G34* —3F **87**
Trongate. *G1* —5G **83**
Troon Av. *E Kil* —5C **148**
Troon Ct. *E Kil* —5D **148**
Troon Dri. *Bri W* —4E **73**
Troon Gdns. *Cumb* —5H **13**
Troon Pl. *Newt M* —5G **133**
Troon St. *G40* —2D **104**
Trossachs Av. *Moth* —2A **128**
Trossachs Ct. *G20* —6E **63**
Trossachs Rd. *Ruth* —5F **121**
Trossachs St. *G20* —6E **63**
Troubridge Av. *Mill P* —4B **94**
Troubridge Cres. *Mill P* —3B **94**
Trows Rd. *Wis* —5H **157**
Truce Rd. *G13* —1B **60**
Truro Av. *Chry* —4D **52**
Tryst Rd. *Cumb* —4H **35**
Tryst Wlk. *Cumb* —3A **36**
(in two parts)
Tudor La. *S. G14* —6E **61**
Tudor St. *Bail* —2F **107**
Tulliallan Pl. *E Kil* —3A **150**
Tullis St. *G40* —1A **104**
Tulloch Gdns. *Moth* —5B **144**
Tulloch Pl. *Ruth* —4F **121**
Tulloch St. *G44* —1E **119**
Tullymet Rd. *Ham* —3H **153**
Tummel Dri. *Air* —1H **91**
Tummel Grn. *E Kil* —6G **137**
Tummel Way. *Pais* —4D **96**
Tummel St. *G33* —1G **85**
Tummel Wlk. *Cumb* —3H **35**
(off Cumbernauld Cen., The)
Tummel Way. *Cumb* —3H **35**
(off Cumbernauld Cen., The)
Tunnel St. *G3* —4C **82**
Tuphall Rd. *Ham* —1H **153**
Turnberry Av. *G11* —6H **61**
Turnberry Cres. *Chap* —4E **113**
Turnberry Dri. *Bri W* —5E **73**
Turnberry Dri. *Ham* —1B **152**
Turnberry Dri. *Newt M* —5G **133**
Turnberry Dri. *Ruth* —2B **120**
Turnberry Gdns. *Cumb* —6H **13**
Turnberry Pl. *Dumb* —3C **16**
Turnberry Pl. *E Kil* —5D **148**
Turnberry Rd. *G11* —6G **61**
Turnberry Wynd. *Both* —4C **124**
Turnbull St. *G1* —5H **83**
Turner Rd. *Pais* —3B **78**
Turner Rd. *St R* —1B **84**
Turner St. *Coat* —5B **90**
Turnhill Av. *Ersk* —2F **57**
Turnhill Cres. *Ersk* —2F **57**
Turnhill Dri. *Ersk* —2F **57**
Turnhill Gdns. *Ersk* —2F **57**
Turnlaw. *E Kil* —6F **149**
Turnlaw Rd. *Camb* —6A **122**
Turnlaw St. *G5* —1H **103**
Turnyland Meadows. *Ersk* —2F **57**
Turquoise Ter. *Bell* —4D **126**

Turret Cres. *G13* —1C **60**
Turret Rd. *G13* —6C **44**
Turriff St. *G5* —1F **103**
Tweed Av. *Pais* —3D **96**
Tweed Ct. *Air* —6C **92**
Tweed Cres. *G33* —2F **85**
Tweed Cres. *Renf* —6G **59**
Tweed Cres. *Wis* —4A **146**
Tweed Dri. *Bear* —4D **44**
Tweed La. *Moth* —2B **128**
Tweedmuir Pl. *Coat* —2F **111**
Tweed Pl. *John* —5C **94**
Tweedsmuir. *B'rig* —5E **49**
Tweedsmuir Cres. *Bear* —6E **25**
Tweedsmuir Pk. *Ham* —3G **153**
Tweedsmuir Rd. *G52* —1B **100**
Tweed St. *Coat* —2D **110**
Tweed St. *E Kil* —4B **148**
Tweed St. *Lark* —4E **161**
Tweedvale Av. *G14* —3G **59**
Tweedvale Pl. *G14* —3G **59**
Tweed Wlk. *Cumb* —3H **35**
(off Cumbernauld Cen., The)
Twinlaw St. *G34* —2B **88**
Tylney Rd. *Pais* —6F **79**
Tyndrum Rd. *Bear* —2H **45**
Tyndrum St. *G4* —2G **83** (1E **5**)
Tynecastle Cres. *G32* —4B **86**
Tynecastle Path. *G32* —4B **86**
Tynecastle Pl. *G32* —4B **86**
Tynecastle St. *G32* —4B **86**
Tyne Pl. *E Kil* —5A **148**
Tynron Ct. *Ham* —2C **152**
Tynwald Av. *Ruth* —3F **121**

Uddingston Rd. *Both* —4D **124**
UDDINGSTON STATION. *Udd*
—1C **124**
Udston Rd. *Ham* —5C **140**
Udston Ter. *Ham* —4D **140**
Uig Pl. *G33* —6E **87**
Uist Cres. *G33* —5E **67**
Uist Dri. *Kirk* —5G **31**
Uist St. *G51* —4F **81**
Uist Way. *Wis* —4C **146**
Ullswater. *E Kil* —6B **148**
Ulundi Rd. *John* —3D **94**
Ulva St. *G52* —6F **81**
Underwood La. *Pais* —6H **77**
Underwood Rd. *Pais* —6G **77**
Underwood Rd. *Ruth* —1E **121**
Underwood St. *G41* —5C **102**
Union Pl. *G1* —4F **83** (5D **4**)
Union St. *G1* —4F **83** (5D **4**)
Union St. *Carl* —4F **165**
Union St. *Ham* —5G **141**
Union St. *Kirk* —5C **30**
Union St. *Lark* —2E **161**
Union St. *Moth* —3A **128**
Union St. *Pais* —3A **98**
Unitas Cres. *Carl* —4E **165**
Unitas Rd. *Bell* —2E **127**
Unity Pl. *G4* —1E **83**
University Av. *G12* —1B **82**
University Gdns. *G12* —1B **82**
University Pl. *G12* —1A **82**
Unsted Pl. *Pais* —1C **98**
Unthank Rd. *Bell* —2E **127**
Uphall Pl. *G33* —4G **85**
Upland Rd. *G14* —5C **60**
U. P. Lane. *Kils* —3H **11**
Uplawmoor Rd. *Neil* —4A **130**
Up. Bourtree Ct. *Ruth* —3E **121**
Up. Bourtree Dri. *Ruth* —3D **120**
Up. Glenburn Rd. *Bear* —2C **44**
Up. Mill St. *Air* —3A **92**
U. P. Road. *Kils* —3H **11**
Urquhart Cres. *Renf* —1E **79**
Urquhart Dri. *E Kil* —4A **138**
Urrdale Rd. *G41* —6H **81**
Usmore Pl. *G33* —6E **87**

Vaila Pl. *G23* —2E **63**
Vaila St. *G23* —1D **62**
Valence Tower. *Udd* —3B **124**
Valerio Ct. *Blan* —1B **140**
Valetta Pl. *Clyd* —4H **41**
Valeview Ter. *G42* —5E **103**
Valeview Ter. *Dumb* —1G **17**
Vale Wlk. *B'rig* —1E **65**
Vallantine Cres. *Udd* —6E **109**
Vallay St. *G22* —1H **63**
Valleybank. *Bant* —1F **13**
Valley Ct. *Ham* —1G **153**
Valleyfield. *E Kil* —2F **149**
Valleyfield. *Milt C* —5A **8**
Valleyfield Dri. *Camb* —4A **34**
Valleyfield St. *G21* —6A **64**
Valley View. *Camb* —1C **122**
Vancouver Ct. *E Kil* —2D **148**
Vancouver Dri. *E Kil* —2D **148**
Vancouver La. *G14* —5C **60**
(off Norse La.)
Vancouver La. N. *G14* —5C **60**
(off Norse La. N.)
Vancouver Pl. *Clyd* —4H **41**
Vancouver Rd. *G14* —5C **60**
Vanguard St. *Clyd* —5E **43**
Vanguard Way. *Renf* —2E **79**

Vardar Av. *Clar* —1A **134**
Vardon Lea. *Moth* —6E **129**
Varna La. *G14* —5E **61**
Varna Rd. *G14* —5E **61**
Varnsdorf Way. *Air* —5D **92**
Vasart Pl. *G20* —5D **62**
Veir Ter. *Dumb* —4E **17**
Veitch Dri. *G53* —4C **100**
Veitches Ct. *Clyd* —1C **42**
Veitch Pl. *Len* —3F **7**
Vennacher Rd. *Renf* —5C **58**
Vennard Gdns. *G41* —3C **102**
Vermont Av. *Ruth* —6C **104**
Vermont St. *G41* —6B **82**
Vernon Bank. *E Kil* —6G **137**
Vernon Dri. *Lin* —5G **75**
Verona Av. *G14* —5C **60**
Verona La. *G14* —5C **60**
Vesalius St. *G32* —6A **86**
Viaduct Rd. *Clar* —2D **134**
Vicarfield St. *G51* —4H **81**
Vicarland Pl. *Camb* —3A **122**
Vicarland Rd. *Camb* —2A **122**
Vicars Wlk. *Camb* —2B **122**
Vickers St. *Moth* —1D **142**
Victoria Av. *Carl* —4E **165**
Victoria Bri. *G5* —5G **83**
Victoria Cir. *G12* —6A **62**
Victoria Cres. *Air* —5G **91**
Victoria Cres. *Lark* —1E **161**
Victoria Cres. *Clar* —2D **134**
Victoria Cres. *Kils* —3F **11**
Victoria Cres. *Wis* —5D **144**
Victoria Cres. La. *G12* —6A **62**
Victoria Cres. Pl. *G12* —6A **62**
Victoria Cres. Rd. *G12* —6A **62**
Victoria Cross. *G42* —3E **103**
Victoria Dri. *Barr* —3D **114**
Victoria Dri. E. *Renf* —1E **79**
Victoria Dri. W. *Renf* —6D **58**
Victoria Gdns. *Barr* —3D **114**
Victoria Gdns. *Pais* —3G **97**
Victoria Pk. *Kils* —3F **11**
Victoria Pk. Corner. *G14* —6D **60**
Victoria Pk. Dri. N. *G14* —5D **60**
Victoria Pk. Dri. S. *G14* —6D **60**
Victoria Pk. Gdns. N. *G11* —6F **61**
Victoria Pk. Gdns. S. *G11* —6F **61**
Victoria Pk. La. S. *G14* —6D **60**
(off Westland Dri.)
Victoria Pk. St. *G14* —6D **60**
Victoria Pl. *Air* —5G **91**
Victoria Pl. *Bell* —3B **126**
Victoria Pl. *Kils* —3G **11**
Victoria Pl. *Miln* —4H **25**
Victoria Pl. *Ruth* —5C **104**
(off King St.)
Victoria Quad. *Moth* —2H **127**
Victoria Rd. *G42* —4E **103**
Victoria Rd. *Barr* —3D **114**
Victoria Rd. *Brkfld* —6D **74**
Victoria Rd. *Dull* —5F **13**
Victoria Rd. *Ham* —3F **141**
Victoria Rd. *Lenz* —3C **50**
Victoria Rd. *Pais* —3G **97**
Victoria Rd. *Ruth* —1D **120**
Victoria Rd. *Step* —3D **66**
Victoria St. *Blan* —3B **140**
Victoria St. *Dumb* —5G **17**
Victoria St. *Kirk* —5C **30**
Victoria St. *Lark* —2E **161**
Victoria St. *Newm* —5E **147**
Victoria St. *Ruth* —5C **104**
Victoria Ter. *Dull* —5F **13**
Victor St. *Plain* —1G **93**
Victory Dri. *Kilb* —1A **94**
Victory Way. *Bail* —1H **107**
Viewbank. *T'bnk* —4G **117**
Viewbank Av. *C'bnk* —3B **112**
Viewbank St. *Glenb* —4B **70**
Viewfield. *Air* —5G **91**
Viewfield Av. *Bail* —6F **87**
Viewfield Av. *B'rig* —1A **64**
Viewfield Av. *Blan* —6C **124**
Viewfield Av. *Lenz* —2C **50**
Viewfield Av. *Milt C* —6B **8**
Viewfield Dri. *Bail* —6F **87**
Viewfield Dri. *B'rig* —1A **64**
Viewfield La. *G12* —1C **82**
Viewfield Rd. *Bank* —1D **14**
Viewfield Rd. *Bell* —4B **126**
Viewfield Rd. *B'rig* —1A **64**
Viewfield Rd. *Coat* —1F **109**
Viewmount Dri. *G20* —2B **62**
Viewpark Av. *G31* —3D **84**
Viewpark Dri. *Ruth* —1D **120**
Viewpark Pl. *Moth* —3E **143**
Viewpark Rd. *Moth* —3E **143**
Viewpark Shopping Cen. *Udd*
—1H **125**
Viewpoint Pl. *G21* —3B **64**
Viewpoint Rd. *G21* —3B **64**
Viking Cres. *Hous* —3D **74**
Viking Rd. *Air* —6B **92**
Viking Ter. *E Kil* —5G **149**
Viking Way. *Giff* —2F **117**
Viking Way. *Renf* —2E **79**
Villafield Av. *B'rig* —4C **48**
Villafield Dri. *B'rig* —4C **48**
Villafield Loan. *B'rig* —4C **48**

Village Gdns. *Blan* —6C **124**
Village Rd. *Camb* —2E **123**
Vinegarhill St. *G31* —5D **84**
Vine St. *G11* —1H **81**
Vinicombe La. *G12* —6B **62**
(off Vinicombe St.)
Vinicombe St. *G12* —6B **62**
Vintner St. *G4* —1G **83**
Viola Pl. *Torr* —5E **29**
Violet Gdns. *Carl* —5E **165**
Violet Pl. *Moth* —1B **128**
Violet St. *Pais* —1C **98**
Virginia Ct. *G1* —4G **83** (6F **5**)
Virginia Gdns. *Miln* —5A **26**
Virginia Pl. *G1* —4G **83** (6F **5**)
Viscount Av. *Renf* —2E **79**
Viscount Ga. *Both* —2C **124**
Vivian Av. *Miln* —4F **25**
Voil Dri. *G44* —3E **119**
Vorlich Ct. *Barr* —6E **115**
Vorlich Gdns. *Bear* —6C **24**
Vorlich Wynd. *Moth* —2C **128**
Vulcan St. *G21* —5B **64**
Vulcan St. *Moth* —1G **143**

Waddell Av. *Glenm* —5F **71**
Waddell Ct. *G5* —6H **83**
Waddell St. *G5* —1H **103**
Waddell St. *Air* —2A **92**
Waid Av. *Newt M* —3C **132**
Waldemar Rd. *G13* —2C **60**
Waldo St. *G13* —2F **61**
Walkerburn Dri. *Wis* —3A **146**
Walkerburn Rd. *G52* —1B **100**
Walker Ct. *G11* —2H **81**
Walker Dri. *Eld* —3H **95**
Walker Path. *Udd* —5E **109**
Walker St. *G11* —2H **81**
Walker St. *Pais* —1H **97**
Walkinshaw Cres. *Pais* —5F **77**
Walkinshaw Rd. *Renf* —6F **57**
Walkinshaw St. *G40* —1C **104**
Walkinshaw St. *John* —2G **95**
Walkinshaw Way. *Pais* —4A **78**
Wallace Av. *B'ton* —4H **39**
Wallace Av. *Eld* —2A **96**
Wallace Dri. *Lark* —3G **161**
Wallace Gdns. *Torr* —4D **28**
Wallace Ho. *Cumb* —3G **35**
Wallace Pl. *Blan* —6C **124**
Wallace Pl. *Ham* —1C **154**
Wallace Rd. *Moth* —5B **128**
Wallace Rd. *Renf* —2C **78**
Wallace St. *G5* —5E **83**
Wallace St. *Clyd* —6D **42**
Wallace St. *Coat* —6C **90**
Wallace St. *Dumb* —5G **17**
Wallace St. *Moth* —2F **143**
Wallace St. *Pais* —5A **78**
Wallace St. *Plain* —1G **93**
Wallace St. *Ruth* —6C **104**
Wallacewell Cres. *G21* —4D **64**
Wallacewell Pl. *G21* —4D **64**
Wallacewell Quad. *G21* —3E **65**
Wallacewell Rd. *G21* —4C **64**
Wallbrae Rd. *Cumb* —5A **36**
Waller Gdns. *G41* —4B **102**
Wallneuk. *Pais* —6B **78**
Wallneuk Rd. *Pais* —6B **78**
Walls St. *G1* —4H **83** (6G **5**)
Walmer Cres. *G51* —5A **82**
Walnut Ct. *Milt C* —6B **8**
Walnut Cres. *G22* —4H **63**
Walnut Cres. *John* —4H **95**
Walnut Dri. *Kirk* —1B **50**
Walnut Pl. *G22* —4G **63**
Walnut Rd. *G22* —4G **63**
Walpole Pl. *John* —6D **94**
Walter St. *G31* —4D **84**
Walter St. *Wis* —6B **146**
Walton Av. *Newt M* —3C **132**
Walton St. *Giff* —5A **118**
Walton St. *G41* —5C **102**
Walton St. *Barr* —4E **115**
Wamba Av. *G13* —1E **61**
Wamba Pl. *G13* —1E **61**
Wamphray Pl. *E Kil* —4A **148**
Wandilla Av. *Clyd* —5F **43**
Wanlock St. *G51* —3E **81**
Wardend Rd. *Torr* —4D **28**
Warden Rd. *G13* —2D **60**
Wardhill Rd. *G21* —4D **64**
Wardhouse Rd. *Pais* —6G **97**
Wardie Path. *G33* —4F **87**
Wardie Pl. *G33* —4F **87**
Wardie Rd. *G33 & G34* —4F **87**
Wardlaw Av. *Ruth* —6D **104**
Wardlaw Cres. *E Kil* —4H **149**
Wardlaw Dri. *Ruth* —5D **104**
Wardlaw Rd. *Bear* —6F **45**
Wardpark Ct. *Cumb* —5D **14**
Wardpark E. Ind. Est. *Cumb* —3E **15**
Wardpark N. Ind. Est. *Cumb*
—4C **14**
Wardpark Pl. *Cumb* —5D **14**
Wardpark Rd. *Ward S* —5C **14**
Wardpark Roundabout. *Cumb*
—4C **14**
Wardpark S. Ind. Est. *Cumb*
—5D **14**

Wardrop Pl. *E Kil* —6H **137**
Wardrop Rd. *G51* —3G **81**
Wardrop St. *Pais* —1A **98**
Wards Cres. *Coat* —6A **90**
Ware Path. *G34* —4G **87**
Ware Rd. *G34* —3F **87**
Warilda Av. *Clyd* —5E **43**
Warlock Dri. *Bri W* —2F **73**
Warlock Rd. *Bri W* —2F **73**
Warnock Cres. *Bell* —3D **126**
Warnock Rd. *Newt M* —3C **132**
Warnock St. *G31* —3A **84**
Warren Rd. *Ham* —3H **153**
Warren St. *G42* —4F **103**
Warren Wlk. *Len* —4G **7**
Warriston Cres. *G33* —3F **85**
Warriston Pl. *G32* —4B **86**
Warriston St. *G33* —3F **85**
Warriston Way. Ruth —3F **121**
(off Kilbride Rd.)
Warroch St. *G3* —4D **82**
Warwick. *E Kil* —5C **138**
Warwick Gro. *Ham* —5C **140**
Warwick Vs. *Clyd* —2G **59**
(off Edward St.)
Washington Rd. *Kirk* —5B **30**
Washington Rd. *Pais* —3B **78**
Washington St. *G3* —4E **83** (6A **4**)
Watchmeal Cres. *Clyd* —6E **23**
Waterbank Rd. *Clar* —3H **135**
Waterfoot Av. *G53* —5C **100**
Waterfoot Rd. *Newt M* —4F **133**
Waterfoot Row. *Clar* —6B **134**
Waterfoot St. G5 —5C **100**
(off Waterfoot Rd.)
Waterford Rd. *Giff* —4H **117**
Waterlands Gdns. *Carl* —2G **165**
Waterlands Pl. *Law* —1A **164**
Waterloo Gdns. Kirk —4D **30**
(off John St.)
Waterloo La. *G2* —4F **83** (5C **4**)
Waterloo St. *G2* —4E **83** (5B **4**)
Watermill Av. *Lenz* —3D **50**
Water Rd. *Barr* —4E **115**
Water Row. *G51* —3G **81**
Watershaugh Dri. *Cle* —5H **129**
Waterside Av. *Newt M* —5C **132**
Waterside Ct. *Crmck* —2A **136**
Waterside Dri. *Newt M* —5C **132**
Waterside Gdns. *Crmck* —2H **135**
Waterside Gdns. *Ham* —2A **154**
Waterside La. *Mill P* —3C **94**
Waterside Rd. *Crmck* —4H **135**
Waterside Rd. *Kirk* —6E **31**
Waterside St. *G5* —1H **103**
Watling Pl. *E Kil* —2C **148**
Watling St. *Moth* —6D **126**
Watling St. *Udd* —4C **108**
Watson Av. *Lin* —5H **75**
Watson Av. *Ruth* —6B **104**
Watson Cres. *Kils* —3A **12**
Watson St. *G1* —5H **83**
Watson St. *Blan* —2H **139**
Watson St. *Lark* —2D **160**
Watson St. *Moth* —4G **143**
Watson St. *Udd* —2D **124**
Watsonville Pk. *Moth* —3G **143**
Watt Cres. *Bell* —6D **110**
Watt La. *Bri W* —4G **73**
Watt Low Av. *Ruth* —1B **120**
Watt Pl. *Miln* —2F **25**
Watt Rd. *G52* —4H **79**
Watt Rd. *Bri W* —4F **73**
Watt St. *G5* —5D **82**
Watt St. *Air* —2C **92**
Waukglen Av. *G53* —5B **116**
Waukglen Cres. *G53* —4C **116**
Waukglen Dri. *G53* —4B **116**
Waukglen Path. *G53* —4B **116**
Waukglen Pl. *G53* —4B **116**
Waukglen Rd. *G53* —4B **116**
Waulking Mill Rd. *Clyd* —6E **23**
Waulkmill Av. *Barr* —3F **115**
Waulkmill St. *T'bnk* —3E **117**
Waulkmill Way. *Barr* —3F **115**
Waverley. *Clyd* —5E **43**
Waverley. *E Kil* —5D **138**
Waverley Ct. *Both* —5E **125**
Waverley Ct. *Pais* —5D **96**
Waverley Cres. *Cumb* —6F **35**
Waverley Cres. *Ham* —5D **140**
Waverley Cres. *Kirk* —5E **31**
Waverley Dri. *Air* —2B **92**
Waverley Dri. *Ruth* —6E **105**
Waverley Dri. *Wis* —5H **145**
Waverley Gdns. *G41* —4C **102**
Waverley Gdns. *Eld* —3B **96**
Waverley Rd. *Lark* —5E **161**
Waverley Rd. *Pais* —6D **96**
Waverley St. *G41* —4C **102**
Waverley St. *Coat* —2D **90**
Waverley St. *Ham* —5D **140**
Waverley Ter. *Blan* —4A **140**
Waverley Ter. *Dumb* —3B **16**
Waverley Way. *Pais* —6D **96**
Weardale La. *G33* —3C **86**
Weardale St. *G33* —3C **86**
Weaver Av. *Newt M* —2C **132**
Weaver Cres. *Air* —6A **92**
Weaver La. *Kilb* —1A **94**

Weaver Pl. *E Kil* —4A **148**
Weavers Av. *Pais* —2F **97**
Weavers Ct. E Kil —1H **149**
(off Parkhall St.)
Weavers Gdns. *Pais* —2F **97**
Weaver St. *G4* —4H **83** (5H **5**)
Weaver Ter. *Pais* —2C **98**
Webster Groves. *Wis* —4B **146**
Webster St. *G40* —2C **104**
Webster St. *Clyd* —1G **59**
Wedderlea Dri. *G52* —6A **80**
Weensmoor Rd. *G53* —3H **115**
Weeple Dri. *Lin* —5G **75**
Weighhouse Clo. *Pais* —1A **98**
Weigh Ho. Rd. *Carl* —2E **165**
Weir Av. *Barr* —5E **115**
Weir Pl. *Law* —1H **163**
Weir St. *Coat* —4C **90**
Weir St. *Pais* —6B **78**
Weirwood Av. *Bail* —1F **107**
Weirwood Gdns. *Bail* —6F **87**
Welbeck Rd. *G53* —2B **116**
Weldon Pl. *Kils* —2B **34**
Welfare Av. *Camb* —3D **122**
Welland Pl. *E Kil* —4A **148**
Wellbank Pl. Udd —2D **124**
Wellbeck Ho. E Kil —1H **149**
(off Stuart St.)
Wellbrae Hill. *Lark* —3E **161**
Wellbrae Rd. *Ham* —2F **153**
Wellbrae Ter. *Chry* —5D **52**
Wellcroft Pl. *G5* —1F **103**
Wellcroft Rd. *Ham* —6C **140**
Wellcroft Ter. *Ham* —6C **140**
Wellesley Cres. *E Kil* —4B **148**
Wellesley Dri. *E Kil* —3B **148**
Wellfield Av. *Giff* —4H **117**
Wellfield St. *G21* —5B **64**
Wellgate St. *Lark* —1E **161**
Well Grn. *G43* —5A **102**
Wellhall Ct. *Ham* —5F **141**
Wellhall Rd. *Ham* —1C **152**
Wellhouse Cres. *G33* —4E **87**
Wellhouse Path. *G34* —4F **87**
Wellhouse Rd. *G33* —3F **87**
Wellington. *E Kil* —4D **148**
Wellington La. *G2* —4E **83** (5B **4**)
Wellington Pl. *Clyd* —4H **41**
Wellington Pl. *Coat* —6G **89**
Wellington Pl. *Wis* —3B **158**
Wellington Rd. *B'rig* —3D **48**
Wellington St. *G2* —4F **83** (6C **4**)
Wellington St. *Air* —2A **92**
Wellington St. *Pais* —5H **77**
Wellington St. *Wis* —4C **144**
Wellington Way. *Renf* —2E **79**
Wellknowe Av. *T'hall* —6G **135**
Wellknowe Pl. *T'hall* —6G **135**
Wellknowe Rd. *T'hall* —6G **135**
Well La. *Len* —3F **7**
Wellmeadow Clo. *Newt M* —4D **132**
Wellmeadow Grn. *Newt M* —3D **132**
Wellmeadow Rd. *G43* —1H **117**
Wellmeadow St. *Pais* —1H **97**
Wellmeadow Way. *Newt M* —4D **132**
Wellpark La. *Neil* —3D **130**
Wellpark Rd. *Bank* —1D **14**
Wellpark Rd. *Moth* —3E **143**
Wellpark St. *G31* —4A **84**
Wellpark Ter. *Neil* —3D **130**
Well Rd. *Kilb* —2A **94**
Wellshot Dri. *Camb* —2H **121**
Wellshot Rd. *G32* —2H **105**
Wellside Av. *Air* —2A **92**
Wellside Dri. *Camb* —3C **122**
Wellside La. *Air* —2B **92**
Wellside Quad. *Air* —2A **92**
Wellsquarry Rd. *Carl* —5E **137**
Wells St. *Clyd* —4B **42**
Wellview Dri. *Moth* —3F **143**
Wellwynd. *Air* —3H **91**
Wellwynd Gdns. *Air* —3H **91**
Welsh Dri. *Blan* —3B **140**
Welsh Dri. *Ham* —4G **153**
Wemyss Av. *Newt M* —2C **132**
Wemyss Dri. *Cumb* —4A **34**
Wemyss Gdns. *Bail* —2G **107**
Wendur Way. *Pais* —3A **78**
Wenlock Rd. *Pais* —3B **98**
Wensleydale. *E Kil* —6E **137**
Wentworth Dri. *G23* —6C **46**
Wesley St. *Air* —4H **91**
W. Academy St. *Wis* —6E **145**
West Av. *Blan* —4C **140**
West Av. *Carl* —4D **164**
West Av. *Moth* —5A **128**
West Av. *Plain* —1G **93**
West Av. *Renf* —6F **59**
West Av. *Step* —4D **66**
West Av. *Udd* —1F **125**
W. Balgrochan Rd. *Torr* —4D **28**
Westbank Ct. G12 —1C **82**
(off Westbank Quad.)
Westbank La. G12 —1C **82**
(off Gibson St.)
Westbank Quad. *G12* —1C **82**
Westbourne Cres. *Bear* —1C **44**
Westbourne Dri. *Bear* —2C **44**
Westbourne Gdns. La. *G12* —5A **62**

Westbourne Gdns. N. *G12* —5A **62**
Westbourne Gdns. S. *G12* —5A **62**
Westbourne Gdns. W. *G12* —5H **61**
Westbourne Rd. *G12* —5H **61**
Westbourne Ter. La. N. *G12*
                                    —5H **61**
Westbourne Ter. La. S. *G12*
                                    —5H **61**
West Brae. *Pais* —1H **97**
Westbrae Dri. *G14* —5E **61**
Westbrae Rd. *Newt M* —3F **133**
W. Bridgend. *Dumb* —3E **17**
W. Buchanan Pl. *Pais* —1H **97**
Westburn Av. *Camb* —1D **122**
Westburn Av. *Pais* —6F **77**
Westburn Cres. *Clyd* —6D **22**
Westburn Cres. *Ruth* —6B **104**
Westburn Farm Rd. *Camb* —1B **122**
Westburn Rd. *Camb* —2B **122**
W. Burnside St. *Kils* —3H **11**
Westburn Way. *Pais* —6F **77**
W. Campbell St. *G2* —4E **83** (6B **4**)
W. Campbell St. *Pais* —1F **97**
W. Canal St. *Coat* —5B **90**
W. Chapelton Av. *Bear* —3F **45**
W. Chapelton Cres. *Bear* —3F **45**
W. Chapelton Dri. *Bear* —3F **45**
W. Chapelton La. *Bear* —3F **45**
Westcliff. *Dumb* —3B **16**
W. Clyde St. *Lark* —3F **161**
Westclyffe St. *G41* —4C **102**
W. Coats Rd. *Camb* —2H **121**
West Ct. *Clyd* —3A **42**
West Ct. *Pais* —1E **97**
West Dri. *Air* —5E **93**
W. End Dri. *Bell* —3A **126**
Westend Pk. St. *G3* —2D **82**
West End Pl. *Bell* —3B **126**
Westerburn St. *G32* —5H **85**
Wester Carriagehill. *Pais* —3H **97**
Wester Cleddens Rd. *B'rig* —5C **48**
Wester Cochno Holdings. *Clyd*
                                    —5C **22**
Wester Comn. Dri. *G22* —5E **63**
Wester Comn. Rd. *G22* —5E **63**
Westercraigs. *G31* —4B **84**
Westercraigs. *G31* —4B **84**
Westerdale. *E Kil* —6E **137**
Westerfield Rd. *Clar* —5H **135**
Westergreens Av. *Kirk* —1B **50**
Westerhill Rd. *B'rig* —3D **48**
Westerhouse Rd. *Carl* —3D **164**
Westerhouse Path. G34 —3G **87**
(off Arnisdale Rd.)
Westerhouse Rd. *G34* —3F **87**
Westerkirk Dri. *G23* —6C **46**
Westermains Av. *Kirk* —5B **30**
Wester Mavisbank Av. *Air* —3G **91**
Wester Moffat Av. *Air* —3E **93**
Wester Moffat Cres. *Air* —4E **93**
Wester Myvot Rd. *Cumb* —3C **54**
Western Av. *Ruth* —5B **104**
Western Isles Rd. *Old K* —1G **41**
Western Rd. *Camb* —3G **121**
Wester Rd. *G32* —1D **106**
Westerton. *Len* —3H **7**
Westerton Av. *Bear* —1F **61**
Westerton Av. *Clar* —4E **135**
Westerton Av. *Lark* —4E **161**
Westerton Ct. *Clar* —4E **135**
Westerton La. *Clar* —4E **135**
WESTERTON STATION. *Bear*
                                    —6E **45**
W. Fairholm St. *Lark* —6H **155**
Westfield. *Dumb* —3C **16**
Westfield Av. *Ruth* —6B **104**
Westfield Ct. *Law* —1H **163**
Westfield Cres. *Bear* —5E **45**
Westfield Dri. *G52* —6A **80**
Westfield Dri. *Bear* —5E **45**
Westfield Dri. *Cumb* —6A **34**
Westfield Ind. Area. *Cumb* —1H **53**
Westfield Ind. Est. *Cumb* —2A **54**
Westfield Pl. *Cumb* —1H **53**
Westfield Rd. *Cumb* —4C **34**
Westfield Rd. *Cumb* —1H **53**
(Westfield Ind. Area)
Westfield Rd. *Kils* —2F **11**
Westfield Rd. *Moth* —6C **112**
Westfield Rd. *T'bnk* —5G **117**
Westfields. *B'rig* —4A **48**
Westgarth Pl. *E Kil* —6C **136**
West Ga. *Wis* —6B **146**
Westgate Way. *Bell* —3B **126**
W. George La. *G2* —3E **83** (4A **4**)
W. George La. *G2* —3E **83** (4B **4**)
W. George St. *Coat* —3C **90**
W. Glebe Ter. *Ham* —1G **153**
W. Graham St. *G4* —2E **83** (2B **4**)
W. Greenhill Pl. *G3* —3C **82**
W. Hamilton St. *Moth* —3G **143**
W. High St. *Kirk* —4C **30**
Westhouse Av. *Ruth* —6A **104**
Westhouse Gdns. *Ruth* —6A **104**
W. Kirk St. *Air* —4H **91**
Westknowe Gdns. *Ruth* —2D **120**
Westland Dri. *G14* —6D **60**
Westlands Gdns. *Pais* —3H **97**
West La. *Pais* —1F **97**
Westlea Pl. *Air* —5B **92**

W. Lodge Rd. *Renf* —5D **58**
W. Mains Rd. *E Kil* —1D **148**
Westminster Ter. G3 —3C **82**
(off Royal Cres.)
Westmoreland St. *G42* —3E **103**
Westmuir Pl. *Ruth* —5B **104**
Westmuir St. *G31* —6F **85**
W. Nile St. *G1* —3F **83** (5D **4**)
West Pk. *Miln* —5G **25**
Westpark Dri. *Pais* —6F **77**
West Pl. *Newm* —4E **147**
Westport. *E Kil* —2C **148**
W. Porton Pl. *B'ton* —3F **39**
Westport St. *Kils* —3H **11**
W. Prince's La. *G4* —1C **82**
W. Prince's St. *G4* —1D **82** (1A **4**)
Westray Av. *Newt M* —2C **132**
Westray Cir. *G22* —3G **63**
Westray Ct. *Cumb* —5G **35**
Westray Pl. *G22* —2G **63**
Westray Pl. *B'rig* —5F **49**
Westray Rd. *Cumb* —5G **35**
Westray Sq. *G22* —2G **63**
Westray St. *G22* —2G **63**
Westray Wynd. Newm —3D **146**
(off Iona Rd.)
W. Regent La. *G2* —3F **83** (4C **4**)
W. Regent St. *G2* —3E **83** (3B **4**)
Westcliff. *Dumb* —3B **16**
West Rd. *Kilb* —1A **94**
West Rd. *Torr* —4D **28**
W. Scott Ter. *Ham* —2H **153**
Westside Gdns. *G11* —1H **81**
W. Stewart St. *Ham* —5G **141**
West St. *G5* —1E **103**
West St. *Clyd* —1G **59**
West St. *Pais* —1G **97**
WEST ST. STATION. *G5* —6E **83**
W. Thomson St. *Clyd* —3C **42**
W. Thornlie St. *Wis* —1G **157**
W. Westbrae Cres. *Ham* —2F **153**
Westwood Av. *Giff* —4H **117**
Westwood Cres. *Ham* —1F **153**
Westwood Gdns. *Pais* —6F **77**
Westwood Hill. *E Kil* —3D **148**
Westwood Quad. *Clyd* —6F **43**
Westwood Rd. *G43* —1H **117**
Westwood Rd. *E Kil* —2D **148**
Westwood Rd. *Newm* —2D **146**
Westwood Sq. *E Kil* —3D **148**
Weymouth Dri. *G12* —3G **61**
Whamflet Av. *Bail* —4A **88**
Whamond Tower. *Moth* —4G **143**
Wheatfield Rd. *Bear* —4D **44**
Wheatholm Cres. *Air* —2B **92**
Wheatholm St. *Air* —2B **92**
Wheatland Av. *Blan* —1A **140**
Wheatlandhead Ct. *Blan* —1A **140**
Wheatlands Dri. *Kilb* —1A **94**
Wheatlands Farm Rd. *Kilb* —1A **94**
Wheatley Cres. *Kils* —4H **11**
Whifflet St. Coat —6D **90**
(off Whifflet St.)
WHIFFLET STATION. *Coat* —6D **90**
Whifflet St. *Coat* —2C **110**
Whin Av. *Barr* —3D **114**
Whinfell Dri. *E Kil* —5C **148**
Whinfell Gdns. *E Kil* —5C **148**
Whinfield Av. *Camb* —6G **105**
Whinfield Rd. *G53* —3A **116**
Whinhall Av. *Air* —2G **91**
Whinhall Rd. *Air* —2G **91**
Whin Hill. *E Kil* —5B **138**
Whinhill Pl. *Pais* —3D **98**
Whinhill Rd. *G53* —2A **100**
Whinhill Rd. *Pais* —3D **98**
Whinknowe. *Ashg* —5B **162**
Whin Loan. *Kils* —2A **10**
Whinney Gro. *Wis* —5C **146**
Whinnie Knowe. *Lark* —4D **160**
Whinpark Av. *Bell* —4B **126**
Whin Pl. *E Kil* —4B **138**
Whins Rd. *G41* —4A **102**
Whin St. *Clyd* —3C **42**
Whirlie Dri. *C'lee* —3B **74**
Whirlie Rd. *C'lee* —2B **74**
Whirlies Roundabout, The. *E Kil*
                                    —5A **138**
Whirlow Gdns. *Bail* —6G **87**
Whirlow Rd. *Bail* —6G **87**
Whistleberry Cres. *Ham* —2F **141**
Whistleberry Dri. *Ham* —1D **141**
Whistleberry Ind. Pk. *Ham* —2E **141**
Whistleberry Rd. *Blan* —2D **140**
Whistlefield Ct. *Bear* —4E **45**
Whitacres Path. *G53* —3A **116**
Whitacres Rd. *G53* —3H **115**
Whitburn St. *G32* —4H **85**
Whitby St. *G31* —1E **105**
Whiteadder Pl. *E Kil* —4A **148**
White Av. *Dumb* —4H **17**
Whitebill Rd. *Ham* —4F **141**
Whitebridge Av. *Pais* —1D **96**
Whitebridge Clo. *Pais* —6D **78**
White Cart Rd. *Glas A* —2A **78**
White-Cart Tower. E Kil —4B **150**
(off Easdale)
Whitecraigs Pl. *G23* —1C **62**
WHITECRAIGS STATION. *Giff*
                                    —1G **133**
Whitecrook St. *Clyd* —1D **58**
Whitefield. *Len* —2E **7**
Whitefield Av. *Camb* —3A **122**

Whitefield Rd. *G51* —6A **82**
Whitefield Ter. *Camb* —2B **122**
Whitefield Ter. *Len* —2E **7**
Whiteford Av. *Dumb* —1H **17**
Whiteford Ct. *Ham* —5G **153**
Whiteford Cres. *Dumb* —2H **17**
Whiteford Pl. *Dumb* —2H **17**
Whiteford Rd. *Pais* —3C **98**
White Gro. *Ruth* —5C **104**
Whitehall St. *G3* —4D **82**
Whitehaugh Av. *Pais* —6D **78**
Whitehaugh Cres. *G53* —3A **116**
Whitehaugh Dri. *Pais* —6D **78**
Whitehaugh Rd. *G53* —3A **116**
Whitehill Av. *Air* —2A **92**
Whitehill Av. *Cumb* —3F **35**
Whitehill Av. *Kirk* —4F **31**
Whitehill Av. *Step* —3D **66**
Whitehill Ct. *Kirk* —4F **31**
Whitehill Cres. *Carl* —2F **165**
Whitehill Cres. *Clyd* —6G **23**
Whitehill Cres. *Kirk* —4F **31**
Whitehill Farm Rd. *Step* —4D **66**
Whitehill Gdns. *G31* —4C **84**
Whitehill Gro. *Newt M* —6F **133**
Whitehill Rd. *Bear* —2D **44**
Whitehill Rd. *Ham* —3F **141**
Whitehills. *Ersk* —5E **41**
Whitehills Dri. *E Kil* —4G **149**
Whitehills Pl. *E Kil* —4G **149**
Whitehills Ter. *E Kil* —5G **149**
Whitehill St. *G31* —4C **84**
Whitehill St. La. *G31* —4C **84**
Whitehill Ter. *G'csh* —5D **68**
Whitehorse Wlk. *E Kil* —3D **148**
Whitehurst. *Bear* —1C **44**
Whitekirk Pl. *G15* —5A **44**
Whitelaw Av. *Glenb* —4B **70**
Whitelaw Cres. *Bell* —3F **127**
Whitelaw St. *G20* —2A **62**
Whitelaw Ter. *Kils* —1D **32**
Whitelee. *E Kil* —6F **149**
Whitelee Cres. *Newt M* —3B **132**
Whitelee Ga. *Newt M* —3B **132**
Whitelees Rd. *Cumb* —5F **15**
Whitelees Roundabout. *Cumb*
                                    —6F **15**
Whiteloans. *Both* —4F **125**
Whitemoss Av. *G44* —3D **118**
Whitemoss Av. *E Kil* —2H **149**
Whitemoss Gro. *E Kil* —1A **150**
Whitemoss Rd. *E Kil* —2H **149**
Whitemoss Roundabout. *E Kil*
                                    —2A **150**
Whitepond Av. *Bell* —4B **126**
Whiterigg Ct. Air —3F **91**
(off Monkscourt Av.)
Whiteshaw Av. *Carl* —3D **164**
Whiteshaw Dri. *Carl* —3D **164**
Whiteshaw Rd. *Carl* —2B **164**
Whitestone Av. *Cumb* —3D **34**
White St. *G11* —1H **81**
White St. *Clyd* —2F **59**
Whitevale St. *G40* —5C **84**
Whithope Rd. *G53* —3H **115**
Whithope Ter. *G53* —3H **115**
Whithorn Cres. *Mood* —4D **52**
Whitlawburn Av. *Camb* —3G **121**
Whitlawburn Rd. *Camb* —3G **121**
Whitlawburn Shopping Cen. Camb
(off Western Rd.) —4G **121**
Whitlawburn Ter. *Camb* —3G **121**
Whitriggs Rd. *G53* —2H **115**
Whitsdale St. *G34* —2G **87**
Whitsun Dale. *E Kil* —6E **137**
Whittagreen Av. *Moth* —4D **128**
Whittagreen Ct. *Moth* —4D **128**
Whittagreen Cres. *Moth* —4D **128**
Whittingham Dri. *G13 & G12*
                                    —4F **61**
Whittinghame La. *G13* —4F **61**
Whittington St. *Coat* —5C **90**
Whittlemuir Av. *G44* —3D **118**
Whitton Dri. *Giff* —3B **118**
Whitton St. *G20* —1A **62**
Whitworth Dri. *Clyd* —5C **42**
Whitworth St. *G20* —3E **63**
Whyte Av. *Camb* —1G **121**
Whyte Corner. *Milt* —4F **19**
Wick Av. *Air* —1G **111**
Wickets, The. *Pais* —2C **98**
Wickham Av. *Newt M* —3D **132**
Wigton Av. *Newt M* —2C **132**
Wigton St. *G4* —6F **63**
Wigtoun Pl. *Cumb* —1B **36**
Wildman Rd. *Law* —5F **159**
Wilfred Av. *G13* —2D **60**
Wilkie Cres. *Lark* —3F **161**
Wilkie Loan. *Bell* —1D **98**
Wilkie Rd. *Udd* —2E **125**
William Dri. *Ham* —4H **153**
William Mann Dri. *Newt M*
                                    —5B **132**
Williamsburgh Ct. Pais —1C **98**
(off Ladyburn St.)
Williamsburgh Ter. *Pais* —6C **78**
Williamson Av. *Dumb* —3G **17**
Williamson Pl. *John* —3H **95**
Williamson St. *G40* —1E **105**
Williamson St. *Clyd* —3D **42**

William Spiers Pl. *Lark* —4F **161**
William St. *G2* —3E **83**
William St. *G3* —3D **82**
William St. *Clyd* —1C **42**
William St. *Coat* —1D **110**
William St. *Ham* —4F **141**
William St. *John* —2F **95**
William St. *Kils* —3H **11**
William St. *Pais* —1E **83**
William Ure Pl. *B'rig* —2D **48**
Williamwood Av. *G44* —4C **118**
Williamwood Gdns. *G44* —5D **118**
Williamwood Pk. *G44* —5D **118**
Williamwood Pk. Way. *G44*
—5D **118**
WILLIAMWOOD STATION. *Giff*
—6B **118**
Willoughby Dri. *G13* —3F **61**
Willow Av. *B'rig* —1C **64**
Willow Av. *Eld* —3A **96**
Willow Av. *Lenz* —2C **50**
Willow Av. *New S* —5A **128**
Willowbank. *Lark* —6A **156**
Willowbank Cres. *G3* —1D **82**
Willowbank Gdns. *Kirk* —5D **30**
Willowbank St. *G3* —1D **82**
Willow Ct. *E Kil* —5D **148**
Willow Cres. *Coat* —1C **110**
Willowdale Cres. *Bail* —1G **107**
Willowdale Gdns. *Bail* —1G **107**
Willow Dri. *Air* —4C **92**
Willow Dri. *Bank* —1E **15**
Willow Dri. *Blan* —1A **140**
Willow Dri. *John* —4F **95**
Willow Dri. *Milt C* —6C **8**
Willowford Rd. *G53* —3H **115**
Willow Gro. *Moth* —2B **128**
Willow La. *G32* —3B **106**
Willow Pl. *John* —3G **95**
Willow Pl. *Udd* —5H **109**
Willows, The. *Crmck* —1H **135**
Willow St. *G13* —2F **61**
Willow Way. *Ham* —2A **154**
Willwood Dri. *Wis* —2A **146**
Wilmot Rd. *G13* —3D **60**
Wilsgait St. *Cle* —5H **129**
Wilson Av. *Lin* —5G **75**
Wilson Pl. *E Kil* —5A **138**
Wilson Pl. *Newt M* —5C **132**
Wilson Rd. *Bri W* —3E **73**
Wilson St. *G1* —4G **83** (6F 5)
Wilson St. *Air* —2H **91**
Wilson St. *Coat* —4E **91**
Wilson St. *Ham* —4E **141**
Wilson St. *Lark* —4F **161**
Wilson St. *Moth* —4H **143**
Wilson St. *Pais* —1G **97**
Wilson St. *Renf* —5F **59**
Wiltonburn Path. *G53* —3A **116**
Wiltonburn Rd. *G53* —3A **116**
Wilton Ct. *G20* —6C **62**
(off Wilton St.)
Wilton Cres. La. *G20* —6D **62**
Wilton Dri. *G20* —6D **62**
Wilton Rd. *Carl* —5G **165**
Wilton St. *G20* —6C **62**
Wilton St. *Coat* —1H **89**
Wilverton Rd. *G13* —1E **61**
Winburne Ave. *Ham* —5F **141**
Winchester Dri. *G12* —3H **61**
Windermere. *E Kil* —6B **148**
Windermere St. *Bell* —3B **126**
Windhill Cres. *G43* —2H **117**
Windhill Pl. *G43* —2A **118**
Windhill Rd. *G43* —2H **117**
Windlaw Ct. *G45* —5H **119**
Windlaw Gdns. *G44* —4D **118**
Windlaw Pk. Gdns. *G44* —3D **118**
Windlaw Rd. *Clar* —6H **119**
Windmill Ct. *Moth* —4H **143**
Windmillhill St. *Moth* —3H **143**
Windmill Rd. *Ham* —5H **141**
Windrow Ter. *Wis* —2A **146**
Windsor Av. *Newt M* —4F **133**
Windsor Ct. *Carl* —3F **165**

Windsor Cres. *Clyd* —4C **42**
Windsor Cres. *Eld* —4H **95**
Windsor Cres. *Pais* —5C **78**
Windsor Dri. *Glenm* —5H **71**
Windsor Gdns. *Ham* —3E **141**
Windsor Path. *Bail* —5D **88**
(off Park Rd.)
Windsor Path. *Lark* —4G **161**
(off Donaldson Rd.)
Windsor Quad. *Carl* —3F **165**
Windsor Rd. *Moth* —2A **128**
Windsor Rd. *Renf* —1E **79**
Windsor St. *G20* —1E **83**
Windsor St. *Coat* —2A **110**
Windsor St. *Spri* —5C **86**
Windsor Ter. *G20* —1E **83**
Windsor Wlk. *Udd* —6F **109**
Windward Rd. *E Kil* —2C **148**
Windyedge Cres. *G13* —4C **60**
Windyedge & Hareshaw Rd. *Moth*
—4H **129**
Windyedge Pl. *G13* —4C **60**
Windyridge. *Ham* —2A **154**
Windyridge Pl. *Blan* —2A **140**
Windy Yetts. *Twe* —2D **32**
Wingate Cres. *E Kil* —5C **138**
Wingate Dri. *E Kil* —5C **138**
Wingate Pk. *E Kil* —5C **138**
Wingate St. *Wis* —5D **144**
Wingfield Gdns. *Both* —6F **125**
Winifred St. *G33* —5F **65**
Winning Ct. *Blan* —6C **124**
Winning Quad. *Wis* —6D **144**
Winning Row. *G31* —6F **85**
Winnipeg Dri. *E Kil* —3D **148**
Winston Cres. *Len* —3F **7**
Wintergreen Ct. *E Kil* —5F **137**
Wintergreen Dri. *E Kil* —5F **137**
Winton Av. *Giff* —5A **118**
Winton Cres. *Blan* —2A **140**
Winton Dri. *G12* —4A **62**
Winton Gdns. *Udd* —6D **108**
Winton La. *G12* —4A **62**
Winton Pk. *E Kil* —2C **148**
Wirran Pl. *G13* —1G **59**
Wishart Av. *Clyd* —6E **23**
Wishart St. *G31* —4A **84**
Wishaw High Rd. *Cle* —1H **145**
Wishawhill St. *Wis* —6F **145**
Wishaw Low Rd. *Cle* —3G **145**
Wishaw Rd. *Wis* —2B **158**
WISHAW STATION. *Wis* —1G **157**
Wisner Ct. *T'bnk* —3F **117**
Wisteria La. *Carl* —5F **165**
Wiston St. *Camb* —2E **123**
Witchwood Ct. *Coat* —1H **89**
Witcutt Way. *Wis* —2E **157**
Wolcott Dri. *Blan* —1B **140**
Wolfe Av. *Newt M* —2C **132**
Wolseley St. *G5* —2H **103**
Wood Aven Dri. *E Kil* —5F **137**
Woodbank Cres. *Clar* —3C **134**
Woodbank Cres. *John* —3F **95**
Woodburn Av. *Air* —5H **91**
Woodburn Av. *Blan* —1C **140**
Woodburn Av. *Clar* —3C **134**
Woodburn Pl. *Hous* —4E **75**
Woodburn Rd. *G43* —2B **118**
Woodburn Rd. *Moth* —6D **112**
Woodburn St. *Moth* —1G **143**
Woodburn Ter. *Lark* —3G **161**
Woodburn Way. *Cumb* —3E **35**
Woodburn Way. *Miln* —4G **25**
Wood Cres. *Moth* —1G **143**
Woodcroft Av. *G11* —6F **61**
Wooddale. *Moth* —5F **143**
Woodend. *Lark* —4G **161**
(off Donaldson Rd.)
Woodend Ct. *G32* —3E **107**
Woodend Dri. *G13* —4E **61**
Woodend Dri. *Air* —2C **92**
Woodend Dri. *Pais* —1F **99**
Woodend Gdns. *G32* —3D **106**
Woodend La. *G13* —4E **61**

Woodend Pl. *Eld* —3H **95**
Woodend Rd. *G32* —3D **106**
Woodend Rd. *Carl* —3G **165**
Woodend Rd. *Ruth* —3C **120**
Wood Farm Rd. *T'bnk* —5G **117**
Woodfield. *Udd* —1G **125**
Woodfield Av. *B'rig* —6D **48**
Woodfoot Pl. *G53* —3B **116**
Woodfoot Quad. *G53* —3B **116**
Woodfoot Rd. *G53* —3A **116**
Woodfoot Rd. *Ham* —1E **153**
Woodford Pl. *Lin* —5G **75**
Woodford St. *G41* —6C **102**
Woodgreen Av. *G44* —1F **119**
Woodhall Av. *C'bnk* —3B **112**
Woodhall Av. *Coat* —2A **110**
Woodhall Av. *Ham* —5F **141**
Woodhall Av. *Moth* —2H **127**
Woodhall Cottage Rd. *C'bnk*
—4C **112**
Woodhall Mill Rd. *C'bnk* —4B **112**
Woodhall Pl. *Coat* —2B **110**
Woodhall Rd. *C'bnk* —3B **112**
Woodhall Rd. *Wis* —5D **146**
Woodhall St. *G40* —3D **104**
Woodhall St. *Chap* —4D **112**
Woodhams Way. *Carl* —4G **165**
Woodhead Av. *Both* —6F **125**
Woodhead Av. *Cumb* —6B **34**
Woodhead Av. *Kirk* —6D **30**
Woodhead Ct. *Cumb* —6B **34**
Woodhead Cres. *Ham* —3E **153**
Woodhead Cres. *Udd* —6D **108**
Woodhead Gdns. *Both* —1F **141**
Woodhead Gro. *Cumb* —6B **34**
Woodhead Ind. Est. *Muir* —3H **67**
Woodhead La. *Ham* —3F **153**
Woodhead Pl. *Cumb* —6B **34**
Woodhead Rd. *G53* —2H **115**
Woodhead Rd. *Cumb* —6B **34**
Woodhead Rd. *Muir* —3H **67**
Woodhead Ter. *Chry* —2H **67**
Woodhead View. *Cumb* —6B **34**
Woodhill Gro. *B'rig* —1E **65**
Woodhill Rd. *G21* —3D **64**
Woodhill Rd. *B'rig* —6E **49**
Woodholm Av. *G44* —1G **119**
Woodhouse Ct. *Clar* —4E **135**
Woodhouse St. *G13* —2E **61**
Woodilee Rd. *Kirk* —6E **31**
Woodilee Rd. *Moth* —3E **129**
Woodland Av. *Air* —1C **112**
Woodland Av. *Kirk* —5B **30**
Woodland Av. *Pais* —5A **98**
Woodland Cres. *Camb* —3C **122**
Woodland Gdns. *Clar* —2H **135**
Woodland Gdns. *Ham* —1B **154**
Woodlands Av. *Both* —4E **125**
Woodlands Av. *G'csh* —2C **68**
Woodlands Av. *Law* —5D **158**
Woodlands Ct. *T'bnk* —5F **117**
Woodlands Cres. *Both* —4D **124**
Woodlands Cres. *John* —4D **95**
Woodlands Cres. *T'bnk* —4F **117**
Woodlands Dri. *G2* —1D **82**
Woodlands Dri. *Coat* —4H **89**
Woodlands Dri. *Moth* —2H **127**
Woodlands Gdns. *Both* —3D **124**
Woodlands Ga. *G3* —2D **82**
Woodlands Ga. *T'bnk* —4F **117**
Woodlands Gro. *Miln* —2G **25**
Woodlands Pk. *T'bnk* —5F **117**
Woodlands Rd. *G3* —1D **82**
Woodlands Rd. *Moth* —6H **143**
Woodlands Rd. *N'hse* —6D **112**
Woodlands Rd. *T'bnk* —5F **117**
Woodlands St. *Miln* —3G **25**
Woodlands St. *Moth* —5H **143**
Woodlands Ter. *G3* —2C **82**
Woodlands Ter. *Both* —4E **125**
Woodlands, The. *Bell* —4F **127**
Woodland Ter. *Lark* —4G **161**
Woodland Way. *Cumb* —2B **36**
Wood La. *B'rig* —1E **65**

Woodlea Av. *Air* —1C **112**
Woodlea Dri. *Ham* —3B **118**
Woodlea Dri. *Ham* —3H **153**
Woodlea Pl. *Air* —2C **92**
Woodlinn Av. *G44* —2F **119**
Woodmill Dri. *Torr* —4E **29**
Woodmill Gdns. *Cumb* —1B **54**
Woodneuk Ct. *Pais* —1E **97**
Woodneuk La. *G'csh* —4D **68**
Woodneuk Rd. *G53* —3B **116**
Woodneuk Rd. *G'csh* —4D **68**
Woodneuk St. *Chap* —4D **112**
Woodneuk Ter. *G'csh* —4D **68**
Wood Quad. *Clyd* —1G **59**
Wood Rd. *Giff* —5G **117**
Woodrop St. *G40* —3D **104**
Woodrow Av. *Moth* —5B **128**
Woodrow Cir. *G41* —1D **102**
Woodrow Pl. *G41* —1A **102**
Woodrow Rd. *G41* —1B **102**
Woodside. *Hous* —2D **74**
Woodside Av. *Bri W* —2F **73**
Woodside Av. *Ham* —1A **154**
Woodside Av. *Kils* —3B **12**
Woodside Av. *Lenz* —1D **50**
Woodside Av. *Ruth* —6E **105**
Woodside Av. *T'bnk* —4D **117**
Woodside Cres. *G3* —2D **82**
Woodside Cres. *Barr* —5F **115**
Woodside Cres. *Newm* —3F **147**
Woodside Cres. *Pais* —1G **97**
Woodside Dri. *C'bnk* —3A **112**
Woodside Dri. *Eag* —6B **134**
Woodside Gdns. *Crmck* —2H **135**
Woodside Gdns. *Clar* —2A **134**
Woodside Gdns. *Coat* —1H **109**
Woodside La. *Brkfld* —5D **74**
Woodside Pl. *G3* —2D **82**
Woodside Pl. *Udd* —5G **109**
Woodside Pl. La. *G3* —2D **82**
Woodside Rd. *Brkfld* —6C **74**
Woodside Rd. *Crmck* —2H **135**
Woodside St. *Chap* —3D **112**
Woodside St. *Coat* —2H **109**
(in two parts)
Woodside St. *Moth* —5B **144**
Woodside St. *New S* —4A **128**
Woodside Ter. *G3* —2D **82**
Woodside Ter. La. *G3* —2D **82**
(off Lynedoch Ter.)
Woodside Tower. *Moth* —5B **144**
Woodside Wlk. *Ham* —1A **154**
Woods La. *Renf* —6E **59**
Woodstock Av. *G41* —4B **102**
Woodstock Av. *Kirk* —5F **31**
Woodstock Av. *Pais* —5C **96**
Woodstock Dri. *Wis* —5A **146**
Woodstock Way. *Pais* —5C **96**
Wood St. *G31* —3D **84**
Wood St. *Air* —2B **92**
Wood St. *Coat* —4A **90**
Wood St. *Moth* —1H **143**
Wood St. *Pais* —2D **98**
Woodvale Av. *Air* —1D **112**
Woodvale Av. *Bear* —5H **45**
Woodvale Av. *Giff* —1H **133**
Woodvale Dri. *Pais* —6E **77**
Woodview. *Udd* —5H **109**
Woodview Dri. *Air* —6A **92**
Woodview Dri. *Bell* —6E **111**
Woodview La. *Air* —6A **92**
Woodview Rd. *Lark* —5E **161**
Woodview Ter. *Ham* —5F **141**
Woodville Pk. *G51* —5H **81**
Woodville Pk. Ind. Est. *G51* —5H **81**
(off Woodville Pk.)
Woodville St. *G51* —5H **81**
Woodyard Rd. *Dumb* —4E **17**
Woodyett Pk. *Clar* —4D **134**
Woodyett Rd. *Clar* —4D **134**
Wordsworth Way. *Both* —4F **125**
Works Av. *Camb* —2E **123**

Worsley Cres. *Newt M* —3C **132**
Wraes Av. *Barr* —3F **115**
Wraes View. *Barr* —6B **114**
Wraisland Cres. *B'ton* —3F **39**
Wrangholm Cres. *Moth* —4B **128**
Wrangholm Dri. *Moth* —4A **128**
Wren Ct. *Stra B* —5A **110**
Wren Pl. *John* —6D **94**
Wren Pl. *Wis* —6H **145**
Wright Av. *Barr* —5C **114**
Wrightlands Cres. *Ersk* —2A **58**
Wright St. *Renf* —1B **78**
Wright Way. *Moth* —4A **128**
Wye Cres. *Coat* —2H **89**
Wykeham Pl. *G13* —3C **60**
Wykeham Rd. *G13* —3C **60**
Wyler Tower. *Ham* —6A **142**
Wylie. *E Kil* —4D **138**
Wylie Av. *Newt M* —2D **132**
Wylie St. *Ham* —1H **153**
Wyndford Dri. *G20* —4B **62**
Wyndford Pl. *G20* —4B **62**
Wyndford Rd. *G20* —4A **62**
Wyndford Rd. *Ward N* —3D **14**
Wyndford Ter. *Udd* —6F **109**
Wyndham Ct. *G12* —5B **62**
(off Wyndham St.)
Wyndham St. *G12* —5B **62**
Wynd, The. *Cumb* —6B **14**
Wynyard Grn. *E Kil* —3D **148**
Wyper Pl. *G31* —5C **84**
Wyvil Av. *G13* —6E **45**
Wyvis Av. *Bear* —6C **24**
Wyvis Pl. *G13* —1H **59**
Wyvis Quad. *G13* —1H **59**

Yair Dri. *G52* —5A **80**
Yarrow Ct. *Camb* —2D **122**
Yarrow Cres. *B'ton* —5A **40**
Yarrow Cres. *Wis* —5H **145**
Yarrow Gdns. *G20* —6D **62**
Yarrow Gdns. La. *G20* —6D **62**
(off Yarrow Gdns.)
Yarrow Pk. *E Kil* —2A **150**
Yarrow Rd. *B'rig* —3C **48**
Yate St. *G40* —6D **84**
Yetholm St. *G14* —3G **59**
Yetholm Ter. *Ham* —6C **140**
Yett Rd. *Moth* —4D **128**
Yetts Cres. *Kirk* —5F **31**
Yetts Hole Rd. *Air* —6D **54**
Yew Dri. *G21* —6C **64**
Yew Pl. *John* —4F **95**
Yews Cres. *Ham* —4F **141**
Yokerburn Ter. *Clyd* —2F **59**
Yoker Ferry Rd. *G14* —3G **59**
Yoker Ind. Est. *G14* —3H **59**
Yoker Mill Gdns. *G13* —2G **59**
Yoker Mill Rd. *G13* —2G **59**
York Dri. *Ruth* —2F **121**
Yorkhill Pde. *G3* —2A **82**
Yorkhill St. *G3* —3B **82**
York St. *G2* —4E **83** (6B 4)
York St. *Clyd* —5F **43**
York St. *Wis* —1H **157**
York Way. *Renf* —2E **79**
Younger Quad. *B'rig* —6C **48**
Young Pl. *E Kil* —6A **150**
Young Pl. *Udd* —5E **109**
Young St. *Clyd* —3D **42**
Young St. *Wis* —6H **145**
Young Ter. *G21* —5C **64**
Young Wynd. *Bell* —5C **110**
Yukon Ter. *E Kil* —3D **148**
Yvetot Ct. *Carl* —2E **165**

Zambesi Dri. *Blan* —6A **124**
Zena Cres. *G33* —5E **65**
Zena Pl. *G33* —5F **65**
Zena St. *G33* —5E **65**
Zetland Rd. *H'ton I* —3H **79**

AREAS COVERED BY THIS ATLAS

with their map square reference

Names in this Index shown in CAPITAL LETTERS followed by their Postcode District(s), are Postal Addresses.

A
Abronhill. —1E 37
AIRDRIE. (ML6) —3H 91
ALLANDALE. (FK4) —1H 15
Allanton. —2E 155
Anderston. —4D 82
ANNATHILL. (ML5) —5B 54
Anniesland. —3F 61
Arden. —3D 116
Arkleston. —3E 79
Arthurlie. —6D 114
Ashgillhead. —4A 162
ASHGILL. (ML9) —4B 162
Auchenback. —6F 115
Auchenreoch. —5H 9
Auchentibber. —6F 139
Auchentorlie. —2D 98
Auchinairn. —1D 64
Auchinloch. —1C 14
  (nr. Banknock)
Auchinloch. —5D 50
  (nr. Lenzie)
Auchinraith. —3C 140
Auchinstarry. —5A 12

B
BAILLIESTON. (G69) —6A 88
Baldernock. —3D 26
BALLOCH. (G83) —3D 34
Balmalloch. —2G 11
BALMORE. (G64) —5A 28
Balornock. —3D 64
Bankhead. —1B 120
BANKNOCK. (FK4) —1E 15
BANTON. (G65) —1F 13
BARDOWIE. (G62) —6F 27
BARGEDDIE. (G69) —6D 88
Barlanark. —5E 87
Barmulloch. —5E 65
Barnellan. —4E 27
Barnhill. —1H 139
Barrachnie. —6E 87
BARRHEAD. (G78) —5E 115
Barrowfield. —1C 110
  (nr. Coatbridge)
Barrow Field. —6C 84
  (nr. Glasgow)
Barrwfield. —3B 12
Battlefield. —6E 103
BEARSDEN. (G61) —2E 45
Bellahouston. —1F 101
BELLSHILL. (ML4) —2C 126
Bellsmyre. —1H 17
Biggar Road. —2G 129
Birdston. —2C 30
Birkenshaw. —5D 108
BIRKENSHAW. (ML9) —6F 161
Birniehill. —3H 149
BISHOPBRIGGS. (G64) —6C 48
BISHOPTON. (PA7) —4G 39
Blackhall. —2C 98
Blackhill. —1F 85
Blackwood. —4A 34
Blairhill. —4B 90
Blairlinn. —1H 55
Blairskaith. —2H 27
Blantyreferme. —1B 124
BLANTYRE. (G72) —3A 140
Blythswood. —4F 59
Boghead. —3H 49
BOGSIDE. (G72) —3G 159
Bonkle. —3G 147
BOTHWELL. (G71) —5E 125
BOWLING. (G60) —5B 20
Braedale. —3D 142
Braehead. —6H 135
Braidfauld. —2G 105
Brankumhall. —6D 138
Brediland. —4E 97
Bridgend. —4C 52
BRIDGE OF WEIR. (PA11) —3F 73
Bridgeton. —1B 104
BROOKFIELD. (PA5) —6D 74
Broom. —4H 133
Broomhill. —6F 61
  (nr. Glasgow)
Broomhill. —3E 31
  (nr. Kirkintilloch)
Broomhouse. —3H 107

Brownsburn. —1C 112
Brucehill. —3C 16
Burnbank. —4E 141
Burnfoot. —2G 91
Burnhead. —2G 161
Burnside. —2E 121
Busby. —3D 134

C
Cadder. —2D 48
  (nr. Bishopbriggs)
Cadder. —2D 62
  (nr. Glasgow)
Cairnhill. —6H 91
Cairns. —3C 122
CALDERBANK. (ML6) —3B 112
Calderbraes. —4C 108
Calderwood. —6B 138
CAMBUSLANG. (G72) —1A 122
Cambusnethan. —6C 146
Camlachie. —6D 84
Carbrain. —4A 36
Cardonald. —6B 80
CARFIN. (ML1) —5B 128
Carlston. —3G 29
CARLUKE. (ML8) —3F 165
CARMUNNOCK. (G76) —2H 135
CARMYLE. (G32) —5C 106
CARNBROE. (ML5) —1E 111
Carntyne. —4G 85
Carnwadric. —3E 117
Carriagehill. —4A 98
Carrickstone. —6G 13
Cartside. —4D 94
CASTLECARY. (G68) —3E 15
CASTLEHEAD. (PA2) —2H 97
Castlehill. —1E 165
  (nr. Carluke)
Castlehill. —2C 16
  (nr. Dumbarton)
Castlemilk. —4A 120
Cathcart. —1E 119
Cathkin. —5F 121
Chantinghall. —6F 141
Chapel. —1G 159
CHAPELHALL. (ML6) —3E 113
Chapel Hill. —6D 20
Charleston. —3A 98
CHRYSTON. (G69) —6B 52
Claddens. —3E 51
Clarkston. —3D 92
CLARKSTON. (G76) —2C 134
Cleddans. —4F 31
Cleekhimin. —1B 144
CLELAND. (ML1) —6H 129
Cliftonville. —4E 91
Clincarthill. —6C 104
Clippens. —5G 75
CLYDEBANK. (G81) —6D 42
Clydesdale. —4H 127
COATBRIDGE. (ML5) —4C 90
Coatdyke. —5F 91
Coatshill. —6A 124
Cochrane Castle. —5E 95
College Milton. —6D 136
Colston. —2A 64
Coltness. —3A 146
Condorrat. —6C 34
Corkerhill. —3D 100
Corseford. —6B 94
Cowcaddens. —2F 83 (2E 5)
Cowlairs. —5A 64
Craigend. —6C 66
Craigendmuir. —5E 67
Craigends. —3D 74
Craighead. —1E 141
Craiglinn. —4B 34
Craigmarloch. —1E 35
Craigneuk. —4D 92
  (nr. Airdrie)
Craigneuk. —5D 144
  (nr. Wishaw)
Craigton. —6D 80
Cranhill. —3B 86
Cranston Hill. —3D 82
Crawforddyke. —4G 165
Crindledyke. —4G 147
Croftfoot. —2A 120
Crookfur. —3C 132

Crookston. —1A 100
Crossbasket. —3F 139
Crosshill. —6B 88
  (nr. Baillieston)
Crosshill. —4F 103
  (nr. Glasgow)
CROSSLEE. (PA6) —3B 74
Crosslet. —1C 18
Crossmill. —3F 115
Crossmyloof. —4B 102
Cross Stobs. —2C 114
CROY. (G65) —1B 34
CUMBERNAULD. (G67 & G68) —4H 35
Cumbernauld Village. —6B 14

D
Dalbeth. —3G 105
Dalmarnock. —2C 104
DALMUIR. (G81) —4A 42
Dalreoch. —3D 16
DALSERF. (ML9) —3D 162
Dalshannon. —1B 54
Dean Park. —1G 79
Dennistoun. —4C 84
Dennystown. —3D 16
Dimsdale. —2A 158
Dovecothall. —3G 115
Dovecotwood. —2H 11
Downanhill. —6A 62
DRUMCHAPEL. (G15) —4H 43
Drumgelloch. —3D 92
Drumgrew. —4F 33
Drumoyne. —5E 81
Drumpellier. —4H 89
Drumry. —4E 43
DULLATUR. (G68) —5F 13
DUMBARTON. (G82) —4F 17
Dumbreck. —2A 102
Dumbuck. —4E 19
Dunbeth. —4D 90
Dundyvan. —6B 90
Dunrobin. —4E 93
Duntiblae. —6G 31
DUNTOCHER. (G81) —1C 42
Dykebar. —4D 98

E
Earnock. —1C 152
East Balgrochan. —3E 29
East Craigend. —6D 40
East Crindledyke. —3E 147
Easterhouse. —3G 87
Eastfield. —6F 105
East Fulton. —5F 75
EAST KILBRIDE. (G74, G75 & G79) —2H 149
East Mains. —1A 150
East Shawhead. —3E 111
Eddlewood. —4H 153
ELDERSLIE. (PA5) —2A 96
ERSKINE. (PA8) —6F 41

F
Faifley. —6E 23
Fairhill. —3G 153
Fallside. —1G 125
Farme Cross. —4E 105
Fauldhead. —1H 51
Ferguslie Park. —5E 77
Fernhill. —4D 120
FERNIEGAIR. (ML3) —2D 154
Finniestor. —3C 82
Firhill. —5E 63
Flemington. —3E 123
  (nr. Cambuslang)
Flemington. —5B 144
  (nr. Motherwell)
Fluchter. —3E 27
Forgewood. —6F 127
Foulsykes. —5C 146
Foxbar. —4D 96
Foxley. —3C 106
Freeland. —2F 57
Fullarton. —4A 106

G
Gallowflat. —6E 105
Gallowgate. —6C 84

Gallowhill. —4D 78
Gardenhall. —4A 148
Garnethill. —2E 83 (2C 4)
Garnick. —3H 67
Garnqueen. —4H 69
Garrowhill. —6F 87
GARTCOSH. (G69) —4D 68
Garthamlock. —1E 87
Gartlea. —5B 92
Gartness. —6E 93
Gartsherrie. —2B 90
Gateside. —6B 114
Germiston. —1D 84
GIFFNOCK. (G46) —4A 118
Gilshochill. —2B 62
Gladstone. —6H 39
GLASGOW. (G1 to G7 & G9) —4G 83 (5F 5)
GLENBOIG. (ML5) —4B 70
Glenburn. —5H 97
Glengowan. —2C 160
GLENMAVIS. (ML6) —5G 71
Gockston. —3H 77
Golfhill. —1H 91
Gorbals. —1G 103
Govan. —3G 81
Govanhill. —3F 103
Gowkthrapple. —3G 157
Greenend. —1F 111
Greenfaulds. —6G 35
Greenfield. —5B 86
Greenfoot. —2C 70
Greenhead. —1B 158
Greenhill. —2D 90
Greenhills. —6D 148
Greenlees. —4B 122
Greens, The. —6C 30

H
Haggs. (FK4) —1G 15
Hairmyres. —3B 148
Halfway. —3D 122
Hallside. —3F 123
Hamiltonhill. —5F 63
HAMILTON. (ML3) —6A 142
Hangingshaw. —5F 103
HARDGATE. (G81) —1E 43
Hareleeshill. —3F 161
Harestanes. —4H 31
Hattonrig. —1D 126
Haughhead. —1C 6
Hawkhead. —3E 99
Hayston. —5A 30
Heatherbell. —6A 70
High Balmalloch. —2G 11
High Blantyre. —4A 140
High Burnside. —3E 121
High Crosshill. —2D 120
High Gallowhill. —2B 50
High Knightswood. —1D 60
Highland Park. —1G 11
Hillhead. —6B 62
  (nr. Glasgow)
Hillhead. —4D 30
  (nr. Kirkintilloch)
Hillhouse. —6D 140
Hillington. —6A 80
HILLINGTON INDUSTRIAL
  ESTATE. (G52) —3H 79
Hillside. —5B 114
Hogganfield. —1A 86
Holehills. —2B 92
Holehouse. —2C 130
Holmpark. —4H 39
HOLYTOWN. (ML1) —2A 128
Househillwood. —6B 100
HOUSTON. (PA6) —1A 74
Howwood Road. —4E 95
Hunterhill. —3C 98
Hurlet. —6H 99
Hutchesontown. —1H 103
Hyndland. —6H 61

I
Ibrox. —6H 81
INCHINNAN. (PA4) —2H 57

J
Jellyhill. —3C 48

Jenny Lind. —5D 116
Johnstone Castle. —4G 95
JOHNSTONE. (PA5, PA6, PA9 & PA10) —2F 95
Jordanhill. —4E 61

K
Kelvin. —6A 150
Kelvindale. —3H 61
Kelvingrove. —2C 82
Kelvinhaugh. —3B 82
Kelvinhead. —1H 13
Kelvinside. —4H 61
Kennishead. —3E 117
KILBARCHAN. (PA10) —2A 94
Kilbowie. —4D 42
Kildrum. —2B 36
KILSYTH. (G65) —3H 11
King's Park. —1H 119
Kingston. —4A 40
  (nr. Bishopton)
Kingston. —6E 83
  (nr. Glasgow)
Kinning Park. —1C 102
Kirkhill. —2B 122
  (nr. Cambuslang)
Kirkhill. —4G 133
  (nr. Newton Mearns)
KIRKINTILLOCH. (G66) —4C 30
Kirklandneuk. —5D 58
Kirkshaws. —2A 110
Kirkton. —3E 131
Kirktonhill. —4D 16
Kirkwood. —2G 109
Kittochside. —4C 136
Knightswood. —2D 60
Knowetop. —5H 143
Knownoble. —5H 129
Kylepark. —6B 108

L
Laigh Park. —5A 78
Laighstonehall. —1F 153
Lambhill. —2E 63
Langloan. —6A 90
Langmuir. —4H 31
Langside. —5D 102
Lanrigg. —6A 52
LARKHALL. (ML9) —2E 161
Laurieston. —6G 83
Law Hill. —1A 164
LAW. (ML8) —6D 158
Lawn Park. —4A 26
Law of Mauldslie. —1H 163
LENNOXTOWN. (G65) —3F 7
LENZIE. (G66) —2C 50
Lenziemill. —5A 36
Lightburn. —4E 123
  (nr. Cambuslang)
Lightburn. —4A 86
  (nr. Glasgow)
Linburn. —6D 40
Linthouse. —3E 81
Linvale. —6G 43
LINWOOD. (PA3) —6A 76
Little Earnock. —2E 153
Loanhead. —1E 79
Lochfield. —4B 98
Lochlibo. —6C 114
LONGCROFT. (FK4) —1G 15
Lounsdale. —3E 97
Low Blantyre. —6C 124
Low Waters. —2A 154
Lumloch. —1G 65

M
Machan. —4F 161
Mansewood. —2A 118
Marnock. —3G 69
Maryhill. —1A 62
Meadowhill. —2F 161
Mearns. —6E 133
Mearns Castle. —6G 133
Meikle Earnock. —4G 153
Meikleriggs. —3F 97
Merkland. —4G 31
Merrylee. —3B 118
MILLARSTON. (PA1) —1E 97
Millersneuk. —3E 51

Areas covered by this atlas

Millerston. —5C **134**
MILLERSTON. (G33) —5B **66**
Millheugh. —3C **160**
Millikenpark. —4C **94**
Milnbank. —3C **84**
MILNGAVIE. (G62) —3H **25**
Milnwood. —3E **127**
Milton. —1G **63**
MILTON. (G82) —4F **19**
Milton of Campsie. —5C **8**
Moffat Mills. —5F **93**
MOLLINSBURN. (G67 & G68)
—3H **53**
MOODIESBURN. (G69) —5D **52**
Moorpark. —1D **78**
MORNINGSIDE. (ML2)
—6G **147**
Mossend. —2E **127**
Mossneuk. —4B **148**
Mosspark. —2E **101**
MOTHERWELL. (ML1) —3G **143**
Mountblow. —2G **41**
Mount Ellen. —2C **68**
Mount Florida. —5F **103**
MOUNT VERNON. (G32)
—3C **106**
MUIREND. (G44) —3D **118**
Muirhead. —1H **107**
MUIRHEAD. (G69) —2A **68**
Muirhouse. —1B **156**
Murray, The. —4G **149**

NEILSTON. (G78) —2E **131**
Nerston. —3A **138**
Nether Kirkton. —1F **131**
Netherlee. —5D **118**
Netherton. —1E **61**
  (nr. Glasgow)
Netherton. —2E **157**
  (nr. Wishaw)
NEWARTHILL. (ML1) —3F **129**
Newbridge End. —5F **165**
NEWHOUSE. (ML1) —5H **113**
Newlands. —2C **118**
Newlandsmuir. —6A **148**
Newmains. —2E **79**
NEWMAINS. (ML2) —5E **147**
New Monkland. —5G **71**
NEW STEVENSTON. (ML1)
—3A **128**
Newton. —1G **123**
NEWTON MEARNS. (G77)
—5D **132**

Nitshill. —2A **116**
North Barr. —4E **41**
North Barrwood. —4E **41**
North Cardonald. —4B **80**
Northfield. —2F **11**
North Kelvin. —6C **62**
North Lodge. —5F **143**
North Motherwell. —2D **142**

Oatlands. —3H **103**
Old Balornock. —4D **64**
Oldhill. —6G **79**
OLD KILPATRICK. (G60)
—1E **41**
Old Monkland. —1A **110**
ORBISTON. (ML4) —3C **126**
Orchard Park. —4E **51**
  (nr. Lenzie)
Orchard Park. —4H **117**
  (nr. Thornliebank)
OVERTOWN. (ML2) —5A **158**
Oxgang. —6F **31**

PAISLEY. (PA1 to PA3)
—1H **97**
Parkhall. —2B **42**
Parkhead. —6F **85**
Parkhouse. —3H **115**
Park Mains. —2G **57**
Parkneuk. —1G **151**
Partick. —1H **81**
Partickhill. —1H **81**
Patner. —2H **157**
PATTERTON. (G77) —1D **132**
Peel Park. —1A **148**
Penilee. —5G **79**
Petersburn. —5E **93**
Petershill. —6D **64**
Philipshill. —5A **136**
Pickerstonhill. —2F **129**
PLAINS. (ML6) —1G **93**
Plantation. —5B **82**
Pollok. —6C **100**
Pollokshaws. —5A **102**
Pollokshields. —2D **102**
Polmaide. —3H **103**
Port Dundas. —1G **83**
Port Eglington. —1E **103**
Porter Field. —1D **78**
Possil Park. —4G **63**
Potterhill. —4H **97**
Powburn. —6C **108**

Priesthill. —1A **116**
Provanmill. —6G **65**

Quarrelton. —3E **95**
QUARRIER'S VILLAGE. (PA11)
—1A **72**
QUEENZIEBURN. (G65) —3C **10**

Radnor Park. —3C **42**
Ralston. —1F **99**
Ranfurly. —5G **73**
Raploch. —2D **160**
Rashiebarn. —5E **41**
Rawyards. —2C **92**
RENFREW. (PA4) —5F **59**
Riddrie. —2F **85**
Riddrie Knowes. —3G **85**
Robroyston. —3G **65**
Rogerton. —3F **137**
Rosebank. —5G **31**
ROSEBANK. (ML8) —5E **163**
Rosehall. —2D **110**
Rosshall. —2A **100**
Rossland. —5H **39**
Royston. —2B **84**
Ruchazie. —2A **86**
Ruchill. —4D **62**
RUTHERGLEN. (G73) —5C **104**

St Leonards. —2C **150**
Sandyhills. —1D **106**
Scotstoun. —5B **60**
Scotstounhill. —3B **60**
Seafar. —3G **35**
Seedhill. —1C **98**
Shawfield. —3B **104**
Shawhead. —2B **110**
Shawlands. —5C **102**
SHAWSBURN. (ML9) —3A **162**
Shettleston. —6B **86**
Shieldhall. —3C **80**
Shirrel. —6C **110**
Shortroods. —4A **78**
Sighthill. —1A **84**
Sikeside. —6F **91**
Silverbank. —1G **121**
Silverton. —4H **17**
Silvertonhill. —1B **154**
Silverwells. —6E **125**
Smithstone. —2B **34**
Southbar. —1E **57**

South Barrwood. —4A **12**
South Cardonald. —1C **100**
South Nitshill. —3A **116**
Spateston. —6C **94**
Spittal. —2B **120**
SPRINGBOIG. (G32) —5C **86**
Springburn. —5B **64**
Springhall. —3F **121**
Springhill. —1G **131**
Springwell. —4D **122**
Springwells. —3D **140**
Stamperland. —6D **118**
Stanley. —4G **97**
STEPPS. (G33) —3D **66**
Stewartfield. —5E **137**
Stonefield. —1C **140**
Strathbungo. —3D **102**
Strutherhill. —5E **161**
Summerlee. —3B **90**
Summerston. —6B **46**
Sunnyside. —3C **90**
Swinhill. —6G **161**
Swinton. —5G **87**

Tandlehill. —3B **94**
Tannochside. —4F **109**
Temple. —2F **61**
THORNLIEBANK. (G46)
—4F **117**
Thornly Park. —5B **98**
THORNTONHALL. (G72)
—6G **135**
Thrashbush. —1A **92**
Tintock. —3A **32**
Tollcross. —2A **106**
Torbush. —5F **147**
TORRANCE. (G64) —5D **28**
Toryglen. —6A **104**
Townend. —2F **17**
Townhead. —2H **89**
  (nr. Coatbridge)
Townhead. —4G **83** (6F **5**)
  (nr. Glasgow)
Townhead. —5D **30**
  (nr. Kirkintilloch)
Tradeston. —6E **83**

UDDINGSTON. (G71) —2D **124**
Udston. —5E **141**

Vicarland. —2A **122**

Victory Gardens. —1E **79**
Viewfield. —4B **126**
Viewpark. —6G **109**

Wardpark. —4C **14**
Waterfoot. —6B **134**
WATERLOO. (ML2) —2B **158**
Waterside. —2G **115**
WATERSIDE. (G66) —6H **31**
Waverley Park. —4B **102**
Wellside. —3D **122**
West Arthurlie. —6C **114**
West Balgrochan. —3D **28**
Westburn. —1E **123**
West Craigend. —6E **41**
West Crindledyke. —3D **146**
West Drumoyne. —4D **80**
Wester Auchinloch. —6C **50**
Wester Holytown. —2G **127**
Westerwood. —6A **14**
Westfield. —6B **34**
  (nr. Cumbernauld)
Westfield. —2F **11**
  (nr. Kilsyth)
West Mains. —1D **148**
West Maryston. —4A **88**
West Porton. —3G **39**
Westwood. —3D **148**
Wheatlands. —1A **140**
Whifflet. —6D **90**
Whinhall. —2G **91**
Whinknowe. —5C **162**
Whitecraigs. —2G **133**
Whitecrook. —6E **43**
Whitehaugh. —6C **78**
Whitehill. —3F **141**
Whitehills. —5G **149**
WHITEINCH. (G14) —6C **60**
Whitestripe. —3F **147**
Whitlawburn. —4H **121**
Whittagreen. —4D **128**
Wildmanbridge. —4G **159**
Williamsburgh. —1C **98**
Williamwood. —1B **134**
Wishawhill. —5F **145**
WISHAW. (ML2) —5H **145**

Yett. —4C **128**
Yoker. —3G **59**

TOURIST INFORMATION CENTRES
covered by this atlas
with their map square reference

Coatbridge T.I.C. —5B **90**
The Time Capsule,
Buchanan St.,
COATBRIDGE, ML5 1DL
Tel: (01236) 431133

Dumbarton T.I.C. —4F **19**
Milton Gateway, A82 Northbound,
Milton, DUMBARTON, G82 2TZ
Tel: (01389) 742306

Glasgow T.I.C. —5G **5**
35 St. Vincent Pl.,
GLASGOW, G1 2ER
Tel: (0141) 204 4400

Glasgow Airport T.I.C. —2H **77**
Tourist information desk,
International Arrivals Hall,
Glasgow Airport, Abbotsinch,
PAISLEY, PA3 2ST
Tel: (0141) 848 4440

Hamilton T.I.C. —3A **142**
Road Chef Services,
M74 Northbound,
HAMILTON, ML3 6JW
Tel: (01698) 285590

Paisley T.I.C. —1A **98**
Town Hall, Abbey Clo.,
PAISLEY, PA1 1LZ
Tel: (0141) 889 4000

PLACES OF INTEREST
covered by this atlas
with their map square reference

Auld Kirk Museum. —4C *30*
(off Cowgate.)

Barons Haugh R.S.P.B. Nature Reserve.
—1F **155**

Barras, The. —5A **84**
(off Moncur St.)
Barrhead Community Museum. —5E **115**
(off Main St.)
Bellahouston Park. —1F **101**
Bothwell Castle. —4B **124**
Burrell Collection. —4H **101**

Carfin Lourdes Grotto. —5D **128**
Chatelherault. —3D **154**
Clydebank District Museum. —6C **42**
Coats Observatory. —6H **77**
Collins Gallery. —5G **5**
Colzium House & Estate. —1B **12**
Compass Gallery. —4C **4**
Crookston Castle (NTS). —3B **100**
Cumbernauld Museum. —6F **37**

David Livingstone Centre. —5C **124**
Dumbarton Castle. —6G **17**

Finnieston Crane. —4C **82**
Fossil Grove. —6D **60**

Gallery of Modern Art. —4G **83** (5E **5**)
(off Queen St.)
George Sq. —4G **83** (5F **5**)
Glasgow Botanic Gardens. —5B **62**
Glasgow's Centre for Contemporary Arts.
—3B **4**
Glasgow School of Art. —3E **83** (3B **4**)
Glasgow Zoo Park. —3A **108**
Greenbank Gardens (NTS). —4A **134**

Hamilton Mausoleum. —4A **142**
Heatherbank Museum of Social Work.
(off Park Dri.) —1C **82**
House for an Art Lover. —6G **81**
Hunter House Museum. —5C **138**
(off Maxwellton Rd.)
Hunterian Art Gallery. —1B **82**
Hunterian Museum. —1B **82**
Hutchesons' Hall (NTS). —6F **5**

International Stock Exchange, The. —5D **4**

James Hamilton Heritage Centre, The.
—5F **137**

Kelvingrove Museum & Art Gallery. —2B **82**
Kilsyth Heritage Museum. —3A **12**
(Burngreen)

Lillie Art Gallery. —3H **25**
(off Station Rd.)
Linn Park & Cathcart Castle. —4E **119**
Low Parks Museum. —5A **142**

McLellan Galleries. —3C **4**
M & D's Theme Park. —5H **125**
Merchant's House. —5E **5**
M.V. Gypsy Princess. —5A **12**
Mitchell Library, The. —3D **82**
(off North St.)
Motherwell Heritage Centre. —3F **143**
Museum of 602 (City of Glasgow) Squadron
(off Queen Elizabeth Av.) —4H **79**
Museum of Transport. —2B **82**
(off Bunhouse Rd.)

Paisley Museum & Art Gallery. —1H **97**
(off High St.)

People's Palace. —6A **84**
Pollok House. —5F **101**
Proven Hall (NTS). —2F **87**
P.S. Waverley. —5D **82**

Quarrier's Village. —1B **72**

Roman Bath House. —2F **45**
Rouken Glen Park. —6F **117**
Royal Highland Fusiliers Museum, The.
—3E **83** (3A **4**)
Rutherglen Museum. —5D **104**

St Mungo Museum of Religious Life & Art.
(off Castle St.) —4A **8**
Scotland Street School Museum. —6D **82**
(off Scotland St.)
Scottish Maritime Museum. —4F **17**
Sma'Shot Cottages. —1A **98**
Springburn Museum. —5B **64**
(off Ayr St.)
Strathclyde Arts Centre. —4E **83** (6A **4**)
(off Washington St.)
Summerlee Heritage Trust. —4B **90**

Tenement House , The (NTS). —6A **4**

University of Glasgow Visitor Centre.
—1B **8**

Viewpark Gardens. —1F **125**

Weaver's Cottage Museum, The. —3A **92**
(off Wellwynd)
Weaver's Cottage (NTS). —2A **94**
Willow Tearooms. —3C **4**

SPORTS and LEISURE FACILITIES
covered by this atlas
with their map square reference

*A*BC Cinema. —3D *118*
(off Clarkston Rd.)
ABC Film Centre. —3B *4*
Airdrie Golf Course. —1H *91*
Airdrie Leisure Centre. —2C *92*
Airdrieonians F.C. —4B *34*
(Shared ground with Clyde F.C.)
Albion Rovers F.C. —5E *91*
Alexandra Park Golf Course. —3D *84*
Alexandra Sports Hall. —3E *85*
Allander Sports Complex, The. —6H *25*
All Saints Sports Centre. —5E *65*
(off Scotsburn Rd.)
Antonine Sports Centre, The. —1C *42*
Aquatec, The. —2G *143*
Arches Theatre. —6C *4*

*B*almore Golf Course. —5H *27*
Barlia Sports Park. —4A *120*
Barony Chambers. —4C *30*
(off W. High St.)
Barrhead Sports Centre. —4E *115*
Barshaw (Municipal) Golf Course. —6E *79*
Bearsden Golf Course. —2C *44*
Bearsden Ski Club. —6D *24*
Bellahouston Sports Centre —1F *101*
Bellshill Cultural Centre. —2C *126*
(off John St.)
Bellshill Golf Course. —4D *126*
Birkenshaw Sports Hall. —4D *108*
Bishopbriggs Golf Course. —5B *48*
Blairbeth Golf Course. —5C *120*
Blantyre Sports Centre. —1C *140*
Bothwell Castle Golf Course. —5E *125*
Burnhill Sports Centre. —5B *104*

*C*alderbraes Golf Course. —4B *108*
Calderglen Children's Zoo. —5C *150*
Cambuslang Golf Course. —6B *106*
Campsie Golf Course. —1F *7*
Campsie Recreation Centre. —3G *7*
(off Bencloich Rd.)
Carlton Kelburne Cinema. —6C *78*
(off Glasgow Rd.)
Carluke Golf Course. —3B *164*
Carluke Leisure Centre. —3G *165*
Castlemilk Sports Centre. —4A *120*
(off Dougrie Rd.)
Castlemilk Swimming Pool. —4A *120*
(off Castlemilk Dri.)
Cathcart Castle Golf Course. —2A *134*
Cathkin Braes Golf Course. —6D *120*
Cawder Golf Course. —1B *48*
Celtic F.C. —1E *105*
Church Street Swimming Pool. —1A *82*
(off Byres Rd.)
Citizens' Theatre. —6G *83*
City Hall. —4H *83* (6G *5*)
Civic Theatre. —4F *17*
Clober Golf Course. —2F *25*
Clydebank & District Golf Course. —1E *43*
Clydebank F.C. —3H *17*
(Shared ground with Dumbarton F.C.)
Clydebank Megabowl. —6E *43*
Clyde F.C. —4B *34*
Coatbridge College Sports Centre. —4D *90*
(off Park St.)
Coatbridge Golf Course. —2G *89*

Coatbridge Outdoor Sports Complex.
—6B *90*
Cochrane Castle Golf Course. —5E *95*
Columba Sports Complex. —6C *90*
(off Wallace St.)
Colville Park Golf Course. —6H *127*
Cowglen Golf Course. —6F *101*
Crownpoint Sports Park. —5B *84*
Crow Wood Golf Course. —1G *67*
Cumbernauld Theatre. —1B *36*

*D*almuir (Clydebank) Municipal Golf Course.
—3A *42*
David Lloyd Club, The. —3D *78*
Deaconsbank Golf Course. —5E *117*
Dollan Aqua Centre. —2G *149*
Dougalston Golf Course. —2B *26*
Douglas Park Golf Course. —2G *45*
Drumchapel Sports Centre. —5H *43*
Drumchapel Swimming Pool. —5H *43*
(off Drumry Rd. E.)
Drumpellier Golf Course. —5H *89*
Dullatur Golf Course. —6E *13*
Dumbarton F.C. —3H *17*
Dumbarton Golf Course. —2F *17*
Duncanrig Sports Centre. —3D *148*

*E*astbank Sports Centre. —6B *86*
(off Academy St.)
Easterhouse Pool. —3G *87*
(off Bogbain Rd.)
Easterhouse Sports Centre. —2F *87*
Easter Moffat Golf Course. —2H *93*
East Kilbride Arts Centre. —6H *137*
(Old Coach Rd.)
East Kilbride Golf Course. —3B *138*
East Kilbride Ice Rink, The. —3H *149*
(off Olympia Shopping Centre, The)
East Kilbride Village Theatre. —1H *149*
(off Maxwell Dri.)
Eddlewood Sports Barn. —4H *153*
Elderslie Golf Course. —2C *96*
Elderslie Leisure Centre. —2B *96*
Erskine Golf Course. —2H *39*
Erskine Pool. —5F *41*

*F*ereneze Golf Course. —4D *114*
Ferguslie Park Sports & Recreation Centre.
—5E *77*
Fort Antonine Theatre. —6B *48*

*G*lasgow Academicals R.U.F.C. —3E *61*
Glasgow Film Theatre. —3C *4*
(off Rose St.)
Glasgow High / Kelvinside R.U.F.C. —3E *61*
Glasgow (Killermont) Golf Course. —5A *46*
Glasgow Royal Concert Hall.
—3G *83* (3E *5*)
Glasgow's Grand Ole Opry. —5C *82*
(off Govan Rd.)
Glasgow Ski Centre. —1G *101*
Govan Fun Pool. —4F *81*
Govanhill Pool. —3E *103*
(off Calder St.)
Greenhills Sports Centre. —6E *149*
(off Stroud Rd.)

Grosvenor Cinema. —1B *82*
(off Ashton La.)
GX Superbowl. —5B *78*

*H*aggs Castle Golf Course. —2G *101*
Hamilton Academical F.C. —5E *91*
(Shared ground with Albion Rovers)
Hamilton Golf Course. —3E *155*
Hamilton Water Palace. —5H *141*
(off Almada St.)
Harehills Sports Barn. —4G *161*
Hayston Golf Course. —4A *30*
Henry Wood Hall, The. —3C *82*
(off Claremont St.)
Hollywood Bowl (Cumbernauld). —3A *36*
Hollywood Bowl (Glasgow). —3D *82*
(off Elliott Street)

*I*ain Nicholson Recreation Centre. —1B *68*

*J*ock Stein Sports Barn. —5C *140*
John Smith Swimming Pool. —4H *91*
(off Stirling St.)
Johnstone Swimming Pool. —2F *95*
(off Ludvic Sq.)
John Wright Sports Centre, The.
—1A *150*

*K*eir Hardie Sports Centre. —1A *128*
Kelvin Hall International Sports Arena.
(off Argyle St.) —2B *82*
Kilmardinney Art Centre. —1G *45*
Kilsyth Lennox Golf Course. —1A *12*
Kilsyth Swimming Pool. —2G *11*
(off Airdrie Rd.)
King's Park Golf Course. —2H *119*
Kirkhill Golf Course. —5H *121*
Kirkintilloch Golf Course. —3B *30*
Kirkintilloch Swimming Pool. —6D *30*
(off Woodhead Pk.)
Kirkwood Sports Barn. —1F *109*
Knightswood (Park) Golf Course. —3B *60*

*L*agoon Leisure Centre. —1B *98*
(off Mill St.)
Lanarkshire Ice Rink. —5A *142*
(off Muir St.)
Larkhall Golf Course. —3H *161*
Larkhall Leisure Centre. —3E *161*
Leisuredome, The. —4A *48*
Lenzie Golf Course. —4D *50*
Lethamhill Golf Course. —6H *65*
Linn Park Golf Course. —4F *119*
Linwood Moss Sports Complex. —4G *75*
Littlehill Golf Course. —2C *64*

*M*arcos Leisure Centre. —6A *84*
(off Templeton St.)
Meadow Centre, The. —3F *17*
Mitchell Theatre, The. —3D *82*
(off Granville St.)
Motherwell Concert Hall & Theatre Complex.
(off Windmill Hill St.) —4H *143*
Motherwell F.C. —5H *143*

Sports and Leisure Facilities

Mount Ellen Golf Course. —3F **69**
Mount Vernon Sports Centre. —3G **107**

*N*eilston Leisure Centre. —2E **131**
  (off Main St.)
North Woodside Leisure Centre. —1E **83**
  (off Braid Sq.)

*O*deon Cinema (Glasgow). —3F **83** (4D **4**)
  (off Renfield St.)
Odeon Cinema (Hamilton). —6B **142**
Old Athenaeum Theatre. —5E **5**
Old Ranfurly Golf Course. —4F **73**

*P*aisley Arts Centre. —1A **98**
  (off New St.)
Palacerigg (Cumbernauld) Golf Course.
  —6F **37**
Partick Thistle F.C. —5E **63**
Pavilion Theatre. —3D **4**
Pollok Golf Course. —6H **101**
Pollok Leisure Pool. —6C **100**
  (off Cowglen Rd.)
Pollokshaws Sports Centre. —6A **102**
  (off Ashtree Rd.)
Powerdrome Bowl. —5F **91**
Pro Bowl. —4D **30**
Pro Lane Bowl. —5A **150**

*Q*ueen's Park F.C. —6G **103**

*R*alston Golf Course. —1F **99**
Ranfurly Castle Golf Course. —4E **73**
Rangers F.C. —5H **81**
Renfrew Golf Course. —4D **58**
Royal Scottish Academy of Music & Drama.
  (New Atheneaum)   —3D **4**
Ruchill Golf Course. —3D **62**
Rutherglen Swimming Pool. —5C **104**
  (off Greenhill Rd.)

*S*t Andrews Sports Centre. —5F **149**
  (off Scholars Ga.)
St Mirren F.C. —5A **78**
Sandyhills Golf Course. —2C **106**
Scotstoun Leisure Centre. —5D **60**
Scottish Exhibition & Conference Centre.
  —4B **82**
Shawfields Stadium. —3A **104**
Shettleston Sports Centre. —6H **85**
  (off Elvan St.)
Showcase Cinema. —2G **109**
Sir Matt Busby Sports Complex. —2B **126**
Springburn Sports Centre. —5B **64**
  (off Kay St.)
Strathclyde Park Golf Course. —4A **142**
Summit Centre Ice Rink. —3C **82**

*T*emple Swimming Pool. —1E **61**
Theatre Royal. —2D **4**
  (off Hope St.)
Time Capsule, The. —5B **90**
Torrance Park Golf Course. —5C **150**

Tramway. —2E **103**
Tryst Sports Centre. —3A **36**

*U*CI (Clydebank). —6D **42**
  (off Britannia Way)
UCI (East Kilbride). —3H **149**
  (off Olympia Shop. Cen.)

*V*ictoria Baths. —5F **59**
  (off Inchinnan Rd.)
Virgin Cinema. —6E **85**

*W*esterwood Hotel Golf & Country Club.
  —5A **14**
West of Scotland R.U.F.C. —5H **25**
Whitecraigs Golf Course. —2G **133**
Whitehill Pool. —4D **84**
Whitehill Sports Barn. —3F **141**
  (off Hunter Rd.)
Williamwood Golf Course. —6D **118**
Windyhill Golf Course. —5A **24**
Wishaw Golf Course. —5G **145**
Wishaw Greyhound Stadium. —1F **157**
Wishaw Sports Centre. —1F **157**
Woodfarm Sports Centre. —5G **117**
  (off Burns Gro.)

*Y*oker Sports Centre. —3H **59**
  (off Spiershall Ter.)

HOSPITALS and HEALTH CENTRES
covered by this atlas
with their map square reference

N.B. Where Hospitals and Health Centres are not named on the map, the reference given is for the road in which they are situated.

Abronhill Health Centre —1E **37**
Pine Rd., Abronhill,
Cumbernauld, G67 3BE
Tel: (01236) 731881

Accord Hospice —3E **99**
Hawkhead Hospital Grounds,
Hawkhead Rd., Paisley, PA2 7BL
Tel: (0141) 889 8169

Airbles Road Centre —4H **143**
59 Airbles Rd.,
Motherwell, ML1 2TJ
Tel: (01698) 261331

Airdrie Health Centre —4G **91**
Monkscourt Av.,
Airdrie, ML6 0JU
Tel: (01236) 769388

Alexander Hospital —3A **90**
Blair Rd., Coatbridge, ML5 2EW
Tel: (01236) 422661

Baillieston Health Centre —1H **107**
20 Muirside Rd., Glasgow, G69 7AD
Tel: (0141) 531 8008

Barrhead Health Centre —4E **115**
201 Main St., Barrhead,
Renfrewshire, G78 1SA
Tel: (0141) 880 6161

Bellshill Maternity Hospital —5C **110**
North Rd., Bellshill, ML4 3JN
Tel: (01689) 747292

Belvidere Hospital —1E **105**
1360-1432, London Rd.,
Glasgow, G31 4PG
Tel: (0141) 211 8500

Bishopton Health Centre —5H **39**
Greenock Rd., Bishopton,
Renfrewshire, PA7 5AW
Tel: (01505) 863223

Blantyre Health Centre —2B **140**
Victoria St., Blantyre, G72 0BS
Tel: (01698) 823583

Barwarthill Hospital —3A **60**
129 Holehouse Dri., Knightswood,
Glasgow, G13 3TG
Tel: (0141) 211 9000

on Secours Hospital —5D **102**
36 Mansionhouse Rd.,
Glasgow, G41 3DW
Tel: (0141) 632 9231

Bridge of Weir Hospital —2B **72**
Torr Rd., Bridge of Weir, PA11 3RY
Tel: (01475) 633777

Bridgeton Health Centre —6B **84**
201 Abercromby St.,
Glasgow, G40 2DA
Tel: (0141) 531 6500

Canniesburn Hospital —5E **45**
Switchback Rd.,
Bearsden, G61 1QL
Tel: (0141) 211 5600

Carluke Health Centre —3F **165**
Market Pl., Carluke, ML8 4BP
Tel: (01555) 770635

Castlemilk Health Centre —4A **120**
Dougrie Dri., Glasgow, G45 9AW
Tel: (0141) 531 8500

Central Health Centre —4H **35**
North Carbrain Rd.,
Cumbernauld, G67 1BJ
Tel: (01236) 731771

Cleland Hospital —1A **146**
Bellside Rd., Cleland, ML1 5NR
Tel: (01698) 860293

Clydebank Health Centre —4D **42**
Kilbowie Rd., Clydebank, G81 2TQ
Tel: (0141) 533 6363

Coatbridge Health Centre —5C **90**
1 Centre Park Court,
Coatbridge, ML5 3AP
Tel: (01236) 432200

Coathill Hospital —1C **110**
Hospital St., Coatbridge, ML5 4DN
Tel: (01236) 421266

Condorrat Health Centre —1C **54**
16 Airdrie Rd., Condorrat,
Cumbernauld, G67 4DN
Tel: (01236) 723383

Cowglen Hospital —6D **100**
10 Boystone Rd., Glasgow, G53 6XJ
Tel: (0141) 211 9200

Dumbarton Cottage Hospital —2F **17**
Townend Rd., Dumbarton, G82 2AN
Tel: (01389) 763151

Dumbarton Joint Hospital —3C **16**
Cardross Rd., Dumbarton, G82 5JA
Tel: (01389) 762317

Drumchapel Health Centre —4H **43**
80/90 Kinfauns Dri., Drumchapel,
Glasgow, G15 7TS
Tel: (0141) 211 6070

Drumchapel Hospital —5B **44**
129 Drumchapel Rd.,
Glasgow, G15 6PX
Tel: (0141) 211 6000

Dykebar Hospital —6D **98**
Grahamston Rd.,
Paisley, PA2 7DE
Tel: (0141) 884 5122

Easterhouse Health Centre —3G **87**
9 Auchinlea Rd.,
Glasgow, G34 9HQ
Tel: (0141) 531 8100

Elderslie Hospital —3H **95**
Cherrywood Rd.,
Elderslie, PA5 9EE
Tel: (01505) 323301

Erskine Health Centre —4E **41**
Bargarran Sq., Erskine,
Renfrewshire, PA8 6BS
Tel: (0141) 812 6513

Ferguslie Clinic —5E **77**
Tannahill Centre, 76 Blackstoun Rd.,
Ferguslie Park, Paisley, PA3 1NT
Tel: (0141) 849 0554

Foxbar Clinic —4E **97**
Morar Dri., Paisley, PA2 9QR
Tel: (01505) 813119

Gartloch Hospital —6A **68**
2154 Gartloch Rd.,
Glasgow, G69 8EJ
Tel: (0141) 771 0771

Gartnavel General Hospital —5G **61**
1053 Gt. Western Rd.,
Glasgow, G12 0YN
Tel: (0141) 211 3000

Gartnavel Royal Hospital —5G **61**
1055 Gt. Western Rd.,
Glasgow, G12 0XH
Tel: (0141) 211 3600

Glasgow Dental Hospital —3E **83** (3B **4**)
378 Sauchiehall St.,
Glasgow, G2 3JZ
Tel: (0141) 211 9600

Glasgow Eye Infirmary —3C **82**
3 Sandyford Pl., Glasgow, G3 7JA
Tel: (0141) 211 6767

Glasgow Homoeopathic Hospital
—4H **61**
1000 Gt. Western Rd.,
Glasgow, G12 0NR
Tel: (0141) 211 1600

Glasgow Nuffield Hospital, The —4H **61**
25 Beaconsfield Rd.,
Glasgow, G12 0PJ
Tel: (0141) 334 9441

Glasgow Royal Infirmary —3A **84**
84 Castle St., Glasgow, G4 0SF
Tel: (0141) 211 4000

Glasgow Royal Maternity Hospital
—4H **83** (5G **5**)
147-163 Rottenrow,
Glasgow, G4 0NA
Tel: (0141) 211 3500

Glenburn Clinic —5H **97**
Fairway Av., Paisley, PA2 8DX
Tel: (0141) 884 3221

Gorbals Health Centre —1G **103**
45 Pine Pl., Glasgow, G5 0BQ
Tel: (0141) 429 6291

Govan Health Centre —3E **81**
5 Drumoyne Rd.,
Glasgow, G51 4BJ
Tel: (0141) 531 8400

Govanhill Health Centre —3F **103**
233 Calder St., Glasgow, G42 7DR
Tel: (0141) 531 8300

Greenhills Health Centre —6D **148**
Greenhills Sq.,
East Kilbride, G72 8TU
Tel: (013552) 34325

Hairmyres Hospital —3B **148**
Eaglesham Rd.,
East Kilbride, G75 8RG
Tel: (01355) 220292

Hawkhead Hospital —3E **99**
Hawkhead Rd., Hawkhead,
Paisley, PA2 7BL
Tel: (0141) 889 8151

Health Care International Hospital
—5A **42**
Beardmore St.,
Clydebank, G81 4HX
Tel: (0141) 951 5000

Hunter Health Centre —2H **149**
Andrew St.,
East Kilbride, G74 1AD
Tel: (013552) 39111

Hunters Hill Marie Curie Centre
—3B **64**
Belmont Rd., Glasgow, G21 3AY
Tel: (0141) 558 2555

Johnstone Health Centre —3F **95**
60 Quarry St., Johnstone,
Renfrewshire, PA5 8EY
Tel: (01505) 320278

Johnstone Hospital —6G **75**
Bridge of Weir Rd.,
Johnstone, PA5 8YX
Tel: (01505) 331471

Kildrum Health Centre —2B **36**
Afton Rd., Kildrum,
Cumbernauld, G67 2EU
Tel: (01236) 731711

Kilsyth Health Centre —3A **12**
Burngreen, Kilsyth, G65 0HU
Tel: (01236) 822151

Kirklands Hospital —3F **125**
Fallside Rd., Bothwell, G71 8BB
Tel: (01698) 852508

Knightswood Hospital —3D **60**
125 Knightswood Rd.,
Glasgow, G13 2XG
Tel: (0141) 211 6900

Langside Priory Hospital —5D **102**
38 Mansionhouse Rd.,
Glasgow, G41 3DW
Tel: (0141) 636 6116

Larkhall Health Institute —2F **161**
Low Pleasance, Larkhall, ML9 2HW
Tel: (01698) 884731

Law Hospital —4H **159**
Carluke, ML8 5ER
Tel: (01698) 361100

Lennox Castle Hospital —2C **6**
Glen Rd., Lennoxtown, G65 7LB
Tel: (01360) 329200

Lenzie Hospital —4E **51**
Auchinloch Rd., Kirkintilloch,
Glasgow, G66 5DE
Tel: (0141) 776 1208

Leverndale Hospital —3H **99**
510 Crookston Rd.,
Glasgow, G53 7TU
Tel: (0141) 211 6400

Lightburn Hospital —4B **86**
966 Carntyne Rd., Glasgow, G32 6ND
Tel: (0141) 774 5102

Linwood Health Centre —6A **76**
Ardlamont Sq., Linwood,
Renfrewshire, PA3 3DE
Tel: (01505) 324337

Maryhill Heath Centre —3C **62**
41 Shawpark St., Glasgow, G20 9DR
Tel: (0141) 531 8700

Mearnskirk Hospital —6D **132**
Mearns Rd., Newton Mearns,
Glasgow, G77 5RZ
Tel: (0141) 201 6000

Merchiston Hospital —6E **75**
Bridge of Weir Rd., Barrochan Rd.,
Brookfield, Johnstone, PA5 8TY
Tel: (01505) 328261

Hospitals and Health Centres

Monkland District General Hospital
—4G **91**
Monkscourt Av., Airdrie, ML6 0JS
Tel: (01236) 748748

Motherwell Health Centre —4H **143**
138 Windmillhill St.,
Motherwell, ML1 1TB
Tel: (01698) 254601

Newmains Health Centre —5E **147**
17 Manse Rd., Newmains, ML2 9AX
Tel: (01698) 381006

New Sneddon Street Clinic —6A **78**
8 New Sneddon St.,
Paisley, PA3 2AD
Tel: (0141) 887 7771

Parkhead Health Centre —6F **85**
101 Salamanca St.,
Glasgow, G31 5BA
Tel: (0141) 531 9000

Parkhead Hospital —6F **85**
81 Salamanca St.,
Glasgow, G31 5ES
Tel: (0141) 211 8300

Pollock Health Centre —6C **100**
21 Cowglen Rd.,
Glasgow, G53 6EQ
Tel: (0141) 531 6800

Possilpark Health Centre —5G **63**
85 Denmark St., Glasgow, G22 5EG
Tel: (0141) 531 6120

Prince and Princess of Wales Hospice
—5F **83**
71 Carlton Pl., Glasgow, G5 9TD
Tel: (0141) 429 5599

Princess Louise Scottish Hospital
(Erskine Hospital) —1C **40**
Bishopton, Renfrewshire, PA7 5PU
Tel: (0141) 812 1100

Queen Mother's Maternity Hospital
—2A **82**
Dalnair St., Yorkhill,
Glasgow, G3 8SH
Tel: (0141) 201 0550

Red Deer Day Hospital —3E **149**
Alberta Av., East Kilbride, G75 8NH
Tel: (01355) 244 254

Renfrew Health Centre —1E **79**
103 Paisley Rd., Renfrew,
Renfrewshire, PA4 8LL
Tel: (0141) 886 5921

Roadmeetings Hospital —5H **165**
Goremire Rd., Carluke, ML8 4PS
Tel: (01555) 77221

Ross Hall Hospital —2A **100**
221 Crookston Rd.,
Glasgow, G52 3NQ
Tel: (0141) 810 3151

Royal Alexandra Hospital —3H **97**
Corsebar Rd., Paisley, PA2 9PN
Tel: (0141) 887 9111

Royal Hospital For Sick Children
—2A **82**
Dalnair St., Yorkhill,
Glasgow, G3 8SJ
Tel: (0141) 201 0000

Ruchill Hospital —4E **63**
520 Bilsland Dri.,
Glasgow, G20 9NB
Tel: (0141) 946 7120

Russel Institute —1A **98**
Causeyside St., Paisley, PA1 1UR
Tel: (0141) 889 8701

Rutherglen Health Centre —6D **104**
130 Stonelaw Rd.,
Glasgow, G73 2PQ
Tel: (0141) 531 6000

Rutherglen Maternity Hospital —6D **104**
120 Stonelaw Rd., Rutherglen,
Glasgow, G73 2PG
Tel: (0141) 201 6060

St Andrew's Hospice —3A **92**
Henderson St., Airdrie, ML6 6DJ
Tel: (01236) 766951

St Margaret's Hospice —2F **59**
East Barns St., Clydebank, G81 1EG
Tel: (0141) 952 1141

Shettleston Day Hospital —1H **105**
152 Wellshot Rd., Glasgow, G32 7AX
Tel: (0141) 778 8381

Shettleston Health Centre —6A **86**
420 Old Shettleston Rd.,
Glasgow, G32 7JZ
Tel: (0141) 531 6200

Southern General Hospital —3D **80**
1345 Govan Rd., Glasgow, G51 4TF
Tel: (0141) 201 1100

Springburn Health Centre —5B **64**
200 Springburn Way,
Glasgow, G21 1TR
Tel: (0141) 558 0101

Stobhill General Hospital —3C **64**
133 Balornock Rd., Glasgow, G21 3UW
Tel: (0141) 201 3000

Strathclyde Hospital —4F **143**
Airbles Rd., Motherwell, ML1 3BW
Tel: (01698) 258800

Thornliebank Health Centre —3F **117**
20 Kennishead Rd., Glasgow, G46 8NY
Tel: (0141) 531 6900

Townhead Health Centre —3A **84**
16 Alexandra Parade,
Glasgow, G31 2ES
Tel: (0141) 531 8900

Udston Hospital —5D **140**
Farm Rd., Hamilton, ML3 9LA
Tel: (01698) 823255

Victoria Infirmary —5E **103**
Langside Rd.,
Glasgow, G42 9TY
Tel: (0141) 201 6000

Victoria Geriatric Unit —5D **102**
100 Mansionhouse Rd.,
Glasgow, G41 3DX
Tel: (0141) 201 6161

Victoria Memorial Cottage Hospital
—3F **1**
19 Glasgow Rd.,
Kilsyth, G65 9AG
Tel: (01236) 822172

Viewpark Health Centre —6G **109**
Burnhead St., Viewpark,
Uddingston, G71 5SU
Tel: (01698) 810171

Wester Moffat Hospital —3F **93**
Towers Rd.,
Airdrie, ML6 8LW
Tel: (01236) 763377

Western Infirmary —1B **82**
Dumbarton Rd.,
Glasgow, G11 6NT
Tel: (0141) 211 2000

Wishaw Health Centre —6H **145**
Kenilworth Av.,
Wishaw, ML2 7BQ
Tel: (01698) 355511

Woodilee Hospital —1F **51**
Lenzie, Glasgow, G66 3UG
Tel: (0141) 777 8000

Woodside Health Centre —6E **63**
Barr St., Glasgow, G20 7LR
Tel: (0141) 531 9200